Evelyn Waugh

On ne présente plus Evelyn Waugh (1903-1966), cet écrivain catholique pas comme les autres qui n'a cessé tout au long d'une œuvre considérable de mettre en scène avec verve, humour et souvent un cynisme naturel éloigné en apparence des voies du Seigneur, les impostures multiples de notre civilisation judéo-chrétienne. De *Grandeur et Décadence* – qui lui vaut une notoriété immédiate et teintée de scandale par sa dénonciation des milieux huppés de l'*establishment* britannique – à *Scoop,* satire du journalisme, de ces *Corps vils* à *Une poignée de cendres* où il poursuit une œuvre de moraliste teinté d'orthodoxie, du *Cher disparu* où il se moque avec une noire jubilation des rites funéraires jusqu'à son chef-d'œuvre, ce *Retour à Brideshead*, c'est donc à une véritable leçon d'éducation pas du tout politiquement – et moins encore socialement – correcte que le lecteur se trouve convié.

Retour à Brideshead

Evelyn Waugh

Retour à Brideshead

Traduit de l'anglais
par Georges Belmont

PAVILLONS POCHE

Robert Laffont

Titre original : BRIDESHEAD REVISITED
© Evelyn Waugh, 1947
Traduction française : Éditions Robert Laffont, S.A., Paris, 1969,
2005, 2017

ISBN : 978-2-221-20007-0

À Laura

Je n'est pas moi ; Lui ni Elle ne sont toi ;
Ils n'est pas eux.

E. W.

Prologue

Parvenu au sommet de la colline où attendait, rangée, la 3ᵉ compagnie, je fis halte pour jeter derrière moi un dernier coup d'œil sur le camp. Je le voyais maintenant, dans son entier, s'étalant à mes pieds dans la grisaille et la brume du petit matin. Lors de notre installation, trois mois auparavant, la neige couvrait les lieux. À présent, le printemps déployait ses premières feuilles. J'avais pensé alors que, quelles que fussent les scènes d'horreur et de désolation que nous réservât l'avenir, celle qui s'offrait à mes yeux était d'une brutalité sans égale. Aujourd'hui, je me disais que je n'y laissais pas le moindre souvenir heureux.

C'était là qu'avait pris fin mon roman d'amour avec l'Armée.

Là, que se trouvait le terminus des lignes de tram, en sorte que les hommes, lors de leurs retours titubants de Glasgow, étaient à même de somnoler sur leur siège jusqu'à ce que la contrôleuse vînt les secouer au terme du voyage. Du terminus aux portes du camp, la distance était modeste : un quart de mille, le temps de boutonner les blousons et de rectifier l'angle des casquettes, avant de passer devant le corps de garde ; un quart de mille où le bitume le cédait à l'herbe au bord de la route. Limite extrême de la grand-ville. Dernière frange de bois de flottage à la dérive sur le fleuve en grande crue. Là, prenait fin le domaine dense et homogène des lotissements et des cinémas, tandis que commençait l'hinterland.

À l'endroit où s'étalait le camp s'étendaient, il n'y avait pas si longtemps, des pâturages et des labours ; la ferme, toujours debout dans une ride de la colline, avait fourni les bureaux du bataillon ; le lierre tenait toujours ensemble les faibles murs en ruine d'un verger ; un tout petit hectare d'arbres vétustes et mutilés était tout ce qui en survivait, derrière les buanderies. Avant même que l'Armée s'en mêlât, tout, en ces lieux, portait déjà la marque de l'abattage. Encore une année de paix, il n'y eût plus eu ni ferme, ni murs, ni pommiers. Un demi-mille de route bitumée s'allongeait déjà entre les talus argileux et, de chaque côté, un damier de fossés éventrés témoignait d'un tracé d'égouts, amorcé par les entrepreneurs municipaux. Encore une année de paix, et l'endroit eût été absorbé par la banlieue proche. Et maintenant, les huttes où nous avions hiverné attendaient à leur tour d'être détruites.

De l'autre côté de la route, objet de nombreux commentaires ironiques, à demi caché, même en hiver, par le bosquet où il était embossé, se trouvait l'asile muni-

cipal d'aliénés, dont les grilles et les nobles portes en
fonte couvraient de honte nos grossiers barbelés. Par
temps clément, nous pouvions regarder les fous flâner et
sautiller sur le gravier des allées propres et bien tenues
ou sur les pelouses disposées en dessin charmant ; heureux partenaires qui avaient renoncé à un combat iné-
gal, résolu tous les doutes, accompli tous devoirs,
héritiers légitimes et indiscutés d'un siècle de progrès,
jouissant en toute paix de l'héritage. En passant devant
eux, la compagnie avait pris l'habitude de leur crier le
bonjour à sa façon, à travers les grilles – « Tiens chaud
le lit, p'tit pote, j'y serai bientôt » – mais Hooper, le dernier chef de section qu'on m'eût envoyé, leur en voulait
de cette vie privilégiée ; « Hitler les enverrait à la
chambre à gaz, disait-il ; y a du bon dans le système, à
mon sens ; nous ferions pas mal de lui prendre une
chose ou deux. »

Là encore, lors de notre installation, vers le milieu
de l'hiver, c'était une compagnie d'hommes vigoureux
et pleins d'espoir que j'avais amenée avec moi ; le bruit
avait couru, lorsque nous avions quitté les landes écos-
saises à destination de ce secteur portuaire, que
nous avions pour destination éventuelle le Moyen-
Orient. Et puis les jours avaient passé, on leur avait
fait gratter la neige, niveler un terrain de manœuvre ;
le désappointement avait fait place à la résignation. Ils
reniflaient l'odeur de friture des *fish shops*, dressaient
l'oreille en entendant le son pacifique et familier des

sirènes d'usines et des orchestres de dancing. Les jours de quartier libre, on les retrouvait maintenant traînant au coin des rues et se défilant à l'approche des officiers, de crainte, en saluant, de perdre la face aux yeux de leur nouvelle maîtresse. Le bureau de la compagnie avait régulièrement sa moisson de peccadilles et de demandes pathétiques de permission ; à l'aube, la journée commençait parmi les gémissements des tire-au-flanc et les visages constipés, les regards entêtés des hommes qui venaient se plaindre.

Et moi, qui selon tous les préceptes aurais dû les remonter, de quel secours pouvais-je bien leur être, quand je demeurais impuissant en face de moi-même ? Là toujours, le colonel, sous les ordres duquel le bataillon s'était formé, avait reçu de l'avancement et nous avait quittés. Son successeur, plus jeune, moins aimable, nous arrivait d'un autre régiment d'où on l'avait muté. Au mess, il ne restait plus grand monde de la poignée de volontaires qui *avaient fait leurs classes* ensemble, lors de la déclaration de guerre. De façon ou d'autre, presque tous étaient partis, les uns réformés, ceux-là promus dans un autre bataillon, certains placés dans les états-majors, d'autres encore partis comme volontaires en service spécial, un qui s'était fait tuer sur le champ de tir, un autre qui était passé devant la cour martiale, et tous ces vides avaient été remplis par des conscrits ; la T S F marchait sans arrêt dans l'antichambre maintenant, on consommait beaucoup de bière avant le dîner ; où était le bon vieux temps ?

Ce fut là qu'à l'âge de trente-neuf ans, je commençai à vieillir. Le soir, je me sentais roide et las, je répugnais à sortir du camp ; je me prenais à revendiquer comme ma propriété certains fauteuils, tel ou tel journal ; je buvais régulièrement mes trois verres de gin avant le dîner, pas un de plus ni de moins, et me précipitais au lit, sitôt après le communiqué de neuf heures. Une heure avant le réveil, régulièrement aussi, je m'éveillais et demeurais à tourner et retourner dans les draps.

Ce fut là que s'éteignit mon dernier amour. Très ordinaire, cette mort, d'ailleurs. Un jour, peu avant notre ultime journée dans ce camp, tandis que je reposais, les yeux grands ouverts dans le noir absolu, avant l'heure du réveil, parmi les respirations profondes et les grognements confus de mes quatre compagnons de cagna ; tandis que je révisais mentalement la liste de mes soucis du jour – ai-je bien porté sur la liste du cours de maniement d'armes les noms de ces deux caporaux ? dans le lot de permissionnaires qui rentrent, ma compagnie battra-t-elle encore le record des retardataires ? puis-je me fier à Hooper pour faire le cours de lecture de cartes au peloton ? – tandis que je gisais ainsi, dans l'heure encore noire, je m'aperçus avec horreur que quelque chose en moi s'était paisiblement éteint, décédé des suites d'une longue maladie, et je me sentis semblable à un mari qui, après quatre ans de mariage, se rend subitement compte qu'il n'a plus, pour celle qui fut sa femme bien-aimée, ni désir, ni tendresse, ni estime ; finis, les joies de la vie commune, le désir de plaire, l'intérêt que l'on porte aux actes, aux paroles, aux pensées de la partenaire ; finis sans le moindre espoir de retour et sans que l'on puisse trouver le moindre reproche à se faire à soi-même, face au désastre. Je connaissais l'histoire par cœur. C'était dans toute sa misérable étendue le drame des déceptions conjugales ; nous l'avions traversée, cette étendue, l'Armée et moi, depuis la première étape d'un flirt poussé aux limites de l'importunité, jusqu'à ce jour où plus rien ne subsistait entre nous, que les liens glacés de la loi, du devoir, de l'usage. J'avais joué toutes les scènes de cette tragédie domestique, j'avais vu les petits désaccords du début devenir plus fréquents, l'effet des larmes se prolonger de plus en plus, la douceur des réconciliations s'affadir, le tout engendrant, pour finir, l'indifférence des humeurs et la froide critique, en même temps que la conviction croissante que ce n'était pas moi qui étais en faute, mais la bien-aimée. Je surpris des notes fausses dans sa voix. J'appris à les guetter avec appréhension. Je reconnus dans ses yeux le regard fixe et blanc du ressentiment et de l'incompréhension, et sur ses lèvres, la dure crispation de l'égoïsme, aux commissures. J'appris à la connaître, comme on le fait pour une femme avec laquelle on a vécu en ménage, jour après jour, durant trois ans et demi ; j'appris à connaître ses manies, ses relâchements, la routine et le mécanisme de ses charmes, sa jalousie, sa recherche de soi, jusqu'au tic nerveux des doigts, trahissant le mensonge. Dépouillée maintenant de tout ce qui avait fait son enchantement, elle n'était plus pour moi qu'une étrangère sans affinités, à laquelle je m'étais lié indissolublement dans un accès de folie.

Aussi, ce matin de notre départ, me moquais-je bien de notre destination. Je continuerais à faire mon métier, avec résignation sans plus. Nous avions l'ordre de monter dans le convoi à 9 h 15 sur une voie de garage proche, avec, dans le havresac, ce qui nous restait de la ration du jour. Je n'en demandais pas plus. Mon premier lieutenant était parti en avant-garde avec quelques hommes. Le magasin de la compagnie avait été emballé la veille. J'avais chargé Hooper d'inspecter le cantonnement. La compagnie devait défiler à 7 h 30, tout barda déposé devant les baraquements. Il y avait eu tant de déménagements déjà, depuis ce matin de 1940, plein de folle joie, où nous nous étions crus par erreur destinés à assurer la défense de Calais. Trois ou quatre fois l'an, depuis lors, nous avions changé d'emplacement. Cette fois, le nouveau commandant se livrait à un déploiement inusité de mesures de « sécurité », empoisonnant son monde et le contraignant à enlever des uniformes et des véhicules, tous insignes et marques distinctifs. C'était, disait-il, « d'excellent entraînement aux conditions de service en campagne… Si jamais il m'arrive de trouver à l'arrivée une de ces femelles qui suivent avec les bagages, je saurai qu'il y a eu une fuite ».

La fumée des cuisines s'ef?lochait dans la brume et le camp s'étendait à mes yeux, semblable à un labyrinthe de raccourcis incohérents dont le plan révélé se superposait au réseau inachevé des lotissements, et tel qu'aurait pu le découvrir et le déblayer dans l'avenir une équipe d'archéologues.

Les fouilles de Pollock ont permis de rétablir un lien précieux entre les communautés de citoyens-esclaves du XXᵉ siècle et l'anarchie tribale qui leur succéda. Elles offrent le spectacle d'un peuple de civilisation avancée, capable de tracer un réseau complexe d'égouts et de construire des grand-routes à usage permanent, mais qui se vit asservir par une race du type le plus inférieur. On trouvera la mesure des envahisseurs dans le fait que leurs femmes étaient dénuées de tous ornements personnels et que leurs morts étaient transportés en des lieux de sépulture très éloignés de la colonie vivante, signe certain de tabouisme primitif…

Voilà, pensai-je, ce que pourraient dire les savants pontifes de l'avenir ; puis me détournai pour accueillir le sergent-major de la compagnie.

— M. Hooper a-t-il fait son inspection ?

— L'ai pas vu de la matinée, mon capitaine.

Je me rendis avec lui au bureau de la compagnie, démantelé, pour découvrir qu'on avait brisé une fenêtre, de fraîche date, alors que la liste des dommages était close. « Coup de vent dans la nuit, mon capitaine », dit le sergent-major.

Quand ce n'était pas cela, c'était : « Exercices de sape et de mine, mon capitaine. »

Parut Hooper. Jeune type au teint brouillé, cheveux rejetés en arrière, sans raie, à partir du front ; accent traînant des Midlands. Affecté à la compagnie depuis deux mois.

La troupe n'aimait pas Hooper. Ne savait presque rien du métier ; s'adressait parfois aux hommes individuellement, au repos, en les appelant uniformément « George ». N'empêche que j'avais pour lui un sentiment proche de l'affection, dû en grande partie à l'incident dont il avait été victime, lors de sa première soirée au mess.

À l'époque, le nouveau colonel était avec nous depuis moins d'une semaine. Nous le connaissions mal. Il venait de payer plusieurs tournées de gin, dans l'antichambre du mess, et commençait à s'échauffer quelque peu, quand il s'aperçut de la présence de Hooper.

— Ce jeune officier est chez vous, n'est-ce pas, Ryder ? me demanda-t-il. Ses cheveux sont trop longs.

— Exact, mon colonel, répondis-je. Et pour de bon exact. J'y veillerai.

Le colonel continua à boire, se mit à regarder fixement Hooper, et reprit à voix très haute : « Bon Dieu, dire que voilà le genre d'officiers qu'on nous envoie aujourd'hui ! »

On eût dit que Hooper obsédait le colonel ce soir-là. Après dîner, il haussa encore le ton, pour dire cette fois : « Dans le régiment que j'ai quitté, si un jeune officier s'était présenté dans cette tenue, ses collègues l'auraient bel et bien foutrement tondu. »

Personne n'avouant le moindre enthousiasme pour ce genre de sport, notre absence de chaleur parut incendier le colonel. « Vous, dit-il, se tournant vers un chic gars de la 1re compagnie, allez chercher une paire de ciseaux et coupez-moi les cheveux de ce jeune officier. »

— Est-ce un ordre, mon colonel ?

— C'est le désir de votre colonel ; je ne saurais mieux dire.

— Parfait, mon colonel.

Et ce fut ainsi que, dans une atmosphère refroidie par la gêne, Hooper dut prendre une chaise et s'asseoir, tandis qu'on lui faisait sauter quelques mèches de la nuque. Dès le début de l'opération, je sortis de la pièce et plus tard, m'excusai auprès de Hooper de ce genre de réception. « Ce n'est pas dans les us et coutumes du régiment », lui dis-je.

— Oh, sans rancune, dit Hooper. Je sais encaisser un peu de sport.

Hooper était sans illusions sur l'Armée, ou mieux, ses illusions ne se distinguaient pas particulièrement du très vague et très épais brouillard à travers lequel lui apparaissait l'univers. Il s'était fait soldat à regret, par force, après avoir fait tout son faible possible pour obtenir un ajournement. Il prenait la chose, disait-il, « comme les oreillons ». Il n'était pas romantique, Hooper. Enfant, il n'avait pas chevauché le cheval de Roland, ni veillé parmi les feux de camp, sur la rive du Xanthus ; à l'âge où seule la poésie pouvait encore mollir mes yeux – au temps de ce stoïque intermède, de ce divertissement peau-rouge, qui se glisse dans la vie de nos collèges, entre le fleuve rapide des pleurs enfantins et l'âge adulte – Hooper sans doute avait souvent versé des larmes ; mais ce n'avait jamais été sur l'oraison funèbre du prince de Condé, ni sur l'épitaphe des Thermopyles. L'histoire qu'on lui avait enseignée ne comptait que peu de batailles, mais, à leur place, abondait en détails sur la législation humaine et les révolutions de l'industrie moderne. Gallipoli, Balaclava, Québec, Lépante, Bannockburn, Roncevaux, Marathon, et la Bataille de l'Ouest où périt le roi Arthur, cent et cent autres noms du même genre, dont l'appel de buccin, même dans cette condition d'aridité sans lois qui était la mienne, parvenait jusqu'à moi, irrésistiblement, à travers l'espace des années écoulées, avec toute la clarté et la force de l'enfance – cette voix-là n'éveillait nul écho en Hooper.

Il se plaignait rarement. On ne pouvait se fier à lui pour accomplir la tâche la plus simple. Mais lui-même avait un respect écrasant pour l'efficacité des autres et, puisant à la source de sa modeste expérience commerciale, il lui arrivait de dire, parlant de la solde, du ravitaillement, de la façon dont l'Armée utilisait « l'heure-homme » : « Avec ces méthodes-là en affaires, on ne s'en tirerait pas. »

Il dormait à poings fermés, pendant que moi je m'agitais, éveillé dans mon lit.

Durant les semaines que nous passâmes ensemble, Hooper devint pour moi le symbole de la Jeune Angleterre, en sorte que, s'il m'arrivait de lire un manifeste publiant et proclamant ce que la Jeunesse attendait de l'Avenir et ce que le monde devait à la Jeunesse, je substituais à ce dernier mot, en guise de test à l'intention des généralités contenues dans le manifeste, « Hooper », pour voir si la chose gardait encore un sens. Et dans l'heure noire d'avant le réveil, je méditais alors et m'interrogeais : « Rassemblements de Hooper », « Auberges de Hooper », « Coopération internationale de Hooper », « Religion de Hooper ». Il me servait d'acide pour éprouver ces alliages.

S'il avait changé, ç'avait été pour devenir moins militaire encore que lors de son arrivée, frais émoulu de son école d'aspirants. Ce matin-là, sous le faix de l'équipement complet il avait l'air à peine humain. Il se mit au garde-à-vous en exécutant une sorte de lambeth-walk, le front barré par sa main large ouverte et tendue d'un gant de laine.

— Je veux parler à M. Hooper, sergent-major... Ah ! vous voici, où diable étiez-vous ? Je vous avais dit de passer la revue du cantonnement.

— Suis en retard ? Désolé. En ai mis un rude coup pour boucler mon barda.

— À quoi sert votre ordonnance ?

— À cela, j'imagine, à proprement parler. Mais vous savez comment c'est. Il avait le sien à faire. Quand on les prend de travers, ces types-là savent toujours vous coincer au tournant.

— C'est bon. Dépêchez-vous d'aller passer la revue.

— D'ac.

— Et pour l'amour du ciel, cessez de dire « d'ac ».

— Désolé. J'essaie toujours de me rappeler ; ça part malgré moi.

Hooper venait de partir quand le sergent-major revint.

— Voilà le colonel qui monte, mon capitaine, dit-il.

Je descendis à sa rencontre.

Il y avait des perles de sueur et de brume sur les crins de sanglier de sa petite moustache rousse.

— Alors, tout est prêt chez vous ?

— Je pense que oui, mon colonel.

— *Vous pensez ?* Vous devriez le savoir.

Son regard tomba sur la fenêtre brisée.

— Cet accident figure-t-il sur la liste ?

— Pas encore, mon colonel.

— *Pas encore ?* Je me demande ce qu'il en eût été, si je ne l'avais remarqué.

Il n'était pas à l'aise avec moi. Une bonne part de sa rudesse était due à de la timidité – ce qui, d'ailleurs, ne changeait en rien mes sentiments.

Il m'entraîna derrière les baraquements, jusqu'à une ligne de barbelés qui séparait mes quartiers de ceux de la section du train, la franchit allègrement d'un bond et se dirigea vers un ancien fossé surmonté d'un talus, qui avait servi autrefois de limite à un champ attenant à la ferme. Là, il se mit à gratter et fouiller avec sa canne, comme un porc qui cherche la truffe, et ne tarda pas à pousser un cri de triomphe. Il venait de mettre au jour un de ces dépôts d'ordures, si chers au sens de l'ordre qui caractérise tout bon deuxième classe : un bout de balai, un couvercle de poêle, un seau percé de rouille, une chaussette, une boule de pain se dissimulaient sous d'autres détritus de toutes sortes, à côté de paquets de cigarettes vides et de boîtes de conserve également vides.

— Regardez cela, dit le colonel. Bonne impression, hein, pour le régiment qui nous relève ?

— Pas brillant, dis-je.

— Une honte ! Veillez à ce que tout cela soit brûlé avant de quitter le camp.

— Parfait, mon colonel. Sergent-major, faites dire au capitaine Brown, de la section du train, que le colonel désire qu'on nettoie ce fossé.

Je me demandais si le colonel accepterait cette rebuffade. Lui de même. Un instant il hésita, sondant de sa canne la boue sale du fossé, puis tourna les talons et partit à grands pas.

— Vous ne devriez pas faire ça, mon capitaine, me dit le sergent-major qui m'avait servi de guide et de mentor depuis mon arrivée à la compagnie. Non non, je vous assure.

— Ce n'étaient pas *nos* ordures.

— Peut-être bien, mon capitaine, mais vous connaissez la musique. Quand on prend un officier supérieur par le mauvais bout, il est sûr de vous coincer au tournant.

Tandis que la compagnie défilait devant l'asile de fous, deux ou trois pensionnaires d'âge mûr gloussèrent et bafouillèrent poliment à notre adresse, derrière les grilles.

— Salut, mon pote, à bientôt ; ça ne saurait plus traîner maintenant ; perds pas le sourire d'ici qu'on se revoie, leur crièrent les hommes.

Je marchais à côté de Hooper, en tête de la première section.

— Dites donc, savez pas où on va, par hasard ?

— Pas la moindre idée.

— Vous croyez que c'est pour de bon, cette fois ?

— Non.

— Du mou alors ?

— Oui.

— Ils disent tous qu'on est bons. Je ne sais qu'en penser réellement. M'a l'air tout loufoque, en un sens, l'exercice, l'entraînement et tout, si c'est pour ne jamais y aller.

— Je ne m'en ferais pas, à votre place. On n'y sera que trop, le moment venu.

— Oh, c'est pas que j'en raffole *tant*, vous savez. Juste assez pour pouvoir dire que j'y ai été.

Un convoi de vieux wagons démodés nous attendait sur la voie de garage. Un officier du Train le commandait. Une corvée achevait de transférer les derniers sacs, des camions dans les fourgons. Il nous fallut une demi-heure pour être prêts à partir. Une heure pour partir.

Mes trois chefs de section et moi-même, nous avions un wagon pour nous seuls. Ils passèrent le temps à manger des sandwiches et du chocolat, à fumer et à dormir. Aucun d'eux n'emportait de livre avec lui. Ils passèrent les trois ou quatre premières heures du trajet à relever les noms des villes et à se pencher à la portière quand le train s'arrêtait entre deux gares, ce qui fut fréquent. Puis ce jeu perdit tout intérêt pour eux. À midi, puis sur le tard, un peu de cacao tiède passa d'un bidon dans nos gueules. Le convoi avançait lentement vers le Sud, dans le décor plat et lamentable coutumier aux grandes lignes.

L'incident principal de la journée fut le « rapport » du colonel. On se rassembla dans son wagon, sur l'ordre d'un officier d'ordonnance, pour le trouver en compagnie de son adjoint, tous deux ayant revêtu le casque et la tenue de combat. Ses premiers mots furent : « Je vous ai appelés au rapport. Vous devez être vêtus et équipés en conséquence ; j'y compte. Le fait que nous soyons dans un train n'a rien à voir. » Je crus qu'il allait nous renvoyer, mais, après nous avoir regardés fixement, il ajouta : « Prenez place. »

— Le camp a été laissé dans un état qui nous fait honte. Partout où je me suis rendu, il m'est apparu clairement que les officiers ne font pas leur devoir. L'état dans lequel on laisse un camp est le meilleur critère possible de l'efficacité des officiers. C'est sur de tels témoignages que repose la réputation d'un bataillon et de l'officier qui le commande. Et – est-ce que ce furent là ses propres mots ou sont-ce les paroles que je trouve pour traduire la hargne de sa voix et de son regard ? Je crois qu'il n'acheva pas – je n'ai nulle envie de voir ma réputation professionnelle compromise par la négligence de quelques officiers d'occasion.

Nous étions assis, avec blocs-notes et crayons, prêts à noter les détails de nos prochains devoirs. Tout homme doué d'un peu plus de tact aurait vu qu'il n'avait pu réussir à nous impressionner ; peut-être s'en aperçut-il, car il reprit, à la façon d'un maître d'école fougueux : « Tout ce que j'attends de vous, c'est une collaboration loyale. »

Puis, se référant à ses notes, il lut ceci :

« Ordres.

« Information. Le bataillon se trouve en transit entre un certain lieu A et un autre lieu B. Très importante ligne de communication, susceptible d'être bombardée et attaquée aux gaz par l'ennemi.

« Intention. Mon intention est d'arriver au lieu dit B.

« Méthode. Train arrivera à destination approximativement à 23 h 15... » etc.

In cauda venenum, sous le titre « Administration ». La 3e compagnie, à l'exception d'une section, devait assurer le déchargement du convoi à l'arrivée sur la voie de garage, où l'on trouverait des camions de trois tonnes ; tout le matériel transporté serait bloqué dans un dépôt régimentaire, dans les nouveaux cantonnements ; travail sans interruption jusqu'à ce que tout soit fait ; la section qui restait fournirait la garde du dépôt et les sentinelles sur l'ensemble du périmètre du camp.

— Y a-t-il des questions ?

— Peut-on accorder une distribution de cacao aux hommes de corvée ?

— Non. C'est tout ?

Quand je fis part au sergent-major de ces ordres, il me dit : « Pauvres vieux de la Trois, pas de chance une fois de plus » ; et je sus que c'était une façon de me reprocher d'avoir provoqué l'animosité du colonel.

Je transmis les ordres aux chefs de section.

— Dites donc, commenta Hooper, ça ne simplifie pas la tâche avec les gars. Ils seront drôlement défrisés. On dirait qu'il en a toujours après nous pour le sale boulot.

— Vous prendrez la garde.

— D'acco-dac. Mais dites, comment est-ce que je vais trouver le périmètre dans le noir ?

Peu après l'heure du black-out, nous fûmes dérangés par un officier d'ordonnance qui remontait lugubrement le convoi dans toute sa longueur, en agitant une crécelle. Un de mes sergents les plus sophistiqués lança : « Deuxième service. »

« Nous sommes aspergés d'hypérite liquide, annonçait l'officier. Veillez à ce qu'on ferme les portières. » Sur quoi j'écrivis un petit rapport très soigné déclarant qu'on n'avait à regretter aucune perte et que le matériel était intact et non contaminé ; que j'avais désigné des hommes avec mission de décontaminer l'extérieur des wagons avant de descendre du train. Ce qui dut satisfaire le colonel, car nous n'entendîmes plus parler de lui. La nuit tombée, tout le monde s'endormit.

Enfin, très tard, nous finîmes par atteindre notre voie de garage. Éviter, fuir les gares et les quais faisait partie de notre entraînement aux mesures de sécurité et aux conditions du service en campagne. Le fait d'avoir à sauter des marchepieds sur la piste en mâchefer servait d'excuse au désordre et aux dégâts commis dans le noir.

— Rangez-vous sur la route, au bas du talus. La 3ᵉ compagnie ne se presse guère, comme d'ordinaire. Capitaine Ryder.

— Présent, mon colonel. La solution de chaux nous donne un peu de mal.

— Solution de chaux ?

— Pour décontaminer la surface extérieure des wagons, mon colonel.

— Oh, parfaitement, consciencieux à l'extrême, sans nul doute. Laissez tomber, faites grouiller vos hommes.

Entre-temps, mes hommes, à demi réveillés et grincheux, se formaient bruyamment tant bien que mal sur la route. Quelques instants plus tard la section de Hooper s'enfonçait au pas dans les ténèbres. Je dénichai les camions, fis former la chaîne pour passer le matériel de main en main jusqu'au bas du talus escarpé, et bientôt, se voyant occupés à un travail qui ne paraissait pas sans objet, la bonne humeur revint chez les hommes. Durant la première demi-heure je mis la main à la pâte avec eux, puis m'écartai pour accueillir mon premier lieutenant, de retour avec le premier camion.

— Pas si mal, le camp, m'annonça-t-il, grande maison privée, deux ou trois lacs. M'a tout l'air de pouvoir y tirer le canard, avec un peu de chance. Un bistrot dans le village, plus un bureau de poste. Pas de ville à proximité. Je me suis débrouillé pour que nous soyons seuls à partager la cagna.

Sur le coup de quatre heures du matin, tout était fini. Je montai dans le dernier camion. Chemins boisés, tortueux, où les branches surplombantes fouettaient les pare-brise. Quelque part, nous quittâmes le chemin pour tourner dans une large avenue. Quelque part enfin, nous atteignîmes un espace ouvert où convergeaient deux avenues, tandis qu'un cercle lumineux de falots annonçait l'amas de matériel entassé. Il fallut encore décharger le camion avant de suivre enfin les guides jusqu'à nos quartiers, sous un ciel sans étoiles, et sous une fine bruine qui commençait à tomber.

Ce fut mon ordonnance qui me réveilla. Je me levai, plein de lassitude, m'habillai, me rasai en silence. Ce ne fut que sur le point de sortir que je demandai à mon premier lieutenant : « Comment s'appelle ce patelin ? »

Dans l'instant même où il prononça le nom, ce fut comme lorsqu'on arrête la radio, comme si une voix, qui n'aurait cessé de me brailler stupidement dans les oreilles depuis d'innombrables jours, s'était trouvée brusquement coupée. Il s'ensuivit un immense silence, vide tout d'abord, mais s'emplissant graduellement, à mesure que mes sens outragés reprenaient de l'autorité, d'une multitude de sons doux et naturels, depuis longtemps oubliés ; car on venait de prononcer un nom qui m'était si familier, un nom magique dont le pouvoir était si ancien, qu'à son seul écho les fantômes de ces années lointaines et hantées prirent leur essor.

Devant la cagna je demeurai pétrifié, en proie à un mélange de terreur religieuse et de rêve, pris entre deux réalités et deux songes. Il ne pleuvait plus, mais les nuages pendaient, bas et lourds. C'était un matin mort ; la fumée des cuisines montait, droite, dans le ciel de plomb. Un chemin charretier, jadis empierré, puis abandonné et aujourd'hui plein d'ornières et tourné en boue, suivait le contour de la colline pour plonger et disparaître au bas d'un mamelon. De chaque côté, s'étendait en pagaille un champ de foire, un fouillis de tôle ondulée, d'où s'élevait un vacarme de bavardages, de sifflets, de miaulements et d'insultes, tout le tapage zooesque du bataillon commençant sa journée. Plus loin, à l'entour, plus familier encore, s'ouvrait un paysage exquis, tracé par la main de l'homme. Le site était très retiré, tout entier enclos et enserré dans les bras d'une vallée solitaire et sinueuse. Notre camp se dressait sur une pente douce ; en face, le terrain, vierge encore de toute souillure, menait à l'horizon voisin ; entre lui et nous coulait une rivière – on l'appelait la *Bride* (la Jeune Mariée) et elle prenait source à moins de deux miles de là, près d'une ferme qui avait pour nom Bridesprings (les Sources de la Bride) et où nous avions coutume d'aller prendre de temps à autre le thé ; en aval, la rivière grossissait considérablement avant de se jeter dans l'Avon – une rivière, disais-je, que l'on avait barrée en cet endroit pour former trois lacs, l'un qui ne payait guère plus de mine qu'une table d'ardoise humide au milieu des roseaux, les autres plus spacieux, reflétant les nuages et les berges puissantes de leurs bords. Les bois n'étaient que chênes et hêtres ; chênes nus et gris, hêtres teintés d'une faible brume verte : bourgeons frais éclos. Ces arbres formaient un dessin des plus simples, soigneusement tracé pour s'harmoniser avec les vallons verdoyants et les vastes espaces d'herbes – le daim fauve venait-il paître encore ici ? – et l'œil, si on le laissait errer au hasard, découvrait un temple dorique à la limite des eaux et une arche mangée de lierre, enjambant le plus bas des barrages qui faisaient communiquer les lacs entre eux. Les plans de cet ensemble, les plantations d'arbres remontaient à un siècle et demi ; autant dire qu'à la date où nous étions, le domaine se présentait dans sa maturité. De l'endroit où je me tenais, un éperon de verdure me cachait la maison, mais je ne connaissais que trop son gîte et ses formes ; je la savais tapie parmi les tilleuls comme la biche parmi les fougères. De tout cela, quel était le mirage, et quel était l'univers réel et palpable ?

Hooper s'avança de son pas de danse et me salua, de ce geste que tous imitaient mais qui n'en demeurait pas moins inimitable. Une nuit de veille mettait un brouillard gris sur son visage ; il n'était pas encore rasé.

— La 2e compagnie nous a relevés. J'ai envoyé les types se laver.

— Bien.

— La maison se trouve un peu plus haut, passé le coin.

— Je sais.

— L'état-major de la brigade vient s'y installer la semaine prochaine. C't une 'spèce de grande baraque. Viens de faire un tour par là, en douce. C' que j'appellerais très décoré. Marrant : il y a aussi une sorte d'église catholique attenante. J'ai regardé à l'intérieur ; il y avait une espèce de service en cours, un prêtre et un vieux, tout seuls. M' suis senti mal à l'aise. C'est plus dans votre esprit que dans le mien.

Peut-être n'eus-je pas l'air d'avoir entendu ; faisant un ultime effort pour éveiller mon intérêt, il reprit :

— Il y a une vache de grande fontaine, aussi, en face du perron, rocaille et d's espèces d'animaux sculptés et tout. Jamais rien vu de pareil.

— Si, Hooper, je connais. Je suis déjà venu ici.

Les mots semblaient me revenir, enrichis d'échos, d'un long séjour aux voûtes d'un cachot.

— Oh alors, v's en savez plus que moi. Je vais me débarbouiller.

J'étais déjà venu ici ; je connaissais, je savais tout.

Souvenirs sacrés
et profanes
du capitaine Charles Ryder

Livre premier

Et in Arcadia ego

1.

Je suis déjà venu ici, avais-je dit ; j'étais déjà venu ici ; avec Sebastian d'abord, il y avait plus de vingt ans, par un jour de juin sans nuages, dans le temps où les fossés étaient pleins d'æthuses et de reines-des-prés, et l'air lourd de toutes les senteurs de l'été. C'était une journée particulièrement éclatante, comme en offre notre climat une ou deux fois l'an, où feuilles et fleurs, oiseaux, pierres ensoleillées et jusqu'à l'ombre ont l'air de chanter les louanges et la gloire de Dieu. Et bien que je fusse revenu très souvent, c'était vers cette première visite que se tournait mon cœur en ce jour qui présidait à ma dernière venue.

Cette autre fois aussi, j'étais venu sans savoir où j'allais. C'était la semaine du match d'aviron avec Cambridge. Oxford alors – méconnaissable, depuis, submergé, oblitéré, telle une ville reposant sous les flots rapides qui l'ont engloutie –, Oxford, à cette époque, était encore une ville d'aquatinte. Ses rues tranquilles et spacieuses étaient, comme au temps de Newman, fertiles en groupes de doctes péripatéticiens. Ses brumes d'automne, ses printemps gris, la rare splendeur de ses journées d'été – telle celle dont il est question –, pleines de châtaigniers en fleur et de carillons hauts et clairs par-dessus les pignons et les dômes, exhalaient l'haleine douce et les vapeurs de dix siècles d'érudition et de science. C'était cette tonalité feutrée de cloître qui donnait à nos rires leur résonance et les faisait triompher joyeusement encore des clameurs intruses. Car, apportant une note discordante, la semaine des Régates voyait arriver une troupe femelle, forte de plusieurs centaines de spécimens du sexe, pépiant et voletant sur les vieux pavés, gravissant les perrons, en quête de choses à voir et de plaisirs, buvant de légers bordeaux, mangeant des sandwiches au concombre, se faisant pousser en barques sur la rivière, se laissant mener en troupeau aux péniches du collège, reçue dans les bureaux de rédaction d'*Isis* et à l'Union au milieu d'un déploiement soudain de badinage singulier, facétieux, de marivaudage d'opérette parfaitement déroutant, et accueillie par d'étranges effets choraux dans les chapelles du collège. Les échos de cette intrusion pénétraient de tous côtés, à l'exception de mon collège, qui était, en revanche, l'origine et le foyer d'une agitation considérable. Nous donnions un bal. La cour de devant sur laquelle j'habitais avait été dotée d'un parquet, tendue d'un vélum ; la loge du portier disparaissait derrière les rangées de palmiers et d'azalées ; mais le pire était que le prof qui vivait à l'étage au-dessus, sorte de souris qui donnait dans les sciences naturelles, avait prêté son appartement à l'usage d'un vestiaire de dames ; une notice imprimée proclamant cet outrage était accrochée à vingt centimètres de ma turne.

Mon garçon de chambre était le premier à ressentir cet affront.

— Ceux de ces messieurs qui sont sans dames sont priés autant que possible de prendre leurs repas en ville, ces jours-ci, m'annonça-t-il d'un air désespéré ; déjeunez-vous ici ?

— Non, Lunt.

— Histoire de permettre aux domestiques de se reposer qu'ils disent. Tu parles ! Il faut que j'achète une pelote à épingles pour le vestiaire de ces dames. Qu'est-ce qui leur prend de danser ? Quelle idée ! Jamais on ne dansait autrefois pour les Régates. Le jour de la Commémoration, je ne dis pas ; c'est autre chose et c'est pendant les vacances. Mais pendant les Régates ! Comme si les thés et la rivière ne suffisaient pas. Si vous m'en croyez, monsieur, tout ça c'est à cause de la guerre. Sans quoi jamais on n'aurait vu ça. (Car ceci se passait en 1923 et pour Lunt comme pour des milliers d'autres jamais plus les choses ne seraient ce qu'elles avaient été avant 1914.) Un peu de vin le soir, passe encore, poursuivit-il à son habitude, un pied dans la pièce, un autre déjà sur le palier, ou bien un ou deux invités à déjeuner, ça a un sens, mais danser, je vous demande un peu ! C'est venu avec les anciens combattants. Ils avaient passé l'âge, ils ne savaient pas et ne voulaient pas apprendre. Tel que je vous dis. Même qu'il y en a qui vont danser en ville, au Maçonnique – mais ceux-là se feront coincer par les surveillants généraux, c'est moi que je vous le dis… Ah ! voilà Lord Sebastian. Je devrais pas perdre mon temps à bavarder, quand j'ai à aller acheter des pelotes à épingles.

Sebastian entra – pantalon de flanelle grise, crêpe de chine blanc, cravate de chez Charvet (à moi, la cravate, comme par hasard) motif timbres-poste.

— Charles, pour l'amour du ciel, que se passe-t-il dans votre collège ? Y donne-t-on le cirque ? Rien n'y manque, que les éléphants. Je dois dire que tout Oxford est devenu *vraiment* étrange du jour au lendemain. Les femmes pullulaient la nuit dernière. Vous allez partir d'ici sur-le-champ, fuir ce danger. J'ai une voiture, un panier de fraises et une bouteille de château-peyraguey ; non, ne faites pas semblant, vous ne connaissez pas ce vin. Pur délice avec les fraises.

— Fuir ou ?

— Chez une amie.

— Laquelle ?

— Hawkins de son nom. Prenez un peu d'argent au cas où nous verrions en route quelque chose digne d'envie. La voiture est la propriété d'un certain Hardcastle. N'oubliez pas de lui rapporter les morceaux si jamais je venais à me tuer ; je ne suis pas un chauffeur très fameux.

Devant la grille, devant le jardin d'hiver ex-loge du concierge, attendait une torpédo deux places Morris-Cowley. L'ours en peluche de Sebastian était assis au volant. Nous l'installâmes entre nous – « Veillez à ce qu'il n'ait pas mal au cœur » – et nous voilà partis. Les cloches de Sainte-Marie chantaient neuf heures ; nous manquâmes de justesse un clergyman chapeau de paille noire, barbe blanche, qui pédalait tranquillement sur le mauvais côté de High Street, traversâmes Carfax, passâmes devant la gare et nous trouvâmes bientôt en pleine campagne, sur la route de Botley. On était vite en pleine campagne dans ce temps-là.

— Qu'il est tôt ! dit Sebastian. Les femmes en sont encore à ce qu'elles sont sensées faire avant de descendre de leur chambre. La paresse fait leur perte. Et nous sommes loin. Dieu bénisse Hardcastle.

— Dieu ait son âme, quel qu'il soit.

— Il croyait venir avec nous. La paresse aura causé sa perte, à lui aussi. Pourtant, mon Dieu, je lui avais bien dit : dix heures précises. C'est un type lugubre ; il est de mon collège. Mène une double vie. Du moins je le suppose. Il est impossible qu'il se contente d'être Hardcastle jour et nuit, sans trêve, n'est-ce pas ? Ou alors il en crèverait. Il prétend connaître mon père ; c'est impossible.

— Pourquoi ?

— Personne ne le connaît. C'est un lépreux, socialement parlant. Vous ne le saviez pas ?

— Quel dommage qu'aucun de nous ne sache chanter, dis-je.

Nous laissâmes la grand-route à Swindon. Le soleil était déjà haut dans le ciel quand nous nous retrouvâmes au milieu de murs en pierres sèches et de maisons en moellons. Il était environ onze heures quand Sebastian, sans autre avertissement, engagea la voiture sur un chemin de charretier et stoppa. Il faisait chaud maintenant, assez du moins pour nous inviter à rechercher l'ombre. Nous la trouvâmes dans un bosquet d'ormes, sur un mamelon tondu comme un mouton, où nous mangeâmes les fraises et bûmes le vin – Sebastian n'avait pas menti : ils allaient merveilleusement ensemble – après quoi, ayant allumé de lourdes cigarettes égyptiennes, nous nous couchâmes sur le dos, Sebastian laissant errer ses yeux parmi les feuilles surplombantes, et moi regardant son profil, pendant que la fumée gris-bleu montait, droite dans l'air immobile, vers les ombres bleu-vert du feuillage et que l'odeur sucrée du tabac se fondait dans le miel des parfums de l'été, à l'entour, et que les fumées du vin doux et doré semblaient nous soulever légèrement du gazon et nous tenir en suspens.

— Lieu rêvé pour y enfouir la cruche d'or des contes de fées, dit Sebastian. J'aimerais enterrer un objet précieux dans chaque lieu où j'ai connu un instant de bonheur ; et puis, devenu vieux, laid et misérable, je reviendrais déterrer l'objet et réveiller le souvenir.

Ceci se passait au cours de mon troisième trimestre à l'Université. Mais pour moi ma vie à Oxford date de ma première rencontre avec Sebastian, c'est-à-dire au milieu du trimestre précédent. Le hasard y avait présidé. Nous n'appartenions pas au même collège, nous venions d'écoles différentes. J'aurais parfaitement pu passer mes trois ou quatre années d'Université sans faire sa connaissance, si la chance n'avait voulu qu'il s'enivrât un soir, dans l'enceinte de mon collège, et que ma chambre se trouvât au rez-de-chaussée, sur la cour carrée de devant.

Mon cousin Jasper m'avait averti des dangers que présentait une telle situation géographique. Jasper, à mon entrée à l'Université, avait été le seul à m'estimer digne de recevoir des conseils détaillés. Mon père s'était totalement abstenu. Alors, comme à son habitude, il avait éludé toute conversation sérieuse avec moi. Ce ne fut guère qu'une quinzaine de jours avant la rentrée qu'il s'était décidé à aborder le sujet. Il s'y était pris timidement et plutôt de biais.

— J'ai eu un entretien à votre sujet. J'ai fait la connaissance de votre futur recteur à l'Atheneum. Je voulais lui parler de la conception étrusque de l'immortalité ; lui, voulait me parler de cours du soir pour prolétaires ; nous avons fait un compromis et parlé de vous. Je lui ai demandé de combien d'argent vous auriez besoin. « Trois cents livres par an, m'a-t-il dit, et sous aucun prétexte ne lui accordez un sou de plus ; c'est ce qu'ont la plupart des étudiants. » J'ai trouvé cette réponse déplorable. Moi-même j'étais plus riche que la plupart des autres quand j'étais à Oxford et, pour autant que je m'en souvienne, je ne connais pas d'autre endroit au monde, ni d'autre époque, où quelques centaines de livres, dans un sens ou dans l'autre, déterminent autant les niveaux d'importance et de popularité. J'ai caressé l'idée de vous accorder six cents livres, dit mon père, soufflant un peu du nez comme lorsqu'il s'amusait, mais je me suis dit ensuite que, si votre recteur venait à l'apprendre, ma décision pourrait lui paraître d'une impolitesse délibérée. Je vous donnerai donc cinq cent cinquante livres.

Je l'en remerciai.

— Oui, c'est de l'indulgence de ma part, mais c'est pris sur mon capital, vous savez… Je suppose que le moment est venu de vous faire quelques recommandations. Moi-même je n'en ai jamais reçu, hormis de votre cousin Alfred. Savez-vous que, l'été avant la rentrée, votre cousin Alfred est venu spécialement à Boughton, à cheval, pour me donner ses conseils ? Et savez-vous ce qu'il m'a dit ? « Ned, m'a-t-il dit, je vais vous demander de me promettre une seule chose. Ne manquez *jamais* de porter le haut-de-forme le dimanche durant le trimestre scolaire. C'est à cela plus qu'à toute autre chose que l'on juge son homme. » Et savez-vous, poursuivit mon père, reniflant violemment, *jamais je n'y ai manqué*. Tout cela pour vous montrer seulement l'effet que peut avoir un avis judicieux, donné comme il sied au moment opportun. Je voudrais bien pouvoir vous en donner un ; le malheur est que je n'en ai pas.

Mon cousin Jasper compensa cette carence. C'était le fils du frère aîné de mon père, à qui celui-ci faisait souvent allusion en ne plaisantant qu'à moitié, comme au « chef de famille » ; il était en quatrième année et, le trimestre auparavant, avait failli de peu décrocher le ruban bleu des rameurs ; il était secrétaire de l'association Canning et président du Conseil des étudiants du collège, autrement dit, personnage considérable à l'Université. Il me fit une visite officielle durant la première semaine de mon séjour et prit le thé dans ma chambre ; il fit un très lourd repas de petits pains au miel, de toasts aux anchois et de nougat, puis alluma sa pipe et, se renversant dans le fauteuil en osier, édicta les règles de conduite que je devais suivre. Ces règles couvraient la plupart des sujets. Aujourd'hui encore, je pourrais répéter presque mot pour mot l'essentiel de ce qu'il me dit alors. « ... Vous avez choisi l'histoire ? C'est une branche parfaitement respectable. Se spécialiser en littérature anglaise est pire que tout ; vient en second dans le pire études modernes. Débrouillez-vous pour faire une bonne première année, ou une bonne quatrième. L'entre-deux ne vaut rien. Le temps que vous mettriez à faire une honnête seconde année serait pur gaspillage. Suivez les meilleurs cours – ceux d'Arkwright sur Démosthène, par exemple – sans tenir compte du fait qu'ils peuvent avoir lieu dans un autre collège que le vôtre… Question vêtements. Habillez-vous comme à la campagne. Ne portez jamais le veston de tweed et les pantalons de flanelle – toujours un costume. Faites-vous habiller à Londres : la coupe y est meilleure, le crédit plus facile et plus long… Question clubs. Inscrivez-vous pour le moment au Carlton, puis au Grid au commencement de votre seconde année. Si vous avez envie d'arriver à faire partie de l'Union – ce qui en soi n'est pas mauvais – commencez par vous faire une réputation *au-dehors*, au Canning ou au Chatham, et commencez par lire vos interventions… Ne mettez jamais les pieds au Boar's Hill… » Le ciel, sur les pignons d'en face, brillait doucement puis s'assombrit ; je remis du charbon sur le feu et allumai, révélant dans toute leur respectabilité son complet de golf qui venait de Londres et sa cravate scrupuleuse… « Ne traitez jamais un prof comme vous le feriez d'un maître d'école : mais comme un pasteur en visite chez vous… Vous vous apercevrez que l'on passe la moitié de la seconde année à se débarrasser des amis indésirables que l'on s'est faits durant la première… Méfiez-vous des Anglo-catholiques – tous sodomites, et leur accent est déplaisant. En fait, tenez-vous à l'écart de tous les groupes religieux ; ils ne font que du mal… »

Enfin, sur le point de partir, il ajouta : « Un dernier point encore. Changez de chambre. » C'était une chambre spacieuse, aux fenêtres profondément encaissées dans le mur, ornée de panneaux peints XVIIIe ; c'était une chance que de l'avoir obtenue, pour un nouveau. « J'ai vu plus d'un homme ruiné pour avoir eu une chambre donnant de plain-pied sur la cour de devant, reprit mon cousin avec un profond sérieux. On commence par recevoir des visites. Les visiteurs laissent chez vous leur toge et reviennent la chercher à l'heure du cours. À son tour, on commence par leur offrir un verre de porto. Avant même de savoir où on en est, on se trouve tenir bar ouvert et gratuit pour tous les indésirables du collège. »

Je ne crois pas avoir, sciemment, jamais suivi un seul de ses conseils. En tout cas, je ne changeai pas de chambre : il poussait, sous les fenêtres, des giroflées qui embaumaient les soirs d'été.

Il est aisé, rétrospectivement, de voir sa jeunesse sous le jour d'une fausse précocité ou d'une fausse innocence et de tricher avec les dates qui marquent sur le chambranle le cours de la croissance. J'aimerais à penser – et je pense vraiment parfois – que je décorai cette chambre de tissus moresques et d'estampes d'Arundel et que mes rayons étaient pleins de folios du XVIIe et de romans français du Second Empire reliés en cuir de Russie et en soie moirée. Mais ce n'est pas vrai. L'après-midi où je m'y installai je pendis fièrement une reproduction des *Soleils* de Van Gogh au-dessus de la cheminée, et dressai un paravent, peint par Roger Fry et représentant un paysage provençal, que j'avais acheté pour peu de chose lors de la liquidation des ateliers Oméga. Je mis aussi en bonne place une affiche Mc Knight Kauffer et des poèmes entourés de faux encadrements, provenant de la Librairie poétique ; enfin, souvenir particulièrement pénible, une figurine en porcelaine représentant Polly Peachum, que je flanquai d'une paire de cierges noirs, sur le dessus de la cheminée. Mes livres étaient peu nombreux et fort banaux – *Vision and Design* de Roger Fry, *A Shropshire Lad* en édition médiocre, *Eminent Victorians*, quelques volumes de *Georgian Poetry*, *Sinister Street* et *South wind* – et mes tout premiers amis furent en rapport avec cette toile de fond : Collins, étudiant de Winchester, prof en embryon, homme de solide lecture et d'humeur enfantine, et un petit cercle d'intellectuels de collège, se situant sur un plan moyen entre les « esthètes » flamboyants et les boursiers prolétariens qui se disputaient férocement le domaine des faits dans les garnis d'Iffley Road et de Wellington Square. Ce fut par ce cercle que je me vis adopté durant le premier trimestre ; il me procura le genre de compagnie que j'avais goûtée pendant ma dernière année d'école, et à laquelle m'avait préparé ladite dernière année ; mais dès les premiers temps, alors que toute cette aventure – vivre à Oxford, avoir sa chambre, son carnet de chèques – était encore une source de surexcitation, je sentis au fond qu'Oxford avait autre chose que cela à m'offrir.

À l'approche de Sebastian, ces personnages de grisailles parurent se fondre sans bruit dans le paysage et s'évanouir tels les moutons des Highlands dans les bruyères brumeuses. Collins m'avait exposé le mensonge de l'esthétique moderne : « ... L'argument de la forme signifiante est tout entier commandé par *le volume* ; il tient debout ou s'écroule, selon le cas. Si vous accordez à Cézanne le droit de représenter une troisième dimension sur sa toile à deux dimensions, je ne vois pas pourquoi vous ne concéderiez pas à Landseer l'étincelle de loyauté dans l'œil de l'épagneul... » Mais ce ne fut que lorsque Sebastian, tournant négligemment une page de *L'Art* de Clive Bell lut ces mots : « *Peut-on éprouver le même genre d'émotion devant un papillon ou une fleur que devant une cathédrale ou un tableau ?* » et ajouta : « Oui. *Moi* », que mes yeux s'ouvrirent.

Je connaissais Sebastian de vue bien avant de le rencontrer. C'était inévitable car, dès la première semaine de son séjour, il apparut comme l'homme le plus remarquable de son année, en raison de sa beauté, qui saisissait, et des excentricités de sa conduite qui semblaient sans limites. Je l'aperçus pour la première fois sur le seuil de Germer ; ce jour-là, je fus frappé non tant par sa mine que par le fait qu'il portait un énorme ours en peluche.

— Celui-là, me dit le garçon coiffeur, au moment où je lui succédais dans le fauteuil, c'est Lord Sebastian Flyte. Un jeune monsieur *très* amusant.

— Apparemment, dis-je froidement.

— fils cadet du marquis de Marchmain. Son frère, le comte de Brideshead[1] a fini le trimestre dernier. Lui, par exemple, était *très* différent. Un monsieur très tranquille ; on aurait dit un vieillard. Et savez-vous ce que voulait Lord Sebastian ? Une brosse à cheveux pour son ours ; à poil très dur, *non pas*, a dit Lord Sebastian, pour le brosser, mais pour l'en menacer d'une fessée lorsqu'il boude. Il en a acheté une très jolie, à dos d'ivoire, et fait graver « Aloysius » dessus – c'est le nom de son ours.

Cet homme qui, en son temps, avait eu ample occasion de se lasser des fantaisies d'étudiants, était de toute évidence sous le charme de Sebastian. Pour ma part, cependant, je maintins une attitude de censeur et les brefs aperçus que j'eus du jeune Lord, se faisant conduire en fiacre en dînant au George paré de fausses moustaches n'adoucirent pas mon humeur,

----

1. Prononcer : Braïd's-hedd.

bien que Collins, qui lisait alors Freud, ne manquât pas de mots techniques pour étiqueter toutes choses.

Je ne sache pas, lorsque enfin nous fîmes connaissance, que les circonstances aient été plus propices. C'était peu avant minuit, au début de mars. J'avais offert à quelques intellectuels de mon collège un verre de bordeaux chaud. Le feu flambait ; la fumée, les épices alourdissaient l'air de la chambre ; j'étais saturé, épuisé de métaphysique. J'ouvris tout grand mes fenêtres. De la cour venaient les échos assez familiers de rires humides et de pas trébuchants. Une voix disait « Tenez bon » ; une autre : « Arrivez » ; une troisième : « Nous avons le temps... rentrer... d'ici que Tom ait fini de sonner ses douze coups » ; et une quatrième enfin, plus claire que les autres : « Savez-vous que je me sens mal, inconcevablement mal ? Excusez-moi un instant », sur quoi surgit à ma fenêtre le visage que je connaissais comme étant celui de Sebastian, mais très différent de ce qu'il avait été pour moi jusqu'alors : non plus vivant et éclairé de bonne humeur. Il me regarda un moment, sans me voir, puis, se penchant fort avant dans la pièce, vomit.

Il n'était pas rare qu'un dîner de compagnie finît ainsi ; de telles occasions avaient en fait, en ce qui concernait le garçon de chambre, leur tarif bien établi ; tous, nous apprenions, à force de tâtonnements et d'erreurs, à tenir le vin. Il y avait aussi une sorte d'application méthodique un peu insensée et charmante dans le choix qu'avait fait Sebastian, à toute extrémité, d'une fenêtre ouverte. Il n'en reste pas moins que la rencontre ne se fit pas sous un signe propice.

Ses amis le portèrent jusqu'à la grille et quelques minutes plus tard son hôte, aimable élève d'Eton où il avait été mon camarade, revint pour me présenter ses excuses. Lui aussi avait quelque peu le vertige ; ses explications furent tautologiques et, vers la fin, larmoyantes. « Les vins étaient trop mélangés, me dit-il ; la qualité ni la quantité n'y sont pour rien. Si vous saisissez bien cela, vous aurez compris le fond de la chose. Et comprendre, c'est pardonner. »

— Naturellement, dis-je.

Mais ce fut avec le sentiment d'avoir été victime d'un grave préjudice que j'accueillis, le lendemain matin, les reproches de Lunt.

— Deux carafes de bordeaux chaud entre vous cinq, me dit Lunt, et voilà le résultat. Même pas pu se traîner jusqu'à la fenêtre. Ceux qui ne sont pas capables de garder la boisson feraient mieux de faire sans.

— Ce n'était personne de mes amis. C'était quelqu'un d'étranger au collège.

— Peu importe – ça n'en est pas plus propre pour ça.

— Vous trouverez cinq shillings sur la desserte.

— J'ai vu et je vous en remercie, mais je préférerais me passer de l'argent et ne pas avoir à nettoyer ces saletés le matin comme ça.

Je pris ma toge d'étudiant et l'abandonnai à sa tâche. Je suivais encore assidûment les cours, à cette époque, et il était plus de onze heures quand je rentrai au collège. Ce fut pour trouver ma chambre débordant de fleurs ; on eût dit et, c'était un fait, qu'on avait vidé le magasin d'une fleuriste de son stock du jour pour remplir tout ce qui pouvait servir de vase et de récipient dans tous les coins de la pièce. Lunt était en train de dissimuler ce qu'il en restait dans un morceau de papier brun, dans l'intention d'en faire profiter son foyer.

— Lunt, que diable est ceci ?

— Le monsieur d'hier soir, monsieur, il a laissé un mot pour vous.

Le mot était écrit au crayon Conté et prenait une grande feuille de mon meilleur papier à dessin : *Je suis extrêmement contrit. Aloysius refuse de m'adresser la parole, tant qu'il ne m'aura pas vu obtenir mon pardon, ainsi donc venez déjeuner aujourd'hui. Sebastian Flyte.* Typique, pensai-je ; bien de lui : s'imaginer que je sais où il demeure ; mais, en fait, je le savais.

— Très amusant, ce monsieur, je suis sûr que c'est un vrai plaisir que de faire le nettoyage après son passage. J'imagine que vous ne déjeunez pas ici, monsieur. C'est ce que j'ai dit à M. Collins et à M. Partridge – ils avaient l'intention d'apporter ici leur repas pour le prendre avec vous.

— Oui, Lunt, je déjeune dehors.

Ce déjeuner, ou mieux cette *party* – car ce fut bien une *party* – marqua le début d'une nouvelle ère dans ma vie, mais les détails demeurent obscurs et se mêlent à quantité d'autres, presque identiques, qui se succédèrent sans trêve durant ce trimestre et le suivant, tels les Cupidons folâtres d'une frise Renaissance.

J'étais encore très incertain en me rendant à cette invitation, car je foulais une terre étrangère et, résonnant à mes oreilles, j'entendais une voix ténue mais pleine de suffisance et qui, empruntant ses accents à Collins, me criait gare et me conseillait prudemment de m'abstenir. Mais j'avais soif d'affection dans ce temps-là, et je partis plein de curiosité, plein aussi de la faible et vague conscience que j'allais trouver enfin cette porte basse dans le mur que d'autres, je le savais, avaient déjà trouvée, et qui donnait sur un jardin fermé et enchanté, jardin qui se tenait quelque part où il n'y avait pas de fenêtres d'où on pût le voir, au cœur même de cette ville de grisailles.

Sebastian vivait à Christ Church College, au sommet de Meadow Buildings. Il était seul quand j'entrai, occupé à peler un œuf de pluvier qu'il avait pris dans l'énorme nid de mousse installé au centre de la table.

— Je viens de faire le compte, me dit-il. Cela faisait cinq chacun et deux de reste ; alors je mange les deux. J'ai une faim de loup aujourd'hui, inconcevable. Je m'étais livré pieds et poings liés à Dolbear et Goodall, et je me sens si drogué que je commence à croire que la soirée d'hier n'était qu'un rêve. Je vous en prie, ne m'éveillez pas encore.

Il était magnifiquement beau, de cette beauté épicène qui, dans l'extrême jeunesse, appelle à voix haute l'amour et se flétrit à la première bise.

Sa chambre était pleine du plus étrange ramassis d'objets – un harmonium à buffet gothique, une corbeille à papier en forme de pied d'éléphant, une coupe de fruits en cire, deux vases de Sèvres gigantesques et disproportionnés, des dessins de Daumier encadrés – le tout formant un ensemble d'autant plus incongru qu'il se complétait du mobilier austère en vigueur au collège et de la vaste table à manger. La cheminée était couverte de cartes d'invitation, aux noms des hôtesses célèbres de la société londonienne.

— Cette brute de Hobson a mis Aloysius au lit, me dit-il. Peut-être cela vaut-il mieux : il n'y aurait pas eu d'œufs de pluvier pour lui. Savez-vous que Hobson déteste Aloysius ? Je voudrais bien avoir un garçon de chambre comme le vôtre. Il a été gentil avec moi ce matin ; d'autres auraient pu être sévères.

Les autres invités arrivèrent. Trois jeunes Etoniens, doux, élégants, de retour d'une soirée dansante à Londres, la veille, et qui parlaient de ce bal comme s'il s'était agi des funérailles d'un parent proche mais peu aimé. En entrant, chacun d'eux commença par piocher dans les œufs de pluvier, puis consentit à remarquer la présence de Sebastian et ensuite la mienne, avec un manque poli de curiosité qui semblait vouloir dire : « Vraiment, nous ne saurions vous faire un instant l'injure de croire que vous ne nous avez pas déjà rencontrés quelque part. »

— Ce sont les premiers de l'année, dirent-ils. Où les avez-vous trouvés ?

— Maman me les envoie de Brideshead. Ils pondent plus tôt pour elle.

Les œufs engloutis, nous en étions au homard à l'armoricaine quand le dernier invité fit son entrée.

— Mon cher, dit-il, je n'ai pu me sauver plus tôt. Je déjeunais avec mon g-g-grotesque tuteur. Il a trouvé très étrange mon départ. Je lui ai dit que je devais aller me mettre en tenue de f-f-football.

À peine installé, le nouveau venu se chargea de la conversation, usant d'un bégaiement efféminé et très étudié, poussant des pointes et des taquineries, caricaturant les personnes qui avaient participé à son précédent déjeuner, racontant des anecdotes obscènes sur Paris et Berlin, et faisant plus qu'amuser, transfigurant la *party*, projetant une lumière vive et fausse d'excentricité sur chacun, en sorte que nos trois Etoniens prosaïques prenaient soudain figure de créatures nées de sa fantaisie.

Ce dernier venu, point n'était besoin de me le présenter, était Anthony Blanche, l'« esthète » par excellence ; objet légendaire d'iniquité, fable et risée de Cherwell Edge à Somerville, jeune homme qui, pour moi, frais émoulu de la sombre compagnie de la Société de dissertation du collège, était sans âge, comme un lézard, était aussi étrange qu'un habitant de Mars. On me l'avait souvent montré du doigt dans les rues, déambulant avec la majesté qui lui était particulière, comme s'il n'avait pas fini de s'accoutumer au port du veston et des pantalons et se trouvait plus à l'aise dans de lourdes robes brodées. J'avais entendu sa voix s'élever au George pour jeter un défi aux conventions. Et maintenant, le rencontrant, et déjà en proie au charme de Sebastian, je me surprenais à jouir voracement de sa présence et du mets délicieux qu'il était.

Après le déjeuner, il s'installa sur le balcon avec un mégaphone surgi miraculeusement du bric-à-brac de la pièce, et, sur le mode languissant et sanglotant, se mit à réciter des passages de *The Waste Land* à l'intention de la troupe en sweaters et cache-nez qui descendait vers la rivière.

Moi, Tirésias, j'ai connu par avance
Toutes vos souffrances,

sanglotait-il du haut des arches vénitiennes ;

Les ai vécues dans l'acte
Sur ce même d-d-divan, sur cette c-c-couche même,
Moi qui me suis assis près des portes de Thèbes
Au pied du haut rempart
Et qui marchai parmi les plus humbles des m-m-morts.

Puis, sautant d'un pied léger dans la pièce : « Je crois que je les ai surpris ! Tous ces rameurs sont des anges de c-c-candide douceur. »

Un temps encore nous demeurâmes, à siroter du cointreau, tandis que le plus doux et le plus abstrait des Etoniens entonnait : « Quand Jean Renaud de guerre revint », en s'accompagnant à l'harmonium.

Nous ne nous séparâmes pas avant quatre heures de l'après-midi.

Anthony Blanche partit le premier. Il prit congé de nous solennellement avec un compliment à l'adresse de chacun. À Sebastian il dit : « Mon cher, j'aimerais à vous percer de dards barbelés comme une p-p-pelote à épingles », et à moi : « Je trouve que Sebastian a fait en vous une brillante découverte. Où se tient votre antre ? Je descendrai vous voir dans votre terrier et vous d-d-délogerai comme une v-v-vieille hermine. »

Les autres ne tardèrent pas à le suivre. Je me levai à mon tour, mais Sebastian me dit : « Reprenez un peu de cointreau », je restai donc et il ajouta un peu plus tard : « Il faut absolument que j'aille au Jardin botanique. »

— Pourquoi ?

— Pour voir le lierre.

La raison était plausible et je l'accompagnai. En passant au pied des murs de Merton, il me prit par le bras.

— Je ne suis jamais allé au Jardin botanique, dis-je.

— Oh, Charles, que de choses il vous reste à apprendre ! Il s'y trouve une arche magnifique et tant d'espèces différentes de lierre que je ne croyais pas qu'il pût en exister autant. Je ne sais où j'en serais sans le Jardin botanique.

Quand, en fin de compte, je regagnai ma chambre et la retrouvai exactement dans l'état où je l'avais laissée le matin, je lui découvris un air d'aridité qui ne m'avait pas frappé jusqu'alors. Qu'est-ce qui n'allait pas ? Rien, sauf que, comparés au reste, les narcisses d'or semblaient vivre. Était-ce la faute du paravent ? Je le tournai face au mur. Mieux ainsi.

Ce fut la fin du paravent. Lunt ne l'avait jamais aimé et l'emporta, au bout de quelques jours, pour le confiner dans un obscur réduit, sous l'escalier, en compagnie de torchons et de seaux.

Ce fut à dater de ce jour que commença mon amitié pour Sebastian, et ce fut ainsi qu'un certain matin de juin je me trouvais couché à côté de lui à l'ombre hautaine des ormes, en train de regarder la fumée qui montait de ses lèvres pour aller se perdre dans les branches.

Bientôt nous reprîmes la route. Une heure plus tard nous eûmes faim. Arrêt dans une auberge, qui faisait aussi ferme ; œufs au bacon, noix au vinaigre, fromage, bière, dans un petit salon sombre avec, dans l'ombre, le tic-tac d'une vieille horloge et, près de l'âtre vide, un chat qui dormait.

La route encore, pour arriver, au début de l'après-midi, à destination : grilles en fer forgé, loges jumelles et classiques sur la place verte d'un village, avenue, regrilles, parc spacieux, tournant dans l'allée ; et soudain, devant nous, se révélant, un site secret. Nous étions au sommet d'une vallée et, en dessous de nous, à un demi-mile, reposant dans le soleil gris et or au milieu de l'écran d'un bosquet, brillaient le dôme et la colonnade d'une vieille demeure.

— Eh bien ? me dit Sebastian, arrêtant la voiture.

Par-delà le dôme, on apercevait plusieurs étendues d'eau se perdant en escalier dans le lointain, et tout autour, montant la garde et dissimulant l'architecture, se dressaient les collines douces.

— Eh bien ?

— Quel rêve de vivre ici !

— Attendez d'avoir vu la façade sur les jardins et la fontaine. (Il se pencha pour débrayer.) C'est là que vit ma famille.

Et, si charmé que je fusse par la vision qui s'offrait à moi, je sentis un instant, tel un coup de vent qui fait frémir une tenture, passer un frisson de mauvais augure dans les mots qu'il avait employés – non pas

« c'est ma demeure », mais « c'est là que vit ma famille ».

— Ne vous inquiétez pas, poursuivit-il, il n'y a personne. Vous n'aurez pas à faire leur connaissance.

— Mais je n'en serais pas fâché.

— Tant pis, c'est impossible. Ils sont au bal, à Londres.

Nous fîmes en voiture le tour de la façade pour nous arrêter dans une cour de côté – « Tout est fermé. Mieux vaut passer par ici » – et nous entrâmes par les passages voûtés, à l'allure de forteresse, pierres massives, blasons taillés dans la pierre, des communs – « Je veux que vous fassiez connaissance avec Nounou Hawkins. C'est le motif de notre visite » –, escaladâmes des marches en bois d'orme, sans tapis, grattées au tesson, enfilâmes d'autres passages, foulant d'énormes dalles de bois, avec au centre un mince chemin de droguet, puis des corridors au sol recouvert de linoléum, laissant de côté les puits sombres de nombreux escaliers mineurs et passant devant d'innombrables alignements de seaux à incendie, écarlate et or ; grimpâmes un dernier escalier, commandé par une grille au sommet, et atteignîmes enfin les nurseries, tout en haut, sous le dôme, au centre du bâtiment principal.

La nourrice de Sebastian était assise près de la fenêtre ouverte ; devant elle s'étendaient la fontaine, les lacs, le temple et très loin, sur un dernier éperon, un obélisque étincelant ; ses mains gisaient, ouvertes sur ses genoux, tenant à peine entre leurs doigts un rosaire ; elle dormait profondément. Les longues heures de labeur de sa jeunesse, l'autorité de la maturité, le repos et la tranquillité de la vieillesse marquaient de leurs empreintes son visage ridé et serein.

— Eh bien, dit-elle, s'éveillant, en voici une surprise !

Sebastian l'embrassa.

— Qui est-ce ? dit-elle, me regardant. Je ne crois pas le connaître.

Sebastian fit les présentations.

— Vous arrivez à point. Julia est ici pour la journée. Elle a passé presque toute la matinée avec moi ici, en haut, à me parler de Londres. Ah, pour du bon temps, ils en prennent tous ! C'est triste ici sans eux. Mme Chandler, deux des petites, le vieux Bert, et c'est tout. Et encore, ils vont tous partir en vacances, et la chaudière qu'on doit refaire en août, et puis vous qui allez partir voir Milord en Italie, les autres en visite ; octobre sera là avant qu'on ait repris le train-train. C'est pas que je pense pas que Julia n'a pas le droit de s'amuser comme les autres jeunes dames, bien que pourquoi elles ont toutes besoin d'aller à Londres au plus beau de l'été et le parc tout en fleurs, je n'arrive pas à le comprendre. Le père Phipps était ici jeudi, et je lui ai dit exactement ce que je viens de vous dire, ajouta-t-elle comme si son opinion en la matière se trouvait revêtue du coup de l'autorité sacerdotale.

— Vous dites que Julia est ici ?

— Oui, mon petit, vous avez dû la manquer de peu. À cause de la réunion des Dames conservatrices. Milady devait y aller, mais elle n'est pas très bien. Julia ne tardera pas ; elle doit partir tout de suite après son discours, avant le thé.

— J'ai peur que nous ne la manquions encore.

— Ne faites pas ça, mon petit ; ce sera une telle surprise pour elle, de vous voir, bien qu'elle devrait rester pour le thé, je le lui ai dit, ça n'est que pour ça que ces dames viennent. Et vous, comment ça va-t-il ? Vous étudiez toujours beaucoup dans nos livres ?

— Pas trop, j'en ai peur, Nounou.

— Je vois ce que c'est : vous préférez jouer au cricket tout le jour, comme votre frère. Pourtant il trouvait tout de même le temps d'étudier aussi. On ne l'a pas vu ici depuis la Noël, mais il sera là pour le Concours agricole, je pense. Avez-vous vu ce qu'on dit de Julia dans le journal ? Elle me l'a apporté. Ça n'est pas que ce ne soit pas loin de compte, mais tout de même ce qu'ils disent est très très gentil. « L'exquise fille que Lady Marchmain présentera à la Cour la saison prochaine... aussi spirituelle que belle... la plus populaire des débutantes », ma foi, ça n'est jamais que la vérité, sans plus, bien que ce soit une honte qu'on lui ait coupé les cheveux ; un si beau casque de cheveux qu'elle avait, tout comme Milady. J'ai dit au père Phipps que ce n'était pas naturel de faire ça. « Les nonnes le font bien », qu'il m'a dit ; « Ah bien, pour sûr, mon père, que je lui ai dit, mais vous n'avez tout de même pas envie que Lady Julia se fasse nonne, dites ? Rien que d'y penser ! »…

La conversation se poursuivit entre Sebastian et la vieille femme. La pièce était charmante, de forme curieuse, épousant la courbe du dôme. Les murs étaient tapissés d'un papier à motif de rubans et de roses. Il y avait un cheval à bascule dans un coin et un chromo du Sacré-Cœur au-dessus de la cheminée ; l'âtre vide était caché par une brassée de pampas et de roseaux ; étalée sur la commode, et soigneusement époussetée, se voyait la collection de menus cadeaux que lui avaient rapportés à diverses époques les enfants qu'elle avait élevés, coquillages ou laves sculptés, cuirs gravés, bois peints, chines, chêne de tourbière, argents damasquinés, albâtres, coraux, souvenirs de nombreuses vacances.

Dans l'instant, la vieille Nounou dit : « Sonnez, petit, pour qu'on apporte le thé. D'habitude, je descends chez Mme Chandler, mais aujourd'hui nous le prendrons ici. La fille qui me sert d'ordinaire est partie pour Londres avec les autres. La nouvelle vient tout droit du village. Les premiers temps elle ne savait rien faire, mais elle s'en tire gentiment maintenant. Sonnez. »

Mais Sebastian lui dit que nous ne pouvions rester.

— Et Mlle Julia ? Elle sera fâchée, je vous le dis, quand elle saura. Ç'aurait été une *telle* surprise pour elle.

— Pauvre Nounou, me dit Sebastian, quand nous eûmes quitté la nursery. C'est vrai que la vie qu'elle mène n'est pas drôle. J'ai bien envie de l'emmener vivre avec moi à Oxford, n'était qu'elle passerait son temps à vouloir que j'aille à l'église. Filons avant le retour de ma sœur.

— Filer ? De qui avez-vous honte ? D'elle ou de moi ?

— De moi, me répondit-il gravement. Je ne vais pas m'amuser à vous mêler aux histoires de ma famille. Ils sont trop adorablement fous. Toute ma vie se passe à les voir me prendre ceci ou cela. Si jamais ils mettaient la main sur vous, leur charme aidant, vous deviendriez *leur* ami, plus le mien, et je ne le veux pas.

— Parfait, dis-je. L'argument me convient. Mais ne me permettrez-vous même pas de jeter un coup d'œil sur la maison ?

— Tout est bouclé. Nous sommes venus voir Nounou. Pour la fête commémorative de la reine Alexandra, c'est ouvert ; entrée payante : un shilling. Mais soit, venez voir si vous y tenez...

Par une contre-porte il me conduisit dans un corridor très noir ; vaguement je distinguais une corniche dorée surmontée d'une voûte en stuc ; puis, poussant une lourde porte d'acajou, souple et silencieuse, il me fit entrer dans un grand vestibule obscur. La lumière pénétrait en ruisseaux par les fentes dans le bois des volets. Sebastian défit les barres qui fermaient l'un de ceux-ci et le replia ; le moelleux soleil d'après-midi pénétra à flots, inondant le parquet nu, les vastes cheminées jumelles en marbre sculpté, les déités et les héros classiques des fresques du plafond, les miroirs dorés et les pilastres en *scagliola*, ainsi que les îlots de mobilier recouvert de housses. Le temps d'un bref coup d'œil, comme le regard qu'on jette du haut de l'impériale d'un omnibus, sur une salle de bal illuminée ; puis Sebastian referma vivement le volet, chassant le soleil.

— Voilà, dit-il. Vous avez une idée de ce que c'est.

Il avait changé d'humeur, depuis le moment où nous buvions à l'ombre des ormes, depuis le moment aussi où, prenant le tournant de l'avenue, il m'avait dit : « Eh bien ? »

— Vous voyez, c'est vite vu. Quelques jolies choses que j'aimerais à vous montrer un jour, mais pas aujourd'hui. Ah ! si, la chapelle. Il faut que vous voyiez cela. Un monument d'art nouveau.

Le dernier architecte employé à Brideshead avait tenté de donner à la croissance de la demeure une certaine unité, en y ajoutant une colonnade et en la flanquant de pavillons. L'un de ceux-ci formait la chapelle. Nous y entrâmes par le porche du public (une autre entrée menait directement à la maison). Sebastian trempa les doigts dans le bénitier, fit le signe de la croix et une génuflexion ; je l'imitai.

— Pourquoi faites-vous ça ? me demanda-t-il, l'air furieux.

— Pure politesse.

— Ne vous y croyez pas tenu par égard pour moi. Vous vouliez jouer au touriste ; que pensez-vous de ça ?

L'intérieur avait été dénudé, doté à grands frais d'un mobilier neuf et de motifs décoratifs dans le style art nouveau des dix dernières années du XIXe siècle. Anges vêtus de cotonnades imprimées, guirlandes de roses grimpantes, prairies émaillées de fleurs, agneaux frétillants, textes en écriture celte, saints bardés d'armures couvraient les murs de motifs compliqués, peints en couleurs claires et éclatantes. Il y avait un triptyque en chêne clair, sculpté de façon à lui donner l'allure très particulière d'une œuvre moulée dans la plasticine. La lampe du sanctuaire et tous les accessoires en métal étaient de bronze martelé de façon à lui donner la patine d'une peau grêlée de petite vérole ; les marches de l'autel étaient recouvertes d'un tapis imitant l'herbe des champs, parsemé de pensées blanc et or.

— Peste, dis-je.

— Cadeau de noce de papa à maman. Et maintenant, si vous en avez assez, en route.

Dans la grande avenue, nous croisâmes une Rolls-Royce fermée, conduite par un chauffeur ; à l'arrière, se tenait une silhouette confuse de toute jeune fille, qui se retourna pour nous regarder à travers la glace.

— Julia, dit Sebastian. Nous sommes partis juste à temps.

Nous fîmes halte pour échanger quelques mots avec un cycliste : « C'était le vieux Bat, dit Sebastian », et puis partîmes pour de bon, franchissant les grilles en fer forgé, les deux loges et, la route retrouvée, fonçant sur Oxford.

— Désolé, dit Sebastian au bout d'un moment, je crains de n'avoir pas été très chic cet après-midi. Brideshead a très souvent cet effet sur moi. Mais il fallait absolument que je vous emmène voir ma vieille nounou.

Pourquoi ? Je me le demandai, mais ne dis rien. La vie de Sebastian était régie par tout un code d'impératifs de ce genre. « Il faut *absolument* que je trouve des pyjamas rouge avertisseur d'incendie. Il faut *absolument* que je reste au lit jusqu'à ce que le soleil ait tourné et donne dans mes fenêtres. Il faut *absolument* que je boive du champagne ce soir ! » Je ne dis donc rien, sauf :

— Brideshead a eu sur moi l'effet contraire.

Après un long silence, il reprit impulsivement :

— Je ne m'amuse pas à vous harceler de questions sur *votre* famille.

— Ni moi sur la vôtre.

— N'empêche que vous avez l'air bien curieux.

— Ma foi, vous faites tant de mystères.

— Je croyais en faire à propos de tout.

— Peut-être en effet ma curiosité s'éveille-t-elle devant les familles des autres. Je ne sais rien de la famille, voyez-vous. En dehors de mon père et de moi… Il y a bien eu une tante qui m'a vaguement surveillé pendant un temps, mais mon père n'a pas tardé à la faire fuir. Ma mère a été tuée à la guerre.

— Oh !… tout à fait extraordinaire.

— Elle était partie pour la Serbie, dans la Croix-Rouge. Mon père est un peu drôle depuis lors. Il vit tout seul à Londres, sans amis, et galope ici et là à la recherche de curiosités pour ses collections.

Sebastian dit :

— Vous ne savez pas ce que je vous ai épargné. Nous sommes des tas. Vous n'avez qu'à regarder dans le Bottin.

Son humeur s'allégeait maintenant. Plus nous nous éloignions de Brideshead, plus il semblait se débarrasser de la gêne qui avait pesé sur lui, comme une sorte d'inquiétude furtive ou presque, et d'irritation. Le soleil était derrière ; nous avions l'air de courir à la poursuite de nos ombres.

— Cinq heures et demie. Nous serons à Godstow pour le dîner ; ensuite, nous prendrons un verre à La

Truite, déposerons la voiture de Hardcastle et rentrerons à pied par la rivière. Ça va comme ça ?

Tel est le récit complet de ma première visite à Brideshead ; pouvais-je me douter alors qu'un jour un souvenir aussi humble suffirait pour emplir de larmes les yeux d'un capitaine d'infanterie dans la force de l'âge ?

2.

Vers la fin de ce trimestre d'été, j'eus l'honneur de subir l'ultime visite en même temps que la Grande Remontrance de mon cousin Jasper. Je venais d'en finir avec mes cahiers de cours, ayant passé, l'après-midi de la veille, la dernière épreuve de mon premier certificat d'histoire ; le costume rustique de Jasper et sa cravate blanche proclamaient assez qu'il se débattait encore au plus fort des examens ; en outre il avait l'air épuisé mais plein de ressentiment de l'homme qui craint de ne pas s'être rendu pleinement justice en traitant du caractère orphique de Pindare. Le devoir seul l'avait conduit chez moi cet après-midi, à son grand dam et, par hasard, au mien également, car il me trouva sur le pas de la porte, au moment où je m'apprêtais à sortir pour mettre la dernière main à un dîner que je donnais ce soir-là. Il s'agissait d'une des nombreuses *parties* destinées à consoler Hardcastle, l'une des tâches qui nous étaient récemment échues, à Sebastian et à moi, depuis que, plantant sa voiture devant chez lui, nous lui avions attiré de graves ennuis avec les autorités du collège.

Jasper refusa de s'asseoir ; rien à voir avec une bavette qu'on taille au coin du feu ; il demeura debout, tournant le dos à l'âtre et, selon sa propre expression, se mit à me parler « comme l'eût fait un oncle ».

— … J'ai essayé de vous joindre plusieurs fois depuis une ou deux semaines. En fait j'ai le sentiment que vous me fuyez. S'il en est ainsi, Charles, vous ne me surprenez nullement.

« Peut-être pensez-vous que je me mêle de ce qui ne me regarde pas, mais je me sens responsable de vous. Vous savez aussi bien que moi que, depuis votre, mettons, depuis la guerre, votre père a perdu le sens des réalités et vit dans un monde à lui. Je n'ai pas envie de rester assis dans mon fauteuil, à vous regarder multiplier des erreurs qu'un mot opportun pourrait vous épargner.

« Je m'attendais à vous voir commettre des erreurs la première année. Nous en faisons tous autant. Pour ma part, je me suis embringué autrefois dans une bande de types, formellement répréhensibles – ils apppartenaient à l'Union chrétienne des étudiants d'Oxford – qui s'étaient mis en tête de porter la bonne parole, pendant les vacances, aux ouvriers qui récoltent le houblon dans les champs. Mais vous, mon cher Charles, je ne sais si vous vous en rendez compte, vous avez donné tête baissée, en emportant tout, hameçon, ligne et bouchon, en plein dans *la pire coterie de l'Université*. Peut-être avez-vous cru que, vivant en ville, j'ignorais ce qui se passe au collège ; mais je n'ai qu'à ouvrir les oreilles. Et en fait j'entends beaucoup trop de racontars. Je me trouve être devenu une cible à risées, par votre faute, au restaurant du club. Prenez ce type, ce Sebastian Flyte dont vous avez l'air de ne pouvoir vous passer. Il est peut-être très bien, je l'ignore. Brideshead, son frère, était un type solide. Mais votre ami m'a l'air un peu curieux et fait trop parler de lui. Vous me direz que toute la famille est curieuse. Les Marchmain, mari et femme, vivent séparés depuis la guerre, vous savez. Vraiment extraordinaire ; tout le monde les prenait pour un couple très uni. Puis lui s'embarqua pour la France avec ses compagnons d'armes et depuis on ne l'a plus revu, tout simplement. Il eût été tué qu'il n'en eût pas été autrement. Elle, est catholique romaine ; elle ne peut donc pas divorcer, ou ne le *veut* pas, j'imagine. On obtient tout de Rome avec de l'argent, et ils sont colossalement riches. Flyte est *peut-être* très bien, mais *Anthony Blanche*, en voilà un pour lequel vous n'avez aucune excuse.

— Personnellement, je ne l'aime pas spécialement.

— Soit, il n'empêche qu'il est tout le temps fourré ici, et les collets montés du collège n'aiment guère cela. On ne peut plus le souffrir au club. Il a pris un bain forcé dans le bassin de Mercure, hier soir encore. Aucun de ces individus que vous fréquentez ne jouit de la moindre autorité dans son collège et ça c'est un critère. Ils croient qu'il leur suffit de jeter l'argent par les fenêtres pour faire ce qui leur plaît.

« Et à ce propos… Je ne sais ce que mon oncle vous donne, mais je suis sûr de gagner en pariant que vous en dépensez le double. Tout *ceci*, dit-il, embrassant d'un seul et large geste de la main les preuves de ma prodigalité qu'il voyait autour de lui. – C'était vrai ; ma chambre avait laissé son austère manteau d'hiver et, sans s'attarder à des prudentes phases, affichait une garde-robe plus somptueuse. – *Cela*, par exemple, est-ce payé ? (une boîte de cent havanes module ministre, déployée sur le dressoir) et *ceux-ci* (une douzaine de livres neufs et frivoles, sur la table) ou bien *ceci* ? (un service à porto de Lalique) ou encore cet objet particulièrement incongru ? (un crâne humain, récemment acheté à l'École de médecine et qui, reposant au milieu d'une corbeille de roses, formait le principal motif décoratif de ma table, pour le moment. Il portait, gravée sur le front, la devise : *Et in Arcadia ego*).

— Pour celui-là, si, dis-je, heureux de me laver au moins d'une accusation. J'ai dû payer rubis sur l'ongle.

— Il est impossible que vous fassiez du travail sérieux. Non que cela importe beaucoup, surtout si vous vous préparez par ailleurs une carrière, mais est-ce bien le cas ? Avez-vous pris la parole à l'Association ou à aucun des clubs ? Avez-vous affaire avec aucun des journaux du collège ? Vous êtes-vous même taillé une place à la Société dramatique de l'Université ? Et cette façon de vous vêtir ! poursuivit mon cousin ; à votre entrée à l'Université, je me souviens de vous avoir conseillé de vous habiller comme vous le feriez à la campagne. Votre déguisement a l'air d'un fâcheux compromis entre la tenue correcte qu'exigerait une séance de théâtre de salon et l'attifement d'un concours de chansons à boire dans un parc public des faubourgs.

« Chapitre boissons, on ne reprochera jamais à personne de se griser une ou deux fois par trimestre. En fait, c'est un devoir en certaines occasions. Mais on me dit qu'il arrive constamment qu'on vous rencontre ivre en plein après-midi.

Il reprit haleine, s'étant acquitté de son devoir. Déjà les soucis et les hasards de l'examen reprenaient possession de son esprit.

— Je suis navré, Jasper, lui dis-je. Je me rends parfaitement compte de l'ennui que je vous cause. Mais figurez-vous que *j'aime* à fréquenter cette mauvaise graine. Que *j'aime* à m'enivrer au déjeuner et que, si je n'ai pas encore dépensé le double de ce que me donne mon père, ce sera chose faite assurément avant la fin de ce trimestre. J'ai l'habitude de prendre un verre de champagne vers cette heure-ci. Me tiendrez-vous compagnie ?

Mon cousin Jasper désespéra donc de moi et, je l'appris plus tard, écrivit à son père pour lui signaler mes excès ; lequel, à son tour, écrivit à *mon* père qui en l'occurrence ne se soucia ni de réagir ni même de réfléchir à la question, à la fois parce qu'il détestait mon oncle depuis près de soixante ans et parce que, comme l'avait dit Jasper, il vivait dans son monde à lui, depuis la mort de ma mère.

En gros, Jasper avait assez bien brossé les traits les plus saillants de ma première année. Quelques détails du même ordre renforceront cette ébauche.

Je m'étais engagé, au début, à passer les vacances de Pâques avec Collins. Certes, je n'aurais pas hésité à rompre cet engagement et à planter là mon ancien ami, si Sebastian m'avait fait signe. Le signe attendu ne vint pas ; en conséquence, Collins et moi, nous allâmes passer plusieurs semaines instructives et économiques à Ravenne. Un vent glacial soufflait de l'Adriatique parmi les tombes monumentales. De ma chambre d'hôtel, conçue pour une saison plus clémente, j'écrivais des lettres interminables à Sebastian et passais chaque jour à la poste dans l'espoir d'une réponse. J'en reçus deux, chacune d'une adresse différente, et ne me donnant ni l'une ni l'autre des nouvelles bien nettes de lui, car il procédait systématiquement par allusions très lointaines. « *Maman et deux poètes de sa suite souffrent de trois mauvais rhumes, ce qui explique ma présence ici. C'est aujourd'hui la fête de saint Nicodème de Thyatira,* martyr, à qui ses bourreaux clouèrent une peau de bouc sur le crâne, et qui est en conséquence le patron des hommes chauves. Dites-le à Collins qui, j'en suis sûr, sera chauve avant nous. Il y a trop de gens ici, mais l'un d'eux, le Ciel soit loué ! est doté d'un cornet acoustique, ce qui me permet de garder ma bonne humeur. Et maintenant il faut que j'essaie d'aller à la pêche. Vous êtes trop loin pour que je vous en envoie le produit, mais je vous garderai une arête... » ce qui me laissa rêveur. Collins prenait des notes en vue d'une courte thèse où il entendait démontrer l'infériorité des mosaïques originales par rapport aux photographies qu'on en avait prises. Ces notes furent la semence d'où monta plus tard la moisson de sa vie. Quand, bien des années après, parut le premier tome massif de son œuvre, inachevée à l'heure qu'il est, sur l'art byzantin, je fus ému de lire, entre autres témoignages de reconnaissance s'étalant sur deux pages, mon nom « ... à Charles Ryder, dont les yeux, auxquels rien n'échappait, m'aidèrent à voir pour la première fois le mausolée de Galla Placidia et San Vitale... ».

Je me demande parfois si, sans Sebastian, je n'aurais pas foulé les mêmes sentiers que Collins, attelé sous le même joug à la roue de la science. Dans sa jeunesse, mon père avait été candidat au Concours général ; la compétition fut ardente, cette année-là ; il n'eut aucun prix ; d'autres succès, d'autres honneurs lui apportèrent plus tard leur compensation, mais cet échec de sa jeunesse le marqua d'une empreinte qu'il me transmit, en sorte que j'entrai à l'Université avec le sentiment, assez illogique en soi, que j'y trouverais la fin certaine et naturelle de toute vie de raison. Sans doute eussé-je subi un échec analogue à celui de mon père, mais, ayant échoué, peut-être eussé-je trouvé à me caser en d'autres lieux au sein d'une vie académique moins auguste. La chose est concevable, mais, à mon avis, peu probable ; car le geyser de l'anarchie puisa sa force en moi dans les profondeurs d'un feu souterrain qui ne tolérait nul élément solide, et s'épanouit à la lumière – un arc-en-ciel se dessinant dans ses vapeurs fraîchissantes – avec une telle puissance qu'aucune roche n'aurait pu le contenir.

Éventuellement, ces vacances de Pâques constituèrent une sorte de palier mais fort bref, dans la descente en précipice contre laquelle Jasper m'avait mis en garde. Descente ou ascension ? J'avais l'impression de rajeunir un peu plus tous les jours, à chaque habitude nouvelle que j'empruntais au monde des adultes. Mon enfance avait été solitaire ; mon adolescence, étranglée par la guerre et assombrie par la perte de ma mère ; au dur célibat de l'adolescence anglaise, à la dignité, à l'autorité précoces du système scolaire, j'avais ajouté, de moi-même, un effort de tension triste et sévère. Et voilà que, durant ce trimestre d'été passé avec Sebastian, j'avais eu l'impression de me voir accorder une brève saison de ce que je n'avais jamais connu : le bonheur de l'enfance. Sans doute mes jouets étaient-ils les chemises de soie, les liqueurs, les cigares, et ma méchanceté puérile s'inscrivait-elle fort haut dans le catalogue des péchés les plus graves ; mais nos actes fleuraient bon la fraîcheur de la nursery et cela suffisait pour que notre joie fût à peu de chose près celle de l'innocence. À la fin du trimestre, je passai mes premiers examens ; il fallait que je réussisse à tout prix, si je voulais rester à Oxford. Je passai, après une semaine durant laquelle j'interdis à Sebastian l'entrée de ma chambre, une semaine de veilles, de café très noir et de biscuits calcinés, où je me bourrai jusqu'à éclater des conférences que j'avais négligé de suivre. J'en ai oublié aujourd'hui jusqu'à la dernière syllabe ; mais l'autre trésor de ma vie, plus ancien, que j'amassai durant ce trimestre, demeurera en moi sous une forme ou sous une autre, jusqu'à ma mort.

« J'aime à fréquenter cette mauvaise graine et à m'enivrer à déjeuner » ; cela me suffisait alors. Ai-je besoin d'autre chose maintenant ?

Quand je regarde en arrière aujourd'hui, vingt ans après, il est bien peu de choses que je ne referais pas ou que je ferais différemment. Aux allures de coq de combat que se donnait mon cousin Jasper, je serais à même d'opposer des ergots plus vigoureux encore. À même de lui dire que tout le méchant côté de cette époque était semblable à cet esprit que l'on mêle aux grappes naturelles du douro, liqueur capiteuse pleine de noirs ingrédients ; le processus d'adolescence s'en trouvait à la fois enrichi et retardé, tout comme la liqueur met un frein à la fermentation du vin, le rend imbuvable, de façon qu'il faut le laisser reposer dans les ténèbres pendant des années, jusqu'au jour où on peut enfin le servir à table.

Je pourrais lui dire aussi que connaître, aimer un autre être humain, constitue la source même de toute sagesse. Mais qu'avais-je à faire de ces sophismes ? N'était-ce pas assez que de voir mon cousin, d'être assis devant lui, au sortir de son duel indécis avec Pindare, vêtu de gris foncé, cravaté de blanc, dans sa toge gonflée d'érudition ; que d'entendre ses accents solennels et, pendant ce temps, de humer délicieusement les giroflées épanouies sous mes fenêtres ? Je portais en moi un moyen de défense sûr et secret, tel un talisman caché sur la poitrine, que la main va chercher au moment du danger, et trouve et serre de toute sa force. Je lui dis donc ce qui n'était peut-être pas la vérité des faits, que d'ordinaire je buvais un verre de champagne à cette heure du jour et que je l'invitais à me tenir compagnie.

Le lendemain de la Grande Remontrance de Jasper, j'en dus subir une autre, de forme différente et de source inattendue.

Pendant tout le trimestre, j'avais vu Anthony Blanche beaucoup plus souvent que ne l'aurait voulu le goût modéré que j'avais pour sa compagnie. Je vivais maintenant parmi le groupe de ses amis, mais nos fréquentes rencontres étaient l'effet de son propre choix plus que du mien, car sa présence me pétrifiait.

Il était à peine mon aîné, mais il avait l'air de ployer sous le fait de l'expérience et de la vie, tel le Juif errant. En fait, c'était un nomade sans nationalité.

Enfant, on avait tenté de faire de lui un Anglais ; il avait passé deux années à Eton ; puis, en pleine guerre, défiant les sous-marins, il avait rejoint sa mère en Argentine, apportant ainsi au valet, à la femme de chambre, aux deux chauffeurs, au pékinois et au second mari, le complément de son intelligence et de ses audaces de collégien. De pays en pays ils le traînèrent avec eux par le monde, se complaisant et croissant en méchanceté et en malice comme un page de Hogarth. Avec la paix ils revinrent en Europe, retrouvèrent les hôtels, les villas meublées, les villes d'eaux, les casinos, les plages. À l'âge de quinze ans, pour tenir un parti, il se laissa déguiser en fille et mener à la grande table de jeu du Jockey-Club de Buenos Aires ; il eut l'occasion de dîner avec Proust et Gide, et connut bien Cocteau et Diaghilev ; Firbank lui envoya ses romans, ornés de ferventes dédicaces ; il avait suscité trois vendettas inextinguibles à Capri ; pratiqué la magie à Céphalonie ; drogué, avait fait une cure de désintoxication en Californie, et s'était guéri du complexe d'Œdipe à Vienne.

Parfois nous avions tous l'air d'enfants à côté de lui, la plupart du temps, mais non pas toujours, car il persistait en lui une ardeur un peu gauche, une vivacité acide que nous avions laissées quelque part, au cours des loisirs plus longs de notre adolescence, sur le terrain de jeux ou dans les salles de classe. Ses vices s'épanouissaient moins à la faveur de la poursuite du plaisir que par désir du scandale, et durant ses exhibitions raffinées il m'arriva plus d'une fois de me souvenir d'un marmot de Naples que j'avais vu un jour dans la rue gambader comme un cabri moqueur devant un groupe de touristes anglais, et se livrer à une démonstration de la plus évidente obscénité. Lorsqu'il racontait sa soirée à la table de jeu, on imaginait aisément, à ses roulements d'yeux, les œillades qu'il avait dû lancer à la dérobée, par-dessus la pile décroissante de jetons, aux amis de son beau-père ; alors que nous nous roulions dans la boue des terrains de football et que nous nous gorgions de biscuits secs, Anthony jouait les cavaliers servants auprès de beautés flétries qui tiraient leur charme des pétroles de leur père, sur les sables de plages subtropicales, et sirotait des apéritifs dans les petits bars à la mode, en sorte que le sauvage que nous avions domestiqué en nous, couvait encore sous la cendre chez lui. Il se laissait prendre au jeu, comme un jeune collégien, du type « j'te-parie-qu'tu-l'feras-pas » ; il suffisait de mentionner devant lui le nom d'un bottier pour qu'il recommandât aussitôt un Arménien de Biarritz dont la clientèle se composait essentiellement de fétichistes, ou de nommer une demeure où l'on avait résidé pour qu'il se mît à décrire tel palais qu'il avait fréquenté à Madrid. Il était cruel aussi, à la façon gratuite et féroce des insectes ou de l'extrême jeunesse et téméraire comme un enfant et il fonçait tête baissée, jetant de tous côtés ses petits poings sur les préfets d'études.

Il m'invita à dîner et je fus quelque peu déconcerté de voir que nous serions seuls. « Nous pousserons jusqu'à Thame, me dit-il. Il y a là un hôtel exquis, où nul docte cerbère n'aurait jamais l'idée de venir, heureusement. Nous y boirons du vin du Rhin et pourrons nous croire transportés... où cela ? En tout cas certes pas en promenade s-s-surveillée. Mais commençons par un apéritif. »

Au bar du George, il commanda « Quatre alexandras, je vous prie », aligna les cocktails devant lui en accompagnant ce geste d'un sonore *Miam-Miam* qui fit se tourner vers lui les regards outragés de toute l'assistance. « Je suppose que vous préféreriez un verre de xérès, mais, mon cher Charles, *non*, vous ne boirez pas de xérès. Ce mélange n'est-il pas délicieux ? Il ne vous plaît pas ? Soit donc, je le boirai pour vous. Un, deux, trois, quatre, ni vu ni connu. Brr, *quels* regards, *quels* yeux me font ces étudiants. » Sur quoi, il m'entraîna vers la voiture qui attendait.

— J'espère que nous ne trouverons pas de bizuts là-bas. Nous ne sommes pas très bien ensemble, eux et moi, en ce moment. On vous a raconté la façon dont ils m'ont traité, jeudi ? C'était très méchant de leur part. Fort heureusement j'avais sur moi mon plus vieux pyjama et la soirée était particulièrement lourde et orageuse ; sinon j'aurais pu me fâcher pour de bon. » En parlant, il avait l'habitude de tendre le visage, presque à vous toucher ; son haleine était encore chargée de l'odeur sucrée et crémeuse du cocktail. Je m'accoudai à la portière de la voiture de location, de façon à m'écarter de lui.

« Figurez-vous que ce jour-là, cher, j'étais studieux et solitaire. Je venais justement d'acheter un livre plutôt rébarbatif, *Antic Hay*, dont je savais qu'il fallait absolument que je l'eusse lu avant d'aller, dimanche, à Garsington, parce que j'étais sûr que tout le monde en parlerait, et c'est si banal de dire que l'on n'a pas lu le livre du jour, surtout si c'est vrai. La solution, j'imagine, c'est de ne pas aller à Garsington, mais l'idée m'en vient à l'instant seulement. *Donc*, mon cher, je mangeai une omelette et une pêche, bus un quart de vichy, passai mon pyjama et m'installai confortablement pour lire. Je dois convenir que mes pensées erraient un peu, mais je n'en tournais pas moins les pages en regardant décroître peu à peu la lumière, ce qui, à Peckwater, mon cher, est vraiment quelque chose d'unique ; au fur et à mesure que tombe le soir, la pierre a réellement l'air de se dégrader sous vos yeux. Ce spectacle venait de réveiller en moi le souvenir de ces façades lépreuses que l'on voit sur le vieux port de Marseille, quand je

fus dérangé soudain par de tels hurlements et miaulements que vous n'avez jamais entendu leurs pareils, et
me penchant, tout en bas sur la petite *piazza*, j'aperçus
une plèbe d'une vingtaine de jeunes gens du pire genre,
et savez-vous ce qu'ils scandaient de leur chant ? *C'est
Anthony, Anthony Blanche qu'il nous faut*, en une sorte
de litanie. A-t-on jamais vu pareille façon de se déclarer
en public ? Ma foi, je compris que c'en était fini de
M. Huxley pour la soirée, et je dois avouer que j'étais
parvenu à un tel degré d'ennui que cette interruption
était la bienvenue. Leurs beuglements m'avaient
émoustillé, mais, voyez-vous, plus fort ils criaient, plus
ils avaient l'air pris d'une certaine timidité. Ils répé-
taient sans arrêt : "Où est Boy ? Boy Mulcaster est son
ami. C'est à Boy de le faire descendre." Peut-être savez-
vous ou ne savez-vous pas qui est Boy Mulcaster ? Vu à
distance – distance assez considérable, s'entend – il
peut donner l'impression d'un assez beau garçon ; le
genre de jeune homme un peu long et lent, assez
démodé, pourrait-on penser ; mais il suffit de le voir de
près : tout son visage s'effondre pour laisser place à un
vide béant et idiot. Les gens ont tendance à user généreusement du terme de "dégénéré". On l'a même
employé à mon égard. Si vous avez envie de savoir ce
qu'est un vrai dégénéré, vous n'avez qu'à regarder Boy
Mulcaster… Il est venu au Touquet pour Pâques et, je
ne sais par quel mystère, je lui avais apparemment
demandé de descendre chez nous. Évidemment, rien

de moi ne surprend plus ma mère, mais mon pauvre beau-père eut toutes les peines du monde à comprendre Boy Mulcaster. Voyez-vous, mon beau-père est un m-m-métis sud-américain ; il en résulte qu'il se fait une très haute idée de l'aristocratie anglaise. Il n'arrivait pas très bien à faire cadrer Mulcaster avec son idée d'un Lord, et pour ma part je ne pouvais réellement pas lui expliquer la chose ; Boy perdit aux cartes, oh ! un rien, une somme infinitésimale, et en conclut qu'il m'appartenait de le défrayer de son séjour et de ses menus plaisirs... Pour en revenir à mon histoire, Mulcaster faisait partie de la bande d'aboyeurs ; d'en haut je voyais sa silhouette dégingandée traîner parmi les autres et je l'entendais qui disait : "Pas la peine. Il est sorti. Retournons boire." Tant et si bien que je passai la tête à la fenêtre et l'appelai : "Bonsoir, Mulcaster, vieux tapeur et lécheur, si vous êtes caché parmi cette bande de cloportes, montrez donc le bout de votre nez ! Êtes-vous venu pour me rembourser les trois cents francs que je vous ai prêtés pour payer cette misérable traînée que vous aviez ramassée au casino ? C'était la payer bien méchamment de sa peine, Mulcaster, et *quelle* peine quand j'y pense ! Montez donc me rembourser, pauvre ruffian !"

« Mon cher, ces paroles semblèrent les ravigoter un peu, et je les entendis qui grimpaient les escaliers, en caquetant. Une demi-douzaine d'entre eux pénétrèrent dans ma chambre, les autres restèrent dehors, à brailler. Ils avaient l'air vraiment *trop* extraordinaires, mon cher. Ils sortaient d'un de leurs ridicules banquets de club et portaient tous l'habit de couleur, une sorte de livrée en somme. "Mes très chers, leur dis-je, vous ressemblez à une bande de laquais très indisciplinés." Alors l'un d'eux, un assez joli petit morceau, ma foi, m'accusa de vices contre nature. "Mon cher, lui dis-je, il se peut que je sois un inverti, mais je ne suis pas insatiable pour autant. Revenez me voir un jour où vous serez *seul*." Alors ils se mirent à blasphémer de façon vraiment scandaleuse et je me pris brusquement à me fâcher moi aussi. Vraiment, me disais-je, quand je pense à tout le tintamarre qu'on fit lorsque j'avais dix-sept ans et que le duc de Vincennes (le vieil Armand bien sûr, non pas Philippe) me provoqua en duel à propos d'une affaire de cœur, et *d'un peu plus que de cœur*, je vous assure, que j'avais avec la duchesse (Stéphanie bien entendu, non pas la vieille Poppy) et aujourd'hui je devais subir les impertinences d'une bande de petits puceaux ivres et boutonneux... Du coup, j'abandonnai le ton léger de persiflage et me laissai aller à être *un tantinet injurieux*.

« Sur quoi ils se mirent à crier : "Empoignez-le. Jetez-le dans le bassin de Mercure." Or, vous le savez, je possède dans ma chambre deux sculptures de Brancusi et un certain nombre de jolies choses, ce qui fait que je n'avais pas envie de voir les individus s'exciter outre mesure ; en sorte que je leur dis pacifiquement :

"Mes chers et adorables petits lourdauds, si vous étiez tant soit peu au courant de la psychologie sexuelle, vous sauriez que rien ne pourrait me faire plus plaisir que d'être malmené par des garçons aussi appétissants que vous. Ce serait pour moi une jouissance extatique de la plus vilaine espèce. Ainsi donc s'il en est parmi vous qui désirent me servir de partenaires en volupté, qu'ils viennent se saisir de moi. Si en revanche votre désir n'est que de satisfaire quelque obscure et moins aisément qualifiable libido et de me voir prendre un bain, accompagnez-moi tranquillement, chères petites brutes, jusqu'au bassin." Savez-vous que ce discours eut pour effet de leur donner l'air un peu idiot ? Je descendis avec eux, sans qu'aucun osât se tenir à moins d'un mètre de moi. Puis j'entrai dans le bassin et, savez-vous, j'en éprouvai une impression d'une exquise fraîcheur, au point que je ne pus résister au plaisir de me livrer à quelques ébats et de prendre quelques poses esthétiques, tant qu'ils finirent par s'en aller et rentrer fort maussadement chez eux, et que j'entendis Boy Mulcaster qui disait : "En tout cas, nous l'avons bel et bien fourré dans le bassin." Et vous savez, Charles, que c'est exactement ce qu'ils répéteront à trente ans d'ici. Quand ils auront tous épousé d'affreuses petites pécores et qu'ils auront pour fils de jeunes pourceaux idiots dans leur genre, qui s'enivreront aux mêmes banquets de club et porteront le même genre de fracs de couleur, ils iront encore répétant, quand on mentionnera devant eux mon nom : "Nous lui avons fait prendre un bain dans le bassin de Mercure, un soir" et leurs filles de ferme d'héritières ricaneront sous cape en se disant que leur père était un drôle de mâtin dans son temps et que c'est bien dommage qu'il soit devenu aussi barbe. Oh, *la fatigue du Nord*[1] !

Ce n'était pas, je le savais, la première fois qu'il arrivait à Anthony de prendre un bain forcé, mais l'incident paraissait peser lourdement sur lui, car il y revint de nouveau durant le dîner.

— Pouvez-vous imaginer chose aussi déplaisante arrivant à Sebastian ?

— Non ! dis-je. En fait je ne le pouvais pas.

— Non, car Sebastian a du charme. Il tenait levé son verre de vin du Rhin à la hauteur du chandelier et répéta : « Un *tel* charme. Savez-vous que je suis passé chez lui le lendemain de cet incident ? Je pensais que le récit de mes aventures de la veille *l'amuserait*. Et qui croyez-vous que j'ai trouvé là – hormis bien entendu son ours en peluche qui est *si amusant* ? Mulcaster et deux de ses compères du jour précédent. Ils ont eu l'air complètement idiot, et Sebastian, aussi calme et digne que Mme P-P-Ponsonby de Tomkyns, vous savez, ce p-p-personnage de *P-P-Punch*, dit : "Naturellement, vous connaissez Lord Mulcaster", et mes ânes de dire de

----

1. En français dans le texte.

leur côté : "Oh, nous étions simplement venus prendre des nouvelles d'Aloysius", car l'ours en peluche est aussi amusant pour cette epèce de gens que pour nous, ou mieux, oserai-je dire, juste *un tantinet* plus amusant. Sur quoi, les voilà partis. Et moi de reprendre : « S-S-Sebastian, vous rendez-vous compte que ces s-s-sauvages et ces s-s-sycophantes m'ont insulté la nuit dernière, et que n'eût été la douceur de la saison, ils auraient pu me faire attraper un rhume des plus s-s-sévères ? » tandis que lui me répondait : « Pauvres diables. Ils étaient ivres, je pense. » Il a toujours un mot charitable pour chacun, comme vous voyez ; il a un tel charme.

« Je n'ai pas de mal à voir qu'il vous a complètement séduit, mon cher Charles. Je n'en suis pas surpris d'ailleurs. Bien entendu, vous ne le connaissez pas depuis aussi longtemps que moi. Nous étions ensemble à l'école. Vous ne me croirez pas, pourtant, dans ce temps-là, les gens avaient l'habitude de dire de lui qu'il était une vraie petite *garce ;* quelques méchants garçons qui le connaissaient bien. Tout le monde l'aimait du premier coup, naturellement, les maîtres y compris. Je pense qu'au fond les autres étaient jaloux de lui. Jamais il n'avait le moindre ennui. Nous recevions tous continuellement les raclées les plus terribles qui fussent, sous les prétextes les plus frivoles ; Sebastian, jamais. C'est le seul garçon de mon école qui n'ait jamais reçu les verges. Je le revois encore à l'âge de quinze ans. Jamais il n'a eu de boutons, vous savez ; tous les autres garçons en étaient couverts. Chez Boy Mulcaster, cela atteignait à la scrofulose. Mais Sebastian, non. Ou plutôt si, un seul, qui s'obstinait, sur la nuque, je crois ? Oui, quand j'y repense, c'est bien cela. Narcisse, avec une pustule en sus. Nous étions catholiques l'un et l'autre, ce qui faisait que nous allions à la messe ensemble. Il passait un *tel* temps au confessionnal que j'avais l'habitude de me demander ce qu'il pouvait bien avoir à raconter, étant donné qu'il ne faisait jamais rien de mal ; jamais rien de *tout à fait* mal ; du moins ne le punissait-on jamais. Peut-être exerçait-il son charme jusqu'à travers la grille du confessionnal. Je quittai l'école dans ce que l'on appelle les nuages, vous savez, je ne sais d'ailleurs pourquoi on appelle cela ainsi ; à mes yeux la chose eut plutôt l'air d'une brutale illumination assez malvenue ; le processus de mon départ impliqua toute une série d'entrevues épuisantes avec mon tuteur. Rien de plus déconcertant que les talents de pénétration dont ce doux vieillard se révéla subitement doté. Le genre de *choses* qu'il savait sur moi ! J'aurais pensé que personne – à l'exception de Sebastian peut-être – ne les connaissait. J'appris ainsi à ne jamais me fier à la douceur des vieillards, ou aux charmants camarades d'école. Lesquels des deux ?

« Reprendrons-nous de ce même vin, ou préférez-vous changer ? Changeons : un de ces sacrés vieux bourgognes, hein ? Vous le voyez, Charles, je pénètre *tous* vos goûts. Il faut absolument que vous veniez faire un tour en France avec moi pour goûter aux vins de ce pays. Nous irons dans le vignoble même. Vous descendrez avec moi chez les Vincennes. Tout est recollé avec eux à présent, et Vincennes a les meilleurs vins de France ; il est le seul avec le prince de Portallon, je vous emmènerai chez ce dernier aussi. Je crois qu'ils vous plairaient tous, et eux vous *adoreraient*, naturellement. Je veux vous faire connaître des tas d'amis. J'ai parlé de vous à Cocteau. Il en a la tête tournée. Voyez-vous, mon cher Charles, vous faites partie de cette catégorie d'êtres rares que sont les artistes. Si, si, ne rougissez pas. Derrière votre froideur apparente, derrière le rideau de votre flegme anglais, vous êtes un artiste. J'ai vu vos petits dessins, ceux que vous cachez dans votre chambre. Ils sont *exquis*. Mais vous, mon cher Charles, vous n'avez *rien* d'exquis, vous comprenez ce que je veux dire ? mais rien de rien. Les artistes ne sont pas exquis. Moi je le suis ; et Sebastian, en un sens ; mais l'artiste tient d'un type éternel, solide, qui sait ce qu'il veut, qui observe, et, tout au fond de lui-même, cache ses passions, non, Charles ?

« Mais qui vous rend justice ? L'autre jour, je parlais de vous à Sebastian ; je lui disais : "Mais vous savez, Charles est *un artiste*. Il a le coup de crayon d'un M. Ingres jeune", et savez-vous ce que m'a répondu Sebastian ? "Oui, Aloysius aussi a un très joli coup de crayon, seulement, voyez-vous, il est plutôt plus moderne." *Si* charmant, ce mot, et *si* amusant.

« Bien entendu, ceux qui ont du charme se passent de cervelle, au fond. Stéphanie de Vincennes m'a littéralement drogué, il y a quatre ans ; je radotais d'elle, je grouillais d'amour comme on grouille de vermine. Figurez-vous, mon cher, que j'allais jusqu'à me servir du même vernis qu'elle pour teindre les ongles de mes orteils. J'usais des mêmes mots qu'elle, j'allumais mes cigarettes comme elle, prenais son ton de voix au téléphone, de telle sorte que le duc souvent bavardait un long moment, et des plus intimement, avec moi, croyant que c'était elle. Ce fut cela d'ailleurs qui finit par lui mettre sabre et pistolets en tête, de façon si démodée. Mon beau-père estimait que ce genre d'éducation me ferait le plus grand bien. Que cela me débarrasserait de ce qu'il appelle "mes habitudes anglaises". Pauvre homme, il est vraiment très sud-américain. Toujours est-il que j'ai gardé mes "habitudes anglaises", mais je crains d'avoir perdu autre chose. À dix-sept ans, j'aurais pu être n'importe quoi ; artiste, même ; rien d'impossible ; on a ça dans le sang. À vingt et un ans, je suis devenu ce que vous voyez. Et dire que, si jeune, j'ai gaspillé tant de choses pour une femme qui, hormis le fait que j'étais plus présentable, aurait tout aussi bien pris son pédicure pour amant… Jamais je n'ai entendu personne dire du mal de Stéphanie, sauf le duc ; elle était aimée de tous, quoi qu'elle pût faire.

Le fleuve profond des souvenirs et de ce vieux roman d'amour avait balayé le bégaiement d'Antoine. Il remonta pourtant à la surface, momentanément, avec le café et les liqueurs. « Chartreuse v-v-verte authentique, d'avant l'expulsion des moines. Cinq saveurs distinctes se révèlent à la langue, si vous la laissez filtrer dans le gosier. Comme si on avalait un s-s-spectre du goût. Regrettez-vous que Sebastian ne soit pas des nôtres ? Oui, n'est-ce pas, naturellement. Et moi ? Je me le demande. Étonnant, de voir combien nos pensées se rencontrent et galopent de concert, quand il s'agit de ce petit paquet de chair humaine et de charme ; étonnant ! Je crois que vous devez m'hypnotiser, Charles, ou me suggestionner. Je vous entraîne ici, à grands frais, mon cher, pour le seul plaisir de vous parler de moi, et je m'aperçois que je ne parle que de Sebastian. Étrange ! Pourtant il n'y a vraiment aucun mystère qui flotte autour de lui, aucun, si ce n'est comment diable s'y est-il pris pour naître dans une famille *aussi effroyablement sinistre* ?

« Au fait, je ne sais plus si vous connaissez sa famille. Mon cher, quel sujet rêvé pour un poète – un poète des temps futurs, qui ne peut être que psychanalyste aussi bien – et peut-être diaboliste, par-dessus le marché. J'imagine qu'il ne vous permettra jamais de faire leur connaissance. Il est bien trop malin. Ils sont tous charmants, naturellement, et tout à fait, mais alors tout à fait *lugubres*. Avez-vous jamais l'impression de

quelque chose *d'un tantinet* lugubre chez Sebastian ?
Non ? Peut-être est-ce mon imagination ; mais il lui
arrive d'avoir *l'air* de tellement ressembler au reste de
la famille, simplement.

« Prenez Brideshead : un monument d'archaïsme,
tiré d'une grotte scellée par les siècles. Le visage est
celui de Sebastian, mais tel qu'un sculpteur aztèque
aurait pu tenter de le modeler. Érudit et bigot, barbare
cérémonieux, lama cloîtré dans ses neiges éternelles…
Autant dire : tout ce qu'il vous plaira d'imaginer. Mais
Julia, oh, rien à voir, Lady Julia. Un seul trait la résu-
me : la tragédie de la Renaissance. Vous savez à quoi
elle ressemble. Qui ne le saurait ? Sa photographie
paraît régulièrement dans les magazines illustrés, aussi
régulièrement que la publicité des pilules Carter. Les
traits sont d'une Florentine du type le plus pur, quattrocento ; n'importe qui, ou presque, avec un tel visage,
aurait senti l'appel tentant de l'art ; mais certes non
Lady Julia ; elle a autant de chic que, mettons, que Stéphanie. Rien de grimacier. Gaie, correcte, simple. Les
chiens et les enfants l'adorent, les autres jeunes filles
aussi – un *démon*, mon cher – une vraie *tueuse*, froide,
possessive, intrigante, impitoyable. Je me demande si
elle est incestueuse. J'en doute ; elle n'a qu'un seul but :
la puissance. On devrait inventer une inquisition à seule
fin de brûler cette créature. Je crois qu'il existe une
autre sœur, qui est au lycée. D'elle on ne sait rien
encore, si ce n'est que sa gouvernante est devenue folle

et s'est noyée récemment. Je suis sûr qu'elle est abominable. En sorte que, comme vous voyez, il ne restait à Sebastian pas grand-chose à faire, que d'être adorable et charmant.

« Quand on en vient aux parents, alors s'ouvre un puits sans fond. Un *tel* couple, mon cher. *Comment Lady Marchmain s'y prend-elle ?* C'est l'un des problèmes de ce siècle. Vous l'avez vue ? Très, très belle ; nul apprêt, la chevelure tournant au gris par longues mèches élégantes et argentées, jamais de rouge, très pâle, grands yeux, vraiment extraordinairement grands, ces yeux, à les voir, et extraordinaire la façon dont transparaît le bleu des veines sur les paupières, au point précis où la main y aurait posé une touche légère de fard ; des perles, quelques rares et fort grands bijoux scintillants comme des astres, provenant de l'héritage ancestral, montures anciennes ; une voix aussi calme qu'une prière, et aussi puissante. Quant à Lord Marchmain, ma foi, peut-être un peu fort en chair, mais *très* bel homme, grande allure, un voluptueux, byronien, blasé, infectieusement cynique, pas du tout le genre d'homme que l'on s'attendrait à voir aisément abattre. Et cette nonne de Reinhardt, mon cher, l'a démoli, mais complètement. Il n'ose plus montrer nulle part son haut visage pourpre. C'est le dernier cas historiquement authentique que l'on connaisse, d'un homme traqué hors de la société. Brideshead refuse de le voir, les filles n'en ont pas le droit ; il n'y a que Sebastian, naturellement, parce qu'il est si charmant ! Personne d'autre ne l'approche. Pensez donc, en septembre dernier, Lady Marchmain se trouvait à Venise, où elle était descendue au palais Fogliere. À vrai dire, elle était un tantinet ridicule à Venise. Elle n'a jamais approché le Lido, bien entendu, mais on la rencontrait sans cesse en gondole, traînant sur les canaux, accompagnée de Sir Adrian Porson, et dans des attitudes, mon cher, on eût dit Mme Récamier ; un jour, je les ai croisés et j'ai rencontré le regard du gondolier des Fogliere, que je connaissais, naturellement, et qui, mon cher, me fit *un* de ces clins d'œil ! À toutes les réceptions elle est venue enveloppée dans une sorte de cocon de fils de la Vierge, mon cher, comme un personnage de drame celte ou comme une héroïne de Maeterlinck ; et, bien sûr, elle tenait à aller à l'église. Or, comme vous le savez, Venise est *la* ville d'Italie où *personne* n'a jamais eu *l'idée* d'aller à l'église. Toujours est-il que, cette année-là, elle faisait plutôt figure de personnage comique ; et sur ces entrefaites devinez qui l'on vit arriver, avec les Malton et leur yacht, le pauvre Lord Marchmain, naturellement. Il avait loué un petit palais, mais croyez-vous qu'on lui en permit l'accès ? Lord Malton les fourra, son valet et lui, dans un youyou, mon cher, et les transborda illico presto à bord du vapeur en partance pour Trieste. Sa maîtresse n'était même pas avec lui. Elle prenait ses vacances annuelles. Personne n'a jamais su comment ils avaient appris que Lady Marchmain se trouvait dans les parages. Et savez-vous que, pendant toute une semaine, Lord Malton osa à peine se montrer, comme s'il était en disgrâce ? Et le fait est qu'il l'était. La princesse Fogliere donna un bal et ni Lord Malton ni personne à bord de son yacht ne furent invités, pas même les de Pañoses. *Comment Lady Marchmain s'arrange-t-elle ?* Elle a convaincu le monde que Lord Marchmain est un monstre. Et qu'y a-t-il de vrai là-dedans ? Ils étaient mariés depuis une quinzaine d'années quand Lord Marchmain partit pour la guerre ; il n'en revint pas, mais se lia avec une danseuse de très grand talent. Un cas entre mille. Elle, refuse le divorce à cause de son extrême piété. Les cas de ce genre ont été nombreux. D'ordinaire, la sympathie va à l'homme ou à la femme coupable d'adultère ; Lord Marchmain fait exception. On croirait que le vieux brigand a torturé la pauvre femme, l'a dépouillée de son patrimoine, flanquée à la porte, après *avoir rôti* à petit feu, farci et dévoré les enfants, puis s'en est allé folâtrer, paré de toutes les fleurs du vice de Sodome et Gomorrhe ; au lieu de quoi ? Au lieu qu'il a donné le jour, grâce à la sainte femme, à quatre magnifiques enfants, lui a remis Brideshead et Marchmain House, dans St. James, ainsi que tout l'argent qu'elle peut avoir envie de dépenser, pendant que lui, en plastron immaculé, siège chez Larue au côté d'une femme de théâtre fort bien faite de sa personne et d'âge mûr, dans le plus pur style des conventions édouardiennes. Et elle, de son côté, garde en esclavage une petite troupe de prisonniers émaciés à seule fin de satisfaire son plaisir personnel. *Elle leur suce le sang.* La marque de ses dents est visible sur les épaules d'Adrian Porson, quand il se baigne. Porson, mon cher, Porson qui était le plus grand, le *seul* poète de ce temps. Il est saigné à blanc ; il ne reste plus rien de lui. Ils sont cinq ou six de la sorte, de tous âges et de tous sexes, qui la suivent partout comme des fantômes. Ils ne peuvent plus s'échapper, une fois qu'elle a mordu dans leur être. C'est de pure sorcellerie. Il n'y a pas d'autre explication.

« C'est pourquoi, voyez-vous, il ne faut pas en vouloir à Sebastian s'il lui arrive de temps à autre d'avoir l'air insipide, mais vous ne lui en voulez pas, Charles, n'est-ce pas ? Compte tenu d'une aussi lugubre toile de fond, que voudriez-vous qu'il fît d'autre, que de décider d'être simple et charmant, étant donné surtout qu'il n'est pas particulièrement doué, aux Étages supérieurs. Nous ne pouvons tout de même pas revendiquer *cela* pour lui, quelle que soit la tendresse que nous lui portions ?

« Franchement, avez-vous jamais entendu Sebastian dire *une* phrase que vous ayez retenue cinq minutes ? Vous savez, quand je l'écoute parler, je crois revoir ce tableau, écœurant à certains points de vue, des *Bulles de savon.* La conversation, pour autant que je sache, fait penser à une jonglerie ; balles, ballons, assiettes, montent, virent, voltent, tournoient, bondissent, objets honnêtes, solides qui luisent aux feux de la rampe et dégringolent et se brisent quand on les rate. Mais quand ce cher Sebastian ouvre la bouche, on dirait une petite sphère savonneuse qui se détache d'un tuyau de vieille pipe en terre et s'en va Dieu sait où, pleine de reflets d'arc-en-ciel l'espace d'une seconde, et puis, pfft ! – crève et disparaît sans laisser de trace, oui, sans la moindre trace.

« Stéphanie était ainsi ; on ne s'ennuyait jamais avec elle ; du moins jamais *vraiment* ; c'est-à-dire la première année en tout cas ; et *puis*, mon cher, quand elle fut devenue une habitude, l'Ennui se mit à me ronger comme un cancer au sein, et à pousser tant et plus ; songez à ce qu'est l'angoisse de l'homme, suspendu aux lèvres dont il a faim et sur lesquelles il regarde se former les mots, la sentence de mort, dans la matière la plus banale qui soit ! Je sentais l'oxygène se raréfier autour de moi ; j'avais l'impression de rendre l'âme dans un vide croissant, alors que je voyais encore, à travers la paroi de verre de la cloche, le bourreau bien-aimé. Et elle alla jusqu'au bout de ce meurtre le plus gentiment du monde, en prenant tout son temps, absolument, *totalement* inconsciente du mal qu'elle faisait. Périr étranglé par le lacet du charme, ce n'est vraiment pas le genre d'expérience que je recommanderais à un artiste, dans la tendre fleur de sa croissance.

Après quoi Anthony me parla de son expérience personnelle de l'art, des louanges, des critiques et du stimulant que l'artiste doit escompter de la part de ses amis, des hasards qu'il lui faut cultiver dans sa poursuite de l'émotion, de choses et d'autres, pendant que je me laissais aller à une douce somnolence et que mon esprit errait à l'aventure. Et puis nous rentrâmes, mais dans les paroles qu'il prononça, au moment où nous traversions le pont de Magdalen, je retrouvai l'écho du thème principal de notre repas : « Ma foi, mon cher, je parierais bien que vous n'aurez rien de plus pressé, demain matin, que de vous rendre au petit trot chez Sebastian et de lui raconter *tout* ce que j'ai dit de lui. J'ajouterai deux choses ; l'une, que cela ne saurait changer en rien les sentiments de Sebastian à mon égard ; et secondement, mon cher – et je vous prie de vous rappeler ceci, bien que de toute évidence, je vous ai ennuyé au point de vous plonger dans le coma –, qu'il se mettra tout aussitôt à parler de ce petit ours en peluche qu'il a et qui est si amusant. Bonne nuit. L'innocence soit dans votre sommeil. »

Le fait est que je dormis mal. Moins d'une heure après m'être laissé tomber à demi assoupi sur mon lit, j'étais réveillé, j'avais soif, ne pouvais tenir en place, tour à tour brûlant et glacé et les nerfs surexcités contre nature. J'avais beaucoup bu, mais ni le mélange des vins, ni la chartreuse, ni le gâteau de Mavrodaphné, ni même le fait que j'étais demeuré assis et immobile, presque silencieux durant toute la soirée, au lieu de balayer les fumées de l'alcool, comme à notre habitude, dans le vent rapide et léger de nos innocentes futilités d'ivrognes ; non, rien de cela n'explique la détresse de cette nuit qu'emportait un galop furieux de sabbat. Nul rêve ne vint déformer les souvenirs de ma soirée et les tourner en horribles images. Je gardais l'impression d'avoir entendu chaque quart d'heure sonner jusqu'à l'aube, au clocher de St. Mary's. Les personnages de cauchemar galopaient déjà dans ma cervelle alors que, durant les heures interminables de mon insomnie, je me répétais les paroles d'Anthony, prenant malgré moi son accent, en un discours muet, copiant jusqu'aux insistances et à la cadence de son verbe, pendant que, lèvres closes, je revoyais son visage pâle sous la lueur des bougies, tel que je l'avais affronté par-dessus la table du restaurant. À un moment donné, en pleine nuit, j'allumai pour regarder mes dessins et m'assis à la fenêtre de mon salon, tournant feuille après feuille. La cour carrée reposait dans les ténèbres et la paix morte de la nuit ; les cloches seules s'éveillaient aux quarts, répandant leur carillon sur les pignons. J'avalai de l'eau de Seltz, fumai et m'agitai, jusqu'à l'heure où le petit jour se montra et où les premiers frissons de la brise qui se levait me firent retourner au lit.

Lorsque je m'éveillai, Lunt se tenait à la porte ouverte.

— Je vous ai laissé dormir, me dit-il, j'ai pensé que vous n'iriez pas à la communion collective.

— Vous avez eu raison.

— La plupart des élèves de première année y sont allés, et pas mal des étudiants de deuxième et troisième années. Tout ça à cause du nouveau chapelain. Communion collective ! Ça n'existait pas autrefois, n'y avait que la sainte communion pour ceux qui en voulaient, et le service et le service du soir.

C'était le dernier dimanche du trimestre ; dernier de l'année aussi. Lorsque je sortis prendre un bain, la cour se remplissait d'étudiants de première année en toge et surplis sortant en un flot lent de la chapelle et se dirigeant vers la grande salle commune des repas. À mon retour ils étaient réunis par groupes occupés à fumer ; mon cousin Jasper était venu à bicyclette de ses quartiers en ville, pour se mêler à eux.

Je descendis Broad à pied, pour aller prendre mon petit déjeuner, comme il m'arrivait souvent le dimanche, dans un salon de thé en face de Balliol. L'air résonnait de toutes parts, les carillons s'envolaient des clochers alentour, et le soleil, projetant de longues ombres en travers des espaces vides, chassa les terreurs de ma nuit. Le salon de thé était silencieux comme une salle de bibliothèque ; quelques étudiants solitaires, de Balliol et de Trinity, en pantoufles, levèrent les yeux en me voyant entrer, puis se replongèrent dans leurs journaux du dimanche. J'avalai mes œufs brouillés et ma confiture d'orange amère avec l'ardeur qui, chez les jeunes gens, fait suite à une mauvaise nuit. J'allumai une cigarette et m'attardai à ma table, pendant que, l'un après l'autre, les gens de Balliol et de Trinity payaient leur addition et s'en allaient en traînant les pieds et la savate, traversant la rue pour regagner leur collège. Il n'était pas loin de onze heures quand je partis ; tout en marchant, j'entendis les carillons s'arrêter pour faire place, dans tous les beffrois de la ville, à la sonnerie unique avertissant la petite cité que le service allait commencer.

À part ceux qui allaient à l'église, personne ne semblait être dehors, ce matin-là ; élèves de première année, licenciés, diplômés, femmes mariées et commerçants, marchant tous de ce pas, sur lequel on ne peut se méprendre, de l'Anglais qui se rend au culte et qui évite également la hâte et la flânerie ; portant, reliées en agneau noir et celluloïd blanc, les liturgies d'une demi-douzaine de sectes rivales ; faisant route vers St. Barnabas, St. Columba, St. Aloysius, St. Mary's, Pusey House, Blackfriars et Dieu sait quels autres saints lieux ; style normand restauré, néo-gothique, travestis de Venise et d'Athènes ; tous, dans ce grand soleil d'été, s'acheminant vers les temples de leur race. Quatre orgueilleux infidèles proclamaient seuls leur désaccord ; quatre hindous qui franchissaient les grilles de Balliol, en pantalons de flanelle blanche, fraîchement revenus du teinturier, et blazers soigneusement repassés, le chef orné du turban blanc comme neige, panier de pique-nique à la main, *Pièces plaisantes et déplaisantes* de Bernard Shaw sous le bras, se dirigeant vers la rivière.

Place de la Halle-aux-Grains, un groupe de touristes, debout sur le perron de l'hôtel Clarendon, discutait un itinéraire avec son chauffeur, penché sur une carte ; de l'autre côté, passant sous l'arche vénérable de la Croix d'Or, je saluai une bande d'étudiants de première année de mon collège qui, au sortir de leur petit déjeuner, traînaient, pipe à la bouche, dans la cour aux murs tapissés de plantes grimpantes. Une troupe de boy-scouts, en marche vers l'église, elle aussi, éclatante de rubans de couleur et de blasons, passa en pagaille, dans un ordre aussi peu militaire que possible ; à la hauteur de Carfax je croisai le maire et la municipalité, en robes écarlates et chaînes d'or, précédés des porteurs de verges et que n'accompagnait nul regard curieux, se rendant en procession pour assister au prêche dans l'église de la Cité. Dans St. Aldate, je croisai encore un lent cortège, un crocodile rampant d'enfants de chœur, cols amidonnés et curieux couvre-chefs, faisant route vers Tom Gâte et la cathédrale. Ainsi, à travers cet univers de piété, j'arrivai chez Sebastian.

Il était sorti. Je parcourus les lettres, sans grand caractère révélateur, qui jonchaient sa table à écrire et déchiffrai les cartes d'invitation qui traînaient sur la cheminée, toutes anciennes. Puis je me plongeai dans la lecture de *La Renarde* en attendant son retour.

— Je reviens de la messe au Vieux Palais, me dit-il. Je n'y étais pas allé de tout le trimestre, et Monsignor

Bell m'a prié à dîner deux fois cette semaine ; je sais ce que cela veut dire. Maman lui a écrit. Alors je me suis mis au premier rang, de façon qu'il ne pût faire autrement que de me voir et j'ai hurlé à pleins poumons le *Je vous salue, Marie* à la fin ; c'est chose faite, maintenant. Et ce dîner avec Anthony ? Bien passé ? De quoi avez-vous parlé ?

— Ma foi, c'est surtout lui qui a parlé. Dites-moi, est-ce vrai que vous l'avez connu à Eton ?

— On l'a renvoyé au cours de mon premier semestre. Je me souviens de l'avoir vu. Il n'a jamais pu passer inaperçu.

— Allait-il à l'église avec vous ?

— Je ne crois pas, pourquoi ?

— Connaît-il les membres de votre famille ?

— Comme vous êtes drôle, Charles, aujourd'hui. Non. Je ne pense pas.

— Même pas votre mère, à Venise ?

— Je crois me souvenir d'une phrase d'elle à ce propos. Mais quoi, je ne sais. Je crois qu'elle était descendue chez de vagues cousins italiens, les Fogliere, et Anthony a dû s'amener avec ses parents, à l'hôtel, et il a dû y avoir une réception chez les Fogliere à laquelle ils ne furent pas invités. Je sais que maman m'a dit quelque chose à ce propos le jour où je lui ai parlé de lui comme d'un de mes amis. Je ne vois pas pourquoi Anthony voulait être invité à une réception chez les Fogliere, la princesse est si fière de son ascendance anglaise qu'elle ne parle que de cela. De toute façon, personne n'a rien à reprocher à Anthony *de si grave*, que je sache. C'était sa mère qu'on trouvait un peu difficile.

— Et qui est la duchesse de Vincennes ?

— Poppy ?

— Stéphanie.

— Informez-vous auprès d'Anthony. Il prétend avoir eu une affaire avec elle.

— Vrai ?

— Il y a eu effectivement quelque chose, je ne sais quoi. Je crois qu'il s'est trouvé coincé avec elle dans un ascenseur en panne, à Miami, et que le vieux duc a fait une scène.

— Pas de grande passion ?

— Grand Dieu, non ! Mais quelle curiosité !

— Je voulais seulement savoir quelle était la part de la vérité dans les discours qu'il m'a tenus hier.

— Je n'en croirais pas un traître mot. C'est en cela que réside son charme.

— Appelez cela charme si vous voulez. Pour moi c'est de la diablerie. Savez-vous qu'il a passé toute la soirée d'hier à essayer de me tourner contre vous, et qu'il y a presque réussi ?

— Vraiment ? Quelle sottise. Aloysius n'approuve-rait certainement pas ce genre de chose, n'est-ce pas, vieille et pompeuse petite bête ?

3.

Je revins à la maison pour les grandes vacances sans projets, sans argent. Pour couvrir mes dépenses de fin de trimestre j'avais dû vendre mon paravent Oméga à Collins pour dix livres, dont il me restait quatre ; mon dernier chèque m'avait laissé un découvert de quelques shillings et la banque m'avait prévenu que, sans le consentement écrit de mon père, je ne pouvais plus rien retirer. Aucun versement ne devait être effectué à mon compte avant le mois d'octobre prochain. L'avenir immédiat n'était donc guère engageant et, retournant la situation dans ma tête, je n'étais pas loin de me repentir de mes prodigalités des semaines précédentes.

J'avais commencé le trimestre, tous frais courants payés, avec plus de cent livres en poche. Les cent livres étaient parties, et j'avais abusé largement de mon crédit, partout où je l'avais pu. Tout cela n'avait ni rime ni raison ; je n'en avais tiré aucune satisfaction substantielle que je n'eusse pu me procurer autrement ; mes billets s'étaient envolés en fumée. Sebastian me grondait souvent pour mon extravagance, mais je m'offensais d'autant plus de ses critiques que je dépensais une bonne part de mon argent pour lui ou avec lui. Ses propres finances étaient plus ou moins perpétuellement et vaguement en détresse.

— Ce sont les avoués qui s'occupent de ça, disait-il avec un air d'impuissance, et j'imagine qu'ils détournent tout ce qu'ils peuvent. Toujours est-il qu'apparemment je ne touche jamais gros. Naturellement, maman me donnerait tout ce que je voudrais.

— Alors pourquoi ne pas lui demander de vous allouer une somme convenable ?

— Oh, maman ne comprend que les cadeaux. Elle est si adorable, disait-il, ajoutant un trait de plus à l'image que je me faisais d'elle.

À présent, Sebastian n'était plus là, repris par cette autre vie où je n'étais pas invité à le suivre, et je restais solitaire et plein de regrets.

De quel manque de générosité ne faisons-nous pas preuve, plus tard, dans la vie, quand, répudiant les humeurs vertueuses de notre jeunesse, nous nous bornons à revivre les longues journées d'été de nos folles dissipations les caressant dans notre mémoire comme de fragiles figurines de Dresde, évocatrices de plaisirs champêtres ! Notre sagesse, préférons-nous penser, est le fruit exclusif de notre propre expérience, alors qu'à vrai dire elle n'est, en majeure partie, que le dernier écu d'un héritage qui ne cesse de s'amenuiser avec le temps. Celui-là n'est pas sincère, qui, dans le récit de son apprentissage d'homme, ne tient pas compte de la nostalgie qu'il a éprouvée des contes moraux de sa nourrice, de ses regrets et de ses bonnes résolutions, des heures noires qui, comme le zéro à la roulette, reviennent avec une régularité que l'on peut tant bien que mal calculer.

Ce fut ainsi que je passai le premier après-midi à la maison, errant de pièce en pièce, regardant par les fenêtres tour à tour le jardin et la rue, en proie à de violents remords.

Mon père, je le savais, était là, mais l'entrée de sa bibliothèque était formellement interdite, et ce ne fut que peu avant le dîner qu'il se montra pour m'accueillir. Il touchait alors à la soixantaine, mais son idiosyncrasie voulait qu'il parût beaucoup plus âgé ; à le voir, on lui eût donné soixante-dix ans ; à l'entendre, quatre-vingts. Je le vis venir à moi, traînant les pieds, avec cette allure de mandarin qu'il affectait et un sourire timide de bienvenue. Lorsqu'il dînait à la maison – et il lui arrivait rarement de dîner ailleurs – il portait un costume de fumoir en velours et à brandebourgs, du genre qui avait été à la mode il y avait bien longtemps, qui devait le redevenir aussi, mais qui, à l'époque, constituait un archaïsme délibéré.

— Personne ne m'a dit que vous étiez arrivé, mon cher enfant. Le voyage vous a-t-il beaucoup fatigué ? Vous a-t-on servi le thé ? Vous allez bien ? Je viens de faire un achat audacieux chez Sonerscheins, un taureau en terre cuite du Ve siècle. J'étais en train de l'examiner et j'ai oublié du coup votre arrivée. Y avait-il *beaucoup* de monde dans le train ? Avez-vous eu un coin dans votre compartiment ? (Lui-même voyageait si peu souvent que les tribulations des autres suscitaient toujours sa sollicitude.) Hayter vous a-t-il apporté les journaux du soir ? Il n'y a rien de neuf, bien entendu, tout cela n'est que bêtise.

On vint dire que le dîner était servi. Mon père avait depuis longtemps l'habitude d'emporter un livre avec lui à table ; se souvenant de ma présence, il le laissa ce soir-là furtivement tomber sous sa chaise.

— Que voulez-vous boire ? Hayter, quelle sorte de boisson pouvez-vous offrir à M. Charles ?

— Il y a du whisky.

— Du whisky. Peut-être préféreriez-vous autre chose ? Qu'avons-nous d'autre ?

— Il n'y a rien d'autre à la maison, monsieur.

— Rien d'autre. Vous n'aurez qu'à faire connaître votre goût à Hayter ; il fera rentrer ce qu'il vous plaira. Je n'ai plus de cave maintenant. Le vin m'est défendu et personne ne vient me voir. Mais durant votre séjour, il faut que vous buviez à votre goût. Vous êtes ici pour longtemps ?

— Je ne suis pas très fixé, père.

— Ce sont de *très* longues vacances, reprit-il d'un ton pensif. De mon temps, nous avions coutume d'organiser ce que nous appelions des parties de lectures, dans des régions montagneuses toujours. Pourquoi ? Pourquoi, répéta-t-il avec pétulance, faut-il qu'un paysage alpestre soit considéré comme invitant particulièrement à l'étude ?

— J'ai songé à fréquenter une académie de beaux-arts, pendant quelque temps, pour y étudier le nu.

— Mon cher enfant, vous les trouverez toutes fermées. Les élèves vont à Barbizon ou en quelque endroit de ce genre, et font de la peinture en plein air. Il existait de mon temps une institution que l'on appelait un « club de dessin » mixte (il renifle), « bicyclettes » (même jeu), « knickerbockers poivre et sel, parapluies en hollande et, à en croire la rumeur populaire, amours libres » (même jeu), *quelle* bêtise. J'imagine que ça continue. Vous pourriez essayer cela.

— L'un des problèmes que posent ces vacances, père, c'est celui de l'argent.

— Oh, à votre âge, je ne m'en soucierais pas.

— C'est que, voyez-vous, je suis plutôt à court.

— Ah oui ? fit mon père sans marquer la moindre émotion.

— En fait, je ne sais pas très bien comment je vais me tirer des deux mois qui viennent.

— Ma foi, je suis la dernière personne à qui demander conseil. Jamais je n'ai été à court, pour employer ce mot pénible de votre choix. Et que dire d'autre pourtant ? À sec ? En état de pénurie ? En détresse ? Dans l'embarras ? Raide ? (Même jeu.) À la côte ? À la traîne ? Mettons que vous êtes à la traîne, sans chercher plus avant. Un jour votre grand-père m'a dit : « Vivez dans la mesure de vos moyens, mais si vous vous trouvez en difficultés, venez me trouver. N'allez jamais trouver le Juif. » Quelle bêtise. Essayez donc, pour voir. Allez trouver ces messieurs qui siègent dans Jermyn Street et vous font des avances de fonds sur simple billet signé de votre main. Mon cher enfant, ils ne vous lâcheront pas un seul louis.

— Dans ce cas, que me conseillez-vous de faire ?

— Votre cousin Melchior fit d'imprudents placements d'argent et se trouva fort drôlement à la traîne. *Lui*, partit pour l'Australie.

Je n'avais pas vu mon père dans une humeur aussi joyeuse depuis le jour où il avait découvert deux feuilles de papyrus du IIe siècle entre les pages d'un bréviaire lombard.

— Hayter, j'ai laissé tomber mon livre.

On le récupéra sous ses pieds et on l'accota au surtout de table. Durant le reste du repas il demeura silencieux, hormis un accès de rire nasillard, de temps à autre, accès qui, à mon avis, ne pouvaient être provoqués par l'ouvrage qu'il lisait.

En sortant de table, nous allâmes nous asseoir dans la pièce qui donnait sur le jardin ; là, de toute évidence, il me raya de son esprit ; ses pensées, je le savais, l'entraînaient fort loin de moi, dans ces siècles passés où il se mouvait à l'aise, où la fuite du temps se compte par centaines d'années, où les personnages n'ont plus le visage de la vie et où ses compagnons s'appelaient de noms au sens très lointain, défigurés par une lecture erronée. Il prenait dans son fauteuil droit une position qui, pour tout autre que lui, eût été du plus grand inconfort, assis de biais, tenant son livre très haut et obliquement par rapport à la lumière. De temps en temps, à l'aide d'un porte-mine en or qui pendait à sa chaîne de montre, il annotait la marge. Les fenêtres étaient ouvertes sur la nuit d'été ; le tic-tac des pendules, le murmure lointain du trafic dans Bayswater Road, et le bruit régulier des pages que tournait la main de mon père étaient les seuls sons dans la pièce. J'avais jugé peu politique de fumer un cigare, quand je venais plaider la pauvreté ; en désespoir de cause, j'allai en chercher un dans ma chambre. Mon père ne leva pas les yeux. Je perçai le bout, allumai le cigare, et dans un renouveau de confiance dis :

— Sûrement, père, vous ne voulez pas que je passe toutes ces vacances ici avec vous ?

— Eh ?

— L'idée de m'avoir si longtemps à la maison ne vous ennuiera pas ?

— Ce n'est certainement pas le genre d'émotion que je trahirais, dussé-je l'éprouver, rétorqua mon père, d'une voix douce, avant de se plonger de nouveau dans son livre.

La soirée passa. En fin de compte, de tous les coins de la pièce, toutes sortes de modèles de pendules sonnèrent mélodieusement onze heures. Mon père ferma son livre, ôta ses lunettes. « Vous êtes le très bienvenu, mon enfant, me dit-il. Restez ici aussi longtemps qu'il vous conviendra. » Sur le point de sortir, il s'arrêta, se retourna. « Votre cousin Melchior paya sa traversée d'Australie en travaillant *par-devant le mât*. (Il renifle.) Qu'est-ce que, je me demande, peut bien vouloir dire « par-devant le mât » ?

Durant l'accablante semaine qui suivit, mes relations avec mon père allèrent se dégradant rapidement. Je ne le voyais guère pendant la journée ; il passait des heures d'affilée dans la bibliothèque ; de temps à autre, il en sortait et je l'entendais qui appelait, par-dessus la rampe de l'escalier : « Hayter. Faites venir un taxi. » Il sortait alors et s'absentait tantôt pour une demi-heure, tantôt pour la journée ; ses courses restaient toujours sans explication. Souvent je voyais monter à son intention, et à des heures étranges, des plateaux chargés de maigres repas dignes d'une nursery, biscottes, verres de lait, bananes et autres. Lorsqu'il nous arrivait de nous trouver nez à nez dans un corridor ou dans les escaliers, il me regardait d'un air absent, disait « Ah-ah », ou « Fait très chaud », ou « Magnifique », mais le soir, quand il entrait dans la pièce sur le jardin, vêtu de son costume de velours, il m'adressait toujours un salut dans les formes.

La table à manger était, à l'heure du dîner, notre champ de bataille.

Le second soir, j'emportai avec moi le livre que je lisais. Son doux regard errant se fixa sur lui avec une brusque insistance ; en traversant le vestibule, il déposa le sien sans en avoir l'air sur un guéridon. Et, en prenant place, il me dit d'un ton plaintif :

— Vraiment, Charles, je trouve que vous pourriez me faire la conversation. J'ai passé une journée épuisante. Je me réjouissais par avance à l'idée de bavarder un peu.

— Mais voyons, père, naturellement. De quoi allons-nous parler ?

— J'ai besoin qu'on m'égaie. Qu'on me sorte de moi-même. (Avec pétulance :) Parlez-moi des nouvelles pièces de théâtre.

— Mais je ne suis allé nulle part.

— Vous auriez dû, vraiment, vous auriez dû. Ce n'est pas naturel, pour un jeune homme, de passer toutes ses soirées à la maison.

— Ma foi, père, ainsi que je vous l'ai dit, je ne peux pas me permettre de dépenser beaucoup d'argent en billets de théâtre.

— Mon cher enfant, ne vous laissez pas devenir à ce point esclave de l'argent. Ma parole, à votre âge, votre cousin Melchior figurait parmi les commanditaires d'une opérette. Ce fut l'un de ses coups de Bourse les plus réussis. Aller au théâtre fait partie de votre éducation. La lecture des vies des grands hommes vous convaincra qu'une bonne moitié d'entre eux commença par se lier d'amour avec le drame du haut du poulailler. Ces places-là, me dit-on, sont de beaucoup les plus agréables. On y trouve les vrais critiques et les fervents. C'est ce qu'on appelle, dans notre argot, « s'asseoir avec les dieux ». La dépense est minime, et, pendant le temps même que vous faites la queue, de plaisants baladins viennent vous divertir. Nous irons prendre place parmi les dieux ensemble, un de ces soirs. Comment trouvez-vous la cuisine de Mme Abel ?

— Plutôt insipide.

— C'est ma sœur Philippa qui la lui a inspirée. Elle a indiqué à Mme Abel dix menus ; nous nous en sommes toujours tenus à eux. Quand je suis seul, je ne fais pas attention à ce que je mange, mais, maintenant que vous êtes ici, je veux un peu de changement. Qu'est-ce qui vous ferait plaisir ? Que recommande la saison ? Aimez-vous les homards ? Hayter, dites à Mme Abel de nous préparer des homards pour demain soir.

Le dîner, ce soir-là, consistait en une soupe blanche et sans aucun goût, filets de sole grillés et recouverts d'une sauce rose, côtelettes d'agneau dressées sur un cône de purée de pommes de terre, poires cuites en gelée debout sur une sorte de gâteau mousseline.

— C'est par pur révérence pour votre tante Philippa que je dîne aussi copieusement. Elle a décrété qu'un repas de trois plats fait petit-bourgeois. « Si vous laissez les domestiques en faire une seule fois à leur tête, disait-elle, vous finirez par dîner tous les soirs d'une maigre côtelette. » Il n'est rien que j'aimerais tant. En fait, c'est exactement ce que je fais quand je vais dîner au club, le soir de sortie de Mme Abel. Mais votre tante a édicté qu'à la maison je devais dîner d'une soupe et de trois plats ; certains soirs, le menu se compose d'un poisson, d'une viande et de petites délicatesses, d'autres soirs, c'est viande, dessert, délicatesses, cela permet un certain jeu de mutations et combinaisons.

« Certaines gens sont remarquablement doués pour donner à leurs opinions une forme lapidaire ; votre tante en était.

« Il est étrange de penser qu'il fut un temps où elle et moi, nous dînions ensemble tous les soirs comme nous le faisons tous deux, mon enfant. En tout cas, *elle*, s'employait sans relâche à essayer de me sortir de moi-même. Elle me parlait de ses lectures. Elle s'était mis en tête de s'installer avec moi et de faire de cette maison son foyer, vous savez. Elle croyait que je risquais de prendre de drôles d'habitudes si elle m'abandonnait à mon sort. Peut-être en effet est-ce bien le cas. Pas vrai ? Mais ça n'a pas marché. J'ai fini par me débarrasser d'elle, avec le temps.

Il y avait, à ne s'y pas méprendre, une nuance de menace dans sa voix.

C'était en grande partie par la faute de ma tante Philippa que je me trouvais maintenant vivre à ce point en étranger dans la maison de mon père. À la mort de ma mère, elle était venue vivre avec nous, sans nul doute, comme le disait mon père, dans l'idée de s'installer à demeure. J'ignorais tout, alors, de la somme de souffrances que peut représenter un repas pris en commun tous les soirs. Ma tante avait décidé de me tenir lieu de compagnon et je l'avais acceptée comme telle sans histoires. Cela dura un an. Le premier changement qui intervint fut qu'elle rouvrit sa maison dans le Surrey, qu'elle avait eu l'intention de vendre, et y alla vivre durant mes trimestres scolaires, ne venant passer à Londres que quelques jours, qu'elle occupait dans les magasins et aux spectacles. L'été, nous nous installions ensemble dans un pavillon meublé au bord de la mer. « *J'ai fini par me débarrasser d'elle à la longue* », disait mon père, avec un air de moquerie triomphante, de cette brave femme, et il savait que j'entendais résonner dans ces mots un défi à mon intention.

Au moment de quitter la salle à manger, mon père dit :

— Hayter, avez-vous parlé à Mme Abel des homards que j'ai commandés pour demain ?

— Non, monsieur.

— Alors ne lui en dites rien.

— Très bien, monsieur.

Et quand nous fûmes installés dans nos fauteuils, dans la pièce sur le jardin : « Je me demande si Hayter avait l'intention de parler de ces homards. Je croirais plutôt que non. Savez-vous, j'ai dans l'idée qu'il a pensé que je *plaisantais*. »

Le lendemain, par hasard, une arme me tomba sous la main. Je fis la rencontre d'un vieux camarade d'école, du même âge que moi, Jorkins. Je ne l'avais jamais particulièrement aimé, ce Jorkins. Une seule fois, du temps de ma tante Philippa, il était venu prendre le thé et elle l'avait exécuté : sans doute, au fond, charmant, mais peu attrayant à première vue. Mais, dans les circonstances présentes, je l'accueillis avec enthousiasme et l'invitai à dîner. Il vint et témoigna qu'il n'avait pas changé. Hayter avait dû prévenir mon père qu'il avait un invité, car, au lieu de son costume de velours, il s'était mis en frac ; ajoutez à cela un gilet noir, un col surélevé et une minuscule cravate blanche, c'était sa tenue de gala ; il la portait avec un air de mélancolie, comme un deuil de Cour qu'il eût pris dans sa courte jeunesse et que, s'étant lié de sympathie avec ce style, il eût décidé de ne plus quitter. Jamais il n'avait su ce que c'était que de porter le smoking.

— Bonsoir, bonsoir. C'est gentil d'avoir fait tout ce chemin pour venir nous voir.

— Oh, ce n'est pas si loin, dit Jorkins, qui habitait Sussex Square.

— Le progrès supprime les distances, dit mon père, déconcertant. Vous êtes ici pour affaires ?

— Ma foi, je suis *dans* les affaires, si c'est ce que vous voulez dire.

— J'avais un cousin qui était dans les affaires, vous ne pouvez le connaître ; cela remonte à bien avant vous. Je parlais de lui à Charles, l'autre soir encore. Je pense souvent à lui. Il s'est fait – mon père marqua un temps pour donner tout son poids à la bizarrerie de l'expression – « *ratisser* ».

Jorkins gloussa nerveusement. Mon père le regarda fixement, d'un air plein de reproche.

— Vous trouvez que ses malheurs prêtent à rire ? Ou peut-être le mot dont je me suis servi ne vous est-il pas familier ; *vous* diriez sans aucun doute qu'il « s'est fait tondre » ?

Mon père était maître de la situation. Il avait décidé par fantaisie, pour s'amuser, que Jorkins serait américain, et, durant toute la soirée, il se livra aux dépens du pauvre garçon à tout un jeu de société plein de nuances mais unilatéral, lui expliquant au cours de la conversation les expressions proprement anglaises, traduisant les livres en dollars et déférant courtoisement à sa prétendue façon de voir en lui disant : « Bien entendu, selon *votre* échelle de valeurs... » ; « M. Jorkins doit penser que nous voyons tout sous l'angle de notre petite paroisse » ; « Dans les vastes étendues auxquelles *vous* êtes accoutumé... » en sorte qu'il laisse mon invité sur la vague impression qu'il devait y avoir quelque part un malentendu sur son identité, sans qu'il eût jamais l'occasion de s'en expliquer. À maintes et maintes reprises, pendant le repas, il chercha à rencontrer le regard de mon père, espérant y lire le simple aveu que cette façon de lui adresser la parole n'était qu'une plaisanterie fort étudiée, pour ne trouver toujours qu'un air d'une telle douceur, d'une telle bénignité, qu'il en resta sans y rien comprendre.

Un instant je crus que mon père était allé trop loin ; il venait de dire : « Je crains que, vivant à Londres, votre jeu national ne vous manque beaucoup. »

— Mon jeu national ? demanda Jorkins, lent à s'y mettre mais flairant enfin une occasion d'en finir avec l'équivoque.

Mon père promena vivement son regard de lui à moi ; son expression changea, passant de la bonté à la malice, pour revenir à la bonté tandis qu'il se tournait une fois de plus vers Jorkins. C'était le regard du joueur qui abat quatre as et se sait maître de la partie. « Votre jeu national, reprit-il doucement, *le cricket* », et ne pouvant plus se contenir, il renifla joyeusement, le corps secoué de joie, et s'essuya les yeux avec sa serviette. « Voyons, travaillant comme vous le faites à la Bourse, vous devez trouver très peu de temps pour jouer au cricket ? »

Il nous quitta à la porte de la salle à manger. « Bonsoir, monsieur Jorkins, dit-il, j'espère que vous nous rendrez encore visite, la prochaine fois que vous traverserez "la mare aux harengs". »

— Dites donc, que signifiaient ces mots de votre paternel ? Il avait presque l'air de me prendre pour un Américain.

— Il est plutôt drôle parfois.

— Je veux dire, tous ces conseils qu'il m'a donnés, que je ne manque pas d'aller visiter Westminster Abbey. Ça avait l'air un peu louf.

— Oui. J'aurai bien du mal à vous expliquer.

— Je n'étais pas loin de penser qu'il me mettait en boîte, me dit Jorkins, et sa voix trahissait une interrogation secrète.

Quelques jours plus tard, mon père contre-attaqua. Il engagea le fer en me demandant : « M. Jorkins est-il encore ici ? »

— Non, père, bien sûr que non. Il était venu dîner seulement.

— Oh, j'avais espéré qu'il était descendu chez nous. C'est un jeune homme si *versatile*. Mais vous dînez à la maison ?

— Oui.

— J'ai invité quelques gens pour donner un peu de diversité à la série plutôt monotone de vos soirées ici. Vous pensez que Mme Abel saura s'en tirer ? Non. Mais nos invités ne sont pas très exigeants. Sir Cuthbert et Lady Orme-Herrick en formeront ce que j'appellerai le noyau. Je compte que nous entendrons un peu de musique après le repas. J'ai prévu dans mes invitations quelques personnes plus jeunes à votre intention.

Les pressentiments qu'avaient éveillés en moi les plans de mon père furent surpassés par les faits. En voyant se rassembler les invités dans la pièce que mon père, sans la moindre modestie, appelait « la Galerie », il m'apparut clairement qu'il les avait triés sur le volet pour mon plus grand inconfort moral. Les « gens plus jeunes » étaient Miss Gloria Orme-Herrick, qui étudiait le violoncelle ; son fiancé, jeune homme chauve attaché au British Museum ; et un éditeur de Munich, monoglotte. Je surpris mon père en train de renifler gaiement tout en me regardant, à demi caché par une vitrine de céramiques, au milieu de ce beau monde. Ce soir-là, il portait à la boutonnière, tels les chevaliers autrefois leur emblème de tournoi, une petite rose rouge.

Le dîner fut interminable et composé, comme l'assemblée, dans le plus pur esprit d'ironie méticuleuse. Les menus de tante Philippa n'y étaient pour rien ; en revanche le repas était une reconstitution d'une période beaucoup plus ancienne, d'un âge qui précédait de beaucoup celui où mon père avait le droit de descendre manger avec les grandes personnes. Les mets étaient décoratifs en apparence et de couleurs régulièrement alternées, tour à tour rouges et blancs. Ils étaient aussi insipides que le vin. Après dîner, mon père installa l'éditeur allemand au piano et, pendant qu'il jouait, quitta la salle à manger, entraînant avec lui

Sir Cuthbert Orme-Herrick pour lui montrer le taureau étrusque dans la galerie.

Ce fut une soirée lugubre et je fus stupéfait de voir, quand enfin les invités se furent retirés, qu'il n'était qu'un peu plus de onze heures. Mon père se versa un verre d'orgeat et me dit :

— Réellement, mes amis ne sont pas drôles ! Savez-vous que, sans l'aiguillon de votre présence, jamais je ne me serais donné la peine de les inviter ? J'ai beaucoup négligé les divertissements de la vie ces derniers temps. Mais, puisque vous me rendez une aussi longue visite, j'ai l'intention de répéter fréquemment ce genre de soirée. Miss Gloria Orme-Herrick vous a plu ?

— Non.

— Non ? Est-ce sa petite moustache qui vous a déplu, ou le fait qu'elle ait de si grands pieds ? Selon vous, a-t-elle passé une bonne soirée ?

— Non.

— Telle était bien mon impression. Je doute qu'aucun de nos invités compte ce dîner parmi ses souvenirs heureux. J'ai trouvé que ce jeune étranger jouait atrocement. Où donc ai-je pu faire sa connaissance ? Et Miss Constance Smethwick, je me demande, *elle*, où j'ai bien pu la rencontrer. Mais il faut observer les lois de l'hospitalité. Tant que vous resterez ici, vous ne vous ennuierez pas.

La guerre fut sans merci entre nous durant la quinzaine qui suivit, mais ce fut mon père qui marqua le plus de points ; il disposait de réserves plus abondantes, d'un terrain plus vaste et plus riche en manœuvres, alors que j'étais cloué sur ma tête de pont, coincé entre les hautes terres et la mer. Jamais il ne publia ses buts de guerre et j'ignore encore aujourd'hui s'ils étaient de caractère purement punitif, s'il avait vraiment derrière la tête un plan géopolitique avec l'idée de me forcer à quitter le pays, de même que ma tante Philippa s'était vue chassée à Bordighera et mon cousin Melchior à Darwen, ou si, ce qui paraît plus probable, il luttait par pur amour d'un combat où en vérité il brillait d'un vif éclat.

Je reçus une lettre de Sebastian, objet remarquable en soi qui me fut apporté en présence de mon père un jour où il déjeunait à la maison ; je surpris son regard curieux et sortis avec la lettre pour la lire seul. Le papier et l'enveloppe étaient de deuil, épais et lourds, comme il était de mode à la fin du règne de Victoria ; bordés de noir ; armes gravées en noir. Avidement je lus :

Château de Brideshead,
Wiltshire.

Je me demande quel jour nous sommes.

Mon très cher Charles,
J'ai trouvé une boîte de ce papier derrière un bureau, ainsi donc dois-je vous écrire car je porte le deuil de mon

innocence perdue. Pas un instant à la voir on n'avait pensé qu'elle vivrait. Dès le début les médecins avaient désespéré d'elle.

Je dois bientôt partir pour Venise où je dois descendre chez papa, dans son palais du péché. J'aimerais que vous veniez avec moi. J'aimerais vous avoir ici.

Jamais je ne suis tout à fait seul. Il y a toujours quelqu'un de ma famille qui arrive, vient chercher des bagages et repart aussitôt, mais les framboises blanches sont mûres.

J'ai bien envie de ne pas emmener Aloysius à Venise. Cela m'ennuierait qu'il vînt à rencontrer tout un tas d'horribles ours italiens et à prendre de mauvaises habitudes.

À vous affectueusement ou comme vous voudrez.

S.

J'avais l'habitude de ses anciennes lettres, celles que j'avais reçues à Ravenne ; je n'aurais pas dû être déçu ; mais ce jour-là, tandis que je déchirais le raide papier glacé et en laissais choir les morceaux dans la corbeille, tandis que je regardais vaguement et avec dépit les jardins sordides et les dos irréguliers des maisons de Bayswater, le dédale des tuyaux de vidange, d'échelles d'incendie et de petites serres protubérantes, je revis en esprit la pâleur et les traits d'Anthony Blanche, perçant sournoisement à travers les feuillages épars comme je l'avais vu faire à travers la flamme des bougies dans le restaurant de Thame, et j'entendis, dominant la rumeur du trafic, l'accent clair de sa voix... « Il ne faut pas en vouloir à Sebastian s'il lui arrive d'avoir l'air un peu insipide... Quand je l'écoute parler, je crois revoir ce tableau, écœurant à certains points de vue, des *Bulles de savon*... L'ennui comme un cancer au sein... »

Les jours qui suivirent, je pensai haïr Sebastian ; puis, un dimanche après-midi, un télégramme de lui arriva, qui, dissipant cette ombre, en apporta une nouvelle, plus sombre encore, d'un autre genre.

Mon père était sorti et rentra pour me trouver en proie à une fièvre angoissée. Debout dans le vestibule, son panama sur la tête, il rayonnait.

— Vous ne devinerez jamais où j'ai passé la journée ; au zoo. C'était très agréable. Le soleil a l'air de faire un tel plaisir à ces pauvres bêtes.

— Il faut que je parte immédiatement, père.

— Ah oui ?

— Un grand ami à moi victime d'un terrible accident. Je dois me rendre auprès de lui sur-le-champ. Hayter est en train de faire mes bagages. J'ai un train dans une demi-heure.

Je lui montrai le télégramme, qui disait simplement : « *Grièvement blessé, venez tout de suite. Sebastian.* »

— Eh bien, dit mon père, je suis navré de vous voir ainsi bouleversé. À lire ce message, je ne dirais pas que l'accident est aussi grave que vous avez l'air de le croire, sinon la victime en personne ne l'aurait pas signé. Cependant, naturellement, il est possible qu'il ait gardé tous ses esprits, tout en étant aveugle ou paralysé par une rupture de la colonne vertébrale. Pour quelle raison, exactement, votre présence est-elle si nécessaire ? Vous n'entendez rien à la médecine. Vous n'êtes pas dans les ordres. Serait-ce que vous comptez sur un héritage ?

— Je vous ai dit que c'était un de mes grands amis.

— Ma foi, Orme-Herrick est un de mes grands amis, mais je ne me précipiterais pas à son lit de mort par un chaud après-midi de dimanche. Je doute fort de l'accueil que me réserverait Lady Orme-Herrick. Mais enfin je vois que vous ne partagez pas mes doutes. Vous me manquerez, mon cher enfant, mais ne vous pressez pas de rentrer à cause de moi.

La gare de Paddington, par ce dimanche soir d'août, soleil ruisselant par les vitraux obscurs du toit, kiosques à journaux fermés, rares voyageurs flânant au côté de leurs porteurs, aurait calmé tout esprit moins agité que le mien. Le train était presque vide. Je fis déposer ma valise dans un coin d'un compartiment de 3ᵉ et allai m'asseoir au wagon-restaurant. « Premier service après Reading, monsieur ; vers sept heures environ. Désirez-vous quelque chose ? » Je commandai un gin et vermouth ; on me l'apporta au moment où nous quittions la gare. Couteaux et fourchettes tintaient comme il se doit ; le paysage ensoleillé se déroulait le long des vitres. Mais je n'avais que faire d'un spectacle aussi apaisant ;

bien au contraire, la peur travaillait ma pensée comme un levain et sa fermentation faisait monter en surface, en grosses bulles d'écume, des visions de désastre ; fusil chargé manié sans précaution quand on le décroche du râtelier, cheval qui se cabre et se renverse sur son cavalier, étang plein d'ombre et recelant un pieu dans son sein, branche d'orme croulant soudain dans le calme d'un matin, voiture surgissant à un tournant en épingle à cheveux ; tout le catalogue des dangers qui menacent notre vie de civilisés se dressait à mes yeux et me hantait ; je me figurais même un maniaque homicide, vociférant dans l'ombre des fourrés et balançant comme une massue un morceau de tuyau de plomb. Les champs de blé et les lourds horizons boisés défilaient à grande allure, s'enfonçant dans l'or du soir, et la pulsation des roues répétait de façon monotone à mes oreilles : « Tu arrives trop tard. Tu arrives trop tard. Il est mort. Il est mort. Mort. »

Je dînai et changeai de train. Chemin de fer d'intérêt local. Au crépuscule j'atteignis Melstead Carbury, ma destination.

— Brideshead, monsieur ? C'est ici, Lady Julia est dans la cour.

Je la reconnus aussitôt ; le contraire eût été impossible. Elle était assise au volant d'une voiture découverte.

— Vous êtes M. Ryder ? Montez. (C'était la voix de Sebastian, sa façon de parler.)

— Comment va-t-il ?

— Sebastian ? Oh, très bien. Avez-vous dîné ? Pas brillant, je pense ? Vous trouverez un supplément à la maison. Sebastian et moi nous sommes seuls ; nous avons pensé vous attendre.

— Que lui est-il arrivé ?

— Il ne vous l'a pas dit ? Il a dû penser que vous ne viendriez pas si vous saviez de quoi il retournait. Il s'est brisé un os de la cheville, si petit qu'il n'a même pas de nom. Mais on l'a passé aux rayons X hier et on lui a dit de faire attention pendant un mois. Cela l'ennuie épouvantablement, tous ses projets sont en l'air ; il en fait une histoire à n'en plus finir... Tous les autres sont partis. Il a fait tout ce qu'il a pu pour me forcer à rester avec lui. J'ai failli céder, puis je lui ai dit : « Il existe sûrement *quelqu'un* sur qui vous pouvez mettre la main », et lui m'a répondu que tout le monde était en vacances ou occupé et que de toute façon personne ne ferait l'affaire. Mais à la fin il a bien voulu qu'on essaie de votre côté ; je lui ai promis de rester si vous veniez à lui faire défaut ; vous pouvez donc imaginer la popularité donc vous jouissez auprès de moi. Je dois dire que c'est très noble de votre part, d'accourir ainsi au premier avis.

Mais dans ces derniers mots j'entendis ou je crus déceler une légère note de mépris à l'idée que l'on pût recourir aussi facilement à mes bons services.

— Comment s'y est-il pris ?

— Libre à vous de me croire, en jouant au croquet. Il s'est mis en colère et s'est pris le pied dans un arceau. *Rien* de très honorable, à ce que vous voyez.

Elle ressemblait tant à Sebastian que, assis à côté d'elle dans le soir qui tombait, j'hésitais entre la double illusion d'une présence familière et d'une complète étrangeté. C'est ainsi que, s'aidant de puissantes jumelles, il arrive que, regardant s'approcher un homme au loin, on scrute le moindre détail de son visage et de son costume, on croit qu'il suffirait de tendre la main pour le toucher, on s'étonne qu'il ne nous entende pas et ne lève pas les yeux quand on lui fait signe ; puis, le voyant à l'œil nu, on se souvient brusquement que l'on n'est pour lui qu'une tache lointaine, en quoi l'on reconnaît à peine un être humain. Je connaissais Julia ; elle ne me connaissait pas. Sa chevelure sombre était à peine plus longue que celle de Sebastian et s'envolait de son front, rejetée en arrière de la même façon ; ses yeux, fixés sur la route qui s'assombrissait, étaient ceux de Sebastian, plus grands seulement ; sa bouche fardée trahissait plus de sécheresse à l'égard du monde. Elle portait au poignet un large bracelet, aux oreilles de fines boucles d'or. Son manteau léger révélait un doigt ou deux de soie fleurie ; les jupes étaient courtes en ce temps-là, et ses jambes, tendues sur les pédales de la voiture, étaient fuselées, à la mode de l'époque, elles aussi. Le fait qu'elle fût d'un autre sexe était la seule différence sensible qui me permît de discerner le familier de l'étranger en elle ; et cette différence paraissait combler l'espace qui nous séparait, en sorte que j'étais surtout conscient de sa présence féminine, comme je ne l'avais jamais été d'aucune autre jusqu'alors.

— Conduire le soir ainsi me terrifie, dit-elle. Il semble qu'il n'y a plus personne à la maison qui soit capable de conduire une voiture. Sebastian et moi, nous campons là-bas, pour ainsi dire. J'espère que vous n'êtes pas venu dans l'espoir de trouver assemblée une pompeuse compagnie.

Elle se pencha pour prendre un paquet de cigarettes.

— Non, merci.

— Allumez-en une, vous me la passerez.

C'était la première fois de ma vie qu'on me faisait pareille demande ; en ôtant la cigarette de mes lèvres pour la mettre dans les siennes, je crus saisir au passage un cri ténu mais aigu, comme d'une chauve-souris, que je fus seul à entendre, et où résonnait l'appel du sexe.

— Merci. Vous êtes déjà venu ici. Je le sais par Nounou. Elle et moi, nous avons trouvé curieux que vous ne soyez pas resté pour prendre le thé avec moi.

— Ce fut la faute de Sebastian.

— Vous avez l'air de vous laisser mener pas mal par lui. Vous avez tort. Ce n'est pas bon du tout pour lui.

Nous venions de prendre le grand tournant de l'allée ; les couleurs s'étaient retirées des bois et du ciel et la maison semblait peinte en grisaille, hormis le carré doré, au centre, que traçait la grande porte ouverte. Un homme attendait, qui s'empara de mes bagages.

— Nous y sommes.

Elle gravit le perron, me montrant le chemin, jeta son manteau sur une table en marbre dans le vestibule et se courba pour caresser un chien qui était venu au-devant d'elle.

— Je ne serais pas surprise si Sebastian avait commencé à dîner.

Dans l'instant même, nous le vîmes surgir, parmi les colonnes, à l'autre bout du vestibule, se propulsant dans un fauteuil roulant. Il était en pyjama et robe de chambre, un pied couvert d'un énorme bandage.

— Voilà, chéri, je suis allée ramasser votre copain, dit-elle, cette fois encore avec une faible nuance de mépris, si imperceptible fût-elle.

— Je vous croyais mourant, dis-je, conscient alors, comme je n'avais cessé de l'être depuis la gare, d'un sentiment prédominant de vexation plutôt que de soulagement, à l'idée que j'étais frustré de la grande tragédie que j'avais espérée.

— Moi aussi je l'ai cru. La douleur était atroce. Julia, croyez-vous que si *vous* le lui demandiez, Wilcox nous donnerait du champagne ce soir ?

— Je déteste le champagne, et M. Ryder a déjà dîné.

— *Monsieur* Ryder ? *Monsieur* Ryder ? Charles boit du champagne à n'importe quelle heure du jour. Savez-vous qu'à force de regarder cet énorme pied bandé, je ne puis m'ôter de l'esprit que j'ai la goutte et cette idée me donne des envies folles de champagne ?

Le dîner était servi dans une pièce qu'ils appelaient « le petit salon aux peintures ». Pièce octogonale et spacieuse, d'un dessin plus récent que le reste de la demeure ; murs ornés de médaillons festonnés, voûte peinte de coquets personnages pompéiens en groupes champêtres. L'ensemble, avec les meubles de bois satiné et d'or moulu, le tapis, le grand lustre de bronze, les miroirs et les candélabres, formait une seule composition, due à quelque main illustre.

— Nous avons l'habitude de manger ici quand nous sommes seuls, dit Sebastian, c'est un coin si intime.

Pendant qu'ils avalaient leur repas, je pelai une pêche et leur fis le récit de ma guerre avec mon père.

— Il m'a l'air d'un vrai chou, dit Julia. Sur ce, je vous laisse entre garçons.

— Où allez-vous ?

— À la nursery. J'ai promis à Nounou de monter faire avec elle une dernière partie d'alma. » Elle déposa un baiser sur les cheveux de Sebastian. Je lui ouvris la porte. « Bonsoir, monsieur Ryder, et au revoir. Je ne crois pas que nous nous reverrons d'ici à demain. Je pars de très bonne heure. Je ne saurais vous dire combien je vous suis reconnaissante de me relever ainsi au chevet du malade. »

— Ma sœur est extrêmement pompeuse, ce soir, dit Sebastian après son départ.

— Je n'ai pas l'impression qu'elle m'aime beaucoup, dis-je.

— Je n'ai pas l'impression qu'elle aime beaucoup qui que ce soit. Je l'adore. Elle me ressemble tant.

— *Vraiment ? Tant que cela ?*

— Je veux dire : les traits et la façon de parler. Je ne saurais adorer quelqu'un qui aurait mon caractère.

Après avoir bu un verre de porto, j'accompagnai Sebastian dans sa chaise roulante, par le vestibule aux colonnes, jusque dans la bibliothèque où nous tînmes session ce soir-là et pratiquement tous les soirs du mois qui suivit. Elle était située dans la partie de la maison qui donnait sur les lacs ; les fenêtres étaient ouvertes sur le ciel étoilé et l'air parfumé, sur le paysage de clair de lune, indigo et argent, de la vallée et sur le bruit de l'eau retombant dans le bassin.

— Nous aurons ce paradis pour nous seuls, dit Sebastian, et quand, le lendemain matin, en me rasant, je vis par la fenêtre de ma salle de bains, Julia, valises empilées à l'arrière, monter en voiture, sortir de la cour de devant et disparaître à la crête de la colline, sans jeter un seul regard derrière elle, j'éprouvai un sentiment de délivrance et de paix, que je devais retrouver bien des années plus tard, lorsque, au sortir d'une nuit tourmentée, les sirènes sonnaient « Fin d'alerte ».

4.

La langueur de la Jeunesse – est-il rien de plus unique, de plus quintessentiel ! Rien qui s'évanouisse plus vite et sans retour ! L'ardeur de vivre, les affections généreuses, les illusions, le désespoir, tous les attributs traditionnels de la Jeunesse – tous sans exception, sauf celui-ci – vont et viennent avec nous dans la vie ; à maintes et maintes reprises, au cours de la maturité, il nous arrive de retrouver, sous l'effet d'un nouveau stimulant, ce que nous avions cru définitivement perdu, une authentique impulsion qui nous porte à l'action, le renouveau de la puissance et sa concentration sur un objet neuf ; à maintes et maintes reprises, une vérité nouvelle se révèle à nous, à la lumière de laquelle tout ce que nous avons précédemment acquis doit s'ordonner de nouveau. Tous ces éléments font partie de la vie même ; mais la langueur – la détente des muscles encore intacts, le retrait de l'esprit qui tourne son regard sur lui-même, le soleil debout, arrêté dans le ciel, et la terre qui bat au rythme de notre pouls –, la langueur n'appartient qu'à la Jeunesse et meurt avec elle. Peut-être, dans leur demeure des Limbes, les héros se voient-ils concéder quelques joies en compensation de la Béatifique Vision dont ils ne jouissent pas ; peut-être la Béatifique Vision elle-même a-t-elle une parenté lointaine avec cette humble expérience ; pour ma part, en tout cas, je me suis senti proche du paradis, durant ces jours de langueur qui s'écoulèrent à Brideshead.

— Pourquoi cette demeure s'appelle-t-elle un « château » ?

— C'en était un avant qu'on la transportât ici.

— Quoi ! Que voulez-vous dire ?

— Tout juste cela. Nous possédions un château, à un mile d'ici, dans la vallée, à proximité du village. Puis, du temps d'Inigo Jones, la vallée nous attira ; pure fantaisie ; le château fut démoli, la pierre charroyée ici, une nouvelle demeure construite. Bonne idée qu'on a eue, non ?

— Si cette maison m'appartenait, j'y passerais ma vie.

— Seulement, voyez-vous, Charles, elle ne m'appartient pas. Pour l'instant, si ; mais d'ordinaire elle est pleine de rapaces. Ah, si c'était toujours comme en ce moment – l'été toujours, la solitude, les fruits toujours mûrs et Aloysius d'excellente humeur...

C'est sous cette forme que j'aime à me souvenir de Sebastian, tel qu'il était cet été-là, tandis que nous étions seuls à errer dans ce palais enchanté ; Sebastian, dans son fauteuil roulant, dévalant les allées bordées de buis des potagers, en quête de fraises des bois et de figues tièdes, se propulsant de serre en serre, de senteur en senteur et de climat en climat, pour cueillir les grappes de muscat et choisir les orchidées de nos boutonnières ; Sebastian grimpant à cloche-pied, jouant la pantomime de la difficulté, jusqu'au vieux quartier des nourrices, assis à côté de moi sur le tapis à fleurs, usé jusqu'à la corde, le contenu de l'armoire à jouets étalé à nos pieds, et Nounou Hawkins reprisant complaisamment dans le coin et disant : « Vous ne valez pas mieux l'un que l'autre ; une belle paire de gosses que vous faites, tous les deux. Est-ce là ce qu'on vous enseigne au collège ? » Sebastian, allongé sur le banc ensoleillé, parmi la colonnade, et moi sur une chaise droite, à côté de lui, essayant de dessiner la fontaine.

— Le dôme est-il d'Inigo Jones aussi ? Il a l'air plus récent.

— Oh, Charles, n'ayez donc pas tout le temps l'air d'un touriste. Que vous importe de savoir quand il fut construit, du moment qu'il est joli ?

— J'aime à savoir ce genre de choses.

— Et moi, cher, qui pensais vous avoir guéri de cette manie – guéri de votre affreux M. Collins.

C'était une véritable éducation esthétique que de vivre dans ces murs, d'errer de salle en salle, de la bibliothèque soanesque au salon chinois étincelant de pagodes dorées sur tranche et de mandarins amicaux, de papier peint et de frises chippendale, du petit salon pompéien au grand vestibule tendu de tapisseries, intact, dans l'état où il avait été conçu et exécuté deux cent cinquante ans plus tôt ; de s'asseoir, des heures durant, à l'ombre des colonnes donnant sur la terrasse.

Cette terrasse marquait l'apogée de l'architecture de la maison ; elle se dressait sur de massifs remparts en pierre, dominant les lacs, en sorte que, des marches du perron, elle avait l'air de les surplomber à pic, comme si, accoudé à la balustrade, on avait pu laisser tomber un caillou dans la première étendue d'eau, juste en dessous. Les deux ailes de la colonnade la tenaient embrassée ; par-delà les pavillons, des bosquets de tilleuls menaient aux pentes boisées des collines. Une partie de la terrasse était pavée ; l'autre plantée de plates-bandes fleuries et d'arabesques de buis rasé ; une haie dense de buis plus drus formait un large ovale, coupé de niches et parsemé de statues et, au centre, dominant tout ce magnifique espace, s'élevait la fontaine ; le genre de fontaine que l'on se fût attendu à trouver sur une piazza d'Italie méridionale et qui, en fait, avait bien été découverte sous le ciel italien, un siècle auparavant, par un ancêtre de Sebastian ; découverte, achetée, transportée et érigée de nouveau sous un ciel étranger mais accueillant.

Sebastian m'avait demandé de la dessiner. Le sujet était ambitieux pour un amateur – bassin ovale ; au centre, îlot de rocaille traditionnelle ; sur cette rocaille en pierre : végétation tropicale stylisée, et au naturel : fougères sauvages d'Angleterre ; à travers quoi, filtrant et ruisselant, une douzaine de courants d'eau simulant des sources et, tout alentour, un assortiment de bêtes tropicales fantastiques, folâtrant, chameaux et camé-léopards, plus un lion en ébullition, tous crachant des jets d'eau ; dressé sur la rocaille, montant à la hauteur du fronton, un obélisque égyptien en grès rouge –, mais, Dieu sait par quel heureux hasard, car la chose était bien au-dessus de mes forces, je réussis à m'en tirer et, grâce à quelques omissions judicieuses et à quelques tours de grand style, à en sortir un dessin passable, à la Piranèse.

— M'autorisez-vous à l'offrir à votre mère ? demandai-je.

— Pourquoi ? Vous ne la connaissez pas.

— Par politesse. Je suis chez elle.

— Faites-en cadeau à Nounou, me dit Sebastian.

Ce que je fis, et Nounou le rangea parmi sa collec-tion d'objets divers, au sommet de sa commode, faisant la remarque en passant que ça ressemblait pas mal à la vraie chose, dont elle avait souvent entendu dire le plus grand bien mais dont elle n'avait jamais pu voir, quant à elle, la beauté.

Je partageais presque l'opinion de Nounou Haw-kins en la matière.

Depuis l'époque où, simple écolier, je faisais à bicyclette le tour des paroisses avoisinantes, frottant de vieux bronzes et photographiant des fonts baptismaux, je n'avais cessé de nourrir un fervent amour pour l'architecture ; mais, bien que dans mes opinions j'eusse sauté facilement, comme ceux de ma génération, du puritanisme de Ruskin au puritanisme de Roger Fry, je demeurais au fond du cœur profondément insulaire et médiéval.

Mon séjour à Brideshead fut à l'origine de ma conversion au baroque. Sous le dôme altier et insolent, sous les plafonds truqués, à force de passer sous les arches et les frontons brisés pour arriver sous le couvert des colonnes, et de rester assis, de longues heures, en face de la fontaine, sondant ses ombres, pourchassant les échos de ses formes, participant à la joie de tant d'audaces et d'ingéniosités accumulées, je sentis s'éveiller en moi un nouveau réseau nerveux, comme si l'eau qui jaillissait et bouillonnait parmi ces pierres avait été en vérité une fontaine de vie.

Un jour, dans une armoire, nous tombâmes sur une grande boîte métallique recouverte de laque du Japon, pleine de peintures à l'huile encore utilisables. « Maman les avait achetées il y a un an ou deux. On lui avait dit qu'on ne saurait apprécier les beautés de ce monde si l'on n'est pas capable de les peindre. Nous nous sommes beaucoup moqués d'elle. Elle ne savait pas dessiner et, si vives que fussent les couleurs dans leur tube, il suffisait que maman les mélangeât pour qu'il en sortît une sorte de kaki. »

Diverses taches sèches et boueuses sur la palette confirmaient cette déclaration. « Cordélia était forcée de laver continuellement les pinceaux. À la fin tout le monde protesta et contraignit maman à renoncer à la peinture. »

Ces peintures nous donnèrent l'idée de décorer le bureau ; c'était une petite salle qui donnait sur la colonnade ; on s'en était servi autrefois comme d'une pièce où se traitaient les affaires du domaine, puis on l'avait abandonnée ; elle ne contenait maintenant que des jeux de plein air et un aloès mort dans sa caisse ; on l'avait évidemment conçue à l'origine pour un usage plus agréable – salon de thé ou studio – car les murs en stuc étaient ornés de délicats panneaux rococo et le plafond était joliment travaillé, en arête. Dans un petit cadre ovale, j'esquissai un paysage romantique et, les jours qui suivirent, le peignis ; la chance, l'heureuse humeur du moment voulurent que ce fût une réussite. De façon ou d'autre, le pinceau semblait se plier à ce qu'on attendait de lui. C'était un paysage sans personnages, une scène estivale, nuages blancs et horizons lointains et bleutés, ruine vêtue de lierre au premier plan, rochers et cascade couvrant âprement la retraite du parc à l'arrière-plan. Je ne me connaissais guère en peinture à l'huile et fis mon apprentissage en travaillant. Quand, au bout d'une semaine, j'eus terminé, Sebastian m'encouragea vivement à me lancer dans la décoration d'un panneau plus grand. Je fis quelques esquisses. Il voulait une fête champêtre, escarpolette enrubannée et petit page noir, plus un berger jouant de la flûte ; mais la chose languit. Je savais que j'avais eu de la chance en achevant mon paysage et que ce pastiche trop compliqué était au-dessus de mes forces.

Un jour, nous descendîmes à la cave avec Wilcox et en profitâmes pour visiter les vastes celliers qui avaient autrefois contenu une formidable réserve de vins ; une seule voûte transversale servait encore ; les casiers y étaient amplement pourvus, certains renfermant des crus vieux de cinquante ans.

— Aucun vin n'est entré depuis que Milord est parti pour l'étranger, dit Wilcox. Une bonne partie du vin vieux a besoin d'être bue rapidement. Nous aurions dû laisser reposer ceux de dix-huit et de vingt. J'ai reçu déjà de nombreuses lettres des marchands à ce propos, mais Milady dit qu'il faut demander à Lord Brideshead et Lord Brideshead dit de demander à Milord et Milord dit de demander aux avoués. C'est comme ça que ça finit par baisser. Il y en a assez ici pour dix ans au train où vont les choses, mais où en serons-nous d'ici là ?

Wilcox fut ravi de l'intérêt dont nous fîmes preuve ; à notre demande, il monta des bouteilles de chaque cru et ce fut durant ces paisibles soirées avec

Sebastian que je fis pour la première fois sérieusement connaissance avec le vin et que fut ensemencée la graine de cette riche moisson qui devait être mon réconfort au cours de nombreuses et stériles années à venir. Nous passions des heures assis, lui et moi, dans le Salon aux peintures, avec trois bouteilles ouvertes posées devant nous et trois verres chacun ; Sebastian avait déniché un livre sur la façon de goûter le vin et nous suivions les instructions qu'il donnait, minutieusement. Nous chauffions légèrement le verre à la flamme d'une bougie, le remplissions au tiers, faisions tourner le vin, le nourrissions de la chaleur de nos mains, l'élevions à la lumière, le respirions, le sirotions, en emplissions notre bouche et le promenions sur la langue, le faisant trébucher sur le palais comme une pièce sur le comptoir, rejetions la tête en arrière et le laissions couler goutte à goutte dans le gosier. Après quoi, nous en discutions en mordillant un biscuit sec, et passions au suivant ; pour revenir au premier, repasser à un autre, jusqu'à ce que les trois vins fussent en circulation et que, l'ordre des verres s'étant interverti, nous ne pussions plus nous y reconnaître ; que les verres faisant, qui plus est, le va-et-vient entre nous deux, tous les six fussent mélangés, certains d'entre eux contenant eux-mêmes un mélange de vins que nous avions versés de la bouteille qu'il ne fallait pas ; et qu'enfin nous fussions obligés de tout recommencer, chacun avec trois verres vierges ; que les bouteilles fussent vides et nos louanges empreintes d'une frénésie et d'un exotisme croissants.

— … Ce vin est léger et timide comme une gazelle.

— Comme un gnome.

— Pommelé, paissant un pré de Gobelin.

— Comme une flûte au bord d'une eau calme.

— … Et celui-ci est vieux et sage.

— Tel un prophète dans sa grotte.

— … Et cet autre est un collier de perles sur la blancheur d'un cou.

— Pareil au cygne.

— À la dernière des licornes.

Et délaissant la lumière dorée des bougies de la salle à manger pour passer à celle des étoiles, au-dehors, nous allions nous asseoir au bord de la fontaine, trempant nos mains dans la fraîcheur de l'eau et prêtant une oreille vaguement ivre à ce bruit de cascade jaillissante, gargouillant et retombant en pluie sur les pierres.

— Est-il bien que nous nous grisions *tous* les soirs ? me demanda Sebastian un matin.

— Sans nul doute.

— C'est aussi mon avis.

Peu d'étrangers au château nous rendaient visite. Il y avait bien l'intendant, ancien colonel, maigre avec des poches sous les yeux, qui de temps à autre nous croisait en chemin et vint prendre le thé une fois. D'ordinaire, nous nous arrangions pour l'éviter et nous dérober. Le dimanche, on allait chercher un moine dans un monastère voisin ; il disait la messe et prenait le petit déjeuner avec nous. Ce fut le premier prêtre dont je fis la connaissance ; je remarquai qu'il n'avait rien de commun avec un pasteur, mais Brideshead était un tel enchantement pour moi que j'étais prêt à trouver un caractère unique à tout ce qui s'y rattachait ; le père Phipps était en réalité un homme très doux, le visage comme une brioche, et qui portait au cricket local un intérêt qu'il croyait obstinément partager avec nous.

— Vous savez, mon père, nous ne connaissons rien de rien au cricket, Charles et moi.

— Comme j'aurais voulu voir Tennyson faire ce 58 jeudi dernier ! Quel spectacle ça a dû être ! Le compte rendu du *Times* était excellent. L'avez-vous vu dans le match avec les Sud-Africains ?

— Je ne l'ai jamais vu.

— Ni moi non plus. Je n'ai pas vu un seul match de grande classe depuis des années – non, pas depuis le jour où le père Graves m'emmena en voir un, en passant par Leeds, à notre retour de l'installation de l'abbé à Ampleforth. Le père Graves s'arrangea pour trouver un train qui nous permît de passer trois heures dans la ville, l'après-midi du match contre le Lancashire. Et *quel* après-midi ! Je revois encore la balle, chacun des coups. Depuis, je n'ai plus que le journal. Vous n'allez pas souvent aux matches de cricket ?

— Non, jamais, dis-je, et de me regarder avec cette expression que j'ai vue depuis chez les gens de religion, de candeur étonnée à l'idée que ceux qui s'exposent aux périls de ce monde tirent un si faible parti des consolations variées qu'il nous offre.

Sebastian ne manquait pas un service du dimanche. L'assistance était très peu nombreuse. Brideshead n'était pas un foyer très ancien ni très actif de catholicisme. Lady Marchmain avait amené avec elle quelques domestiques catholiques, mais la majorité de la domesticité et tous les paysans priaient, quand cela leur arrivait, parmi les tombes des Flyte, dans la petite chapelle grise près des grilles.

La foi de Sebastian était une énigme pour moi, à l'époque, mais elle n'était pas de celles qu'il m'intéressait particulièrement de résoudre. Je n'avais pas de religion. Enfant, chaque semaine on me conduisait à l'église ; à l'école, j'allais quotidiennement à la chapelle ; mais, comme par compensation, à dater de mon entrée au lycée, on m'avait permis de ne pas aller à l'église pendant les vacances. Implicitement, mon éducation admettait que le récit sur lequel se fondait le christianisme était depuis longtemps dénoncé comme appartenant au domaine du mythe et que les avis se partageaient sur la valeur actuelle de ses enseignements et de son éthique, partage qui voyait s'incliner la balance du côté négatif ; la religion était un dada cher aux uns, indifférent aux autres ; au mieux, on pouvait la tenir pour tant soit peu décorative ; au pis, elle était le royaume où régnaient en maîtres « complexes » et « inhibitions » – mots de passe de la décennie –, intolérance, hypocrisie, et imbécillité pure, ses attributs séculaires. Personne ne m'avait jamais suggéré que les bizarreries du culte étaient l'expression d'un système philosophique cohérent et de revendications historiques intransigeantes ; l'eût-on fait, d'ailleurs, que mon intérêt ne s'en fût pas trouvé éveillé.

Souvent, presque chaque jour, depuis que je connaissais Sebastian, un mot au hasard de la conversation m'avait rappelé qu'il était catholique, mais je tenais cela pour un faible, de l'ordre de l'ours en peluche. Nous n'avions jamais discuté de ces questions jusqu'au second dimanche que je passai à Brideshead, lorsque, après le départ du père Phipps, et, tandis qu'assis à l'ombre de la colonnade nous lisions les journaux, il me surprit en me disant : « Oh, cher, si vous saviez comme c'est difficile, d'être catholique. »

— En résulte-t-il pour vous une grande différence dans la vie ?

— Comment ! Mais à tout instant.

— Ma foi je ne puis prétendre l'avoir remarqué. Vous faut-il lutter contre la tentation ? Vous n'avez pas l'air beaucoup plus vertueux que moi.

— Je suis infiniment plus méchant, protesta-t-il avec indignation.

— Alors ?

— Qui avait l'habitude de prier ainsi : « Ô Dieu ! fais-moi bon, plus tard » ?

— Je ne sais. Vous, sans doute.

— *Moi ?* Bien sûr, tous les jours. Mais ce n'est pas cela. » Il revint aux pages du *News of the World* et dit : « Tiens ! encore un chef scout qui ne s'est pas bien conduit. »

— J'imagine qu'on voudrait vous faire croire tout un tas de bêtises.

— Bêtises, vraiment ? Je voudrais bien que ce fût le mot. Parfois ça m'a l'air d'être le bon sens même.

— Mais, mon cher Sebastian, sérieusement, vous ne pouvez *croire* à ces histoires.

— Non ?

— Je veux dire : Noël, l'étoile, les Rois mages, l'âne et le bœuf.

— Bien sûr que si, j'y crois. L'idée en est exquise.

— Mais vous ne pouvez *croire* à ces choses parce que l'idée en est exquise.

— Mais *si*. Telle est la foi.

— Et les prières, vous y croyez ? Vous pensez qu'en vous agenouillant devant une statue et en marmottant quelques mots, sans même les prononcer autrement que dans votre tête, vous pouvez faire changer le temps qu'il fait ; ou qu'il est des saints plus influents que d'autres et que le tout est de mettre la main sur le bon pour vous aider à trouver la bonne solution du bon problème ?

— Bien sûr. Avez-vous oublié, le trimestre dernier, le jour où j'avais emmené Aloysius et où je l'avais perdu je ne savais plus où ? J'ai prié saint Antoine de Padoue comme un forcené ce matin-là, et, aussitôt après déjeuner, voilà que M. Nichols s'est présenté à la porte de Canterbury, avec Aloysius sur le bras et me disant que je l'avais oublié dans son taxi.

— Ma foi, dis-je, si vous avalez toutes ces histoires et n'avez pas envie de bien vous tenir dans la vie, où est la difficulté dans votre religion ?

— Celui qui n'a pas d'yeux pour voir ne voit pas.

— Voir ? Quoi ?

— Oh, ne soyez donc pas ennuyeux, Charles. J'ai envie de lire ce qu'on dit d'une bonne femme de Hull qui se servait d'un certain instrument.

— Vous avez commencé cette discussion. Et moi j'y prenais justement goût.

— Jamais plus je ne recommencerai… Trente-huit autres cas ont été pris en considération dans la sentence qui l'a condamnée à six mois – fichtre !

Mais il revint sur le sujet, quelque dix jours plus tard, tandis qu'allongés sur le toit de la maison nous prenions un bain de soleil et suivions au télescope l'activité préliminaire au Concours agricole, que l'on déployait dans le parc, à nos pieds. Ce n'était qu'un modeste concours de deux jours, à l'usage des paroisses avoisinantes et dont la survivance tenait plus à son caractère de foire et de fonction sociale qu'au sérieux d'une compétition en règle. Des fanions traçaient un espace réservé, autour duquel on avait planté une demi-douzaine de tentes de tailles diverses ; il y avait aussi une loge pour les juges et quelques parcs pour le bétail ; la plus grande des tentes était à l'intention des rafraîchissements, et c'était là que se rassemblait la foule des fermiers. Les préparatifs avaient occupé déjà toute une semaine. « Il faudra nous cacher, me dit Sebastian quand le grand jour approcha. Mon frère va venir. Il est dans son élément avec ce Concours agricole. » C'était ainsi que nous étions montés nous étendre sur le toit, à l'abri de la balustrade.

Brideshead arriva par le train du matin, et déjeuna avec le colonel Fender, l'intendant du domaine. Je l'entrevis cinq minutes lors de son arrivée. La description qu'en avait faite Anthony Blanche était remarquablement exacte : les traits des Flyte, sculptés par un Aztèque. Nous pouvions le voir maintenant grâce au télescope, aller de groupe en groupe de métayers, affable, s'arrêtant pour saluer les juges dans leur loge, penché sur la barrière d'un parc et examinant gravement les bêtes.

— Drôle de type, mon frère, dit Sebastian.

— Il m'a l'air assez normal.

— Oh mais non ! Si seulement vous saviez, c'est le plus fou de nous tous, mais chez lui, ça ne sort pas. Il est entièrement noué intérieurement. Il voulait se faire prêtre, vous savez.

— Non, je ne savais pas.

— Et je crois qu'il n'a pas renoncé. Il a failli entrer chez les Jésuites, juste au sortir du lycée. Ç'a été horrible pour maman. À proprement parler, elle pouvait difficilement essayer de l'en empêcher ; seulement, naturellement, c'était la dernière des choses qu'elle eût voulu voir arriver. Pensez à ce que les gens auraient dit : l'aîné de la famille ; ce n'est pas comme si ç'avait été moi. Et mon pauvre papa. L'Église lui a causé assez d'ennui comme cela, déjà. Il en est résulté un effroyable tohu-bohu – les alentours de la maison grouillaient de moines et de *monsignori* courant de tous côtés comme des rats, pendant que Brideshead demeurait constipé dans son coin, et parlait de la volonté de Dieu. De tous, c'est lui que le départ de papa avait le plus ébranlé – plus même que maman, à vrai dire. finalement on le persuada d'aller à Oxford et d'en reparler dans trois ans. En ce moment, il essaie de se décider. Il parle d'entrer dans les Gardes du roi et aux Communes, et de se marier. Il ne sait pas ce qu'il veut. Je me demande si la même chose me serait arrivée, si j'avais été élevé chez les Jésuites comme lui. Je devais y aller, mais je n'en avais pas encore l'âge quand papa partit pour l'étranger, et la première de ses insistances fut pour que l'on m'envoyât à Eton.

— Votre père a-t-il renoncé à la religion ?

— Ma foi, il n'a pas pu faire autrement, en un sens ; il ne s'était converti qu'à l'occasion de son mariage avec maman. En partant, il a laissé derrière lui la religion, avec nous autres. Il faudra que vous fassiez sa connaissance. C'est quelqu'un de très bien.

Sebastian ne m'avait jamais encore parlé sérieusement de son père. Je lui dis :

— Vous avez dû être tous bouleversés par son départ.

— Tous, à l'exception de Cordélia. Elle était trop jeune. Cela me bouleversa à l'époque. Maman s'efforça d'expliquer la chose aux trois plus âgés d'entre nous, pour que nous ne nous mettions pas à détester papa. Je fus le seul à qui cela n'arriva pas. Je crois bien qu'elle eût préféré le contraire. J'ai toujours été l'enfant favori de papa. N'était cet accident au pied, je devrais être avec lui en ce moment. Je suis le seul à aller le voir. Pourquoi ne viendriez-vous pas ? Il vous plairait.

Armé d'un porte-voix, un homme hurlait les résultats du dernier concours sur le terrain en bas ; sa voix parvenait faiblement jusqu'à nous.

— En sorte que, vous le voyez, sur le plan religieux, nous sommes une famille mixte. Brideshead et Cordélia sont tous deux de fervents catholiques ; lui, est malheureux comme un chien ; elle, heureuse comme un oiseau ; Julia et moi, nous sommes à demi païens ; moi, je suis heureux ; je n'ai pas l'impression que Julia le soit ; la rumeur publique veut que maman soit une sainte, et papa est excommunié – et je serais incapable de dire lequel des deux est heureux. Toujours est-il que, par quelque bout qu'on prenne l'affaire, le bonheur ne semble pas avoir grand-chose à voir dans tout ça, et c'est lui seul que je voudrais... Si seulement je pouvais aimer un peu plus les catholiques.

— Ils ont l'air d'être comme tout le monde.

— Rien de plus faux, mon cher Charles – surtout dans ce pays où ils sont une infime minorité. Ce n'est pas seulement le fait qu'ils forment une clique – en fait ils en forment au moins quatre, qui passent la moitié du temps à s'insulter l'une l'autre – mais leur conception de la vie est totalement différente ; tout ce qui importe à leurs yeux est différent de ce qui compte aux yeux des autres. Ils font ce qu'ils peuvent pour s'en cacher, mais ça ressort continuellement. Rien de plus naturel que cette différence. Mais c'est là que gît la difficulté pour les demi-païens comme Julia et moi.

Nous fûmes interrompus dans cette conversation d'une gravité inaccoutumée par de grands cris d'enfant venant de derrière les cheminées : « Sebastian ; Sebastian ! »

— Juste ciel ! dit Sebastian, saisissant une couverture, on dirait la voix de Cordélia. Couvrez-vous.

— Où êtes-vous ?

Surgit une robuste fillette de dix ou onze ans ; elle avait à ne pas s'y méprendre toutes les caractéristiques de la famille, mais mal ordonnées en quelque sorte, et formant un ensemble franchement banal et joufflu ;

deux épaisses nattes à l'ancienne mode lui pendaient dans le dos.

— Allez-vous-en, Cordélia. Nous n'avons pas de vêtements.

— Pourquoi ? Vous êtes tout à fait convenables. J'ai deviné que vous étiez ici. Vous ne saviez pas que j'étais dans les parages ? Je suis arrivée avec Bridey et me suis arrêtée en route pour aller voir François-Xavier. (À mon intention :) C'est mon cochon. Puis nous avons déjeuné avec le colonel Fender. Et puis le concours. François-Xavier a eu un accessit. Cet animal de Randal a eu la médaille pour une bête galeuse. Sebastian *chéri*, je suis contente de vous revoir. Comment va votre pauvre pied ?

— Dites : Comment allez-vous ? à M. Ryder.

— Oh, pardon. Comment allez-vous ? (Le charme commun à toute la famille éclatait dans son sourire.) Ils commencent à être pleins de boisson, en bas, alors je suis partie. Dites donc, qui est-ce qui a peint le bureau ? Je suis allée y chercher mon diabolo et j'ai vu ça.

— Prenez garde à ce que vous dites. C'est M. Ryder.

— Mais c'est *exquis*. Dites donc, c'est vrai que c'est vous ? Eh bien, vous *êtes* fort. Pourquoi ne mettez-vous pas des vêtements et ne descendez-vous pas tous les deux ? Il n'y a personne.

— Bridey va certainement inviter les juges à entrer.

— Mais non. Je l'ai entendu dire que non. Il est très fâché aujourd'hui. Il ne voulait pas que je dîne avec vous, mais j'ai arrangé ça. Venez. Vous me trouverez dans la nursery, quand vous serez présentables.

Nous formions un petit groupe fort sombre, ce soir-là. Seule, Cordélia était parfaitement à son aise, se régalant de la nourriture, de l'heure tardive et de la compagnie de ses frères. Brideshead avait trois ans de plus que Sebastian et moi, mais il avait l'air d'appartenir à une autre génération. On retrouvait en lui tous les traits physiques communs à la famille, et son sourire, les rares fois où il se dessinait, était aussi charmant que celui des autres ; sa voix, leur voix, lorsqu'il parlait, prenait un ton grave et contenu qui, chez mon cousin Jasper, aurait sonné faux et pompeux, mais qui chez lui était évidemment naturel et inconscient.

— Je suis absolument navré de ne pas profiter de votre visite, me dit-il. Prend-on soin de vous comme il convient ? J'espère que Sebastian veille aux vins. Wilcox a tendance à ne pas être généreux quand on le laisse à lui-même.

— Il a été très libéral.

— J'en suis ravi. Le vin est un tel lien entre les hommes. À Magdalen College, j'ai essayé plus d'une fois de m'enivrer, mais je n'en ai conçu aucun plaisir. Je trouve la bière et le whisky moins appétissants encore.

Imaginez alors quelle torture sont pour moi des séances comme celle de cet après-midi.

— Moi, j'aime le vin, dit Cordélia.

— Le dernier bulletin scolaire de ma sœur Cordélia disait qu'elle n'était pas seulement la pire élève de l'école, mais la pire qu'ait jamais connue la doyenne des nonnes.

— Tout ça parce que j'ai refusé d'être enfant de Marie. La révérende mère avait dit que si je n'arrivais pas à mettre plus d'ordre dans ma chambre, je ne pourrais pas être enfant de Marie ; alors j'ai dit, bon, je ne serai pas enfant de Marie et je crois que la Sainte Vierge se moque pas mal que je range mes chaussures de gymnastique à gauche ou à droite de mes chaussures de danse. La révérende mère était blême.

— La Sainte Vierge ne se moque pas de l'obéissance.

— Bridey, pas de sermon, dit Sebastian. Nous avons un athée à table.

— Un agnostique, rectifiai-je.

— Vraiment ? Êtes-vous nombreux de la sorte dans votre collège ? Il y en avait un certain nombre à Magdalen.

— Je ne saurais dire exactement. J'étais ainsi bien avant d'entrer à Oxford.

— On en trouve partout, dit Brideshead.

La religion semblait hanter nos conversations, ce jour-là. Nous parlâmes quelque temps du Concours agricole. Puis Brideshead dit :

— J'ai vu l'évêque à Londres la semaine dernière. Savez-vous qu'il veut fermer notre chapelle ?

— Oh, il n'a pas le droit, dit Cordélia.

— Je ne crois pas que maman le permettra, dit Sebastian.

— La chapelle est trop éloignée de tout, reprit Brideshead. Il y a une douzaine de familles aux environs de Melstead qui ne peuvent venir jusqu'ici. Il veut que la messe soit dite là-bas.

— Et nous, alors ? dit Sebastian. Faudra-t-il y aller en voiture, les matins d'hiver ?

— Il nous faut le saint sacrement ici, dit Cordélia. J'aime à y faire un saut de temps à autre ; maman aussi.

— Et moi aussi, poursuivit Brideshead, mais nous sommes si peu nombreux. Ce n'est pas comme si nous étions une vieille famille catholique et comme si tous les gens attachés au domaine allaient à la messe. Cela finira tôt ou tard, quand maman ne sera plus là, peut-être. La question est de savoir s'il ne vaudrait pas mieux en finir dès à présent. Vous qui êtes artiste, Ryder, que pensez-vous de cette chapelle, sur le plan esthétique ?

— Je la trouve *très belle*, dit Cordélia, les yeux pleins de larmes.

— Est-ce de bon art ?

— Ma foi, je ne saisis pas entièrement ce que vous voulez dire, dis-je prudemment. Je trouve que c'est un exemple remarquable d'une certaine période. Sans doute l'admirera-t-on vivement d'ici à quatre-vingts ans.

— Voyons, comment ce qui était bon il y a vingt ans et le sera dans quatre-vingts ne saurait-il l'être aujourd'hui ?

— À vrai dire, il se peut que ce soit *bon* aujourd'hui. Tout ce que je veux dire, c'est que, pour ma part, il se trouve que je ne l'aime pas beaucoup.

— Y a-t-il donc une différence entre le fait d'aimer une chose et celui de penser qu'elle est de bonne qualité ?

— Bridey, ne soyez pas aussi jésuite, dit Sebastian.

Mais je savais que ce désaccord n'était pas seulement une affaire de mots, qu'il exprimait une divergence profonde et irréparable entre nous ; aucun de nous deux ne comprenait ce que disait l'autre, et ne le comprendrait jamais.

— N'est-ce pas précisément la distinction que vous avez faite à propos du vin ?

— Non. J'aime et je trouve bonne la fin à laquelle le vin sert parfois de moyen – le stimulant qui fait naître la sympathie d'homme à homme. Mais, dans mon cas, le vin n'atteint pas cette fin, en sorte que je ne l'aime ni ne le trouve bon en ce qui me concerne.

— Bridey, je vous en prie, assez.

— Désolé, dit-il, le sujet me semblait intéressant.

— Dieu merci, je suis allé à Eton, dit Sebastian. Après dîner, Brideshead dit :

— Je crains de devoir vous priver de la compagnie de Sebastian pendant une demi-heure. J'aurai fort à faire demain, toute la journée, et je dois partir aussitôt après la fin du Concours. Il y a des tas de papiers qui ont besoin de la signature de mon père. Il faudra que Sebastian les emporte avec lui et sache fournir les explications nécessaires. Vous devriez être au lit, Cordélia.

— Faut d'abord que je digère, dit-elle. Je n'ai pas l'habitude de me gorger comme ça le soir. Je ferai la conversation avec Charles.

— *Charles ?* dit Sebastian. *Charles ?* M. Ryder, s'il vous plaît, fillette.

— Venez, Charles.

Quand nous fûmes seuls, elle me dit :

— Êtes-vous vraiment agnostique ?

— Passe-t-on le temps dans votre famille à parler de religion ?

— Oh non. C'est un sujet qui vient naturellement, vous ne trouvez pas ?

— Vraiment ? Cela ne m'était jamais encore arrivé.

— Alors c'est que peut-être vous *êtes* vraiment agnostique. Je prierai pour vous.

— Trop aimable.

— Seulement je ne peux pas vous consacrer tout un rosaire. Rien qu'une dizaine. J'ai déjà une liste de gens qui n'en finit plus. Je les prends dans l'ordre et ils ont droit à une dizaine, environ une fois la semaine.

— C'est assurément plus que je ne mérite.

— Oh, j'ai sur ma liste des cas plus durs que le vôtre. Lloyd George et le Kaiser et Olive Banks.

— Olive Banks ? Qui est-ce ?

— On l'a balancée du couvent le trimestre dernier. Je ne sais pas bien pourquoi. La révérende mère a trouvé un petit mot qu'elle avait écrit. Vous savez, si vous n'étiez pas agnostique, je vous demanderais cinq shillings pour me payer une filleule noire.

— Rien ne me surprend, venant de votre religion.

— C'est une idée nouvelle qu'un missionnaire a lancée le trimestre dernier. On envoie cinq shillings à des religieuses quelque part en Afrique et elles baptisent un bébé en lui donnant votre nom. J'ai déjà comme ça six petites Cordélia noires. Vous ne trouvez pas ça exquis ?

Brideshead et Sebastian étant revenus, on envoya Cordélia se coucher. Et Brideshead entama de nouveau la discussion.

— Bien entendu, me dit-il, vous avez raison quant au fond. Vous prenez l'art en tant que moyen, non en tant que fin. C'est d'une théologie irréprochable, mais il est assez rare de trouver ce genre de croyance chez un agnostique.

— Cordélia a promis de prier pour moi.

— Elle a fait une neuvaine pour son cochon, intervint Sebastian.

— Savez-vous que tout cela m'intrigue et me laisse rêveur ? dis-je.

— Je crois que nous scandalisons ce pauvre garçon, dit Brideshead.

Ce soir-là, je commençai à me rendre compte que je ne connaissais que fort peu Sebastian, et à comprendre pourquoi il avait toujours voulu me tenir à l'écart du reste de sa vie. Il était semblable à un ami que l'on se fait à bord d'un bateau, en haute mer ; maintenant nous avions accosté à son port d'attache.

Brideshead et Cordélia repartirent ; on amena les tentes, on descendit les drapeaux et on coucha les poteaux ; l'herbe piétinée commença à reprendre couleur ; le mois qui avait débuté paresseusement touchait presque à sa fin. Sebastian désormais marchait sans canne et avait oublié sa blessure.

— Je crois, me dit-il, que vous feriez mieux de m'accompagner à Venise.

— Pas d'argent.

— J'y ai pensé. Une fois là-bas, nous vivrons aux crochets de papa. Mes avoués paient le voyage, 1re classe et couchette. À ce prix-là, nous pouvons voyager tous les deux en 3e.

Et ce fut ainsi que nous partîmes. Tout d'abord, la traversée la plus longue et à meilleur marché, par Dunkerque, assis toute la nuit sur le pont, sous le ciel clair, guettant l'éclosion de l'aube grise sur les dunes.

Puis le train jusqu'à Paris ; banquettes de bois ; en taxi au Lotti ; bain, barbe ; déjeuner au Foyot, à demi vide et étouffant ; flânerie somnolente de boutique en boutique ; attente interminable de l'heure de départ de notre train, dans un café également à demi vide ; enfin, dans la chaleur poussiéreuse du soir, Gare de Lyon, train limaçon ; re-banquettes en bois, compartiment bondé de gens pauvres, s'en allant rendre visite à leur famille, voyageant, comme on voit les pauvres dans les pays du Nord, avec une multitude de petits paquets et un air de soumission patiente aux représentants de l'autorité, et de matelots rentrant de permission. Sommeil par à-coups ; cahots et haltes ; changement dans la nuit ; re-sommeil ; éveil dans un compartiment vide, cortège de sapins aux portières et panorama lointain de pics montagneux. Changement dans les uniformes à la frontière ; pain et café au buffet de la gare ; autour de nous, gens pleins de la grâce et de la gaieté du Midi ; et des plaines encore ; conifères cédant le pas aux vignes et aux oliviers ; changement de train à Milan ; saucisson à l'ail, pain et une bouteille d'orvieto, achetés au buffet ambulant sur le quai (nous avions dépensé tout notre argent, à part quelques francs, à Paris) ; soleil de plus en plus haut ; campagne luisante de chaleur ; compartiment bourré de paysans, fluant et refluant à chaque gare ; odeur écrasante d'ail dans le compartiment surchauffé. Le soir, à la fin, arrivée à Venise.

Un personnage en noir nous attendait. « Le valet de chambre de papa, Plender. »

— Je vous attendais à l'arrivée de l'express, dit Plender. Milord a pensé que vous vous étiez trompés sur l'heure du train. Celui-ci ne semble venir que de Milan.

— Nous étions en 3ᵉ.

Plender gloussa poliment.

— La gondole du palais vous attend. Je suivrai avec les bagages par le *vaporetto*. Milord est au Lido. Il n'était pas sûr d'être de retour pour votre arrivée, c'est-à-dire quand nous vous attendions par l'express. Il doit être rentré à cette heure.

Il nous conduisit à la gondole. Les gondoliers portaient livrée vert et blanc et plaques d'argent sur la poitrine ; ils s'inclinèrent en souriant.

— *Palazzo. Pronto.*

— *Si, signore Plender.*

Et nous voilà navigant.

— Vous êtes déjà venu ici ?

— Non.

— Moi si, une fois, par mer. C'est ainsi qu'il faut arriver.

— *Ecco ci siamo, signori.*

Le palais était quelque peu inférieur à son appellation. Étroite façade palladienne, marches moussues, arche obscure en pierre rustique. Un des bateliers sauta sur le sol, amarra la gondole au poteau, sonna la cloche ; l'autre restait debout à la proue, serrant la barque contre les marches. La porte s'ouvrit ; un individu en livrée d'été plutôt sommaire, de toile à rayures, nous fit passer par un escalier, de l'ombre à la lumière ; le *piano nobile* était inondé de soleil, et flamboyait de fresques de l'école du Tintoret.

— *Marchese* au Lido, bientôt retour. Vous coucher par ici, me suivre. Eau laver tout de suite prêt.

Nos chambres se trouvaient à l'étage au-dessus, que l'on atteignait par un escalier de marbre à donner le vertige. Les volets étaient fermés, montant la garde contre le soleil de l'après-midi ; le majordome les ouvrit et le grand canal s'étendit devant nous ; les lits étaient parés de moustiquaires.

— *Mostica* pas maintenant.

Chaque chambre comportait une petite armoire bulbeuse, un miroir brumeux dans son cadre doré ; nul autre meuble. Le sol était couvert de dalles nues, en marbre.

— Préparer toilette chaude, dit le majordome, nous abandonnant.

— Tant soit peu sinistre ? me demanda Sebastian.

— Sinistre ? Regardez. Je le menai à la fenêtre et lui montrai de nouveau le faste incomparable qui s'étendait à nos pieds et autour de nous.

— Non. Comment peut-on trouver cela sinistre ?

Une formidable explosion, venant de la pièce voisine, fit prévoir un obstacle à la toilette chaude. Nous

nous rendîmes sur les lieux, pour découvrir une salle de bains qu'on paraissait avoir construite dans une cheminée. Il n'y avait pas de plafond ; à sa place, les murs filaient droit à travers le plancher supérieur vers le ciel ouvert. Un chauffe-bain vétuste vomissait des nuées de vapeur, rendait une forte odeur de gaz et un minuscule filet d'eau froide.

— Inutile.

— *Si, si, subito, signori.*

Le majordome se rua vers le haut de l'escalier et se mit à hurler en direction du bas ; une voix de femme, plus stridente encore, répondit. Sebastian et moi, nous revînmes au spectacle qui s'offrait à nous, de nos fenêtres. Enfin, dans l'escalier, la discussion se termina ; une femme et un enfant firent leur apparition, qui nous adressèrent des sourires, firent les gros yeux au majordome et déposèrent sur la table à toilette de Sebastian une cuvette en argent et une aiguière d'eau bouillante. Pendant ce temps, le majordome défaisait les valises, pliait les vêtements et, retombant dans sa langue maternelle, nous chantait les mérites méconnus du chauffe-bain, jusqu'au moment où, dressant la tête et l'oreille, sur le qui-vive, il nous dit : « *Il signor marchese* », et fila comme un trait par l'escalier.

— Nous ferions bien de nous mettre en tenue convenable avant de descendre voir papa, dit Sebastian. Pas besoin de nous habiller. Je crois comprendre qu'il est seul en ce moment.

L'idée de faire la connaissance de Lord Marchmain m'emplissait de curiosité. À sa vue, je fus frappé de prime abord par le caractère normal de son aspect ; apparence dont, quand ma connaissance de lui se fut approfondie, je m'aperçus qu'elle était soigneusement cultivée. On eût dit qu'il était conscient de l'auréole byronienne qui l'entourait, qu'il la trouvait de mauvais goût et s'efforçait sans relâche de la faire oublier. Il était debout sur le balcon du salon, qui était la principale pièce commune du palais. Lorsqu'il se retourna pour nous accueillir, son visage était plongé dans une ombre dense. Je ne vis guère qu'une haute silhouette, très droite.

— Papa chéri, dit Sebastian, comme vous avez l'air jeune !

Il embrassa Lord Marchmain sur la joue et moi, qui n'avais pas embrassé mon père depuis ma sortie de la nursery, je demeurai timidement en arrière.

— Voici Charles. Vous ne trouvez pas que mon père est beau, Charles ?

Lord Marchmain me serra la main.

— Je ne sais qui s'est occupé de relever l'heure de votre train, dit-il, et sa voix aussi était celle de Sebastian, en tout cas la personne a fait une bêtise. Ce train n'existe pas.

— Nous l'avons pris.

— Impossible. Il n'y a qu'un omnibus venant de Milan, à l'heure que vous dites. J'étais au Lido. Je me suis mis au tennis ; tous les jours, en début de soirée, je joue avec le professionnel attitré. C'est le seul moment de la journée où il ne fasse pas trop chaud. J'espère, mes enfants, que vous ne vous trouverez pas trop mal de votre installation. On dirait que cette maison n'a été conçue que pour les aises d'une seule personne ; cette personne-là, c'est moi. J'ai une chambre de la taille de celle-ci, plus un cabinet de toilette très convenable. Cara a pris possession de la seule autre grande chambre.

De l'entendre parler aussi simplement et négligemment de sa maîtresse me fascinait ; plus tard, j'ai pensé qu'il ne s'agissait que d'un effet calculé à mon intention.

— Comment va-t-elle ?

— Cara ? Bien je l'espère. Elle sera ici demain. Elle rend visite actuellement à des amis américains qui ont une villa sur le canal Brenta. Où dînons-nous ? Il y a bien le Luna, mais les Anglais l'envahissent en ce moment. Cela vous ennuierait-il de manger à la maison ? Cara voudra certainement sortir demain soir, et notre cuisinier est vraiment excellent.

Il s'était écarté de la fenêtre ; la lumière du soir l'éclairait maintenant en plein ; il avait pour fond le damas rouge des murs. Son visage était noble et contenu ; les traits ordonnés, eût-on dit, à son gré ; un brin de lassitude, un brin d'air sardonique, un brin de volupté. Il paraissait dans la pleine force de l'âge ; je pensai avec étonnement qu'il avait tout juste quelques années de moins que mon père.

Le dîner fut servi sur une table de marbre, dans l'embrasure d'une fenêtre. Tout ce qui n'était pas marbre, était velours ou ors mats, dans cette demeure. Lord Marchmain dit :

— Et comment comptez-vous employer votre temps ? Bains ou visite de la ville ?

— Quelques excursions dans la ville, en tout cas, répondis-je.

— Cela fera plaisir à Cara. Cara, Sebastian a dû vous le dire, est votre hôtesse ici. Mais vous ne pouvez faire l'un et l'autre, vous savez. On ne sort plus du Lido, une fois qu'on y est : il y a le trictrac, le bar, la stupeur du soleil. Tenez-vous-en aux églises. Vous arrivez directement d'Angleterre ?

— Oui. Il y faisait un temps adorable.

— Vraiment ? *Vraiment ?* La tragédie de ma vie, c'est que j'ai en abomination la campagne anglaise. J'imagine que c'est chose honteuse que d'hériter de lourdes responsabilités et de refuser de les prendre au sérieux. Je suis exactement tel que les socialistes voudraient me voir et je suis en outre une terrible pierre d'achoppement pour mon parti… Bah ! Mon fils aîné changera tout cela, j'en suis sûr, si tant est qu'il lui reste un semblant d'héritage… Je me demande d'où vient la réputation de la pâtisserie italienne. À Brideshead, il y avait de tout temps un pâtissier italien, jusqu'à mon père ; lui, prit un Autrichien ; bien supérieur. J'imagine qu'à présent il y a une maritorne anglaise, avec des quartiers de bœuf en guise d'avant-bras.

Après dîner, nous sortîmes du palais par la porte qui donnait sur la rue et, par un dédale de ponts, de petites places et d'avenues, allâmes prendre le café au Florian, regardant les foules graves aller et venir sans fin au pied du campanile. « La foule vénitienne est quelque chose d'assez unique, dit Lord Marchmain. Le pays grouille de communistes, mais l'autre soir une Américaine, les épaules nues, a voulu s'asseoir à cette terrasse ; ils l'en ont chassée, rien qu'à force de venir la regarder et de béer silencieusement ; on eût dit une troupe de mouettes, tournoyant et revenant sans trêve, elle a dû s'en aller. Nos compatriotes sont loin d'avoir tant de dignité quand ils s'efforcent d'exprimer leur désapprobation morale. »

Un groupe d'Anglais venait précisément d'arriver de la plage, il se dirigea vers une table voisine de la nôtre, puis, brusquement, se transporta de l'autre côté de la terrasse, d'où il nous observa curieusement, en chuchotant, têtes rapprochées les unes des autres. « J'ai connu cet homme et sa femme, qui est avec lui, lorsque je faisais de la politique. C'est un membre éminent de votre confession, Sebastian. »

En montant nous coucher, ce soir-là, Sebastian me dit : « Il est plutôt chou, vous ne trouvez pas ? »

La maîtresse de Lord Marchmain arriva le lendemain. J'avais dix-neuf ans et mon ignorance des femmes était totale. J'étais incapable de reconnaître à coup sûr une prostituée dans la rue. Il va donc de soi que le fait de vivre sous le toit d'un couple adultère ne me laissait pas indifférent ; mais j'étais assez âgé pour dissimuler cet intérêt. Il en résulta que la maîtresse de Lord Marchmain me trouva en proie à une multitude d'images et d'idées préconçues et dissemblables la concernant ; idées et images que, sur le moment, son apparition dérouta toutes. Elle n'avait rien de l'odalisque voluptueuse à la Toulouse-Lautrec ; rien de la « petite créature froufroutante » ; d'âge mûr, bien conservée, bien habillée, ses manières étaient aussi parfaites que celles d'autres femmes que j'avais aperçues en d'innombrables lieux publics et qu'il m'avait été donné de rencontrer à l'occasion. Aucun stigmate social ne semblait non plus l'avoir marquée. Le jour de son arrivée, nous déjeunâmes au Lido, où on la salua de presque toutes les tables.

— Vittoria Corombona nous invite tous à sa soirée dansante de samedi.

— Très aimable. Vous savez que je ne danse pas, répondit Lord Marchmain.

— Mais les enfants ? Le spectacle vaut la peine, le palais Corombona entièrement illuminé. Je doute qu'on revoie de longtemps une soirée de ce genre.

— Les enfants sont libres d'en faire à leur guise. Nous, ne pouvons que refuser.

— J'ai prié Mme Hacking Brunner de venir déjeuner. Elle a une fille charmante ; Sebastian et son ami seront ravis de faire sa connaissance.

— Sebastian et son ami s'intéressent plus à l'art qu'aux héritières.

— Mais ç'a toujours été mon vœu le plus cher, dit Cara, changeant adroitement ses batteries. Je ne saurais compter le nombre de fois où je suis venue ici, et Alex ne m'a même jamais fait visiter l'intérieur de Saint-Marc. Nous allons nous transformer en touristes, alors, oui ?

Et touristes nous devînmes. Cara enrôla pour nous servir de guide un moucheron d'aristocrate vénitien devant qui toutes les portes s'ouvraient et, flanquée de cet homme et d'un Baedeker, nous accompagna, mollissant parfois mais n'abandonnant jamais la partie, promenant sa silhouette nette et prosaïque parmi les splendeurs infinies de la ville.

La quinzaine à Venise passa rapidement, enveloppée de douceur, de trop de douceur peut-être ; je me noyais dans le miel, sans défense. Tantôt la vie se déroulait au rythme des gondoles, et alors nous allions explorer les petits canaux, tandis que s'envolait le cri d'oiseau, plaintif et musical, du gondolier s'annonçant. Tantôt en hors-bord, nous bondissions sur la lagune, traçant un sillage d'écume ensoleillée. J'étais plein de souvenirs confus où se mêlaient l'éclat d'un soleil barbare sur le sable ; le marbre frais des intérieurs ; l'eau partout, lapant les pierres lisses, se reflétant en un clapotis de lumière sur les plafonds peints ; une nuit au palais Corombona comme aurait pu en connaître Byron ; une autre nuit à la Byron, où nous étions allés pêcher les scampi dans les eaux basses de Chioggia, l'étrave phosphorescente du petit bateau, la lanterne qui se balançait à la proue, et le filet qu'on remontait débordant d'algues, de sable et de poissons qui se débattaient ; le melon et le *prosciutto* sur le balcon, dans la fraîcheur du matin ; les sandwiches chauds au fromage et les champagne-cocktails du bar anglais.

Je me souviens de Sebastian, le nez levé vers la statue de Colleoni et me disant : « Plutôt triste de penser que, quoi qu'il arrive, ni vous ni moi, nous ne saurions être pris dans une guerre. »

Mais je me souviens surtout d'une conversation, vers la fin de notre visite.

Sebastian était allé jouer au tennis avec son père, et Cara avait fini par avouer sa fatigue. Nous étions assis, tard dans l'après-midi, près des fenêtres qui donnaient sur le Grand Canal ; elle sur le sofa, avec sa broderie ; moi dans un fauteuil, parfaitement oisif. C'était la première fois que nous étions seuls ainsi tous deux.

— Vous aimez beaucoup Sebastian, si je ne me trompe, me dit-elle.

— Mais certainement.

— Je connais ce genre d'amitiés romanesques, coutumières aux Anglais et aux Allemands. Elles sont étrangères aux Latins. À mon avis, c'est une fort bonne chose, à condition qu'elle ne s'éternise pas.

Elle était si maîtresse d'elle-même et si directe dans sa façon, qu'aucune méprise n'était possible ; mais je ne parvins pas à trouver de réponse. Elle n'avait pas l'air d'en attendre une, continua sa broderie, s'arrêtant de temps à autre pour assortir ses fils de soie, puisant dans le sac à ouvrage posé à côté d'elle.

— C'est le genre d'amour qui vient aux enfants avant même qu'ils en puissent découvrir le sens. En Angleterre, cela vient aux jeunes gens quand ils sont presque hommes déjà. Personnellement, cela ne me déplaît pas. Mieux vaut que ce genre d'amour se porte sur un autre garçon que sur une fille. Voyez-vous, Alex l'a éprouvé pour une fille, sa femme. À votre avis, m'aime-t-il, *moi* ?

— Vraiment, Cara, vous me posez là une question… Comment voulez-vous que je sache ? Je présume…

— Non, il ne m'aime pas. Pas le moins du monde. Alors pourquoi vit-il avec moi ? Je vais vous le dire ; parce que je le protège de Lady Marchmain. Il la hait. Vous n'avez pas la moindre idée de la haine qu'il a pour elle. On le croirait si calme, si anglais, le vrai Milord, plutôt blasé, toute passion morte, ne demandant que son confort et qu'on le laisse en paix ; suivant le soleil dans sa route, et me gardant avec lui parce qu'il est *une* chose au monde que nul homme ne peut satisfaire par lui-même. Eh bien, mon ami, Alex est un volcan de haine. L'idée de respirer le même air que sa femme lui est insupportable. Il ne mettra plus les pieds en Angleterre, parce que c'est sa patrie, à elle ; c'est à peine s'il prend plaisir à la compagnie de Sebastian, parce que celui-ci est son fils, à elle. Il est vrai que Sebastian la déteste autant que lui.

— Vous vous trompez sûrement sur ce point.

— Il se peut qu'il ne vous l'avoue pas. Que même il ne se l'avoue pas. Ils débordent tous de haine – la haine de soi. Alex et sa famille !... Pourquoi croyez-vous qu'il refuse de se montrer dans le monde ?

— J'ai toujours cru que c'était le monde qui s'était fermé devant lui.

— Vous êtes très jeune, mon cher enfant. Le monde se fermer devant un homme beau, intelligent et riche comme Alex ? Jamais de la vie. C'est lui qui s'est cloîtré contre le monde. Aujourd'hui encore, le monde ne cesse de frapper à sa porte, pour se faire éconduire et se voir rire au nez. Et tout cela à cause de Lady Marchmain. Il refuse de serrer les mains qui ont pu toucher celle de sa femme. Quand nous recevons, je le sens qui se demande : « Peut-être ceux-là encore arrivent-ils de Brideshead ? Seront-ils invités à Marchmain House à leur retour de Londres ? Parleront-ils de moi à ma femme ? Sont-ils un lien entre moi et celle que je hais ? » Sérieusement, du fond du cœur, croyez-moi, voilà ce qu'il se dit. Il est fou. Et elle, comment s'y est-elle prise pour s'attirer cette haine ? Sa seule faute a été d'être aimée d'un homme qui n'était pas encore sorti de sa crise de croissance. Je n'ai jamais rencontré Lady Marchmain ; je ne l'ai vue qu'une seule fois ; mais à force de vivre avec un homme, on finit par savoir ce qu'étaient les autres femmes qu'il a aimées. Je connais admirablement Lady Marchmain. C'est une brave et simple femme qui a eu la malchance de ne pas être aimée de la bonne façon.

« Quand les gens mettent, à haïr, tant d'énergie, c'est que l'objet de leur haine est en dedans d'eux. Alex déteste toutes les illusions de son adolescence – l'innocence, Dieu, l'espérance. Et la pauvre Lady Marchmain paie pour tout cela. Il m'a aimée pendant un temps, oh, si bref, comme un homme sait aimer sa propre force. C'est tellement plus simple pour une femme ; elle n'a pas trente-six façons d'aimer.

« Aujourd'hui, Alex a pour moi de la tendresse et je le protège de sa propre innocence. Nous menons une existence… confortable.

« Sebastian, lui, est amoureux de son enfance. Cela signifie qu'il sera très malheureux. Son ours en peluche, sa nounou… et il a dix-neuf ans… »

Elle se souleva sur le sofa, déplaçant le poids de son corps de façon à pouvoir regarder passer les gondoles, en bas, et dit sur un ton de tendre ironie : « Comme c'est bon d'être assis à l'ombre et de parler d'amour », puis elle ajouta, revenant brusquement sur terre : « Sebastian boit beaucoup trop. »

— Nous buvons trop tous deux, j'imagine.

— Dans votre cas ça n'a pas d'importance. Je vous ai observés l'un et l'autre. Dans le cas de Sebastian, c'est différent. Ce sera un ivrogne si personne n'y met le holà. J'en ai vu tant comme lui. Alex était presque un ivrogne invétéré quand il m'a rencontrée. Ils ont ça dans le sang. Je le vois dans la *façon* dont boit Sebastian. Il ne boit pas comme vous.

Nous arrivâmes à Londres, la veille de la rentrée. Au sortir de la gare de Charing Cross, je déposai Sebastian en passant dans la cour d'entrée de la demeure de sa mère. « Voici Marchers, me dit-il, me montrant la maison, avec un soupir qui signifiait : "Finies les vacances." Je ne vous demande pas d'entrer, la maison est probablement pleine de gens de la famille. Nous nous retrouverons à Oxford. » Je continuai en direction de Hyde Park Gardens.

Mon père me reçut avec son air habituel de doux regret.

— Là aujourd'hui, ailleurs demain, me dit-il. Il me semble que je ne vous vois pas souvent. Peut-être vous ennuyez-vous dans cette maison ? Comment pourrait-il en être autrement ? Vous avez passé de bonnes vacances ?

— Excellentes. Je suis allé à Venise.

— Ah oui, Venise. Bien sûr, Venise. Beau temps ?

En allant se coucher, après une soirée de silence studieux, il s'arrêta pour me demander :

— Cet ami au sujet duquel vous vous faisiez tant de mauvais sang, il est mort ?

— Non.

— Dieu soit loué. Vous auriez dû me l'écrire. Je me suis fait tant de souci à son propos.

5.

— Tout Oxford, dis-je, tient dans cette manie de commencer l'année en automne.

Partout, pavés, gravier ou pelouses, les feuilles tombaient et dans les parcs des collèges la fumée des feux d'herbes se mêlait au brouillard humide de la rivière, chassée par le vent le long des murs gris ; les dalles étaient grasses et glissantes sous le pied, et la lueur dorée des lampes s'allumant une à une sur la cour carrée était diffuse et distante, pareille aux lumières d'un village inconnu que l'on découvre d'une pente voisine ; de nouveaux visages, des toges neuves erraient dans le crépuscule sous les arches, et les cloches familières évoquaient maintenant les souvenirs d'une année écoulée.

Nous étions tous deux la proie de cette humeur automnale ; on eût dit que la folle exubérance de juin était morte avec les giroflées, dont le parfum sous mes fenêtres avait fait place à l'odeur mouillée des feuilles, se consumant lentement dans un coin de la cour.

C'était le premier dimanche soir du trimestre.

— J'ai très exactement l'impression d'être centenaire, dit Sebastian.

Il était arrivé la veille au soir, un jour avant moi, et c'était la première fois que nous nous retrouvions depuis notre séparation dans le taxi.

— J'ai essuyé un sermon de Mgr Bell, cet après-midi. Le quatrième depuis que je suis rentré – mon tuteur au collège, le jeune doyen, M. Samgrass, et en dernier Mgr Bell.

— Qui est M. Samgrass ?

— Oh, un type de maman. Tout ce monde m'a dit que j'ai très mal débuté l'an dernier, que je me suis fait *repérer* et que, si je ne me corrige pas, je me ferai renvoyer. Comment fait-on pour se corriger ? J'imagine qu'on adhère à l'Association pour la S D N, qu'on lit *Isis* chaque semaine, qu'on va prendre son café tous les matins au Cadéna, qu'on fume une énorme pipe, joue au hockey et sort prendre le thé à Boar's Hill, qu'on va suivre ses cours à Keble, monte à cheval l'après-midi, boit du cacao le soir et s'entretient gravement du problème sexuel. Oh, Charles, que s'est-il passé depuis le trimestre dernier ? Je me sens si vieux.

— Et moi, d'âge mûr. C'est encore pis. Je suppose qu'il n'y a plus rien de drôle ici pour nous. Nous avons tout épuisé.

Nous demeurâmes assis en silence, éclairés par la lueur du feu, tandis que l'obscurité tombait autour de nous.

— Anthony Blanche ne revient pas.

— Pourquoi ?

— J'ai reçu une lettre de lui. Apparemment il a pris un appartement à Munich – il s'est épris d'un agent de police là-bas.

— Il me manquera.

— À moi aussi, je pense, en un sens.

Silence. Nous étions si abîmés dans nos réflexions, au coin du feu, qu'un type qui venait me voir, demeura un instant en suspens à la porte et s'en alla, croyant la pièce vide.

— Drôle de façon de commencer l'année, dit Sebastian ; mais on eût dit que cette sombre soirée d'octobre imprégnait déjà de sa froide humidité les semaines à venir. Durant tout ce trimestre et toute cette année-là, nous vécûmes, Sebastian et moi, parmi les ombres. Tel un fétiche, que l'on commence par dérober aux regards du missionnaire puis que l'on finit par oublier, l'ours en peluche, Aloysius, resta perché sur la commode de la chambre de Sebastian, sans que personne fît attention à lui.

Nous n'étions plus les mêmes, ni l'un ni l'autre. Nous avions perdu le goût de la découverte dont s'était inspirée l'anarchie de notre première année. Je commençais à me ranger.

Je fus surpris de m'apercevoir que mon cousin Jasper me manquait. Il avait conquis ses diplômes et commençait à sévir à Londres, se taillant une place encombrante dans la vie publique. J'avais besoin de lui comme d'un repoussoir. Sans sa présence massive, le collège semblait perdre toute sa solidité ; je n'y trouvais plus matière à provocation, plus de raison de me sentir offensé, comme l'été dernier. De plus, je rentrais repu et quelque peu assagi ; résolu à maintenir un train plus modéré. Je m'étais juré de ne plus jamais m'exposer à l'humour de mon père ; la persécution capricieuse que j'avais subie de sa part m'avait convaincu, mieux qu'aucune remontrance, de la folle vanité d'un train de vie qui ne correspondait pas à mes moyens. Je n'avais essuyé aucun sermon, ce trimestre. Le succès que j'avais remporté dans mes examens d'histoire, joint à une mention Assez bien dans une dissertation de révision, m'avait valu d'être en excellents termes avec mon tuteur et je parvenais à entretenir ces bonnes relations sans qu'il m'en coûtât de trop grands efforts.

Je restais en rapports discrets avec la faculté d'histoire, rédigeais mes deux essais par semaine et suivais de temps à autre un cours. En outre, dès le début de l'année, je m'étais inscrit à l'école Ruskin, où l'on enseignait les beaux-arts ; deux ou trois matins par semaines, nous nous retrouvions, une douzaine environ – dont une demi-douzaine au moins de filles d'Oxford-Nord – parmi les moulages de la statuaire antique, à l'Ashmolean Museum ; deux fois par semaine nous travaillions d'après le nu ; dans une petite pièce au-dessus d'un salon de thé ; les autorités veillaient à bannir de ces soirées tout soupçon de lubricité, et la jeune femme qui nous servait de modèle était amenée de Londres pour la journée et n'avait pas le droit de résider dans la ville universitaire ; je me rappelle que, de ses deux flancs, l'un, celui qui était tourné vers le poêle à pétrole, était toujours rose, et l'autre, pommelé et grenu, comme si on l'avait plumé. Baignant dans l'odeur de la lampe à pétrole, chevauchant nos chaises de fer, nous cherchions tant bien que mal à évoquer sur le papier le fantôme de Trilby. Mes dessins ne valaient rien ; chez moi, j'esquissais de petits pastiches surchargés, dont certains, conservés par mes amis de l'époque, revoient le jour de temps à autre pour mon plus grand embarras.

Notre professeur avait environ mon âge et se tenait sans cesse à notre égard sur une défensive hostile. Il portait des chemises bleu très foncé, une cravate citron, des lunettes à grosses montures de corne, et ce fut en grande partie à cause de l'avertissement que me donna cette tenue, que je modifiai mon propre style de façon à approcher de très près l'accoutrement que mon cousin Jasper eût jugé de rigueur pour une visite à la campagne. Ainsi, grâce à la sobriété de mes vêtements et à un heureux emploi du temps, je finis par devenir un membre assez honorable de mon collège.

Il en allait tout autrement avec Sebastian. Une année d'anarchie avait comblé en lui un besoin intérieur et profond de s'évader de la réalité et, se sentant de plus en plus prisonnier, là même où il avait eu l'impression naguère d'être libre, son humeur tournait parfois à l'indifférence et à l'ennui morose, même avec moi.

Les liens de notre association ne se relâchèrent pas, ce premier trimestre, ils nous tenaient si fortement attachés l'un à l'autre que nous ne cherchâmes pas à nous faire de nouveaux amis. Mon cousin Jasper m'avait prévenu qu'il était normal de passer sa seconde année à se débarrasser des amis qu'on s'était faits pendant la première ; ce fut ce qu'il advint. La plupart de mes amitiés s'étaient nouées par l'intermédiaire de Sebastian ; l'un et l'autre, nous les secouâmes et n'en fîmes pas de nouvelles. Cela se passa sans répudiation solennelle. Au début, nous eûmes l'air de voir notre monde aussi souvent qu'auparavant ; nous répondions aux invitations, mais n'en lancions que fort peu nous-mêmes. Je ne me souciais pas d'impressionner les nouveaux qui, de même que leurs sœurs londoniennes, prenaient à l'Université leur premier contact avec le monde. Chaque *party* comptait maintenant ses visages inconnus, et moi qui, il y avait quelques mois encore, étais avide de renouveler le cercle de mes relations, je me sentais maintenant blasé ; il n'était jusqu'à notre petit cercle d'intimes, si vivant sous le soleil d'été, qui ne parût s'estomper et se perdre dans le silence du brouillard envahissant, du crépuscule qui montait de la rivière et où demeura plongée pour moi dans une douce obscurité toute cette année-là. En partant, Anthony Blanche avait emporté quelque chose avec lui ; il avait refermé une porte et mis la clef dans sa poche ; et tous ses amis, pour lesquels il n'avait jamais été qu'un étranger, le regrettaient maintenant.

La fête de charité était finie ; l'imprésario avait boutonné son manteau d'astrakan, empoché son salaire, et les dames de la compagnie, inconsolables, se retrouvaient sans animateur. Privées de son secours, elles s'embrouillaient dans les répliques et les lignes de leurs rôles ; elles avaient besoin de lui pour sonner le lever de rideau au bon moment ; besoin de lui pour régler les éclairages ; pour faire le souffleur dans la coulisse, pour tenir en laisse d'un regard impérieux le chef d'orchestre ; sans lui, pas de photographies dans la presse hebdomadaire, pas de préjugé favorable, pas de joies anticipées. Plus rien ne les liait que la communauté du devoir ; la dentelle d'or, les velours, empaquetés, ficelés, reprenaient le chemin du costumier ; le sordide uniforme quotidien reprenait tous ses droits.

Pendant les heures bienheureuses des répétitions, pendant les quelques minutes extatiques qu'elles avaient connues sur la scène, elles avaient vécu dans la splendeur de leurs rôles, réincarné leurs ancêtres prestigieux, les portraits fameux auxquels, disait-on, elles ressemblaient ; tout cela était fini maintenant et, dans la lumière sinistrement crue du jour, il ne restait plus qu'à rentrer chez soi, à retrouver le mari qui va trop souvent à Londres, l'amant qui perd aux cartes, l'enfant qui grandit trop vite.

La séquelle d'Anthony Blanche se dispersa et se limita à une petite douzaine de jeunes Anglais, en proie aux léthargies de l'adolescence. Plus tard il leur arriverait de dire : « Vous rappelez-vous ce curieux type que tout Oxford connaissait bien, Anthony Blanche ? Je me demande ce qu'il a pu devenir. » Un à un ils regagnèrent le troupeau d'où les avait tirés un choix plus que capricieux, et se fondirent peu à peu dans la masse. Eux-mêmes se rendirent moins compte de leur métamorphose que nous ; il leur arriva encore de se réunir chez nous ; mais nous cessâmes de rechercher leur compagnie. Au lieu de quoi nous prîmes goût à de plus basses compagnies, passant nos soirées le plus souvent dans de petites tavernes à la Hogarth, dans les quartiers St. Ebb et St. Clément et dans les rues qui vont du vieux marché au canal, et trouvant le moyen d'être gais et assez aimés de la société, je crois. Les Armes du Jardinier, la Tête de Bique, la Tête de Druide près du théâtre, comme le Passage de La Tourbe d'Enfer connurent en nous des clients assidus ; mais dans le dernier de ceux-ci, nous étions susceptibles de nous heurter à d'autres étudiants, joyeux drilles et traîne-bistrots de Brasenose[1], et Sebastian avait fini par devenir la proie d'une sorte de phobie, analogue à celle qui s'empare à certains moments des hommes en uniforme à l'égard de leur service ; plusieurs de nos soirées furent ainsi gâchées par des intrus, et Sebastian alors, laissant son verre à demi plein, retournait en boudant au collège.

Ce fut dans ces dispositions que nous trouva Lady Marchmain quand, dans les premières semaines de ce trimestre de Noël, elle vint passer huit jours à Oxford. Elle tomba sur un Sebastian soumis, en veilleuse, toute son armée d'amis réduite à un seul : moi. Elle m'adopta comme tel et chercha de son côté à se gagner mon amitié ; ce que faisant, elle blessa à la racine, sans le vouloir, notre affection mutuelle, à Sebastian et à moi. C'est le seul reproche que je puisse faire à la bonté surabondante qu'elle déploya à mon égard.

Sa venue à Oxford avait à voir avec M. Samgrass, qui devait dorénavant jouer un rôle de plus en plus grand dans notre vie. Lady Marchmain s'était mis en tête de publier, pour le distribuer à ses amis, un livre

---

1. L'un des plus anciens, mais non des plus réputés, parmi les collèges de l'Université. (N. d. T.)

à la mémoire de son frère Ned, l'aîné de trois héros légendaires tués entre Mons et Paschendaele ; il avait laissé des monceaux de manuscrits, poèmes, lettres, discours, articles ; les éditer, fût-ce à l'intention d'un cercle d'intimes, requérait un certain tact et d'innombrables décisions parmi lesquelles le jugement d'une sœur pleine d'adoration risquait fort de commettre des erreurs. S'en rendant compte, elle s'était mise en quête d'un conseiller objectif, et avait été amenée ainsi à faire la connaissance de M. Samgrass.

C'était un jeune professeur d'histoire, court de taille, grassouillet, coquettement vêtu, le poil rare et lisse sur un crâne trop grand, mains soignées, pieds petits, aspect général de l'homme qui prend trop de bains. Ses manières étaient simples et de bon ton ; sa parole, idiosyncrasique. Nous apprîmes à bien le connaître.

Il avait pour aptitude particulière de venir en aide aux autres dans leur travail, ce qui ne l'empêchait pas d'être l'auteur de plusieurs brochures d'un certain style. Sa grande spécialité était de fouiller dans les archives d'autrui ; il savait flairer à coup sûr le pittoresque. Sebastian était au-dessous de la vérité quand il le décrivait comme « un type de maman » ; c'était, ou peu s'en fallait, le type de quiconque avait le don d'attirer sa curiosité.

M. Samgrass était généalogiste et légitimiste ; il avait la passion des familles royales déchues et connaissait la validité exacte des revendications des prétendants rivaux ; il ne pratiquait pas la religion, mais il en savait plus long sur l'Église que la plupart des catholiques ; il comptait des amis au Vatican et pouvait parler à volonté de la politique romaine et des hommes en place, connaissait les ecclésiastiques en faveur ou en disgrâce, les hypothèses théologiques suspectes parmi les plus récentes, et expliquait que tel ou tel jésuite ou dominicain avait dansé sur la corde raide et frôlé le précipice en prêchant le carême ; il ne lui manquait que la foi ; par la suite nous le vîmes friand d'assister à la bénédiction dans la chapelle de Brideshead, et de voir les dames de la famille courber la tête en prière sous leur mantille de dentelle noire ; il adorait les scandales oubliés de la haute société, était expert en matière de parentés douteuses ; il professait un grand amour pour le passé, mais j'ai toujours pensé qu'il tenait pour légèrement absurde toute cette noble compagnie de vivants et de morts avec laquelle il s'associait ; il n'était pour lui d'autre réalité que lui-même ; le reste n'était que cortège historique sans substance. C'était une espèce de touriste victorien, solide et condescendant, pour le divertissement duquel se déroulait la parade d'une vie étrangère. Enfin il y avait quelque chose de trop facile dans ses manières littéraires ; je soupçonnai l'existence d'une machine à écrire dissimulée dans un coin de ses appartements lambrissés.

Je fis sa connaissance en même temps que celle de Lady Marchmain, et je pensai sur le moment qu'elle eût difficilement trouvé quelqu'un qui formât avec elle un plus grand contraste, que cet intellectuel-en-devenir, ni quelqu'un qui fît mieux ressortir son propre charme. Elle n'avait pas coutume de faire dans la vie des autres une entrée très remarquée ; mais, vers la fin de cette semaine, Sebastian me dit non sans amertume : « Ça a l'air de coller drôlement entre vous et maman », et je m'aperçus qu'en fait elle m'attirait dans son intimité rapidement et imperceptiblement, car elle ne pouvait supporter les rapports humains qui n'atteignaient pas ce degré. Avant de partir, elle m'avait fait promettre de passer toute la durée des vacances prochaines, hormis Noël proprement dit, à Brideshead.

Une semaine ou deux plus tard, un lundi matin, je me trouvais dans la chambre de Sebastian, attendant son retour de chez son tuteur, quand entra Julia, accompagnée d'un grand gaillard qu'elle me présenta sous le nom de « M. Mot tram » et qu'elle-même appelait « Rex ». Ils rentraient en voiture d'une maison où ils avaient passé le week-end, expliquèrent-ils, et s'étaient arrêtés à Oxford pour déjeuner. Rex Mottram respirait le confort et l'autorité, dans son manteau de voyage à carreaux ; Julia, le froid et une certaine timidité dans ses fourrures ; elle alla droit au coin du feu et s'accroupit devant l'âtre en frissonnant.

— Nous comptions sur Sebastian pour nous offrir à déjeuner, dit-elle. À son défaut, nous pouvons toujours essayer de passer chez Boy Mulcaster ; mais je ne sais pourquoi, je pensais que la table serait meilleure chez Sebastian, et nous avons grand-faim. On nous a littéralement laissés mourir de faim, durant ce week-end, chez les amis où nous étions.

— Boy et Sebastian déjeunent tous les deux avec moi. Joignez-vous à eux.

Sans autre cérémonie, ils vinrent donc grossir le déjeuner que j'avais organisé, l'un des derniers du genre. Rex Mottram fit de grands efforts pour faire impression. C'était un beau garçon, cheveux sombres mangeant le front et lourds sourcils noirs. Il parlait avec un accent canadien sympathique. On avait tôt fait de savoir ce qu'il désirait qu'on sût de lui : que la chance était pour lui, qu'il avait de l'argent, qu'il était député, joueur, bon compagnon ; qu'il jouait régulièrement au golf avec le prince de Galles et qu'il était au mieux avec l'actrice « Gestie » Lawrence, le peintre Augustus John et Georges Carpentier, bref avec toutes les personnalités dont le nom venait à être évoqué. De l'Université il disait : « Non, je n'y ai pas été. D'ailleurs cela n'a d'autre sens que de vous faire débuter dans la vie trois ans après les autres. »

Sa vie, dans la mesure où il en parlait, commençait avec la guerre, où le service dans l'armée canadienne lui avait valu une très honorable Croix militaire, et qu'il avait terminée comme aide de camp d'un général très connu.

Il ne devait pas avoir plus de trente ans à l'époque où nous fîmes sa connaissance, mais pour nous autres, gens d'Oxford, avait l'air infiniment plus vieux. Julia le traitait comme elle semblait traiter le reste du monde, avec un mépris tempéré, mais aussi comme une chose qui lui appartenait. Pendant le déjeuner, elle l'envoya chercher ses cigarettes dans la voiture, et, une ou deux fois où il élevait un peu trop la voix, elle s'excusa en son nom : « N'oubliez pas que vous avez affaire à un colonial », à quoi il répondit en s'esclaffant.

— Qui est-ce ? demandai-je après son départ.

— Oh, un type de Julia, dit Sebastian.

Nous fûmes quelque peu surpris de recevoir une semaine plus tard un télégramme de lui, nous invitant, Boy Mulcaster compris, à dîner à Londres, le lendemain soir, à l'occasion d'une « petite réunion organisée par Julia ».

— Je n'ai pas l'impression qu'il connaisse beaucoup de gens jeunes, dit Sebastian ; il n'a pour amis que de vieux requins coriaces de la Bourse ou de la Chambre des communes. Que faisons-nous de cette invitation ?

Il s'ensuivit une discussion ; mais comme notre vie à Oxford passait vraiment au second plan désormais, nous décidâmes d'y aller.

— Qu'a-t-il besoin d'inviter Boy ?

— Julia et moi, nous le connaissons depuis toujours. Je suppose que, l'ayant trouvé à déjeuner chez nous, il l'a pris pour un de nos copains.

Nous n'aimions pas spécialement Mulcaster, mais nous étions tous trois d'excellente humeur quand, nantis d'une permission de nuit de nos collèges, nous prîmes le chemin de Londres dans la voiture de Hardcastle.

Nous devions passer la nuit à Marchmain House. Nous y fîmes halte pour nous mettre en tenue de soirée et, ce faisant, boire une bouteille de champagne. En descendant, nous croisâmes Julia qui montait dans sa chambre ; elle ne s'était pas encore changée.

— Je serai en retard, nous dit-elle ; vous feriez mieux d'aller chez Rex sans m'attendre. Vous me sauvez la vie !

— Qu'est-ce que c'est que cette soirée ?

— Une horreur de bal de charité auquel on m'a mêlée. Rex a voulu à tout prix donner un dîner à cette occasion. À tout à l'heure.

Rex ne vivait pas loin, à pied, de Marchmain House.

— Julia sera en retard, lui dîmes-nous, elle vient seulement de rentrer s'habiller.

— Cela signifie qu'elle en a pour une heure. Buvons un peu de vin en attendant.

Une femme que l'on nous présenta sous le nom de « Mme Champion » suggéra : « Je suis sûre qu'elle-même préférerait que nous ne l'attendions pas, Rex. »

— Cela ne nous empêche pas de boire un peu de vin en attendant.

— Pourquoi un jéroboam, Rex ? reprit-elle d'un air pointu. Vous avez toujours besoin de faire les choses en grand.

— Nous faudra bien ça, rétorqua-t-il, empoignant lui-même la bouteille et faisant sauter le bouchon.

Il y avait encore deux autres jeunes filles, du même âge que Julia, impliquées aussi, apparemment, dans l'organisation de la soirée. Mulcaster les connaissait depuis longtemps elles aussi, sans témoigner d'enthousiasme pour autant. Mme Champion parlait à Rex. Sebastian et moi, nous nous retrouvâmes buvant dans notre coin, seuls, comme à l'habitude.

En fin de compte, Julia arriva, sans se presser, sans s'excuser, exquise.

— Vous n'auriez pas dû lui permettre de m'attendre, dit-elle. Ces Canadiens sont toujours d'une courtoisie...

L'hospitalité de Rex Mottram était généreuse. Vers la fin du repas, Boy, Sebastian et moi, nous étions assez ivres. Tandis que nous attendions que les jeunes filles nous rejoignent dans le vestibule, et que Rex et Mme Champion échangeaient à l'écart, à voix basse, des propos acrimonieux, Mulcaster conseilla :

— Au lieu d'aller à ce sinistre bal, on pourrait filer chez Ma Mayfield, qu'en dites-vous ?

— Qu'est-ce que c'est que ça, Ma Mayfield ?

— Voyons, vous savez bien, Ma Mayfield... Ma Mayfield, au Vieux Cent ; on ne connaît que ça. J'y ai une régulière – Effie, une charmante petite poupée. J'en entendrais de drôles si Effie apprenait que je suis passé par Londres sans venir lui dire bonjour. Venez chez Ma Mayfield ; vous ferez la connaissance d'Effie.

— Allons-y, dit Sebastian, allons faire la connaissance d'Effie chez Ma Mayfield.

— Vidons d'abord une dernière bouteille du mousseux de Rex ; après quoi, nous lâchons ce sacré bal et nous allons au Vieux Cent. D'accord ?

Nous n'eûmes pas grand mal à nous échapper du bal ; les filles que Rex Mottram avaient dénichées ne tardèrent pas à y retrouver de nombreux amis ; au bout d'une ou deux danses, leur table commença à se remplir ; Rex Mottram commandait de plus en plus de vin ; bientôt, nous nous retrouvâmes tous trois dehors.

— Où perche-t-il, votre endroit ?

— Où il perche ? N° 100, Sink Street, bien sûr.

— Où ça ?

— Tout près de Leicester Square. Mieux vaut prendre la voiture.

— Pourquoi ?

— Vaut toujours mieux avoir sa voiture, dans ce genre d'occasion.

Personne de nous ne mit en doute ce raisonnement, et ce fut là notre erreur. La voiture était dans la cour d'entrée de Marchmain House, à moins de cent mètres de l'hôtel où avait lieu le bal. Mulcaster prit le volant et, non sans s'être trompé quelquefois, nous amena enfin sans anicroche dans Sink Street. Un groom, debout à l'un des angles d'une entrée fort obscure, et un homme d'âge mûr en habit, debout à l'autre angle, la face contre le mur et se rafraîchissant le front contre les briques, nous confirmèrent que nous étions arrivés.

— N'entrez pas, on vous empoisonnera, dit l'homme mûr.

— Membres du club ? demanda le groom.

— Mon nom est Mulcaster, dit Boy. Vicomte Mulcaster.

— Entrez toujours, on verra bien, dit le groom.

— Coup de fusil et chloroforme, reprit l'homme mûr. Sur l'entrée ténébreuse s'ouvrait, à l'intérieur, une porte étroite, très éclairée.

— Membres du club ? demanda une forte femme, en robe du soir.

— J'aime bien ça, dit Mulcaster. Vous devriez commencer à me connaître, depuis le temps.

— D'accord, mon p'tit, dit la femme, indifférente. Dix shillings par personne.

— Non, sans blague, c'est bien la première fois…

— Possible, mon p'tit. Mais ce soir tout est plein – dix shillings. Et vous êtes les derniers ; après ce sera une livre. Profitez-en.

— Je voudrais dire un mot à Ma Mayfield.

— Ma Mayfield ? C'est moi. Dix shillings chacun.

— Que je suis bête ! Je ne vous remettais pas, Ma, dans vos beaux habits. Vous me reconnaissez, voyons – Boy Mulcaster.

— Bien sûr, mon chou. Dix shillings chacun.

Il fallut bien payer, et l'individu qui s'était interposé jusqu'alors entre la porte intérieure et nous, s'effaça. Il faisait une chaleur de four à l'intérieur et il y avait foule, car le Vieux Cent était alors à l'apogée du succès. Nous finîmes par trouver une table et commandâmes une bouteille ; le garçon se fit payer avant de la déboucher.

— Effie n'est pas là, ce soir ? demanda Mulscaster.

— Effie Quoi ?

— Effie, vous savez bien, elle est toujours là. La jolie brune.

— Y a des tas de filles qu'ont affaire ici. Des brunes comme des blondes. Y en a p't-être aussi d' jolies dans l' tas. J'ai pas l' temps d' les connaître par leur nom.

— Je vais tâcher de la trouver, dit Mulcaster.

Pendant son absence, deux filles s'arrêtèrent devant notre table pour nous dévisager avec curiosité. « Viens, dit l'une d'elles à la seconde, pas la peine. Ce sont des tapettes. »

Enfin Mulcaster revint triomphant, en compagnie d'Effie, à qui, automatiquement, le garçon servit immédiatement une assiette d'œufs au bacon.

— Première bouchée que j'avale de la soirée, commenta-t-elle. Y a que le petit déjeuner qui vaille quelque

chose ici. Finit par avoir la dent à force de faire le poi-
reau.

— Ça fait six shillings, dit le garçon.

Sa faim assouvie, Effie se tamponna la bouche et
nous considéra.

— Je vous connais d'ici ; vous êtes un habitué,
hein ? me dit-elle.

— Je crains que vous ne fassiez erreur.

— *Vous*, alors ? Je vous connais, dit-elle à Mulcaster.

— Plutôt, j'espère. Sûrement, vous vous rappelez
notre petite soirée de septembre dernier ?

— Non, chéri, vrai. C'était toi le jeune type qui était
dans la Garde et qui s'était coupé le doigt de pied, c'est
ça ?

— Tu te moques de moi, Effie.

— Non, c'est pas ça ? C'était une autre nuit, alors ?
Je sais – tu étais avec Bunty le soir où la police a fait
une descente et où nous nous sommes tous cachés dans
le réduit aux poubelles.

— Ça l'amuse de me mener en bateau – pas vrai,
Effie ? Elle m'en veut parce que je suis resté trop longtemps sans venir la voir, hein, Effie ?

— Tu peux dire ce que tu veux ; toi, en tout cas, je
suis sûre de t'avoir vu quelque part.

— Cesse de me taquiner.

— Je ne faisais pas exprès. Vrai. On danse ?

— Pas pour l'instant.

— Tant mieux, Seigneur ! J'ai les pieds qui me font mal, ce soir, terrible.

Bientôt Boy et elle s'absorbèrent dans leur conversation. Sebastian se renversa sur son siège et me dit : « Je vais demander à ces deux filles de s'asseoir avec nous. »

Les deux femmes sans port d'attache, qui s'étaient arrêtées pour nous dévisager, un peu plus tôt, tournaient de nouveau autour de nous. Sebastian leur sourit et se leva pour leur avancer des sièges. L'instant d'après, elles dévoraient à leur tour, à belles dents. L'une avait une tête de mort ; l'autre, le visage d'un enfant malade. La Tête de Mort m'était apparemment allouée. « On pourrait peut-être aller s'amuser tous les six chez moi ? » dit-elle.

— Pourquoi pas ? dit Sebastian.

— Nous vous avions pris pour des tapettes, quand vous êtes entrés.

— C'était notre extrême jeunesse.

La Tête de Mort gloussa :

— Vous au moins, vous êtes sportifs.

— Vous êtes des amours, vrai, dit l'Enfant Malade. Le temps de prévenir Ma Mayfield que nous sortons.

Il était encore de bonne heure, peu après minuit, quand nous regagnâmes la rue. Le groom essaya de nous convaincre de prendre un taxi. « Je prendrai soin de la voiture, monsieur. Je ne conduirais pas, si j'étais de vous, monsieur, pour sûr non, je ne conduirais pas. »

Mais Sebastian prit le volant, les deux femmes s'empilèrent à côté de lui, pour lui montrer le chemin. Effie, Mulcaster et moi, nous prîmes le fond. Je crois me souvenir d'avoir poussé quelques cris de guerre, avec les autres, en démarrant.

Nous n'allâmes pas loin. Nous venions de tourner dans Shaftesbury Avenue en direction de Piccadilly, quand nous manquâmes de peu un taxi qui arrivait en face de nous.

— Pour l'amour du ciel, s'écria Effie, fais attention où tu vas. Tu veux nous tuer, non ?

— Pas prudent, ce type, rétorqua Sebastian.

— Tu es dangereux, dit la Tête de Mort, d'ailleurs, tu devrais être sur l'autre côté de la rue.

— Parfaitement juste, fit Sebastian, et de donner un grand coup de volant pour changer de côté.

— Arrête, je descends. J'aime encore mieux marcher.

— Arrêter ? Mais comment donc !

Il bloqua net et la voiture stoppa brutalement, barrant en plein la rue. Deux agents de police allongèrent le pas dans notre direction.

— Laisse-moi sortir, dit Effie, et ouvrant la portière, prit la poudre d'escampette.

Quant à nous, coincés.

— Je suis désolé de gêner le trafic, sergent, expliqua Sebastian avec application, mais cette dame voulait absolument sortir et insistait pour que je m'arrête. Elle ne voulait rien entendre. Comme vous n'aurez pas manqué de remarquer elle était extrêmement pressée. Les nerfs, vous savez.

— Laisse-moi lui parler, dit la Tête de Mort. Fais pas la vache, mon joli ; personne d'autre que toi n'a vu le coup. Ce sont des gosses ; ils ne veulent de mal à personne. Je vais les mettre dans un taxi et les raccompagner sans histoires.

Les agents nous dévisageaient de pied en cap, d'un air délibéré, se faisant évidemment leur opinion en la matière. Tout aurait pu s'arranger encore, si Mulcaster ne s'en était mêlé.

— Écoutez, mon brave homme, s'entremit-il. Faites comme si vous n'aviez rien vu. Nous sortons de chez Ma Mayfield. J'imagine qu'elle vous donne une bonne ristourne, hein, pour fermer l'œil ? Vous n'avez qu'à faire de même en ce qui nous concerne ; je vous jure que vous n'y perdrez pas.

Ces paroles eurent le don de mettre fin aux doutes et aux hésitations éventuelles des agents. Quelques instants après, nous nous retrouvions au violon.

Je ne me souviens que fort vaguement du trajet intermédiaire et du processus administratif. Je crois que Mulcaster protesta vigoureusement et que, lorsqu'on nous invita à vider nos poches, il accusa ses geôliers de vol. Ensuite on nous boucla, et la première image claire qui me soit restée dans la tête, c'est celle de murs de brique, et d'une lampe très haute, sous verre très épais ;

un bat-flanc, une porte sans poignée, tout près de moi. Quelque part à ma gauche, Sebastian et Mulcaster sévissaient tel un ouragan. Tout le long du chemin, jusqu'au commissariat, Sebastian s'était tenu d'aplomb sur ses jambes et avait gardé son calme ; maintenant, se sentant enfermé, il paraissait pris de frénésie et martelait la porte en hurlant : « Le diable vous emporte, je ne suis pas ivre. Ouvrez-moi ! Je veux voir le médecin. Je vous dis que je ne suis pas ivre », cependant que Mulcaster renchérissait : « Bon Dieu, je vous jure que vous me paierez ça ! Vous commettez une erreur qui vous coûtera cher. Téléphonez au ministre de l'Intérieur. Faites venir mes avoués. J'exige qu'on respecte la loi sur la liberté individuelle. »

Des grognements de protestation montaient des autres cellules, où toute sorte de clochards et de pick-pockets s'efforçaient vaguement de dormir : « Ça va, ferme ça ! Tu peux pas nous foutre la paix, non ?... Non mais des fois, où qu'il se croit ? Au violon ou chez les dingues ? » et le sergent de ronde nous fit un petit sermon par le guichet. « Vous êtes bons pour la nuit, si vous ne vous calmez pas. »

Assis sur le bat-flanc, je me sentais plutôt abattu, somnolais tant soit peu. Finalement le vacarme s'apaisa et Sebastian appela : « Hé, Charles, vous êtes là ? »

— Plutôt, oui.

— Sale histoire.

— Il doit y avoir moyen d'en sortir : sous caution par exemple ?

Mulcaster semblait s'être endormi.

— J'ai trouvé, le type qu'il nous faut, c'est Rex Mottram. Il sera dans son élément avec ces gens-là.

Nous eûmes quelque mal à le joindre. Il fallut une demi-heure avant que l'agent de service se décidât à répondre à notre sonnerie. Sceptique, il consentit à la fin à envoyer un message téléphonique à l'hôtel où avait lieu le bal de charité. Suivit encore un long temps ; puis les portes de notre prison s'ouvrirent.

Filtrant à travers l'atmosphère empuantie et sordide du commissariat, l'odeur de la crasse et des désinfectants, parvint jusqu'à nous l'exquise et riche fumée d'un havane – de deux havanes, car le sergent de service avait aussi le sien.

Rex se tenait dans le bureau du commissariat, incarnation – ou mieux, caricature – du pouvoir et de la prospérité : pelisse, larges revers d'astrakan, huit-reflets. Tout le commissariat s'empressait avec déférence, soucieux de faire pour le mieux.

« Nous ne pouvions faire autrement, lui expliquait-on. Dans l'intérêt même de ces jeunes gens, nous avons dû les prendre en charge. »

Mulcaster avait l'air d'une crapule et voulut se lancer dans de confuses réclamations, il avait le droit de se faire représenter légalement ; on le lui avait refusé... défi au code civil...

— Je me charge des discours, dit Rex.

J'avais repris tous mes esprits et, fasciné, je regardais et j'écoutais Rex arranger nos affaires. Il examina le procès-verbal, s'entretint affablement avec les hommes qui nous avaient arrêtés ; il entrouvrit la porte, de façon presque imperceptible, sur la possibilité d'un arrangement à l'amiable pour la refermer aussitôt qu'il se fut rendu compte que la chose était trop avancée et que trop de gens y étaient mêlés ; il s'engagea à nous conduire devant le juge de paix le lendemain matin, à dix heures, et nous fit sortir. Sa voiture attendait dehors.

— Toute discussion est inutile à l'heure qu'il est. Où couchez-vous ?

— À Marchers, chez moi, dit Sebastian.

— Mieux vaut passer la nuit chez moi. Je m'arrangerai. Ne vous occupez de rien, je me charge de tout.

Il était clair qu'il prenait plaisir à tant d'efficacité.

Le déploiement du lendemain matin fut encore plus impressionnant. Je m'éveillai avec le sentiment subit et déroutant de me trouver dans une chambre que je ne connaissais pas ; dès les premières secondes où la conscience me revint, je retrouvai la mémoire des incidents de la veille, comme d'un cauchemar d'abord, puis d'une réalité. Le valet de chambre de Rex s'occupait à défaire une valise. En me voyant remuer, il se dirigea vers le lavabo, versa un liquide d'une bouteille. « Je pense avoir tout rapporté de Marchmain House, me dit-il, M. Mottram a envoyé chercher ceci chez le pharmacien, spécialement. »

Je vidai le verre et me sentis mieux.

Un garçon, venu du plus grand salon de coiffure à la mode alors, était prêt à nous raser.

Rex nous rejoignit au petit déjeuner. « L'apparence fait beaucoup pour les juges, dit-il, capital. C'est une chance qu'aucun de vous n'ait l'air trop mal en point. »

Peu après arriva l'avocat. Rex lui fit un résumé de l'affaire.

— Le cas de Sebastian n'est pas brillant, expliqua l'avocat. Il est susceptible d'attraper jusqu'à six mois d'emprisonnement pour avoir conduit une voiture en état d'ébriété. Malheureusement vous passerez devant Grigg. Il a tendance à prendre au sérieux les cas de ce genre. Nous nous bornerons à demander ce matin que Sebastian soit mis en liberté provisoire sous caution pour une semaine, le temps de préparer sa défense. Vous deux, plaiderez coupables ; vous vous excuserez et paierez votre amende de cinq shillings. Je verrai ce qu'on peut faire pour que les journaux du soir se taisent. Le *Star* ne sera pas commode.

« Rappelez-vous que l'important est de ne pas souffler mot du Vieux Cent.

« Par bonheur, les filles étaient sobres et ne sont pas poursuivies, mais on a pris leurs noms à titre de témoins. Si nous essayons de nier la version de la police, on les citera. Et cela, il ne le faut à aucun prix. Nous avalerons donc le récit des faits tel que le présentera la police et ferons appel aux bons sentiments du juge pour qu'il ne brise pas la carrière d'un jeune homme par la faute d'une imprudence puérile. Ça prendra, j'en suis sûr. Nous aurons besoin d'un prof, pour témoigner des bonnes mœurs et du reste. Julia me dit que vous en connaissez un qui n'est pas trop farouche, un certain Samgrass. Il fera l'affaire. En attendant, *votre* version de la chose est purement et simplement ce qui suit : venus d'Oxford pour assister à une soirée dansante parfaitement honorable, et n'étant pas accoutumés à boire, vous avez pris un peu trop de vin et vous vous êtes perdus en rentrant à la maison.

« Après quoi, nous nous occuperons de régler la situation du côté des autorités du collège.

— Je leur ai demandé de téléphoner à mes avoués, dit Mulcaster, ils ont refusé. Ils se sont mis désespérément dans leur tort, et je ne vois pas pourquoi on leur passerait ça.

— Pour l'amour du ciel, ne vous mêlez pas de discutailler avec ces gens. Plaidez coupable, payez, un point c'est tout. Compris ?

Mulcaster se soumit en grommelant.

Devant le juge, tout se passa comme Rex l'avait prévu. À dix heures et demie Mulcaster et moi nous sortions du tribunal de Bow Street, libres tous deux ; Sebastian en liberté provisoire, en attendant sa comparution, la semaine d'après. Mulcaster n'avait soufflé mot de ses doléances ; lui et moi, nous en avions été quittes pour un sermon et une amende de cinq shillings, plus quinze shillings de frais. Mulcaster commençait à nous peser, et ce fut avec soulagement que nous accueillîmes ses excuses, lorsqu'il prétexta qu'il avait affaire à Londres. L'avocat était pressé. Sebastian et moi, nous restâmes seuls, en proie à notre désolation.

— Je suppose qu'on ne pourra pas empêcher maman de le savoir, me dit-il. Bon Dieu de bon Dieu de bon Dieu ! J'ai froid. Je n'ai pas envie de retourner à la maison. Je ne vois pas où aller. Le mieux est de rentrer sans tambour ni trompette à Oxford en attendant qu'ils se décident à venir nous embêter.

Les piètres habitués des tribunaux de simple police allaient, venaient, montaient et descendaient les marches ; nous demeurions piqués à l'angle de la rue, en plein courant d'air, sans pouvoir nous décider.

— Pourquoi ne pas mettre la main sur Julia ?

— Je pourrais partir pour l'étranger.

— Mon cher Sebastian, vous vous en tirerez avec un sermon et quelques livres d'amende.

— Oui, mais il y a les autres et toutes leurs histoires, maman, Bridey, le reste de la famille, les profs. J'aimerais autant aller en prison. Si je m'arrange pour filer à l'étranger, ils ne pourront pas me rattraper, pas vrai ? C'est ce que font les gens quand la police est à leurs trousses. Je sais que maman s'arrangera pour me donner l'impression que c'est sur elle que retombe tout le poids de l'affaire.

— Téléphonons à Julia et demandons-lui de nous retrouver quelque part ; nous examinerons la question avec elle.

Nous nous rencontrâmes tous trois chez Gunter, à Berkeley Square. Julia, comme la plupart des femmes d'alors, portait un chapeau vert rabattu sur les yeux, piqué d'une plume ornée de diamants ; elle tenait un petit chien sous le bras, aux trois quarts enseveli dans son manteau de fourrure. Elle témoigna en nous voyant d'un intérêt inaccoutumé.

— Eh bien, vous faites une paire de jolis cornichons ; je dois dire que vous n'avez pas si mauvaise mine, pour autant. La seule fois où je me suis enivrée, j'en suis restée paralysée la journée du lendemain. Tout de même, quand j'y pense, vous auriez pu m'emmener avec vous. Le bal était positivement léthargique et j'ai toujours eu envie d'aller au Vieux Cent. Personne n'a jamais voulu m'y conduire. Est-ce si bien que cela ?

— Vous êtes au courant de ça aussi ?

— Rex m'a téléphoné ce matin et m'a tout raconté. À quoi ressemblaient les filles qui étaient avec vous ?

— Pas de curiosité malsaine, dit Sebastian.

— La mienne ressemblait à une tête de mort.

— Et la mienne avait l'air phtisique.

— *Juste ciel !*

Nous avions évidemment monté dans l'estime de Julia, pour être sortis avec des femmes ; c'était sur nos compagnes que se concentrait son intérêt.

— Maman sait-elle ?

— Elle ne sait rien de vos histoires de tête de mort et de phtisique. Elle sait que vous avez passé la nuit au violon. Je le lui ai dit. Bien entendu elle a pris ça de façon divine. Vous savez que, pour elle, tout ce qu'a jamais fait l'oncle Ned était toujours parfait, et il s'est fait boucler un jour pour avoir introduit un ours dans une réunion électorale de Lloyd George. En sorte qu'elle prend en face de votre histoire une attitude tout à fait humaine. Elle vous attend tous les deux à déjeuner.

— Oh Dieu !

— Le seul ennui, ce sont les journaux et la famille. À quoi ressemble votre famille, Charles ? Terrible ?

— Je n'ai plus que mon père. Il n'en saura jamais rien.

— La nôtre n'est pas drôle. Ma pauvre maman va en voir avec elle. On va lui écrire des lettres, lui faire des visites de sympathie, et une bonne moitié des oncles et des tantes passera son temps à se dire dans son for intérieur : « Voilà ce qu'il en coûte d'élever un jeune homme dans la foi catholique », pendant que l'autre moitié se dira : « Voilà ce qu'il en coûte d'envoyer un garçon à Eton au lieu de le mettre chez les Jésuites. » De toute façon, la pauvre maman aura tort.

Nous déjeunâmes avec Lady Marchmain. Elle supportait l'épreuve avec une résignation mêlée d'humour. Elle nous fit un seul reproche : « Je n'arrive pas à comprendre pourquoi vous avez éprouvé le besoin de passer la nuit chez M. Mottram. Vous auriez pu tout aussi bien venir me mettre au courant la première. »

— Quelle explication vais-je donner à la famille ? demanda-t-elle. Ce qui les choquera le plus c'est de s'apercevoir que cette aventure me bouleverse infiniment moins qu'eux. Connaissez-vous ma belle-sœur, Fanny Resscommon ? Elle n'a cessé de penser que je ne savais pas élever mes enfants. Je commence à croire qu'elle n'a peut-être pas tort.

Lorsque nous la quittâmes, je dis à Sebastian :

— Elle aurait eu du mal à être plus charmante. Pourquoi diable vous faisiez-vous tant de mauvais sang ?

— Je ne peux pas vous l'expliquer, me répondit Sebastian misérablement.

Une semaine plus tard, Sebastian passa devant le juge qui le condamna à dix livres d'amende. Les journaux donnèrent à l'affaire une pénible publicité, l'un d'eux titrant ironiquement : *Le fils du marquis n'avait pas l'habitude du vin*. Le magistrat avait déclaré que ce n'était que grâce à la prompte intervention de la police que Sebastian avait évité de comparaître sous une plus grave accusation… « Seul un heureux hasard vous a empêché de supporter les conséquences d'un sérieux accident… » M. Samgrass vint témoigner de la réputation irréprochable de Sebastian et du fait que son brillant avenir universitaire se trouvait mis en jeu. Les journeaux s'emparèrent également de ce détail : *La carrière d'un étudiant modèle va-t-elle être compromise ?* N'eût été le témoignage de M. Samgrass, précisa le magistrat, il eût été enclin à prononcer une sentence exemplaire, la loi était la même pour un étudiant d'Oxford que pour n'importe quel jeune brigand ; en fait, plus honorable était la famille, plus indigne l'offense.

Ce ne fut pas seulement devant le magisitrat de Bow Street que M. Samgrass fut d'une aide inestimable. À Oxford il déploya un zèle et une astuce analogues à ceux qu'avait manifestés Rex Mottram à Londres. Il alla voir les autorités universitaires, le conseil de discipline, le vice-chancelier ; il persuada Mgr Bell de rendre visite au doyen du collège de Christ Church, il arrangea une entrevue entre Lady Marchmain et le chancelier en personne ; à l'issue de quoi, Boy, Sebastian et moi, nous nous vîmes condamnés à ne pas sortir des grilles du collège pour le reste du trimestre ; quant à Hardcastle, pour Dieu sait quel motif obscur, il se vit de nouveau privé de l'usage de sa voiture. Il n'y eut pas d'autres sanctions. La plus tenace et la plus longue punition qu'il nous fallut subir, ce fut notre intimité avec Rex Mottram et M. Samgrass ; mais comme la vie de Rex se passait à Londres dans le monde de la politique et de la haute finance, et celle de M. Samgrass à proximité de la nôtre, à Oxford, ce fut ce dernier dont il nous fallut subir le plus la présence.

Il nous hanta jusqu'à la fin du trimestre. Consigné chacun dans notre collège, nous ne pouvions passer ensemble nos soirées et, à partir de neuf heures du soir, nous étions à l'entière merci de M. Samgrass. Il se passait rarement une soirée sans qu'il vînt voir l'un ou l'autre de nous. Il parlait de « notre petite escapade », comme si lui aussi avait passé la nuit au commissariat de police et se trouvait lié à nous de ce fait... Une nuit je fis le mur au collège et M. Samgrass me trouva dans la chambre de Sebastian après l'heure de la fermeture. De cet incident aussi il se targua comme d'un lien. Je ne fus donc nullement surpris, en arrivant à Brideshead, de l'y trouver. On eût dit qu'il m'attendait, assis tout seul devant le feu dans la pièce qu'on appelait « le hall aux tapisseries ».

— Vous me trouvez seul propriétaire, me dit-il, et le fait est qu'il avait l'air de posséder à lui seul le hall et les sombres scènes de vénerie dont les murs étaient tendus, de posséder à lui seul les cariatides qui flanquaient la cheminée, de me posséder même, tandis qu'il se levait pour me serrer la main et m'accueillir comme un hôte son invité : « Ce matin, poursuivit-il, nous avons tenu sur la pelouse une assemblée de la meute de Marchmain — entre nous, quel délicieux spectacle archaïque — et tous nos jeunes amis sont à la chasse au renard, même Sebastian qui, vous ne serez pas surpris de l'apprendre, était remarquablement élégant en veste rose. Brideshead était plus impressionnant qu'élégant ; il est comaître d'équipage, avec un personnage local caricatural du nom de Sir Walter Strickland-Venables. Quel dommage qu'on ne puisse les faire figurer l'un et l'autre sur ces tapisseries plutôt ennuyeuses, ils y ajouteraient une note fantaisiste.

« Notre hôtesse est restée à la maison ; ainsi qu'un dominicain convalescent qui avait lu trop de Maritain et pas assez de Hegel ; Sir Adrian Porson bien entendu, et deux cousins magyars d'aspect plutôt rébarbatif – je les ai sondés en allemand et en français ; ils ne sont pas plus drôles dans l'une que dans l'autre de ces langues. Tout ce groupe est parti de son côté rendre visite en cortège à un voisin. Je viens de passer un après-midi très douillet au coin du feu, en compagnie de l'incomparable Charlus. Votre venue m'encourage à sonner pour qu'on serve le thé. Que vous dire encore, pour vous donner une idée de la fête et de la compagnie ? Hélas, il y aura déjà de nombreux départs demain. Lady Julia va célébrer ailleurs le Nouvel An, et entraîne le beau monde à sa suite. Toutes ces jolies créatures qui hantent la maison me manqueront – notamment une certaine Célia, la sœur de votre vieux compagnon d'infortune, Boy Mulcaster, et qui est délicieusement différente de lui. Par la conversation elle tient de l'oiseau – elle a une de ces façons de picorer les sujets, qui est des plus engageantes – et par le costume et le style, de la monitrice d'école, ce qui lui donne un genre que je ne saurais qualifier que de coquin. Elle me manquera, car je suis de ceux qui restent. Dès demain je me lance éperdument dans le livre de notre hôtesse – une perle, ce livre, croyez-m'en, un vaste trésor de pierreries d'époque ; du plus pur et plus authentique 1914.

On nous servit le thé et, peu après, Sebastian rentra ; il n'avait pas tardé à perdre le gros des chasseurs nous déclara-t-il, et était rentré cahin-caha. Les autres ne furent pas longs à le suivre, s'étant fait prendre en voiture à la fin de leur journée. Brideshead manquait ; il avait affaire au chenil, et Cordélia l'avait accompagné. Tout ce monde envahit le hall et fut bientôt fort occupé à manger des œufs brouillés et des gâteaux secs ; et M. Samgrass, qui avait déjeuné à la maison et fait un somme prolongé tout l'après-midi au coin du feu, dévora œufs brouillés et gâteaux secs comme tout le monde. Puis le groupe de Lady Marchmain rentra à son tour et quand, avant que nous montions nous changer pour dîner, elle demanda : « Qui vient à la chapelle pour le rosaire ? » et que Sebastian et Julia eurent répondu qu'il leur fallait se précipiter dans leur bain, M. Samgrass s'offrit pour les accompagner, elle et le capucin.

— Si seulement M. Samgrass pouvait s'en aller, me dit Sebastian, du fond de son bain ; j'ai la nausée de toute cette gratitude que je lui dois.

Au cours de la quinzaine qui suivit, ce devint un petit secret tacitement consenti, que personne n'aimait M. Samgrass, de toute la maisonnée. En sa présence le beau regard fatigué de Sir Adrian Porson avait l'air de s'envoler en quête d'horizons perdus, tandis que ses lèvres pincées exprimaient un très classique pessimisme. Seuls les cousins hongrois, se méprenant sur son titre de tuteur, le prenaient pour un domestique jouissant de privilèges exceptionnels et n'étaient nullement affectés par sa présence.

M. Samgrass, Sir Adrian Porson, les Hongrois, le capucin, Brideshead, Sebastian, Cordélia, voilà tout ce qu'il resta de la réunion de Noël.

La religion dominait la vie de la maison, non seulement dans la pratique – messe et rosaire quotidiens, matin et soir dans la chambre – mais dans toutes relations. « Nous ferons de Charles un catholique », avait dit Lady Marchmain, à l'occasion des visites que je lui fis ; nous eûmes plus d'un petit entretien à la faveur duquel elle aiguilla délicatement la conversation vers le secteur religieux. Au sortir du premier de ces entretiens, Sebastian me demanda : « Maman vient de faire avec vous un de ses petits brins de causette, n'est-ce pas ? C'est une manie. Pourquoi diable ne peut-elle s'en abstenir ! »

Nulle invitation solennelle ne préludait à ces brins de causette ; nulle ouverture consciente. Simplement il arrivait, quand elle avait envie de parler à quelqu'un dans l'intimité, qu'on se retrouvât seul avec elle, dans une allée isolée bordant les lacs ou dans un coin de la roseraie cernée de murs, en été ; dans son boudoir, au premier étage, en hiver.

Cette pièce était entièrement et uniquement à elle. Elle se l'était réservée et l'avait fait transformer à tel point qu'en entrant on avait l'impression de ne plus être dans la même maison. Le plafond était plus bas ; la corniche très ornée qui, sous une forme ou une autre, donnait aux autres pièces une grâce particulière, s'était évanouie ; les murs, jadis tendus de brocarts, étaient nus et peints en bleu à la détrempe, parsemés d'innombrables petites aquarelles tendrement associées à l'esprit de Lady Marchmain ; l'air était doux et frais, parfumé de fleurs et de l'odeur moisie des mousses ; la bibliothèque, reliures en cuir souple, livres fameux de poésie et de piété, remplissait un petit meuble en bois de rose ; la cheminée était couverte de menus trésors personnels, madone en ivoire, saint-joseph en plâtre, miniatures posthumes de ses trois frères soldats. À l'époque où Sebastian et moi, nous avions vécu seuls à Brideshead, durant cet éclatant mois d'août, nous nous étions abstenus de pénétrer dans cette pièce.

Des bribes de conversation me reviennent à l'esprit avec le souvenir de cette pièce. J'entends encore Lady Marchmain me dire : « Jeune fille, nous étions relativement pauvres, mais certainement beaucoup plus riches encore que la plupart des gens. Mariée, je suis devenue très riche. Cela me tourmentait autrefois ; je me disais que c'était mal de posséder tant de belles choses quand les autres manquaient de tout. Aujourd'hui je me rends compte que ce peut être péché pour le riche que de convoiter les biens du pauvre. Les pauvres ont toujours été favoris de Dieu et des saints, mais je crois que l'un des effets spéciaux de la Grâce est de sanctifier la création tout entière, riches inclus. La richesse, au temps de la Rome païenne, était forcément cruelle ; il n'en est plus de même aujourd'hui. »

Je me souviens d'avoir dit une phrase où il était question d'un chameau et du trou d'une aiguille. Trop heureuse, elle bondit sur l'occasion.

— Mais bien *sûr*, reprit-elle, rien de plus inattendu qu'un chameau passant par le trou d'une aiguille, mais l'Évangile n'est qu'un vaste catalogue de choses inattendues. Peut-on s'attendre à voir l'âne et le bœuf venir adorer la crèche ? Les animaux sont toujours mêlés de la façon la plus bizarre qui soit à la vie des saints. Tout cela fait partie de la poésie, du côté « Alice au pays des merveilles » de la religion.

Mais les ardeurs de la foi me laissaient aussi froid que son charme ; ou mieux : les unes comme les autres me touchaient également. Je n'avais alors que Sebastian en tête et je pressentais déjà, sans en mesurer toute la noirceur, la menace qui pesait sur lui. Il eût fallu le laisser à sa perpétuelle et désespérante prière. Seul avec les eaux bleues et les palmes bruissantes de son âme, il eût été aussi heureux et inoffensif qu'un Polynésien. Mais une fois que le grand navire a jeté l'ancre au large de l'atoll, une fois que le cotre a accosté à la lagune et que, gravissant la pente dorée qui n'avait jamais connu l'empreinte de la botte, surgit la lourde invasion du marchand, de l'administrateur, du missionnaire et du touriste, alors, mais alors seulement, il est temps de déterrer les armes archaïques de la tribu et de faire résonner le tambour de colline en colline ; ou encore, solution plus facile, de se détourner de la porte illuminée de soleil, et de se coucher dans les ténèbres où les déités peintes et impuissantes alignent en vain leur cortège le long des murs ; se coucher et crachoter son cœur par petits morceaux parmi les bouteilles de rhum éparses.

Et, comme Sebastian rangeait au nombre des intrus sa propre conscience et tous les droits que pouvait avoir sur lui l'affection humaine, ses jours en pays d'Arcadie étaient comptés. Car durant cette période, pour moi si paisible, Sebastian prit ombrage. Cet état d'alerte et de suspicion où je le voyais vivre ne m'était pas inconnu ; on eût dit un daim, dressant soudain la tête au son lointain du cor ; j'avais vu se développer en lui la méfiance à la seule pensée de la famille ou de la religion ; maintenant, je m'apercevais que moi aussi j'étais suspect. Son affection pour moi ne changeait pas ; mais il n'en tirait plus aucune joie, car je ne faisais plus partie de sa solitude. Plus j'entrais dans l'intimité de sa famille, plus je participais du monde d'où il cherchait à s'évader. Je devenais un des liens qui le retenaient. Tel était le rôle auquel sa mère, au cours de nos petits brins de causette, entendait me préparer. Il n'en transpirait rien dans ses discours. Ce n'était que confusément et à de rares instants que je venais à soupçonner le complot.

En apparence, M. Samgrass était l'unique ennemi. Pendant quinze jours, Sebastian et moi, nous demeurâmes à Brideshead, faisant bande à part. Le sport, l'administration du domaine absorbaient le frère ; M. Samgrass passait son temps dans la bibliothèque, à travailler au livre de Lady Marchmain ; Sir Adrian Porson prenait le plus clair des journées de Lady Marchmain. Nous ne les voyions guère que le soir ; il y avait place, sous le dôme de cette demeure, pour une grande variété de vies indépendantes.

Au bout de ces quinze jours Sebastian déclara : « Je ne peux plus supporter M. Samgrass. Allons à Londres » ; il vint s'installer avec moi à la maison et commença dès lors à user de ce domicile de préférence à « Marchers ». Mon père l'aimait bien. « Je trouve votre ami très amusant, me confia-t-il. Invitez-le souvent. »

Puis, de retour à Oxford, nous reprîmes une vie qui avait l'air de se ratatiner dans l'air froid. La tristesse qui avait caractérisé Sebastian le trimestre précédent, céda le pas à une sorte d'humeur morose qui ne m'épargnait pas. Un mal le rongeait, profond, indéfini, dont je ne pouvais diagnostiquer l'ampleur, et qui ne me laissait d'autre ressource que de m'en sentir navré pour lui.

Lorsqu'il lui arrivait encore d'être gai, c'était l'ivresse qui en était cause, d'ordinaire. Ivre, il devenait la proie d'une hantise : « ridiculiser M. Samgrass ». Il avait composé une rengaine qui avait pour refrain : « Vertes fesses, Samegraisse – Samegraisse, vertes fesses », sur l'air du carillon de St. Mary's, qu'il allait chanter en guise de sérénade, une fois par semaine à peu près, sous les fenêtres de l'individu en question. Un trait distinctif de M. Samgrass tenait au fait qu'il était le premier prof qui s'était fait installer le téléphone privé à demeure. Quand le vin l'avait mis en forme, Sebastian s'était fait un rite de l'appeler pour lui chanter devant l'appareil sa petite chansonnette. Tout cela, M. Samgrass le prenait en bonne part, comme on dit, souriant obséquieusement à chacune de nos rencontres, mais avec une sorte d'assurance croissante, comme si chaque offense, en un sens, accroissait ses droits sur Sebastian.

Ce fut durant ce trimestre que je commençai à me rendre compte que Sebastian avait l'ivresse différente de la mienne. Il m'arrivait souvent de m'enivrer mais c'était par excès de vitalité, par amour de l'instant, et dans le désir d'en prolonger la durée comme de le rehausser. Sebastian, buvait pour s'évader. Au fur et à mesure que nous allions croissant de pair en âge et en sérieux, je buvais moins, et lui, plus. Je découvris que peu de temps après mon retour au collège, il s'était mis à veiller tard, seul, et à boire comme un trou. Une série de désastres s'abattit sur lui, si rapidement et avec une violence si inattendue que j'aurais beaucoup de mal à dire quand, exactement, je m'aperçus que mon ami se trouvait la proie de graves ennuis. Tout ce que je sais, c'est que j'en fus assez conscient à l'époque des vacances de Pâques.

Julia avait coutume de dire : « Pauvre Sebastian ; c'est une sorte de chimie qui se fait en lui. »

C'était le jargon du temps, dérivé de Dieu sait quelle fausse conception de la science populaire. « C'est l'effet d'une sorte de chimie entre eux », disait-on pour expliquer la haine ou l'amour tout-puissants de deux personnes l'une pour l'autre. C'était la résurrection, sous une forme nouvelle, du vieux concept du déterminisme. Je ne crois pas qu'il y ait eu la moindre chimie dans le cas de mon ami.

La réunion de Pâques à Brideshead fut un moment pénible à passer, qui culmina dans un incident mineur mais douloureusement inoubliable. Sebastian s'arrangea pour s'enivrer terriblement avant dîner, dans la demeure de sa mère, et marqua ainsi le début d'une nouvelle ère dans le triste processus de son déclin. Ce fut le premier pas qu'il fit pour s'enfuir de sa famille, comme ce fut cette fuite qui causa sa ruine.

L'incident en question se place à la fin du jour où les nombreuses personnes présentes pour Pâques devaient quitter Brideshead. On appelait cela la réunion de Pâques, bien qu'en fait l'assemblée commençât le mardi de la semaine de Pâques, car les Flyte entraient tous en retraite en qualité d'hôtes d'un monastère, du Jeudi saint jusqu'au jour de Pâques. Cette année, Sebastian avait commencé par déclarer qu'il n'irait pas, mais au dernier moment avait cédé et était arrivé à la maison dans un état de dépression suraiguë d'où j'avais dû renoncer totalement à le tirer.

Il avait passé la semaine à boire énormément – j'étais le seul à savoir combien – et à boire, qui plus est, de façon sournoise et nerveuse, contrairement à toutes ses habitudes. Pendant tout le temps de la réunion, il y avait en permanence, dans la bibliothèque, un plateau avec des verres de grog, et Sebastian s'était pris à se glisser furtivement dans cette pièce, aux heures creuses de la journée, sans en rien dire, fût-ce à moi. La maison était en grande partie déserte, à ces moments-là. J'étais pour ma part occupé à peindre un autre panneau dans le petit jardin d'hiver qui donnait sur la colonnade. Sebastian s'étant plaint d'un rhume, était resté à l'intérieur, et pendant tout ce temps-là n'avait pratiquement pas cessé de boire. Son silence avait trompé l'attention. De temps à autre, j'avais bien surpris un éclair de curiosité dans les regards qui se dirigeaient sur lui, mais la plupart des gens présents le connaissaient trop peu pour remarquer un changement en lui, cependant que les autres membres de la famille étaient absorbés chacun de son côté par leurs invités.

Quand je lui en avais fait le reproche, il m'avait répondu : « Je ne peux pas supporter tous ces gens autour de nous », mais ce ne fut qu'après leur départ, lorsqu'il lui fallut affronter de près sa famille, qu'il s'effondra.

Normalement, on apportait dans le salon, à six heures, un plateau à cocktails. Chacun faisait le mélange de son choix, puis on emportait les bouteilles au moment où nous montions nous habiller pour le dîner ; plus tard, immédiatement avant le repas, les cocktails faisaient leur réapparition, c'était cette fois des laquais qui les faisaient passer.

Sebastian disparut après l'heure du thé ; il faisait noir déjà et je passai l'heure qui suivit à jouer au mah-jong avec Cordélia. À six heures, j'étais seul dans le salon quand il revint ; il fronçait les sourcils et le front, d'un air que je ne connaissais que trop bien, et, quand il m'adressa la parole, je sus qu'il était ivre à l'épaisseur de sa voix.

— Les cocktails ne sont pas encore servis ? (Il tira maladroitement le cordon de la sonnette.)

— Où étiez-vous ?

— En haut, chez Nounou.

— Je n'en crois rien. Vous êtes allé boire quelque part.

— J'ai passé le temps à lire dans ma chambre. Mon rhume va plus mal.

Quand on apporta le plateau, il remplit de gin et de vermouth un grand verre et quitta la pièce, l'emportant avec lui. Je le suivis à l'étage au-dessus, où il me claqua la porte de sa chambre au nez, tournant la clef dans la serrure.

Je redescendis au salon, déconfit, et plein de mauvais pressentiments. La famille s'assemblait. Lady Marchmain demanda :

— Qu'est devenu Sebastian ?

— Il est monté se reposer. Son rhume a empiré.

— Mon Dieu, j'espère que ce n'est pas la grippe. Il m'a semblé qu'il avait l'air fiévreux à une ou deux reprises, ces jours derniers. A-t-il besoin de quelque chose ?

— Non. Il a insisté pour qu'on ne le dérange pas.

Un instant je faillis tout dire à Brideshead, mais la sévérité de ce masque en cristal de roche arrêtait toute confidence. En revanche, en montant m'habiller, je prévins Julia.

— Sebastian est ivre.

— Cela ne se peut pas. Il n'est même pas venu boire un cocktail.

— Il a passé l'après-midi à boire dans sa chambre.

— Quelle idée ! Et comme ce garçon est ennuyeux ! Est-ce qu'il sera d'aplomb pour le dîner ?

— Non.

— Eh bien, c'est à vous de vous débrouiller avec lui. Ça ne me regarde pas. Ça le prend souvent ?

— Assez, oui, depuis quelque temps.

— Dieu, que c'est ennuyeux !

J'essayai d'ouvrir la porte de Sebastian ; elle était toujours fermée à clef. Dormait-il ? Je l'espérais. Mais, en sortant du bain, je le trouvai dans un fauteuil, assis devant ma cheminée ; habillé pour le dîner, moins les chaussures ; la cravate de travers, les cheveux en l'air ; la face très rouge, et louchant légèrement. La parole indistincte.

— Charles, ce que vous avez dit, 'tait vrai, 'bsolument vrai. N'étais pas chez N'nou. 'tais en train d' boire whisky dans ma chambre. N'y en avait plus dans la bibliothèque, maintenant que ces gens sont partis. Maintenant que ces gens sont partis et qu'il n'y a plus que maman. Me sens plutôt saoul. Crois que vaudrait mieux qu'on me monte quelque chose sur un plateau. Veux pas dîner avec maman.

— Mettez-vous au lit, lui dis-je. Je dirai que votre rhume est pire que jamais.

— Bien pis.

Je le conduisis dans sa chambre, qui était juste à côté de la mienne, et tentai de le mettre au lit, mais il s'assit devant sa table de toilette, se regardant en clignant de l'œil dans la glace et s'efforçant de redresser sa cravate. Sur le secrétaire près du feu, je vis une carafe de whisky à demi vide. Je m'en emparai, pensant qu'il ne me verrait pas faire, mais il dut m'apercevoir dans le miroir et pirouettant sur son siège me dit : « Posez ça là. »

— Ne faites pas l'idiot, Sebastian. Vous avez votre compte.

— De quoi diable vous mêlez-vous ? Vous n'êtes qu'un invité ici, *mon* invité. Je suis chez moi et je bois ce que je veux.

Il était prêt à en venir aux mains.

— Parfait, dis-je en remettant en place la carafe, mais pour l'amour de Dieu ne vous montrez pas.

— Oh, ça me regarde. Vous étiez mon ami quand je vous ai fait venir ici ; maintenant vous m'espionnez pour le compte de ma mère, je le sais. Eh bien, je vais vous dire : fichez le camp d'ici et dites-lui de ma part qu'à l'avenir je choisirai mes amis, comme elle ses espions.

Sur quoi je le laissai et descendis dîner.

— Je viens de passer voir Sebastian, dis-je. Son rhume a l'air de mal tourner. Il est couché et m'a dit qu'il n'avait besoin de rien.

— Pauvre Sebastian, dit Lady Marchmain. Il ferait bien de prendre un grog au whisky. Je vais aller jeter un coup d'œil dans sa chambre.

— Ne vous dérangez pas, maman, j'irai, dit Julia, se levant.

— Non, c'est *moi* qui irai, s'écria Cordélia, qui dînait avec nous ce soir-là, exceptionnellement, pour célébrer le départ des invités.

Elle bondit vers la porte et disparut avant que personne ait eu le temps de l'en empêcher.

Julia me regarda vivement et haussa imperceptiblement, tristement les épaules.

Quelques minutes s'écoulèrent, puis Cordélia revint, l'air grave.

— Non, il a l'air de n'avoir besoin de rien, dit-elle.

— Comment va-t-il ?

— Je... je ne *sais* pas, mais je *crois* qu'il est très ivre, dit-elle.

— *Cordélia !*

L'enfant, brusquement, se mit à glousser. « Le fils du marquis n'avait pas l'habitude du vin », se mit-elle à citer. « La carrière d'un étudiant modèle sera-t-elle compromise ? »

— Charles, est-ce vrai ? demanda Lady Marchmain.

— C'est exact.

À ce moment on vint annoncer que le dîner était servi ; nous passâmes dans la salle à manger, où personne ne fit allusion à l'affaire.

Quand je me retrouvai seul avec Brideshead, ce dernier me dit :

— Vous avez bien dit que Sebastian était ivre ?

— Oui.

— Drôle d'idée de choisir cette heure-là. Et vous n'avez pas pu l'en empêcher ?

— Non.

— Non, reprit Brideshead, j'imagine que c'eût été difficile. Une seule fois j'ai vu mon père ivre, dans cette pièce. Je n'avais pas plus de dix ans à l'époque. Rien n'arrête les gens qui ont envie de boire. Ma mère n'est pas arrivée à arrêter mon père, vous savez.

Le ton de sa voix demeurait ce qu'il était toujours : curieusement impersonnel. Plus je venais à connaître cette famille, pensai-je, plus singulier chacun de ses membres m'apparaissait. « Je prierai ma mère de nous faire la lecture, ce soir. »

C'était la coutume, je l'appris plus tard, de demander régulièrement à Lady Marchmain de faire la lecture à haute voix, les soirs de tension familiale. Elle avait une fort belle voix et lisait avec infiniment d'expression et d'humour. Ce soir-là, elle choisit *La Sagesse du père Brown*. Pendant la lecture, Julia demeura assise, devant elle un tabouret et un coffret de manucure, qu'elle employa à se revernir soigneusement les ongles ; Cordélia choya le pékinois de Julia ; Brideshead fit des réussites ; et je restai inoccupé, observant le charmant tableau qu'ils formaient tous et portant le deuil de mon ami demeuré dans sa chambre.

Mais la soirée était loin d'avoir atteint à l'apogée de l'horreur.

Lady Marchmain avait parfois l'habitude, quand la famille était seule, de se rendre à la chapelle avant d'aller se coucher. Elle venait de refermer son livre dans l'intention évidente de se livrer à cette pratique, quand la porte s'ouvrit, et Sebastian entra. Il était habillé tel que je l'avais laissé, mais au lieu d'être rouge il était pâle comme un mort.

— Suis venu m'excuser, dit-il.

— Sebastian cher, dit Lady Marchmain, retournez dans votre chambre. Nous parlerons de cela demain matin.

— Pas d'excuses à vous faire. À Charles. 'té dégoûtant avec lui ; l'est mon invité. L'est mon invité et mon seul ami ; 'té dégoûtant avec lui.

Un vent glacé passa sur nous. Je le ramenai chez lui ; la famille s'en alla faire ses prières. Je remarquai, en arrivant en haut, que la carafe était vide maintenant.

— Il est grand temps de vous coucher, dis-je.

Il se mit à pleurer.

— Pourquoi prenez-vous leur parti contre moi ? Ça devait finir comme ça, je le savais, du moment que je vous ai laissé faire leur connaissance. Pourquoi m'espionnez-vous ?

Il me dit bien d'autres choses encore, plus que je ne puis supporter d'en rapporter, même à vingt ans de distance. À la fin je parvins à l'endormir et me retirai de mon côté, tristement.

Le lendemain matin, il entra dans ma chambre de très bonne heure. Toute la maison dormait encore. Il tira les rideaux, et ce fut ce bruit qui m'éveilla. Il se tenait tout habillé, et fumait une cigarette, me tournant le dos, regardant par la fenêtre les longues ombres de l'aube s'étendre sur la rosée, tandis que les premiers oiseaux s'éveillaient en pépiant dans les arbres couverts de bourgeons. Au son de ma voix, il tourna la tête ; rien ne se lisait sur son visage des ravages de la soirée précédente ; il avait le teint frais ; l'expression morose était celle d'un enfant déçu.

— Eh bien ! dis-je, comment vous sentez-vous ?

— Plutôt bizarre. Peut-être un peu ivre encore. Je viens de faire un tour aux écuries, pour tâcher de trouver une voiture ; mais tout était bouclé. Nous partons.

Il but un verre d'eau, qu'il prit sur ma table de nuit, jeta sa cigarette par la fenêtre, en alluma une autre : ses mains tremblaient comme celles d'un vieillard.

— Où allons-nous ?

— Je n'en sais rien. Londres, sans doute. Puis-je descendre chez vous ?

— Bien entendu.

— Alors, habillez-vous. Ils feront suivre nos bagages par le train.

— Nous ne pouvons partir comme ça.

— Impossible de rester.

Il s'assit sur le rebord de la fenêtre, évitant mon regard, portant ses yeux au loin. Puis il reprit :

— Il y a des cheminées qui fument. Les écuries doivent être ouvertes maintenant. Venez.

— Je ne peux pas, rétorquai-je. Il faut que je prenne congé de votre mère.

— Bon chien-chien bien élevé.

— Que voulez-vous, il se trouve que je n'aime pas à me sauver ainsi.

— Et il se trouve qu'à moi tout cela pourrait difficilement être plus égal. Et je maintiens que je me sauverai aussi loin et aussi vite que je pourrai. Libre à vous de comploter avec ma mère ; vous aurez beau faire tous les deux ; je ne reviendrai pas.

— Vous me l'avez déjà dit la nuit dernière.

— Je sais. Je suis navré, Charles. Je vous l'ai dit, je suis encore ivre. Si cela peut vous consoler, je me hais, dans toute la force du terme.

— Cela ne me console nullement.

— Un peu tout de même, non ? J'aurais cru. En attendant, si vous ne voulez pas venir, faites toutes mes affections à Nounou.

— Vous partez réellement ?

— Réellement.

— Vous verrai-je à Londres ?

— Oui, puisque je descends chez vous.

Il sortit de ma chambre. Je ne parvins pas à me rendormir. Près de deux heures plus tard, un domestique m'apporta du thé, du pain et du beurre et se mit en devoir de préparer mes vêtements pour la nouvelle journée.

Dans le courant de la matinée, je demandai à voir Lady Marchmain. Le vent avait fraîchi ; nous restâmes à l'intérieur. Je m'assis à côté d'elle, dans sa chambre, au coin du feu, tandis qu'elle se tenait courbée sur sa broderie et que les bourgeons des plantes grimpantes tambourinaient à la fenêtre.

— J'eusse préféré ne pas le *voir*, me dit-elle. C'était cruel, de sa part. Peu m'importe *l'idée* qu'il puisse s'enivrer. C'est le genre de chose que font tous les hommes dans leur jeunesse. Je me suis faite à cette *idée*. À son âge, mes frères étaient de vrais sauvages. Ce qui m'a fait mal, hier soir, c'était qu'il n'avait pas l'air *heureux*.

— Je sais bien, dis-je. Je ne l'ai jamais vu dans un état pareil.

— Et qu'il ait choisi cette soirée entre toutes... quand les autres étaient partis et que nous étions entre nous – vous voyez, Charles, que je vous considère tout à fait comme l'un des nôtres ; Sebastian vous adore –, alors que nous étions entre nous, disais-je, et qu'il n'avait plus besoin de se forcer à être gai. Et il n'était même pas gai. Je n'ai pas beaucoup dormi la nuit dernière ; j'étais harcelée sans trêve par cette seule idée : il avait l'air si malheureux.

Il m'était impossible de lui expliquer ce que de mon côté je ne comprenais qu'à demi ; mais déjà je pensais en moi-même : « Elle l'apprendra toujours assez tôt. Peut-être sait-elle déjà ? »

— C'était horrible, dis-je. Mais, je vous en prie, n'allez pas croire qu'il est toujours ainsi.

— M. Samgrass m'a dit qu'il avait beaucoup trop bu, tout le trimestre dernier.

— Sans doute, mais jamais de cette façon, non, jamais encore.

— Alors, pourquoi maintenant ? et ici ? au milieu de nous ? Toute la nuit j'ai réfléchi, prié, je n'ai cessé de me demander que lui dire, et voilà que ce matin il n'est plus là du tout. C'était cruel de sa part, de partir sans même laisser un mot. Pourquoi aurait-il honte ? Je ne le veux pas, c'est d'avoir honte qui le fait ainsi se mettre dans son tort.

— Il a honte d'être malheureux, dis-je.

— M. Samgrass le dit bruyant et plein de vitalité. Je crois comprendre, reprit-elle, une faible lueur d'humour perçant à travers les nuages, je crois comprendre que vous taquinez plutôt M. Samgrass, tous les deux. C'est méchant de votre part. J'aime beaucoup M. Samgrass ; vous aussi devriez l'aimer, après tout ce qu'il a fait pour vous. Mais j'imagine que si j'avais votre âge à tous deux, si j'étais homme comme vous, j'aurais un tout petit peu tendance à taquiner M. Samgrass, moi aussi. Non, ce n'est pas cela qui est grave. C'est tout autre chose : ce qui s'est passé la nuit dernière et ce qui vient de se passer ce matin. Voyez-vous, *la même chose est arrivée une fois déjà.*

— Tout ce que je puis dire, c'est qu'il m'est arrivé souvent de le voir ivre, souvent aussi de m'enivrer avec lui ; mais ce qui s'est passé la nuit dernière est entièrement neuf pour moi.

— Oh, ce n'est pas de Sebastian que je veux parler. Cela remonte à bien des années. Je suis déjà passée par là avec quelqu'un d'autre, qui m'était cher. Vous savez parfaitement qui je veux dire – son père. Il s'enivrait exactement de même. On m'a dit qu'il a changé depuis. Puisse Dieu faire que ce soit vrai, et grâce Lui soit rendue du fond du cœur, si c'est la vérité. *Mais cette escapade – lui aussi* s'est sauvé, vous savez. Et la raison était exactement ce que vous venez de dire : il avait honte d'être malheureux. L'un et l'autre malheureux, et honteux, et s'enfuyant – quelle pitié ! Les hommes avec qui j'ai été élevée – et ses grands yeux quittèrent la broderie pour se poser sur les trois miniatures encastrées dans le passe-partout de cuir, sur la cheminée – n'étaient pas faits ainsi. C'est bien simple : je n'y comprends rien. Et vous, Charles ?

— Bien peu de chose.

— Et pourtant, Sebastian a pour vous plus d'affection que pour aucun de nous, vous savez. C'est à vous de l'aider. Moi, je ne peux pas.

Je viens de résumer en quelques phrases ce qui, en fait, fut un long entretien. Lady Marchmain n'était pas prolixe, mais déployait pour aborder le vif d'un sujet les coquetteries d'une femme en flirt, le contournant, s'approchant, battant en retraite, feintant ; elle se posait, s'envolait pour se poser encore, comme un papillon ; elle esquissait des pas en minaudant ; d'autant plus proche de l'essentiel, mais imperceptiblement, que l'on avait alors le dos tourné ; figée, quand elle se sentait observée. Le malheur de deux êtres, leur fuite, voilà de quoi était fait son chagrin ; et, à la façon qui lui était propre, elle m'avait tout dit avant d'en avoir fini. Mais il lui avait fallu une heure pour le dire. Puis, au moment où je me levai pour prendre congé, elle ajouta comme si l'idée lui revenait soudain : « Au fait, vous ai-je montré le livre de mon frère ? Il vient de sortir. »

Je lui répondis que je l'avais parcouru dans la chambre de Sebastian.

— J'aimerais vous en donner un exemplaire. Vous permettez ? Tous trois étaient de vrais hommes. Ned était le meilleur. Il fut tué le dernier, et quand arriva le télégramme, ainsi qu'il se devait, je me suis dit : « Il appartient désormais à mon fils de faire ce que Ned ne pourra plus faire. » J'étais seule alors. Sebastian allait entrer à Eton. Lisez le livre de Ned ; vous comprendrez.

Elle avait préparé un exemplaire sur son bureau. Je me souviens de m'être dit sur le moment : « Elle avait décidé que nous nous séparerions sur ce geste. Avait-elle répété par avance notre entrevue ? Si les choses s'étaient passées différemment, aurait-elle remis le livre dans son tiroir ? »

Elle écrivit son nom et le mien sur la page de garde, avec le lieu et la date.

— J'ai prié pour vous cette nuit, dit-elle encore.

Je fermai la porte derrière moi, sur les bondieuse-ries, le plafond bas, les chintz, les reliures en agneau, les vues de Florence, les vases de jacinthes et de mousses, le petit-point, sur tout ce monde moderne d'intimité féminine, et retournai sous les plafonds à caissons et à cintres, les colonnes et l'entablement du hall central, l'atmosphère auguste et mâle de temps meilleurs.

Je n'étais pas idiot, j'étais assez vieux déjà pour savoir qu'on venait d'essayer de me suborner ; assez jeune aussi pour trouver l'expérience agréable.

Je ne vis pas Julia ce matin-là, mais, sur le point de partir, ce fut Cordélia qui se précipita à la portière de la voiture et me dit : « Est-ce que vous allez voir Sebastian ? S'il vous plaît, dites-lui spécialement que je l'aime bien. Vous vous rappellerez, *spécialement* que je l'aime bien. »

Dans le train de Londres, je lus le livre que m'avait donné Lady Marchmain. Le frontispice reproduisait la photographie d'un jeune homme en uniforme de grenadier de la Garde et cette image me révéla de façon éclatante l'origine du masque sévère qui, chez Brideshead, dominait les traits gracieux qu'il tenait du côté de son père. J'avais devant moi le portrait d'un homme des bois et des cavernes, d'un chasseur, d'un juge du conseil tribal, le dépositaire des traditions brutales d'un peuple en guerre avec le milieu. Le livre contenait d'autres illustrations, instantanés des trois frères pris durant les vacances, et sur chacun d'eux je retrouvai la même trace archaïque ; me rappelant Lady Marchmain, légère comme un astre et si délicate, je n'arrivais pas à trouver de ressemblance entre elle et ces trois sombres personnages.

Elle ne tenait que fort peu de place dans le livre ; plus âgée que l'aîné des trois, de neuf ans, elle s'était mariée et avait quitté la maison paternelle quand ils étaient encore au lycée ; il y avait en outre deux autres sœurs entre elle et eux ; après la naissance de la troisième fille, les parents avaient accumulé pèlerinages, pieuseries et bonnes œuvres dans l'espoir d'obtenir la faveur d'un fils, car vastes étaient leurs biens et ancien le nom de la maison ; les enfants mâles étaient venus sur le tard et cette fois à profusion, ce qui, à l'époque, avait paru devoir assurer la continuité du lignage, alors que le sort devait lui fixer un terme abrupt et tragique.

L'histoire de la famille était le type même de celle de tous les hobereaux catholiques anglais. Du règne d'Élisabeth à celui de Victoria, ils avaient vécu à l'écart, confinés dans leurs rapports avec leurs fermiers et parents, envoyant leurs fils faire leurs études à l'étranger, où ils se mariaient souvent ; sinon, se mariant et s'entre-mariant avec une vingtaine de familles de leur espèce ; exclus de toute forme de privilège, et apprenant, au prix de générations et de générations sacrifiées, les leçons que l'on pouvait lire encore dans les vies des trois derniers héritiers mâles de la maison.

Sous l'habile direction de M. Samgrass se trouvaient groupés et arrangés, en un petit ensemble curieusement homogène, des textes, poèmes, lettres, fragments d'un journal, un ou deux essais inédits, d'où s'exhalait le même parfum d'élévation, de sérieux, de chevalerie, d'un autre monde pour tout dire ; et les lettres de jeunes gens de leur âge, écrites après la mort des trois frères, racontaient elles aussi, de façon plus ou moins heureuse, la même histoire : celle d'hommes jeunes qui tous apparaissaient, chacun à sa manière, et en pleine ascension vers la gloire académique ou sportive, comme séparés du reste du troupeau, victimes parées de fleurs et vouées à l'holocauste. Il fallait que ces hommes mourussent, pour que s'édifiât le monde des Hooper ; ils constituaient la race aborigène, décrétée vermine par la loi, destinée à être abattue à loisir en sorte que s'établît un règne de sécurité au profit du commis voyageur, de son pince-nez polygonal, de sa grasse et moite poignée de main, de sa denture grimaçante. Et je me demandais, pendant que le train m'emportait de plus en plus loin de Lady Marchmain, si elle aussi n'était pas marquée au même fer rouge, si elle et les siens n'étaient pas bons pour l'abattoir, sans qu'il fût besoin pour cela d'une guerre. En voyait-elle le signe avant-coureur dans les braises ardentes qui rougeoyaient au cœur de l'âtre dans la paix et la tiédeur de sa chambre, entendait-elle, dans le tambour des plantes grimpantes résonnant sur ses vitres, chuchoter le destin ?

Et puis j'arrivai à Paddington et, rentrant à la maison, y trouvai Sebastian. Et tout sentiment tragique s'envola de moi, car Sebastian était aussi gai et libre que lors de notre première rencontre.

— Cordélia m'a chargé spécialement de vous dire qu'elle vous aime bien.

— Avez-vous fait « un brin de causette » avec maman ?

— Oui.

— Et vous êtes passé dans l'autre camp ?

La veille, j'aurais dit : « Il n'y a pas deux camps. » Ce jour-là, je dis : « Non, je suis avec vous, Sebastian *contra mundum.* »

Et ce fut là tout ce que nous dîmes à ce propos, ce jour-là comme par la suite.

Les ténèbres, néanmoins, se refermaient sur Sebastian. De retour à Oxford, une fois de plus les giroflées fleurirent sous mes fenêtres, les châtaigniers illuminèrent les rues, et les pierres chaudes semèrent leurs écailles floconneuses sur le pavé ; mais ce n'était plus la même chose ; l'hiver persistait dans le cœur de Sebastian.

Les semaines passèrent ; le moment vint de chercher un logement en ville pour le trimestre prochain ; nous trouvâmes ce qu'il nous fallait dans Merton Street : un petit pavillon tranquille, et coûteux, près des tennis.

Venant à rencontrer M. Samgrass, que nous voyions plus rarement depuis quelque temps, je lui annonçai la nouvelle. Il était debout devant une table de la librairie Blackwell, où s'étalaient les derniers ouvrages parus en langue allemande, occupé à faire un petit tas de ses acquisitions.

— Vous logerez donc avec Sebastian ? me dit-il. Alors, c'est qu'il *sera* là le trimestre prochain ?

— Je le pense. Pourquoi pas ?

— Je ne sais ; je croyais que peut-être il ne serait pas là à la rentrée. Je me trompe toujours en ce genre de matière. J'aime beaucoup Merton Street.

Il me montra les livres qu'il venait d'acheter, ce dont je me moquais bien, n'entendant rien à l'allemand. Quand je le quittai, il ajouta : « Je ne voudrais pas me mêler de ce qui ne me regarde pas, vous savez, mais à votre place je ne prendrais pas de décision *définitive* en ce qui concerne Merton Street, avant d'être sûr. »

Je rapportai cette conversation à Sebastian, qui me dit :

— Oui, il y a quelque chose qui se mijote. Maman voudrait que j'aille vivre chez Mgr Bell.

— Pourquoi m'avoir caché cela ?

— Parce que je n'irai *pas* vivre chez Mgr Bell.

— Il n'empêche que vous auriez pu me prévenir. De quand date cette histoire ?

— Oh, ce n'est pas nouveau. Maman ne manque pas de finesse, vous savez. Elle a vu que ça n'avait pas pris de votre côté. Ça doit tenir à la lettre que vous lui avez envoyée après avoir lu le livre de l'oncle Ned.

— Je n'y disais presque rien.

— Justement. Si vous aviez dû lui servir à quelque chose, vous lui auriez envoyé des pages et des pages. L'oncle Ned, c'est un test, vous savez.

Pourtant, apparemment, elle ne désespérait pas encore tout à fait, puisque, quelques jours plus tard, je reçus une lettre d'elle qui disait : « *Je passerai par Oxford mardi et je compte bien vous voir tous deux. J'aimerais à vous voir seul cinq minutes avant lui. Est-ce trop vous demander ? Je passerai chez vous vers midi.* »

Elle arriva en effet à l'heure dite, admira mon logement… « Mes deux frères Simon et Ned ont fréquenté votre collège, vous savez. Ned logeait sur le jardin de devant. Je voulais que Sebastian vînt ici lui aussi. Mais mon mari était allé à Christ Church et, comme vous le savez, il a pris à sa charge les études de Sebastian. » Elle admira mes dessins… « *Tout le monde* adore les peintures que vous avez faites dans le jardin d'hiver.

Vous seriez à jamais impardonnable, si vous les laissiez inachevées. » Finalement elle en vint à ce qu'elle voulait me dire.

— Je suppose que vous avez deviné déjà ce que je suis venue vous demander. Très franchement, Sebastian boit-il outre mesure, ce trimestre ?

J'avais deviné ; je répondis :

— Si cela était, je ne vous répondrais pas. Dans l'état de chose actuel, je puis dire : non.

Elle reprit : « Je vous crois. Dieu soit loué ! » Et nous partîmes déjeuner tous deux à Christ Church.

Cette nuit-là, Sebastian connut son troisième désastre. Le jeune doyen le rencontra sur le coup d'une heure du matin, errant dans une cour, désespérément ivre.

Je l'avais laissé d'humeur taciturne, mais parfaitement sobre, quelques minutes avant minuit. Dans l'heure qui avait suivi, il avait avalé seul une demi-bouteille de whisky. Il n'en avait plus grand souvenir quand il vint me conter la chose le lendemain matin.

— Vous êtes-vous beaucoup livré à ce jeu, lui demandai-je, boire seul, lorsque je ne suis plus là ?

— Deux fois je crois ; quatre peut-être. Ce n'est que quand ils se mettent à m'embêter que je le fais. Tout irait bien s'ils me laissaient en paix.

— Trop tard, dis-je.

— Je le sais.

Nous savions l'un et l'autre que nous arrivions à une crise. Je ne me trouvais nulle affection pour lui, ce matin-là ; il en avait besoin, mais mon cœur restait sec.

— Vraiment, lui dis-je, si vous avez l'intention de vous enivrer à chaque visite d'un membre de votre famille, c'est à désespérer.

— Hélas ! oui, dit Sebastian avec une grande tristesse. Je le *sais*. C'est à désespérer.

Mais j'étais blessé à vif dans mon amour-propre : non seulement il m'avait fait mentir malgré moi, mais je me sentais impuissant à lui venir en aide.

— Et alors, qu'avez-vous l'intention de faire ?

— Moi ? Rien. Ce sont eux qui se chargeront de tout. Sur ce, je le laissai partir sans le consoler.

Ensuite de quoi la machine se remit en marche, et je vis se répéter ce qui s'était passé en décembre : M. Samgrass et Mgr Bell allèrent trouver le doyen de Christ Church ; Brideshead vint passer une nuit ; les grosses roues de l'engrenage frémirent et les petites roues tournèrent à toute volée. Tout le monde était profondément navré pour Lady Marchmain, dont les frères avaient leurs noms inscrits en lettres d'or sur le monument aux morts de la guerre, dont les frères vivaient encore dans la mémoire et dans le cœur de tant de gens.

Elle vint me voir et il me faut encore résumer en quelques phrases une conversation qui nous entraîna d'un bout de la ville à l'autre, de Holywell jusqu'aux parcs, à travers Mésopotamie, pour aboutir par le ferry-boat à Oxford-nord où elle devait passer la nuit avec une pleine maisonnée de nonnes qui étaient plus ou moins sous sa protection.

— Il faut *absolument* que vous me croyiez, dis-je ; lorsque je vous ai dit que Sebastian ne buvait pas, je vous disais la vérité, telle que je la connaissais alors.

— Je sais que votre amitié pour lui n'a pas de bornes.

— Ce n'est pas de cela qu'il s'agit. Je croyais dans ce que je vous ai dit. J'y crois encore dans une certaine mesure. Je crois qu'il s'est enivré deux ou trois autres fois, c'est tout.

— À quoi bon, Charles ? dit-elle. Tout ce que vous pouvez dire, c'est que vous n'avez ni l'influence sur lui, ni la connaissance de lui que je pensais. À quoi bon nous évertuer tous deux à croire ce qu'il nous dit ? J'ai eu l'expérience d'autres ivrognes. Le plus terrible dans ce genre de cas, c'est la manie du mensonge. L'amour du vrai est ce qui les abandonne en premier.

« Après ce charmant déjeuner à trois... Il avait été exquis ce jour-là, quand vous m'avez laissée seule avec lui ; comme il savait l'être, enfant ; et je lui avais promis tout ce qu'il voulait. Vous savez que j'hésitais à propos de cette maison que vous vouliez prendre en commun. Je suis sûre que vous me comprendrez quand je dis ce genre de chose. Vous savez quelle est notre affection à tous pour vous, en dehors du fait que vous êtes l'ami de Sebastian. Vous ne pouvez vous imaginer combien vous nous manqueriez si vous veniez jamais à cesser vos visites. Mais mon désir est que Sebastian s'entoure de toute sorte d'amis, et non d'un seul. Mgr Bell me dit qu'il ne se mêle pas aux autres catholiques, qu'il ne va jamais à l'association Newmann, qu'il va même très rarement à la messe. Non qu'il lui faille se lier uniquement avec des catholiques, Dieu l'en préserve ; mais il faut bien qu'il en connaisse du moins *quelques-uns*. Il faut une foi très robuste pour résister à l'entière solitude, et Sebastian n'a pas cette robustesse.

« Mais j'étais si heureuse de notre déjeuner, ce mardi, que j'avais levé toutes mes objections. Nous sommes allés faire un tour ensemble, et visiter le logement de votre choix. Il est charmant. Nous avons même décidé de certains meubles que l'on pourrait faire venir de Londres pour le rendre plus charmant encore. Et puis, le soir même du jour où je l'avais vu ! – Non, Charles, ce n'est pas dans la Logique des Choses.

Ces mots me frappèrent, et je me dis : « Elle a chopé cette expression à l'un de ses crampons d'intellectuels. » Puis à voix haute :

— Soit. Connaissez-vous un remède ?

— Les gens du collège sont remarquablement gentils. Ils m'ont dit qu'ils ne le renverraient pas de l'Université, à condition qu'il aille vivre chez Mgr Bell. Ce n'est pas le genre de suggestion que j'aurais faite moi-même ; l'idée en est venue à Monseigneur lui-même. Il vous fait dire spécialement que vous serez toujours le très bienvenu. On serait fort en peine de vous loger pour le moment là-bas ; il n'y a pas de place ; d'ailleurs je ne pense pas que la chose vous plairait tant que cela.

— Lady Marchmain, si vous voulez faire de Sebastian un ivrogne, vous en avez trouvé le chemin. Ne voyez-vous pas que la moindre idée qu'on le *surveille* lui serait fatale ?

— Oh, mon Dieu, à quoi bon vouloir expliquer les choses. Les protestants croiront toujours que les prêtres catholiques sont des espions.

— Ce n'est pas ce que je veux dire. (J'essayai de me faire comprendre, mais m'en tirai fort mal.) Il a besoin de se sentir libre.

— Mais on l'a laissé libre, toujours, jusqu'à présent, et voyez le résultat.

Nous arrivions au ferry-boat ; nous arrivions à un point mort. Sans ajouter pratiquement un autre mot, je la reconduisis à son couvent, puis pris l'autobus pour rentrer à Carfax.

Sebastian m'attendait dans ma chambre.

— Je vais envoyer un câble à papa, me dit-il. Il ne leur permettra pas de me faire entrer de force dans la maison de ce prêtre.

— Et s'ils en font une condition de votre maintien à l'Université ?

— Je ne resterai pas. Est-ce que vous me voyez, servant la messe deux fois par semaine, faisant la jeune fille de la maison et versant le thé à de rougissants bizuths catholiques, buvant un verre de porto quand il y a des invités pendant que Mgr Bell me guigne du coin de l'œil pour voir si je ne remplis pas trop mon verre, et qu'il explique, profitant de mon absence, que je suis un cas plutôt embarrassant, l'ivrogne invétéré de la paroisse que l'on accepte chez soi – « parce que sa mère a tant de charme » ?

— Je lui ai dit que ça ne marcherait pas.

— Charles, irons-nous boire ce soir, et nous enivrer pour de bon ?

— S'il est une fois où il est inconcevable que cela puisse faire le moindre mal, c'est bien celle-ci, dis-je.

— *Contra mundum ?*

— *Contra mundum.*

Et ce soir-là, le premier depuis de nombreuses semaines, nous bûmes à en perdre la raison. Je le reconduisis jusqu'à la grille, alors que toutes les horloges sonnaient minuit, rentrai chez moi en donnant fortement de la bande, sous un ciel étoilé qui avait le vertige et chavirait entre les tours, et m'endormis tout habillé comme cela ne m'était pas arrivé depuis une année.

Le lendemain, Lady Marchmain partit d'Oxford, emmenant Sebastian avec elle, et laissant à Brideshead et à moi le soin de classer ses affaires, d'expédier ce qu'il voulait emporter et de laisser ce dont il n'avait ni envie ni besoin.

Brideshead était, à son habitude, grave et impersonnel.

— Dommage que Sebastian ne connaisse pas mieux Mgr Bell, me dit-il. Il s'apercevrait que c'est un charmant compagnon. J'ai passé chez lui ma dernière année d'Université. Ma mère croit que Sebastian est un ivrogne invétéré. Est-ce vrai ?

— Il court le danger de le devenir.

— Je suis sûr que Dieu préfère les ivrognes à des tas de gens respectables.

— Pour l'amour de Dieu, m'écriai-je, car je me sentais prêt à pleurer, ce matin-là, pourquoi mêler ainsi Dieu à tout ?

— Désolé. J'oubliais. Mais savez-vous que vous posez là une drôle de question ?

— Vraiment ?

— Drôle pour moi. Pas pour vous.

— Non, pas pour moi. Il me semble que, sans votre religion, Sebastian aurait une chance de vivre heureux et en bonne santé.

— Discutable, dit Brideshead. Croyez-vous qu'il aura encore besoin de ce pied d'éléphant ?

Ce soir-là, je traversai la cour carrée pour rendre visite à Collins. Il était seul avec ses livres, travaillant à la lumière du soir, près de sa fenêtre ouverte.

— Salut, dit-il. Entrez. Je ne vous ai pas vu du trimestre. J'ai peur de ne rien pouvoir vous offrir. Pourquoi avez-vous laissé tomber vos copains ?

— Je suis l'homme le plus solitaire d'Oxford, dis-je. Sebastian Flyte vient d'être renvoyé.

Finalement, je lui demandai quels étaient ses projets pour les grandes vacances. Il me les confia ; un vrai chemin de croix. Puis je lui demandai s'il avait trouvé à se loger pour le trimestre prochain. « Oui, me dit-il, pas très près ; mais très confortable. » Il partageait avec Tyngate, le secrétaire de la Société de dissertation du collège.

— Il reste une chambre de libre. Barker devait la prendre, mais, depuis qu'il est candidat à la présidence de l'Union, il a le sentiment qu'il vaut mieux pour lui ne pas trop s'éloigner.

Chacun de nous pensait à part soi que je pourrais fort bien prendre ladite chambre.

— Où vous installez-vous ?

— Je *devais* m'installer à Merton Street avec Sebastian Flyte. Plus la peine maintenant.

Aucun de nous ne se décidait cependant à formuler une suggestion, et les minutes passaient. En sortant, il me dit : « Je vous souhaite de trouver un compagnon pour Merton Street », et moi : « J'espère que vous trouverez quelqu'un pour votre chambre d'Iffley Road », et jamais plus je ne lui adressai la parole.

Il ne restait plus que dix jours avant la fin du trimestre ; dix jours que je parvins à passer, Dieu sait comment, puis je rentrai à Londres, comme l'année précédente (mais en quelles autres circonstances, alors !), sans plans précis pour mes vacances.

— Votre ami, qui a si belle mine, me demanda mon père, n'est pas avec vous ?

— Non.

— J'avais fini par croire qu'il avait adopté définitivement notre maison. J'en suis navré. Il me plaisait beaucoup.

— Père, tenez-vous particulièrement à me voir décrocher mes diplômes ?

— *Moi ?* Grands dieux, pourquoi *moi* particulièrement ? Ne me sert pas à grand-chose, personnellement. Ni à vous, d'ailleurs, ce me semble, jusqu'ici.

— C'est exactement mon avis. Je me suis dit que je gâcherais plutôt mon temps en retournant à Oxford, qui sait ?

Jusqu'alors, mon père ne s'était intéressé que de façon limitée à mes paroles. Il posa soudain son livre, ôta ses lunettes et me regarda fixement.

— Vous vous êtes fait renvoyer, me dit-il. Mon frère m'avait prévenu.

— Non.

— Alors, à quoi servent tous ces discours ? demanda-t-il avec humeur, reprenant ses lunettes et cherchant sur sa page où il en était resté. Tout le monde passe au moins trois ans à l'Université. J'ai connu un bonhomme qui prit sept ans pour en sortir avec une mention passable en théologie.

— Je me suis dit simplement que si je ne devais pas choisir une profession où des diplômes sont nécessaires, mieux vaudrait me mettre dès maintenant à ce qui me tient à cœur. C'est-à-dire à la peinture.

Mais à cela mon père, sur le moment, ne donna pas de réponse.

Néanmoins, l'idée, apparemment, s'était enracinée dans son esprit ; elle s'y était même fermement établie lorsque le sujet revint sur le tapis.

— Quand vous ferez de la peinture, me dit-il soudain à déjeuner, un dimanche, vous aurez besoin d'un studio ?

— Oui.

— Eh bien, mais il n'y a pas de studio ici. Pas même une pièce qu'on pourrait utiliser décemment à cet effet. Je n'ai pas l'intention de vous laisser faire votre peinture dans ma galerie.

— Certes non ; ce n'a jamais été mon intention.

— Ni de vous voir peupler la maison de modèles dans leur simple appareil, ou de critiques avec leur horrible jargon. Je vous avertis aussi que je déteste l'odeur de la térébenthine. Je présume que vous avez l'intention de pousser votre idée jusqu'au bout, en conscience, et de peindre à l'huile ?

Mon père appartenait à une génération pour laquelle les peintres se partageaient en deux catégories : vrais et amateurs, selon qu'ils se servaient de l'huile ou de l'aquarelle.

— Je n'ai pas l'impression que je ferai beaucoup de peinture la première année. De toute façon, il faudra que je travaille en atelier.

— À l'étranger ? demanda mon père, ne dissimulant pas son espoir. On me dit qu'il y a d'excellentes écoles à l'étranger.

Tout se passait plutôt plus vite que je ne l'avais d'abord escompté.

— À l'étranger ou dans ce pays. Il me faudra me renseigner, avant tout.

— Renseignez-vous à l'étranger, me dit-il.

— Par conséquent, vous n'objectez pas à mon départ d'Oxford ?

— Objecter ? Objecter ? Mon cher enfant, vous avez vingt-deux ans.

— Vingt, dis-je, vingt et un en octobre.

— C'est tout ? Le temps m'avait paru *tellement* plus long.

Une lettre de Lady Marchmain complète cet épisode.

« *Mon cher Charles,* me disait-elle, *Sebastian m'a quitté ce matin pour rejoindre son père à l'étranger. Avant de partir, je lui ai demandé s'il vous avait écrit. Il m'a dit* que non, c'est donc à moi de le faire, bien qu'il me soit difficile d'espérer dire dans une lettre ce que je n'ai pu exprimer lors de notre promenade. Mais il faut que vous sachiez.

« Sebastian a été renvoyé du collège pour un trimestre seulement. Il pourra y rentrer après la Noël, à condition d'aller vivre chez Mgr Bell. C'est à lui de décider. Entre-temps, M. Samgrass a très aimablement consenti à s'occuper de lui.

« Dès qu'il sera de retour de la visite qu'il fait à son père, M. Samgrass le prendra en main, et tous deux partiront pour le Levant, où M. Samgrass désire depuis fort longtemps étudier sur place nombre de monastères orthodoxes. Il espère du même coup procurer ainsi à Sebastian un nouveau sujet d'intérêt.

« Le séjour de Sebastian ici n'a pas été des plus heureux.

« Nos voyageurs rentreront pour la Noël, et je sais que Sebastian sera très désireux de vous voir, comme nous tous. J'espère que vos projets pour le trimestre prochain n'ont pas été trop bouleversés et que tout ira bien pour vous.

« Votre sincèrement,
« Teresa MARCHMAIN.

« Je suis passée dans le jardin d'hiver ce matin, j'ai été vraiment navrée. »

6.

— Et nous venions d'atteindre le sommet du défilé, dit M. Samgrass, quand nous entendîmes un double galop de cheval derrière nous ; c'étaient deux soldats qui, parvenus à la tête de la caravane, nous firent faire demi-tour. Ils étaient envoyés par le général et ils arrivaient juste à temps. Il y avait une drôle de sérénade qui nous attendait, à moins d'un mile de là.

Il s'interrompit et le petit auditoire demeura silencieux, se doutant que l'orateur avait mesuré son effet, mais se demandant sous quelle forme lui témoigner un intérêt poli.

— Une drôle de sérénade ? dit Julia. Mon Dieu !

Mais cela ne parut pas suffire à M. Samgrass. Lady Marchmain finit par dire :

— La musique et le folklore indigènes sont sans doute très monotones, je suppose, dans ces pays lointains ?

— Mais ma chère Lady Marchmain, c'est d'une attaque de la caravane par des brigands que je veux parler. Par des *brigands*. (Cordélia, assise à côté de moi sur le sofa, se mit à glousser discrètement.) Les montagnes en sont pleines. Traînards de l'armée de

Kémal ; Grecs coupés dans leur retraite. Bref, des gens qui ne reculent devant rien, je vous assure.

— Pincez-moi très fort, je vous en supplie, me dit Cordélia.

Je la pinçai et les ressorts du sofa se calmèrent.

— Merci, dit-elle en s'essuyant les yeux du revers de la main.

— Ce qui fait que jamais vous n'êtes arrivés à je-ne-sais-plus-où, dit Julia. Vous avez dû être terriblement déçu, Sebastian ?

— Moi, dit Sebastian, de la zone d'ombre où il se tenait, hors de la lumière des lampes, hors de la chaleur des bûches qui flambaient, hors du cercle de famille et des photographies étalées sur la table de bridge. Moi ? Oh, je n'ai pas l'impression que j'étais avec vous ce jour-là, n'est-ce pas, Sammy ?

— Non, c'était le jour où vous étiez malade.

— C'est ça, malade, reprit en écho Sebastian. Autrement dit, jamais je ne serais arrivé à je-ne-me-rappelle-plus-où, n'est-ce pas, Sammy ?

— Et *cette photo-ci*, Lady Marchmain, représente la caravane à Alep, dans la cour de l'auberge. Celui-là, c'est notre cuisinier arménien, Béguedbian ; et me voici, moi, sur le poney ; ça, c'est notre tente pliée ; et cet autre, là, c'est un Kurde, une peste, qui ne voulait plus nous lâcher... Me voici encore, au Pont, à Éphèse, à Trébizonde, au Krak des chevaliers, à Samothrace,

Batoum – naturellement, l'ordre chronologique n'est pas encore respecté.

— Guides, ruines et mules, dit Cordélia. On ne voit que ça. Où est Sebastian ?

— Lui, dit M. Samgrass, une nuance de triomphe dans la voix, comme s'il s'était attendu à cette question et avait préparé de longue date la réponse ; lui, tenait la caméra. Il n'a pas tardé à devenir très expert, dès qu'il a eu compris qu'on ne mettait pas la main devant la lentille, n'est-ce pas, Sebastian ?

La zone d'ombre resta muette. M. Samgrass plongea de nouveau dans sa sacoche en peau de porc.

— Tenez, dit-il, voici une photo de groupe prise par un photographe ambulant sur la terrasse de l'hôtel Saint-Georges à Beyrouth. Sebastian y figure.

— Ma parole, dis-je, mais c'est Anthony Blanche, si je ne me trompe ?

— Oui, nous l'avons beaucoup vu ; rencontré par hasard à Constantinople. Compagnon délicieux. Je n'arrive pas à comprendre comment je ne l'avais pas remarqué à l'Université. Il ne nous a pas quittés jusqu'à Beyrouth.

On avait desservi le thé et tiré les rideaux. C'était deux jours après Noël, le premier soir de ma visite. Le premier soir aussi de Sebastian et de M. Samgrass que j'avais trouvés sur le quai de la gare en arrivant, à ma grande surprise.

Trois semaines auparavant, Lady Marchmain m'avait écrit : « *Je viens d'apprendre par M. Samgrass que lui et Sebastian seront de retour pour la Noël, comme nous l'espérions. Je n'avais pas eu de nouvelles depuis si longtemps que je craignais qu'ils ne fussent perdus et ne voulais pas tirer de plans avant d'être fixée. Sebastian aura le vif désir de vous revoir. J'insiste pour que vous veniez ici à Noël si possible, sinon dès que vous le pourrez.* »

Je m'étais engagé à passer la Noël chez mon oncle et c'était le genre d'engagement que je ne pouvais rompre. Par monts et par vaux j'avais donc fini par rejoindre le petit tortillard local à mi-chemin, m'attendant à trouver Sebastian déjà installé ; et il était dans le compartiment voisin du mien ; lorsque je lui avais demandé ce qu'il faisait là, M. Samgrass avait été si pressé de répondre et si prolixe dans ses explications, me racontant toute une histoire de bagages égarés et de Cook qui était fermé à cause des vacances, que j'avais aussitôt soupçonné une autre explication que l'on ne tenait pas à donner.

M. Samgrass n'était pas dans son assiette. Il parvenait à garder, dans le geste et la physionomie, son assurance coutumière, mais une impression de culpabilité demeurait accrochée à lui, aussi tenace que l'odeur du cigare refroidi. Dans la façon dont Lady Marchmain l'avait accueilli, j'avais décelé une nuance d'appréhension. Durant le thé, il s'était gaillardement acquitté d'un très vivant récit de son expédition ; puis Lady Marchmain l'avait entraîné pour faire avec lui « un brin de causette ». Je l'avais regardé partir avec un sentiment proche de la compassion. Pour qui avait l'habitude du poker, il était évident que M. Samgrass avait en main de piètres cartes et, en l'observant pendant le thé, j'avais commencé à le soupçonner non seulement de bluffer, mais de tricher. Il y avait quelque chose qu'il aurait dû dire, n'avait pas envie de dire, ne savait pas très bien comment dire à Lady Marchmain, quelque chose concernant ses faits et gestes durant la Noël ; mais plus encore, je le sentais, il y avait beaucoup de choses qu'il aurait dû dire et n'avait nulle intention de révéler, concernant le voyage dans le Levant.

— Montons voir Nounou, me dit Sebastian.

— S'il vous plaît, Sebastian, emmenez-moi aussi, dit Cordélia.

— Venez si vous voulez.

Nous grimpâmes jusqu'à la nursery, sous le dôme. En chemin, Cordélia demanda :

— Ça ne vous fait pas plaisir d'être à la maison ?

— Bien sûr que si, voyons, dit Sebastian.

— Alors, vous pourriez le montrer un peu. Moi, je m'en faisais une telle joie.

Nounou n'avait pas spécialement envie qu'on lui parlât ; elle préférait les visiteurs qui ne faisaient pas attention à elle et la laissaient tricoter en paix, qu'elle pouvait observer et chercher à revoir dans sa mémoire tels qu'elle les avait connus enfants ; leur vie présente n'avait pas pour elle grande signification, à côté des maladies et des forfaits de leurs toutes premières années.

— Eh bien, dit-elle, vous êtes maigriot. Ça doit être toute cette cuisine étrangère qui ne vous convient pas. Il va falloir engraisser, maintenant que vous êtes de retour. On ne se couche pas de bonne heure non plus, ça m'a tout l'air, à voir vos yeux ? On va au bal, probablement ? (Nounou Hawkins était persuadée, entre autres choses, que le haut monde passait la plupart de ses soirées libres à danser.) Et cette chemise a besoin d'être reprisée. Il faudra me l'apporter avant de l'envoyer au lavage.

Sebastian avait certainement l'air malade ; ce n'était pas cinq mois, c'était des années de plus qui étaient gravées sur son visage. Il avait pâli, maigri, pris des poches sous les yeux ; les commissures de ses lèvres s'étaient affaissées et l'on voyait, sur le côté du menton, la cicatrice apparente d'un furoncle ; sa parole semblait plus monotone ; ses mouvements étaient alternativement traînants et saccadés ; ses vêtements, élimés ; ses cheveux, trop longs, l'abandon total ayant fait place à l'heureuse négligence d'autrefois ; pis encore : il y avait dans ses yeux un regard de bête traquée et méfiante que j'y avais surpris à Pâques, mais qui, maintenant, semblait lui être coutumier.

Ce regard me mettait mal à l'aise, et j'évitai de l'interroger sur lui-même, mais lui racontai en revanche ce que j'avais fait durant l'automne et le début de l'hiver. Je lui parlai de mon appartement dans l'île Saint-Louis et de l'École des beaux-arts, de la valeur des vieux maîtres et de la médiocrité de leurs élèves.

— Il ne leur viendrait jamais à l'idée d'aller au Louvre, lui dis-je, ou alors, c'est que l'une de leurs absurdes revues a soudain « découvert » un maître qui cadre avec les théories esthétiques du mois en cours. La moitié d'entre eux rêvent du pavé qu'ils pourraient bien jeter dans la marre et qui les éclabousserait de renommée, comme Picabia ; les autres, le plus simplement du monde, n'ont qu'une envie : gagner leur vie en faisant du dessin publicitaire dans *Vogue* ou en décorant des boîtes de nuit. Pendant ce temps, leurs maîtres continuent sans désemparer à vouloir qu'ils peignent comme Delacroix.

— Charles, dit Cordélia, l'art moderne, c'est de la frime, n'est-ce pas ?

— Rien que de la frime.

— Oh, je suis contente que vous me disiez ça. J'ai eu une discussion avec une de nos religieuses ; elle prétendait que nous ne devrions pas essayer de critiquer ce que nous ne comprenons pas. Maintenant je pourrai lui dire que je tiens ça d'un vrai peintre, et zut pour elle.

Le temps passa. L'heure vint pour Cordélia d'aller dîner, pour Sebastian et moi, de descendre au salon, prendre le cocktail du soir. Brideshead était seul dans la pièce, mais Wilcox entra aussitôt après nous pour lui dire :

— Milady voudrait vous parler dans sa chambre, Milord.

— Ça ne ressemble guère à maman de demander à quelqu'un de monter la voir. D'ordinaire, c'est elle qui attire les gens dans son repaire.

Il n'y avait pas trace du plateau à cocktails. Au bout de quelques minutes Sebastian sonna. Ce fut un laquais qui répondit :

— M. Wilcox est en haut, chez Milady.

— Et puis après ? Apportez le plateau à cocktails.

— M. Wilcox a les clefs sur lui, Milord.

— Oh… c'est bon, envoyez-le-nous avec les clefs dès qu'il sera redescendu.

Nous parlâmes un peu d'Anthony Blanche – « Il portait la barbe à Istanbul, mais je l'ai décidé à la couper » – puis, au bout d'une dizaine de minutes, Sebastian dit : « De toute façon, je n'ai pas envie de cocktails. Je vais prendre mon bain », et quitta la pièce.

Il était sept heures et demie ; je pensai que les autres étaient allés s'habiller et m'apprêtais à en faire autant, quand je croisai Brideshead dans les escaliers.

— Accordez-moi une minute, Charles, j'ai quelque chose à vous dire. Ma mère a donné l'ordre de ne laisser aucune sorte de boisson dans les chambres. Vous comprenez pourquoi. Si vous avez besoin de quelque chose, vous n'avez qu'à sonner Wilcox – seulement, attendez d'être seul, cela vaut mieux. Désolé, mais je n'y puis rien.

— Est-ce absolument nécessaire ?

— Absolument, d'après ce qu'on me dit. Peut-être savez-vous que Sebastian a eu une autre crise, dès son retour en Angleterre ; sinon, je vous l'apprends. Il avait disparu au moment de la Noël. M. Samgrass ne l'a retrouvé qu'hier soir.

— Je pensais bien que quelque chose de ce genre était arrivé. Êtes-vous sûr que ce soit la meilleure façon d'y répondre ?

— C'est la façon de ma mère. Voulez-vous prendre un cocktail, maintenant qu'il est monté ?

— Il me resterait dans la gorge.

On me donnait toujours la chambre que j'avais occupée lors de ma première visite ; elle était juste à côté de celle de Sebastian et nous partagions tous deux une pièce qui, après avoir servi de cabinet de toilette, avait été transformée en salle de bains, le lit ayant cédé la place, depuis quelque vingt ans, à une profonde baignoire en cuivre, cernée d'acajou, et que l'on remplissait en tirant un levier de bronze aussi lourd à manier qu'une pièce de marine ; le reste de la pièce n'avait pas changé ; en hiver, on y allumait une grille à charbon. Je revois souvent cette salle de bains – la tonalité des murs, peints à la détrempe, adoucie par la buée ; l'énorme peignoir qui chauffait devant le feu sur le dos d'un fauteuil recouvert de chintz – en contraste avec les petits réduits uniformes et cliniques, étincelants de chromes et de miroirs, qui symbolisent le luxe de notre monde moderne.

Je pris mon bain sans me presser, puis me séchai lentement près du feu, absorbé par le triste retour de mon ami. Enfin, passant ma robe de chambre, j'entrai dans la pièce de Sebastian, comme à l'ordinaire : sans frapper. Il était assis près de la cheminée, à demi vêtu et eut, en entendant mon pas, un sursaut de colère, en même temps qu'il posait un verre à dents.

— Ah, c'est vous. Vous m'avez fait peur.

— Ainsi, lui dis-je, vous avez tout de même trouvé à boire ?

— Je ne sais ce que vous voulez dire.

— Pour l'amour de Dieu, vous n'avez pas besoin de jouer la comédie avec moi ! Vous pourriez m'en offrir un verre.

— C'est un fond qui me restait dans ma gourde de voyage. Je l'ai vidé.

— Que se passe-t-il ?

— Des tas de choses. Je vous raconterai ça un de ces jours.

Je retournai m'habiller et vins ensuite prendre Sebastian. Il n'avait pas bougé depuis mon départ, penché sur le feu, à demi vêtu toujours.

Au salon, je trouvai Julia seule.

— Je voudrais bien savoir ce qui se passe ? lui dis-je.

— Oh, ne m'en parlez pas : quel ennui ! Encore un de ces potins domestiques. Sebastian a pris une nouvelle cuite, et nous sommes tous chargés d'ouvrir l'œil et de le surveiller. Cela devient fastidieux !

— Ce ne l'est pas moins pour lui.

— Lui ? Mais c'est sa faute. Pourquoi ne peut-il se conduire comme tout le monde ? À propos de surveillance, que pensez-vous de M. Samgrass ? Charles, vous ne trouvez pas qu'il y a quelque chose de louche chez cet homme ?

— De très louche. À votre avis, votre mère s'en est-elle aperçue ?

— Maman ne s'aperçoit que de ce qui lui plaît. Elle ne peut placer toute la maisonnée en observation. Moi aussi je suis la cause de bien des soucis, vous savez.

— Non, je l'ignorais, dis-je, ajoutant humblement : « N'oubliez pas que je débarque directement de Paris », pour éviter de donner l'impression que ses propres ennuis, quels qu'ils fussent, étaient déjà tombés dans le domaine public.

Ce fut une soirée particulièrement lugubre. Le dîner se tenait dans le salon aux peintures. Sebastian était en retard, et nous avions tous l'esprit si douloureusement surexcité que je crois bien que nous nous attendions à le voir faire une entrée burlesque, hoquetant et donnant de la bande. Bien entendu, son entrée fut de la plus parfaite correction ; il s'excusa, prit place sur le siège resté vide et permit à M. Samgrass de

reprendre son monologue, sans se soucier de l'inter-
rompre, ni même, semblait-il, de l'écouter. Druzes,
patriarches, icônes, punaises, ruines romantiques, mets
étranges où le bouc se mêlait aux yeux de mouton,
fonctionnaires français et turcs, tout le catalogue tou-
ristique du Proche-Orient y passa pour notre divertissement.

On servait le champagne. Je guettai. Quand on
arriva à lui, Sebastian dit : « Whisky pour moi, s'il vous
plaît », et je vis derrière lui Wilcox jeter un coup d'œil
à Lady Marchmain qui lui fit un très léger signe de
tête à peine perceptible. On utilisait à Brideshead
de petits carafons individuels, représentant à peu près
le quart d'une bouteille, et que l'on plaçait toujours,
pleins, devant quiconque en exprimait le désir ; le
carafon que Wilcox posa devant Sebastian était à demi
vide. Sebastian l'éleva ostensiblement, l'inclina, l'examina, puis en silence versa l'alcool dans son verre, qui
se trouva empli de la hauteur de deux doigts. Tout le
monde se mit à parler à la fois, en sorte que, pendant
un instant, M. Samgrass poursuivit sans auditoire, faisant aux chandeliers de grands discours sur les maro-
nites ; mais le silence ne tarda pas à retomber et la
table lui fut rendue jusqu'à ce que Lady Marchmain et
Julia l'eussent quittée.

— Ne soyez pas trop long, Bridey, dit-elle en sortant, comme à son habitude, et je dois dire que ce soir-
là personne n'eut envie de s'attarder. Nos verres

s'emplirent de porto, et la carafe disparut aussitôt de la pièce. La ration bue, nous passâmes dans le salon, où Brideshead pria sa mère de faire la lecture à haute voix. Elle nous lut *Le Journal de personne*, avec beaucoup de verve, jusqu'à dix heures, ferma alors le livre, déclara qu'elle était horriblement fatiguée, si fatiguée qu'elle n'aurait pas la force de pousser jusqu'à la chapelle.

— Il y a chasse, demain, dit-elle. Qui en sera ?

— Cordélia, répondit Brideshead. Je monterai le jeune cheval de Julia, pour l'habituer aux chiens ; histoire de le sortir, l'affaire d'une couple d'heures.

— Rex doit arriver dans le courant de la journée, dit Julia. Je crois qu'il vaut mieux que je sois là pour le recevoir.

— Quel est le lieu de rendez-vous ? demanda brusquement Sebastian.

— Tout près, à Flyte Sainte-Marie.

— Dans ce cas, s'il vous plaît, et s'il y a un cheval pour moi, j'aimerais à en être.

— Comment donc, mais j'en suis ravi. Je vous l'aurais demandé, si d'ordinaire vous ne passiez le temps à vous plaindre qu'on vous force à sortir. Vous n'aurez qu'à monter Clochette. Elle est extrêmement douce et facile, cette saison.

L'idée que Sebastian pouvait avoir envie de chasser enchantait tout le monde ; le mauvais sort qui avait pesé sur le début de la soirée en paraissait presque conjuré. Brideshead sonna pour demander du whisky.

— Quelqu'un veut-il me tenir compagnie ?

— J'en prendrai moi aussi, dit Sebastian, et bien que ce fût un laquais cette fois, et non Wilcox, je surpris le même échange de coups d'œil et de signes de tête entre le domestique et Lady Marchmain. Tout le monde était prévenu. Les deux boissons firent leur entrée, préparées dans les verres, tout comme des « doubles » servis dans un bar, et nous suivîmes des yeux le plateau, tels des chiens flairant le gibier dans une salle à manger.

Néanmoins, la bonne humeur engendrée par le désir de Sebastian de chasser, persista ; Brideshead écrivit une note pour les palefreniers et nous étions tous de fort bonne humeur en allant nous coucher.

Sebastian se mit au lit immédiatement. Je m'assis au coin du feu, dans sa chambre, pour fumer une pipe, et lui dis :

— Quel dommage que je ne puisse vous accompagner demain.

— Ma foi, me répondit-il, vous seriez déçu ; le sport sera réduit au strict minimum. Si vous voulez savoir ce que je compte faire, rien de plus simple : je lâcherai Bridey au premier couvert, piquerai droit sur un bistrot convenable et passerai tranquillement la journée à biberonner dans le salon du bar. S'ils tiennent à me traiter en dipsomane, je vous fiche mon billet qu'ils auront en moi ce qu'il y a de mieux dans le genre. Et puis, pour tout dire, je déteste la chasse.

— Soit, ce n'est pas moi qui peux vous arrêter.

— Vous le pouvez, si, en refusant de me donner de l'argent. Ils ont bloqué mon compte en banque, vous savez, durant l'été. Cela m'a drôlement compliqué l'existence. J'ai dû mettre au clou ma montre et mon étui à cigarettes pour m'assurer un joyeux Noël ; il faudra donc que j'aie recours à vous pour mes menus plaisirs de demain.

— Je refuse. Vous savez parfaitement que cela m'est impossible.

— Vraiment, Charles ? Soit, j'imagine que je me débrouillerai sans vous, de mon côté. Je commence à avoir la technique, depuis quelque temps, à savoir me tirer d'affaire tout seul. Il l'a bien fallu.

— Sebastian, qu'avez-vous fabriqué, M. Samgrass et vous ?

— Il vous l'a dit pendant le dîner : ruines, guides et mulets, voilà ce que ce brave Sammy a fabriqué. Nous avons décidé d'aller chacun de notre côté, c'est tout. Le pauvre Sammy a été vraiment assez chic jusqu'ici. J'espérais qu'il ne se démentirait pas, mais on dirait qu'il n'a pas su tenir sa langue quant à mon joyeux Noël. Je suppose qu'il a dû se dire que, s'il me décernait un trop bon brevet de conduite, il risquait de perdre sa place de gardien.

« Il y trouve son compte, vous savez. Oh, je ne veux pas dire que c'est un voleur. Je le croirais plutôt honnête en matière d'argent. Il tient à jour, et comment, un très embarrassant petit carnet où il note tous les chèques qu'il encaisse et les objets de ses dépenses, pour le montrer à maman et aux avoués. Mais après tout, il avait envie de faire ce voyage et c'est extrêmement commode pour lui de m'avoir : je lui assure un confort dont les autres profs à sa place ne rêvent même pas. Le seul inconvénient était qu'on lui imposait ma compagnie. Nous avons très vite trouvé la solution.

« Ça a commencé par prendre l'allure d'une expédition de grand style, vous savez, lettres d'introduction auprès de tous les gens bien, partout : reçus chez le gouverneur militaire à Rhodes, et chez l'ambassadeur à Constantinople. Ça, c'était ce qui était prévu tout d'abord dans le contrat de Sammy. Bien entendu, il ne devait pas me quitter de l'œil, et ce n'était pas un mince travail, mais il avertissait tous nos hôtes à l'avance que je n'étais pas responsable de mes actes.

— Sebastian !

— Pas *entièrement* responsable, et, comme je ne pouvais dépenser un sou, je n'avais que bien peu de chance de lui échapper. Il se chargeait même de donner les pourboires à ma place, fourrait le billet dans la main du bonhomme et gribouillait sur-le-champ le montant sur son petit carnet. Mais à Constantinople j'ai eu un coup de veine. Je me suis arrangé pour faire un peu d'argent aux cartes, un soir où Sammy avait relâché sa surveillance. Le lendemain, je le plaquai en douce et j'étais en train de me rattraper au bar du Tokatlian quand, soudain, qui vois-je entrer ? Anthony

Blanche en personne, complété d'une barbe et d'un jeune Juif. Anthony eut le temps de me prêter un billet de dix livres avant de voir arriver Sammy, pantelant, qui me reprit en laisse. Après cet incident, impossible de m'évader une seconde fois ; le personnel de l'ambassade nous embarqua à destination du Pirée et ne nous quitta des yeux que lorsque le bateau eut pris la mer. Mais à Athènes, ce fut facile. Je n'eus qu'à sortir tranquillement de la légation un jour, après déjeuner, à changer mon argent chez Cook et à me renseigner sur les départs de bateaux pour Alexandrie, histoire de donner le change à Sammy ; puis je pris l'autobus jusqu'au port, dénichai un marin qui parlait l'américain, m'installai chez lui jusqu'au départ de son navire et ne fis qu'un saut qui me ramena à Constantinople ; et voilà, le tour était joué.

« Anthony et son petit Juif partageaient une très sympathique maison en ruine près des bazars. Je m'y installai pour n'en repartir qu'avec le froid. Anthony et moi, nous nous sommes alors laissés doucement dériver vers le Sud, jusqu'au jour où nous avons rencontré Sammy en Syrie, après lui avoir fixé rendez-vous. Cela remonte à trois semaines.

— Et Sammy, ça lui était égal ?

— Oh, je crois qu'il s'est fort bien amusé, à sa manière qui est sinistre, à part que, bien entendu, fini les ambassades pour lui. J'ai l'impression qu'il a dû commencer par se faire un peu de bile. Comme je n'avais pas envie qu'il mobilise toute la flotte de la Méditerranée pour me rechercher, je lui ai envoyé un câble, de Constantinople, pour lui dire que j'allais bien et lui demander de m'envoyer de l'argent à la Banque ottomane. Il ne fit qu'un bond, quand il reçut mon câble, et nous le vîmes débarquer. Naturellement, sa position n'était pas commode : je suis majeur mais non encore responsable de mes dettes, en sorte qu'il ne pouvait me faire arrêter. Il lui était difficile de me laisser crever de faim alors qu'il vivait lui-même de mon argent ; difficile également de prévenir maman sans avoir l'air idiot. De toute façon je le possédais, le pauvre Sammy. Ma première intention avait été de le plaquer purement et simplement, mais Anthony fut d'un grand secours dans toute cette affaire et déclara que mieux valait conclure un arrangement à l'amiable ; et il y réussit *pleinement*, croyez-moi. Ce qui fait que me voici.

— Noël étant d'abord passé.

— Exact. J'avais décidé de m'offrir à tout prix un joyeux Noël.

— Y avez-vous réussi ?

— J'en ai l'impression. Je n'en ai conservé qu'un souvenir extrêmement vague, et c'est toujours bon signe, n'est-ce pas ?

Le lendemain matin au petit déjeuner, Brideshead était vêtu d'écarlate ; Cordélia, très élégante de son côté, le menton rehaussé par la cravate blanche, poussa un gémissement en voyant apparaître Sebastian en veston de tweed :

— Oh ! Sebastian, vous ne pouvez venir dans cette tenue. Je vous en prie, allez vous changer. Le costume de chasse vous va si bien.

— Sous clef, mon costume, je ne sais où. Gibbs n'a pas pu le trouver.

— Blague ! J'ai aidé moi-même à le sortir avant qu'on vous réveille.

— Manque la moitié des choses.

— C'est très mauvais pour le prestige local. Si seulement vous saviez comme les Strickland-Venables sont moches cette année. Leurs palefreniers ne portent même plus le haut-de-forme.

On n'amena pas les chevaux avant onze heures moins un quart. Pourtant personne ne descendit des chambres. On eût dit que les gens de la maison se cachaient, attendant pour se montrer que Sebastian se fût éloigné et que l'on n'entendît plus les sabots de son cheval.

Au moment de partir, alors que les autres étaient déjà en selle, Sebastian m'appela du geste dans le hall. Sur la table, à côté de son chapeau, de ses gants, de sa cravache et de ses sandwiches, gisait la gourde qu'il avait déposée pour qu'on la remplît. Il la saisit et la secoua : elle était vide.

— Vous voyez, me dit-il, leur confiance ne va même pas jusque-là. Ce sont eux qui sont fous ; non pas moi. Vous ne pouvez plus me refuser cet argent.

Je lui tendis une livre.

— Suffit pas, me dit-il.

Je lui en tendis une autre et le regardai se mettre en selle et s'éloigner au trot à la suite de son frère et de sa sœur.

Puis, comme si le moment était venu pour lui d'entrer en scène, M. Samgrass se trouva à côté de moi, glissa son bras sous le mien et me ramena au coin du feu. Il se chauffa les mains, qu'il avait petites et soignées, puis se retourna pour se chauffer le séant.

— Eh bien, me dit-il, voilà donc notre Sebastian lancé à la poursuite du renard, et notre petit problème au repos pour une heure ou deux ?

C'était plus que je ne pouvais supporter de sa part.

— Je suis au courant de votre expédition de grand style depuis hier soir.

— Ah, cela ne me surprend pas outre mesure. (M. Samgrass, nullement déconcerté, avait même l'air soulagé à l'idée que quelqu'un d'autre fût dans la confidence.) Je n'ai pas voulu accabler notre hôtesse de ces détails. Après tout, les choses ont tourné infiniment mieux qu'on n'était en droit de s'y attendre. Je dois dire, pourtant, que j'ai eu le sentiment de lui devoir quelques explications sur la façon dont Sebastian a passé les fêtes de Noël. Vous n'aurez pas été sans remarquer hier soir que l'on avait pris certaines précautions.

— Effectivement.

— Elles vous ont paru excessives. C'est aussi mon avis, d'autant qu'elles risquent de compromettre le confort de notre petite visite à tous deux. J'ai vu Lady Marchmain ce matin. Vous n'allez pas imaginer que je sors de mon lit à l'heure qu'il est. J'ai fait un brin de causette avec notre hôtesse, dans sa chambre. Je crois que nous pouvons compter sur un adoucissement du règlement, ce soir. La soirée d'hier *n'était pas* de celles qu'aucun de nous aimerait à voir se répéter. Je crains de ne pas avoir eu la gratitude que méritaient les efforts que j'ai déployés pour vous distraire tous.

Je répugnais à parler de Sebastian à M. Samgrass, mais je me sentis contraint de dire :

— Je ne suis pas sûr qu'il soit très indiqué de provoquer dès ce soir un adoucissement du règlement.

— Voyons donc ! Pourquoi pas ce soir, après une journée entière en plein air, sous l'œil inquisiteur de Brideshead ? Pourrait-on souhaiter mieux ?

— Oh, je suppose à vrai dire que je me mêle de ce qui ne me regarde pas.

— Non plus que moi, à strictement parler, maintenant qu'il est rentré sain et sauf au bercail. Lady Marchmain m'a fait l'honneur de me consulter. Mais c'est beaucoup moins le bien-être de Sebastian que le nôtre que j'ai à cœur pour l'instant. J'ai besoin de mes trois verres de porto. Besoin de ce plateau qui me réjouit l'âme dans la bibliothèque. Et cependant vous insistez pour qu'on ne choisisse pas *ce soir* en particulier. Je me demande pourquoi. Sebastian ne peut rien faire de mal aujourd'hui. Il n'a pas d'argent, ne serait-ce que cela. Il se trouve que je le sais. J'y ai veillé. Je garde même dans ma chambre sa montre et son étui à cigarettes. Il sera parfaitement inoffensif... pour autant que personne n'aura eu la méchante idée de pourvoir sa bourse... Ah, Lady Julia, bonjour, Lady Julia, bonjour. Et comment va le pékinois par ce beau matin de chasse ?

— Oh, le pékinois se porte fort bien. Écoutez. J'ai invité Rex Mottram à venir aujourd'hui. Il est impossible que nous passions une soirée comme celle d'hier. Il faut que quelqu'un se décide à en parler à maman.

— C'est chose faite. J'ai parlé. Je crois que tout ira bien.

— Dieu soit loué. Faites-vous de la peinture aujourd'hui, Charles ?

C'était devenu une tradition, à chacune de mes visites à Brideshead, que je peignisse un médaillon sur les murs du jardin d'hiver. Tradition qui me convenait parfaitement, car elle me fournissait une excellente raison de m'isoler du reste des invités. Quand la maison était pleine, le jardin d'hiver rivalisait avec la nursery, et de temps à autre les gens y cherchaient refuge et y venaient se plaindre les uns des autres ; ainsi, sans le moindre effort, pouvais-je me tenir au courant des potins du lieu. J'avais déjà terminé trois médaillons, assez joliment traités chacun dans un style, mais malheureusement fort différents, car mon goût avait évolué et ma dextérité s'était accrue durant les dix-huit mois où j'y avais travaillé. En tant que motifs décoratifs faisant partie d'un ensemble, c'était un échec. Ce matin-là était caractéristique de tant d'autres où le jardin d'hiver m'était apparu comme un sanctuaire. J'y courus donc et fus bientôt à l'œuvre. Julia m'accompagna pour assister à la mise en train et nous nous mîmes à parler inévitablement de Sebastian.

— N'êtes-vous pas lassé de cette histoire ? me demanda-t-elle. Pourquoi faut-il que tout le monde se mêle d'en faire une telle affaire ?

— Parce que tous nous l'aimons bien, simplement.

— Sans doute, moi aussi je l'aime bien, en un sens, je suppose, à part que je voudrais le voir se conduire comme tout le monde. Mon enfance a été hantée par un épouvantail, vous savez : papa. Défense d'en parler devant les domestiques, défense d'en parler devant nous autres enfants. Si maman se met à faire de Sebastian un autre épouvantail, c'est vraiment de l'abus. Et si lui ne peut vivre sans être ivre, pourquoi ne part-il pas pour le Kenya ou n'importe quel endroit où ça n'aurait pas d'importance ?

— Pourquoi le fait d'être malheureux serait-il moins important au Kenya qu'ailleurs ?

— Ne faites pas l'idiot, Charles. Vous me comprenez parfaitement.

— Vous voulez dire que la situation serait moins embarrassante pour vous ? Pour ma part, tout ce que j'ai voulu dire c'est que j'ai peur que la situation ne soit embarrassante ce soir, si Sebastian trouve l'occasion de la rendre telle. Il est en mauvaise forme.

— Oh ! une journée passée à la chasse le remettra d'aplomb.

Rien de touchant comme cette foi aveugle et unanime dans la valeur d'une journée passée à la chasse. Lady Marchmain, qui vint me voir au travail dans le courant de la matinée, se railla elle-même à ce propos, avec cette délicate ironie qui faisait sa renommée.

— J'ai toujours détesté la chasse, me dit-elle, pour la sorte de goujaterie particulièrement grossière qu'elle réveille chez les gens les mieux élevés. Je ne sais à quoi cela tient, mais il suffit qu'ils s'habillent et montent à cheval pour devenir pareils à une bande de Prussiens. Et que d'exploits, à les entendre au retour. Quand je pense aux soirées que j'ai passées, à dîner, horrifiée par le spectacle d'hommes et de femmes que je connaissais bien, et que je voyais transformés en brutes à demi conscientes, pleines de soi, en véritables monomaniaques !... et pourtant, vous savez – ce doit être un héritage de siècles passés –, j'ai le cœur léger, aujourd'hui, à la pensée que

Sebastian est parti avec nos chasseurs. Tout va bien, me dis-je, il est parti pour la chasse, comme si je tenais la réponse à une prière.

Elle m'interrogea sur la vie que j'avais menée à Paris. Je lui parlai de mon appartement, de la vue sur la Seine et les tours de Notre-Dame.

— J'espère que Sebastian viendra passer quelque temps chez moi, à mon retour.

— Comme ce serait charmant, dit Lady Marchmain, avec le soupir dont s'accompagne l'idée d'un rêve irréalisable.

— Je compte sur lui pour venir me voir à Londres.

— Vous savez bien que ce n'est pas possible, Charles. On ne saurait concevoir pire endroit que Londres, pour lui. M. Samgrass lui-même n'a pu s'en rendre maître. Nous n'avons pas de secrets pour vous ici. Savez-vous que nous l'avions *perdu* pendant les fêtes de Noël ? M. Samgrass ne l'a retrouvé que parce qu'il n'a pas pu payer sa note, à l'hôtel où il était descendu, ce qui fait qu'on nous a téléphoné. C'est épouvantable. Non, Londres est hors de question ; du moment qu'il n'est même pas capable de bien se conduire ici, parmi nous... Il faut qu'il reste à Brideshead pour quelque temps ; il s'y refera un bonheur, une santé, à la chasse ; puis nous le renverrons à l'étranger avec M. Samgrass... Voyez-vous, j'ai déjà vécu toute cette expérience.

La réplique était entre nous, muette, sans que nous eussions à la formuler pour nous comprendre :

« Avez-vous pu retenir *l'autre* ? Non, *il* s'est enfui. Sebastian fera de même. Tous deux vous détestent. »

De la vallée, à nos pieds, montèrent le son d'un cor et les cris des chasseurs. « Les voici lancés à travers les bois du domaine. J'espère qu'il passera une bonne journée. »

Ainsi donc, avec Julia et Lady Marchmain, je n'avais pu sortir de l'impasse. Non qu'il y eût entre nous impossibilité de nous entendre ; mais parce que nous nous comprenions trop bien. Avec Brideshead, qui rentra pour le déjeuner et m'attaqua sur le même sujet – car on ne pouvait aller nulle part dans toute la maison sans s'y heurter, comme on se heurte à l'incendie qui fait rage dans la cale d'un navire, en dessous de la ligne de flottaison, noir et rouge dans les ténèbres, montant au jour en légers tourbillons de fumée âcre qui grimpent en spirale aux échelles, rampent entre les ponts, filtrent par les écoutilles, pendant en guirlandes aux flancs des canots et s'échappent soudain en torrents des hublots et des manches à air –, avec Brideshead je me trouvais dans un monde étranger, un monde mort pour moi, un paysage lunaire de laves nues, un plateau cinglé par un air vif et froid, un haut lieu où le regard atteignait une acuité contre nature et où les poumons étaient à la peine.

Il me dit :

— Je souhaite que ce soit de la dipsomanie. Ce n'est en somme qu'un grand malheur que nous devons tous l'aider à supporter. Ce que j'avais craint jusqu'ici, c'était qu'il ne s'enivrât délibérément quand il lui plaisait et parce qu'il lui plaisait.

— Tel a bien été le cas pour lui comme pour moi. Et tel encore, lorsqu'il nous arrive de boire ensemble. Il n'irait pas au-delà, si seulement votre mère voulait s'en remettre à moi. Mais, si vous l'encombrez de gardiens et de remèdes, il ne restera plus de lui qu'une ruine physiquement, d'ici à quelques années.

— Il n'y a rien de *mal* dans le fait de ne plus être qu'une ruine physique, vous savez. Rien, moralement, n'oblige qui que ce soit à être ministre des P T T ou grand veneur ou à faire ses quinze kilomètres dans la journée, bon pied bon œil, à l'âge de quatre-vingts ans.

— Rien de *mal – moralement n'oblige –*, voilà que vous retombez une fois de plus dans la religion.

— Je n'en étais jamais sorti, dit Brideshead.

— Savez-vous, Bridey, que, si jamais j'avais la moindre envie de me convertir au catholicisme, il me suffirait de vous parler pendant cinq minutes pour me faire passer cette envie ? Vous vous arrangez pour réduire ce qui pourrait avoir l'air du plus parfait bon sens à l'état d'absolu non-sens.

— C'est drôle que vous me disiez ce genre de chose. D'autres me l'ont déjà dit. Et c'est l'une des nombreuses raisons qui me font penser que je ne ferais pas un bon prêtre. Cela doit tenir à la façon dont tourne mon esprit. Il faut que je commence par rouler une chose dans ma tête en tous sens, comme ces pièces d'ivoire de puzzle chinois, jusqu'au moment où « clic » elle trouve sa place exacte, mais avant d'en arriver là elle a le temps d'être sens dessus dessous dans l'esprit des autres. Et pourtant, c'est bien la même pièce d'ivoire, vous savez.

Au cours du déjeuner, Julia n'eut de pensée que pour son invité qui devait arriver dans la journée. Elle alla l'attendre à la gare et le ramena à l'heure du thé.

— Maman, regardez, je vous prie, le cadeau de Noël de Rex.

C'était une petite tortue, portant les initiales de Julia en diamants incrustés à même la carapace vive, et cet objet légèrement obscène, qui tantôt glissait impuissamment sur le parquet ciré, tantôt se traînait sur la table de bridge, tantôt faisait le mort sur un tapis, ou rentrait dans sa maison quand on le touchait, pour se mettre ensuite à déployer le cou et à balancer sa tête flétrie et antédiluvienne finit par devenir un fragment mémorable de la soirée, l'un des crochets à dentelle de l'expérience qui retiennent l'attention quand des choses de la plus haute importance sont en jeu, et restent gravés dans l'esprit alors que l'on a oublié l'essentiel, de telle sorte que, des années plus tard, c'est un morceau de dorure, une certaine odeur, ou l'écho d'une horloge qui sonne, qui viennent vous rappeler une tragédie.

— Mon Dieu, dit Lady Marchmain, je me demande si elle se nourrit comme les tortues ordinaires.

— Que ferez-vous quand elle sera morte ? demanda M. Samgrass. Pourrez-vous garder la carapace et lui donner un nouveau locataire ?

Rex était au courant du problème posé par Sebastian – il aurait eu grand mal à ne pas l'être, étant donné l'atmosphère – et il avait sa solution toute prête. Il la proposa de bon cœur et publiquement en prenant le thé, et je dois dire que ce fut un soulagement, après une journée de chuchotements et de mystères, que d'entendre discuter d'un projet.

— Confiez-le à Boréthus, à Zurich. Boréthus est le type qu'il vous faut. Il n'est pas de jour où il ne fasse un miracle dans son sanatorium. Vous savez quelle espèce d'ivrogne était Charlie Kilcartney ?

— Non, dit Lady Marchmain, avec cette douce ironie qui lui était familière. Non, je n'ai pas cet honneur, je le crains.

Julia sentant qu'on se moquait de l'homme qui l'aimait, fit les gros yeux à la tortue, mais Rex Mottram resta insensible à un coup de patte aussi délicat.

— Il avait fait le désespoir de deux femmes, poursuivit-il. Lorsqu'il se trouva fiancé à Sylvia, elle posa comme condition qu'il irait faire une cure à Zurich. Et ce fut un succès. Quand il revint, trois mois plus tard, ce n'était plus le même homme. Et il n'a pas touché à une goutte de boisson depuis, même après que Sylvia l'eut laissé tomber.

— Oh ! elle a fait ça. Et pourquoi ?

— À dire la vérité, le pauvre Charlie est devenu plutôt assommant, du jour où il a cessé de boire. Mais cela n'a rien à voir avec notre histoire.

— Non, bien sûr, j'imagine. En fait, je suppose que, réellement, dans votre esprit, c'est plutôt une forme d'encouragement ?

Julia se mit à gronder sa tortue diamantée.

— Il traite le problème sexuel également, vous savez.

— Mon Dieu, quand je pense au genre très particulier d'amis que se fera Sebastian à Zurich !

— Toutes ses chambres sont retenues des mois à l'avance, mais je suis sûr qu'il trouvera de la place si je le lui demande. Je pourrais l'appeler par téléphone d'ici, ce soir même.

(Dans ses moments de grande bonté, Rex déployait une sorte de zèle guerrier, l'ardeur tyrannique de l'homme qui force une ménagère à lui acheter un aspirateur.)

— Nous y réfléchirons.

Et nous y réfléchissions en effet quand Cordélia rentra de la chasse.

— Oh ! Julia, qu'est-ce que c'est que *ça* ? Comme c'est *méchant* !

— C'est le cadeau de Noël de Rex.

— Oh, pardon. Je mets toujours les pieds dans le plat. Mais comme c'est cruel. Ça a dû lui faire horriblement mal.

— Ce genre de bête ne sent rien.

— Qu'en savez-vous ? Je vous parie le contraire.

Elle embrassa sa mère, qu'elle n'avait pas encore vue, serra la main de Rex et sonna pour réclamer des œufs.

— J'ai déjà pris le thé chez Mme Barney, d'où j'ai téléphoné pour demander la voiture, mais je meurs encore de faim. Ç'a été une journée épatante. Jeanne Strickland-Venables s'est étalée dans la boue. Nous avons galopé de Bengers à Upper Eastrey sans arrêt. Cela doit bien faire cinq bons miles, n'est-ce pas, Bridey ?

— Trois.

— Pas à la vitesse où l'on courait... » Entre deux bouchées d'œufs brouillés, elle nous fit le récit de la chasse... « Vous auriez dû voir Jeanne quand elle s'est relevée de la boue. »

— Où est Sebastian ?

— En disgrâce. (Les mots, sonnant clair dans cette voix d'enfant, prenaient la valeur d'un tintement de cloche.) Elle poursuivit : « Avoir osé se montrer dans ce méchant petit veston rase-pet et cette petite cravate de rien du tout qui lui donnait l'air de sortir d'un manège. Je ne l'ai même pas reconnu au rendez-vous, et j'espère que tout le monde en aura fait autant. Il n'est pas encore rentré ? Il a dû se perdre sans doute.

Quand Wilcox vint desservir le thé, Lady March-main lui demanda :

— Lord Sebastian n'est toujours pas rentré ?

— Non, Milady.

— Il a dû s'arrêter pour prendre le thé chez quelqu'un. Cela ne lui ressemble guère.

Une demi-heure plus tard, Wilcox apporta le plateau à cocktails et dit :

— Lord Sebastian vient juste de téléphoner. Il demande qu'on aille le prendre en voiture à South Twining.

— South Twining ? Connaissons-nous quelqu'un dans cet endroit ?

— Il appelait de l'hôtel, Milady.

— South Twining ? dit Cordélia. Eh bien, pour s'être perdu, il *s'est* perdu !

Il arriva, très rouge, les yeux brillants de fièvre. Je compris qu'il était aux deux tiers ivre.

— Mon cher enfant, dit Lady Marchmain, quelle joie de voir que vous avez retrouvé votre bonne mine. Cette journée en plein air vous a fait le plus grand bien. Les boissons sont sur la table ; servez-vous.

Ce discours n'avait en soi rien d'extraordinaire, que le fait qu'elle l'eût prononcé. Six mois auparavant, il n'en eût pas été question.

— Merci, dit Sebastian. Je n'y manquerai pas.

L'impression que fait le coup que l'on attend, qui se répète, s'abat sur une meurtrissure, sans douleur cuisante, sans effet de surprise ; rien qu'une douleur morne, écœurante, et la crainte de ne pas avoir la force de supporter le prochain heurt, voilà le sentiment que j'éprouvais à être assis en face de Sebastian, à table, ce soir-là, à suivre ses yeux troubles et ses gestes incertains, à écouter sa voix épaisse se mêler stupidement à la conversation, après de longs silences de bête. Quand enfin Lady Marchmain, Julia et les domestiques se furent retirés, Brideshead dit :

— Le mieux que vous ayez à faire, c'est d'aller vous coucher, Sebastian.

— Verre de porto, d'abord.

— Prenez du porto si vous en avez envie, mais ne venez pas au salon.

— Trop saoul pour ça, hein, foutrement trop, dit Sebastian, hochant pesamment de la tête. Comme bon vieux temps. Messieurs toujours trop saouls pour aller r'joindre ces dames, dans l' bon vieux temps.

— Rien de plus faux, mon cher, savez-vous, me disait M. Samgrass, un peu plus tard, essayant de bavarder avec moi, rien à voir avec le bon vieux temps. Je me demande d'où peut bien venir la différence. Manque de bonne humeur ? Manque d'esprit de société ? Vous savez, j'ai l'impression qu'il a dû boire tout seul aujourd'hui. D'où a-t-il pu tirer l'argent ?

— Sebastian est monté, dit Brideshead en arrivant avec nous dans le salon.

— Oui ? Voulez-vous que je fasse la lecture ?

Julia et Rex se mirent à jouer au bésigue ; la tortue, que taquinait le pékinois, rentra dans sa carapace ; Lady Marchmain prit *Le Journal de personne* et lut à voix haute puis déclara, assez vite, qu'il était temps d'aller se coucher.

— Ne puis-je rester encore un peu, le temps de faire trois autres parties, maman ?

— À votre guise, ma chérie. Passez me voir dans ma chambre avant de vous mettre au lit. Je ne dormirai pas.

Il était évident, pour M. Samgrass et moi, que Julia et Rex avaient envie de rester seuls ; ce l'était moins pour Brideshead qui se renfonça dans un fauteuil pour lire le *Times*, qu'il n'avait pas eu en main de la journée. Au moment où nous prenions le chemin de nos chambres, M. Samgrass me répéta : « Rien à voir avec le bon vieux temps. »

Le lendemain matin, je dis à Sebastian :

— Franchement, tenez-vous à ce que mon séjour ici se prolonge ?

— Non, Charles, je ne pense pas.

— Je suis inutile ?

— Inutile.

En conséquence, j'allai présenter mes excuses à sa mère.

— Il est une question que je dois vous poser, Charles.

Est-ce vous qui avez donné de l'argent à Sebastian, hier ?

— Oui.

— Sachant comme il allait l'employer ?

— Oui.

— Je ne comprends pas, dit-elle, non, je n'arrive pas à comprendre comment on peut pousser à ce point le manque de tact et la perversité.

Elle s'interrompit, bien que je n'eusse pas l'impression qu'elle attendît une réponse ; je n'avais rien à dire, à moins de reprendre depuis l'origine notre vieille, notre interminable discussion.

— Je n'ai pas de reproches à vous faire, poursuivit-elle. Dieu sait que je n'ai le droit de faire de reproches à personne. Toute faillite de la part de mes enfants signifie ma propre faillite. Mais je ne vous comprends pas. Je n'arrive pas à comprendre comment vous avez pu être si exquis à tant d'égards, pour commettre ensuite un acte aussi inconsidéré et cruel. Je n'arrive pas à comprendre comment nous avons pu avoir tant d'affection pour vous. N'aviez-vous donc pour nous que de la haine, tout ce temps-là ? Je ne comprends pas ce qui a pu nous valoir cela.

Je n'étais nullement ému ; pas la moindre fibre qui tressaillît en moi au son de sa détresse. Cela ressemblait à l'idée que je m'étais faite souvent de mon renvoi du lycée. Je m'attendais presque à l'entendre dire : « Une lettre est partie pour annoncer cette triste nouvelle à votre malheureux père. » Mais, tandis que la voiture m'emportait et que je me retournais pour jeter ce qui promettait d'être un dernier rgard sur la maison, j'eus le sentiment de laisser derrière moi une partie de mon être et la certitude que, où que j'aille par la suite, j'en éprouverais toujours le manque, et ne cesserais désespérément d'en poursuivre l'image, à la manière des fantômes qui, dit-on, reviennent sur les lieux où ils ensevelirent le trésor sans lequel ils ne peuvent payer leur passage dans l'autre monde.

« Jamais plus je ne reviendrai », me disais-je en moi-même.

Une porte s'était refermée, la porte basse dans le mur que j'avais cherchée et découverte naguère à Oxford ; je pouvais essayer de la rouvrir : le jardin enchanté aurait disparu.

J'étais remonté à la surface, je retrouvais la lumière ordinaire du jour et l'air frais de la mer, après une longue captivité dans les sombres palais de corail et les forêts ondulantes du fond des mers.

Que laissais-je derrière moi, exactement ? Jeunesse ? Adolescence ? Romanesque ? Les accessoires de l'illusion, « Le Compendium du jeune magicien », ce coffret fort propret, où la baguette d'ébène est soigneusement rangée à côté des fausses boules de billard, du gros sou qui se plie en deux et des fleurs en duvet que l'on retire de la bougie creuse.

« Je laisse derrière moi l'illusion, me disais-je. J'entre maintenant, pour y vivre, dans un monde à trois dimensions, j'ai pour alliés mes cinq sens. »

J'ai appris, depuis, que ce monde-là n'existe pas. Mais alors, et tandis que la voiture, en tournant, me dérobait la maison, je pensais qu'il n'était nullement besoin de courir après cet univers vivant, qu'il s'ouvrait devant moi, au sortir de cette avenue.

Ce fut ainsi que je retournai à Paris et retrouvai les amis que je m'y étais faits, les habitudes que j'y avais prises. Je croyais bien ne plus entendre jamais parler de Brideshead ; mais la vie n'aime pas beaucoup les séparations tranchées. Trois semaines ne s'étaient pas écoulées, que je recevais une lettre de la main de Cordélia, dans son écriture francisée de couvent :

« *Mon bien cher Charles,* disait-elle. *Votre départ m'a fait tant de peine. Vous auriez pu venir au moins me dire au revoir !*

« *Je suis entièrement au courant de votre disgrâce, et cette lettre est pour vous dire que je suis dans le même cas que vous. J'ai chipé ses clefs à Wilcox pour donner du whisky à Sebastian et me suis fait prendre sur le fait. Il avait l'air d'en avoir une telle envie. Alors ça a fait (et fait encore) un terrible scandale.*

« *M. Samgrass est parti (bonne nouvelle !), et je crois qu'il est lui aussi un peu en disgrâce, sans que je sache pourquoi.*

« M. Mottram est extrêmement populaire auprès de Julia (mauvais !) et va conduire Sebastian chez un docteur allemand (très, très mauvais !).

« La tortue de Julia a disparu. Nous pensons qu'elle a dû procédé à son propre enterrement, comme c'est l'habitude chez ces bêtes. Et ça fait une belle liasse de fichue (expression de M. Mottram).

« Je vais très bien.

« Avec la tendre affection de

CORDÉLIA. »

Environ une semaine après avoir reçu cette lettre, je rentrai chez moi un après-midi pour trouver Rex qui m'attendait.

Il devait être quatre heures de l'après-midi, car la lumière commençait à manquer rapidement dans mon studio, à cette époque de l'année. Au visage de ma concierge, quand elle m'annonça qu'un visiteur m'attendait, je devinai sans peine qu'il s'agissait d'un personnage imposant ; elle avait, à un point extraordinaire, le don d'exprimer les différences d'âge ou d'intérêt ; son expression, ce jour-là, était celle qu'elle réservait aux visiteurs de marque, et Rex, à vrai dire, la justifiait pleinement, car je le trouvai vêtu d'un énorme pardessus de voyage, et obstruant complètement l'embrasure de la fenêtre qui donnait sur la rivière.

— Par exemple, dis-je, par exemple…

— Je suis passé ce matin. On m'a dit où vous déjeuniez d'ordinaire, mais je ne vous ai pas trouvé. Où est-il ?

Je n'avais pas besoin de demander de qui il s'agissait.

— Tiens, il vous a donc filé entre les doigts, à vous aussi.

— Nous sommes arrivés hier soir et nous devions repartir pour Zurich aujourd'hui. Je l'ai laissé au Lotti après dîner, il se disait fatigué, et suis allé faire une partie de cartes au Travellers'.

Je fus frappé de la façon dont, même avec moi, il prenait soin de s'excuser, comme s'il répétait l'histoire qu'il lui faudrait raconter ailleurs. « Il se disait fatigué » était bien bon. J'avais du mal à imaginer Rex permettant à un jeune gaillard à demi parti de l'empêcher d'aller jouer aux cartes.

— Et alors ? Vous êtes rentré pour découvrir qu'il n'était plus là ?

— Pas le moins du monde. J'aurais préféré ça. Je l'ai trouvé qui m'attendait. J'avais eu un coup de veine au Travellers' et raflé un bon tas. Sebastian m'a barboté le tout pendant que je dormais. Il ne m'a laissé que deux billets de 1re classe pour Zurich, coincés sous le rebord d'un miroir. C'était un coup de trois cents livres, le diable l'emporte !

— Et maintenant, Dieu sait où il peut être.

— Dieu le sait. Ça n'est pas vous qui le cachez par hasard ?

— Non. Je n'ai plus rien à voir avec cette famille.

— Je crois que ça ne tardera pas pour moi non plus… Dites-moi, j'ai des tas de choses à vous raconter, et j'ai promis à un type du Travellers' de lui accorder sa revanche cet après-midi. Voulez-vous dîner avec moi ?

— Oui. Où cela ?

— J'ai l'habitude du Ciro's.

— Pourquoi pas chez Paillard ?

— Connais pas. C'est moi qui paie, vous savez.

— Je n'en doute pas. Laissez-moi m'occuper du dîner.

— Ma foi d'accord. Comment s'appelle votre bistrot, encore une fois ? (Je lui écrivis nom et adresse.) C'est le genre d'endroit où vont les indigènes ?

— Oui, si vous voulez.

— Bon, ça fera une expérience de plus. Faites bien les choses.

— Comptez sur moi.

J'arrivai une vingtaine de minutes avant lui. Si je devais lui consacrer ma soirée, j'entendais du moins que ce fût à ma façon. Je me souviens parfaitement du menu – soupe à l'oseille, sole cuite le plus simplement du monde à la sauce au vin blanc, caneton à la presse, soufflé au citron. À la dernière minute, craignant que ce programme ne fût trop simple pour Rex, j'y fis ajouter du caviar aux blinis. Et, pour ce qui était du vin, je l'autorisai à m'arroser d'une bouteille de mon-trachet 1906, alors à son sommet, et d'arroser le cane-ton d'un clos-de-bère 1904.

La vie était facile en France à cette époque ; avec le change, mes mensualités se trouvaient considérable-ment allongées et j'étais loin de vivre frugalement. Cependant il m'arrivait rarement de dîner de la sorte et je me sentais plein de bonnes dispositions à l'égard de Rex quand il se décida à arriver, se débarrassant de son chapeau et de son manteau de l'air d'un homme qui ne s'attend plus à les revoir. Il jeta sur la salle, petite et obscure, un regard plein de suspicion ; on eût dit qu'il espérait y trouver des apaches ou une bande d'étudiants en goguette. Il n'aperçut que quatre séna-teurs, la serviette soigneusement engagée sous la barbe et dévorant dans le plus absolu silence. Je l'imaginai racontant plus tard à ses amis d'affaires : « ... Curieux type que je connais ; étudiant des Beaux-Arts vivant à Paris. M'a emmené dans un drôle de petit restaurant, genre d'endroit, vous savez, devant lequel on passerait sans s'arrêter, et où j'ai fait un des meilleurs repas de ma vie. Il y avait une demi-douzaine de sénateurs qui mangeaient là, ce qui prouve bien que ça doit être un bon coin. Pas bon marché du tout non plus. »

— Pas de nouvelles de Sebastian ? demandai-je.

— Pensez-vous. Hors de question tant qu'il aura de l'argent. C'est tout de même un peu raide, de sa part, de disparaître comme ça. J'avais plutôt compté que si j'arrivais à me tirer convenablement de cette histoire, cela pourrait me faire du bien sur un autre plan.

Il avait évidemment envie de m'entretenir de ses affaires privées. « Il attendra, me dis-je, jusqu'à l'heure indulgente où je serai repu, jusqu'au cognac. Il attendra jusqu'à l'heure où l'attention est émoussée et où l'on peut ne prêter aux discours des autres que la moitié de son esprit. » Dans l'instant présent, cet instant passionnant où le maître d'hôtel était en train de retourner les blinis dans la poêle, et où, à l'arrière-plan, deux hommes préparaient plus humblement la presse, c'était de moi que nous parlerions.

— Avez-vous fait un bon séjour à Brideshead ? A-t-on parlé de moi après mon départ ?

— Si on a parlé de vous ? Par-dessus la tête, mon pauvre vieux. La marquise avait, en ce qui vous concerne, ce qu'elle appelait « la conscience lourde ». Elle y est allée un peu fort, d'après ce que j'ai compris, lors de votre dernière entrevue.

— Manque de tact et perversité, inconsidéré et cruel.

— Plutôt dur.

— Peu importe le nom que les gens vous donnent, tant qu'ils ne vous appellent pas dindon pour mieux vous dévorer.

— Pardon ?

— Vieux proverbe.

— Ah, parfait.

La crème et le beurre fondu se mêlaient et inondaient le plat, isolant chaque perle luisante de caviar de ses compagnes, couronnant le tout d'un diadème blanc et or.

— J'aime bien manger le caviar avec un peu d'oignon haché, dit Rex. Un type au courant m'a dit que cela en faisait ressortir la saveur.

— Goûtez d'abord tel quel, et continuez à me donner de mes nouvelles.

— Bon. Alors, bien entendu, Greenacre, ou Dieu sait comment on l'appelle – le morveux de prof, vous savez –, ça a fini par mal tourner pour lui. Bonne nouvelle pour tout le monde. M'étonnerait pas si c'était lui qui avait poussé la vieille à vous flanquer dehors. On n'entendait parler que de lui, il fallait l'avaler à toutes les sauces ; alors à la fin Julia en a eu assez et lui a fait une sortie.

— Julia, vraiment ?

— Que voulez-vous, est-ce que le bonhomme ne s'était pas mis à fourrer le nez jusque dans nos affaires à nous ? Julia avait flairé quelque chose de louche en lui, et un après-midi où Sebastian était noir – il a passé la plupart du temps à se noircir – elle a réussi à lui tirer toute l'histoire de la tournée de grand style. C'était la fin de M. Samgrass. Après ça, la marquise a commencé à réfléchir et à se dire qu'elle y était peut-être allée un peu fort avec vous.

— Et la dispute avec Cordélia ?

— Ça, ç'a été le bouquet. Cette gosse est une merveille à deux pattes – elle avait alimenté Sebastian en whisky à notre barbe à tous pendant toute une semaine. Impossible d'arriver à savoir où elle avait pu en dénicher. Ça a porté le coup de grâce à la marquise.

Venant après la richesse des blinis, le potage était délicieux – bouillant, maigre, tant soit peu acide et amer, léger comme l'écume.

— Il faut que je vous raconte une chose, Charles, que la mère Marchmain n'a confiée à personne. Elle est très gravement malade. Peut claquer d'une minute à l'autre. Le médecin de la Cour l'a examinée dans le courant de l'automne et lui donne deux ans de vie.

— Comment diable savez-vous cela ?

— C'est le genre de choses que j'entends comme ça. Au train que lui mène sa famille actuellement, je ne lui donne pas un an de vie. Je connais exactement le type qu'il lui faut à Vienne. Il a remis d'aplomb Sonia Bamfshire, alors que tout le monde, y compris le fameux médecin de la Cour, l'avait condamnée. Mais la mère Marchmain ne veut rien savoir. Ça doit avoir à faire avec sa loufoquerie de religion, ce refus de s'occuper de son corps.

La sole était si simple, si discrète, que Rex ne la remarqua même pas. Nous la mangeâmes, accompagnés par la musique de la presse – le bruit des os qui s'écrasaient, le ruissellement ténu du sang et de la moelle, le sourd et léger marteau de la cuiller pilant les fines tranches de poitrine. Il y eut une halte d'un quart d'heure, le temps de vider le premier verre de clos-de-bère, tandis que Rex allumait sa première cigarette. Il se renversa sur sa chaise, chassa un nuage de fumée à travers la table et remarqua en passant : « Vous savez, la nourriture n'est pas si mauvaise que je pensais, ici ; si quelqu'un prenait ce bistrot en main, on pourrait en faire quelque chose de bien. »

Puis il se mit à parler des Marchmain :

— Il y a autre chose aussi que je vais vous dire : question finances, ils auront un gros pépin bientôt, s'ils ne font pas attention.

— Je les croyais énormément riches.

— Bien sûr, riches comme le sont les gens qui se bornent à laisser dormir leur capital. Les familles de cette espèce sont plus pauvres qu'en 1914 et les Flyte n'ont pas l'air de s'en rendre compte. Je pense que les avoués qui gèrent leurs intérêts trouvent plus commode de leur donner tout l'argent liquide qu'ils peuvent demander ; pour les avoués, c'est un sûr moyen d'avoir la paix. Vous n'avez qu'à regarder leur train de vie : Brideshead, Marchmain House, deux résidences, à toute vapeur ; meute ; fermages et loyers au taux d'autrefois ; pas un domestique, pas un fermier de renvoyé ; des douzaines de vieux serviteurs n'en fichant pas une datte et se faisant servir au contraire par d'autres domestiques ; et par-dessus le marché le vieux, qui de son côté s'est installé dans ses meubles et n'y va pas non plus avec le dos de la cuiller. Savez-vous de combien ils ont dépassé leurs revenus ?

— Comment voulez-vous que je le sache ?

— Tout simplement de près de cent mille livres, rien que pour Londres. Sans compter ce qu'ils doivent ailleurs et que j'ignore. C'est que ça fait un beau petit tas, vous savez, pour des gens qui ne font rien de leur argent. Quatre-vingt-dix-huit mille livres en novembre dernier. Le genre d'histoires que j'entends raconter comme ça.

Telles étaient donc les choses qu'il entendait dire, comme ça, pensais-je : maladie, mort, dettes.

Le bourgogne fit ma joie. Comment dire ? Le pathétique de l'Illusion résonne dans les louanges du vin que nous chantons. Des siècles durant, dans toutes les langues, on s'est efforcé désespérément d'en définir exactement la beauté ; pour aboutir à de vaines et folles images, ou aux épithètes banales des marchands. Ce bourgogne pour moi avait quelque chose de serein, de triomphant, qui venait me rappeler que le monde était un lieu infiniment plus ancien et meilleur que Rex ne pouvait le concevoir ; me rappeler aussi que l'humanité, au cours de son interminable passion, avait appris une autre sagesse que celle de Rex. Le hasard a voulu que je retrouve ce même vin plus tard, en déjeunant un jour avec mon marchand de vins de St. James Street, au cours du premier automne de cette guerre ; il avait molli et passé dans l'intervalle, mais son langage avait conservé l'accent pur et authentique de sa maturité ; et ce jour-là, comme chez Paillard avec Rex Mottram, des années plus tôt, il chuchotait, à mon oreille légèrement, mais de façon aussi lapidaire, les mêmes paroles d'espoir.

— Je ne veux pas dire qu'ils seront réduits à la misère ; le vieux s'en tirera toujours avec une trentaine de mille livres par an ; mais je vous dis qu'il y a un gros pépin qui se prépare, et, quand dans la haute on se trouve à court tout d'un coup, la première chose qui vient à l'esprit de ces gens d'habitude c'est de serrer financièrement la vis aux filles. Ce que j'aimerais, c'est d'arriver à régler la question de la dot avant le coup de Trafalgar.

Nous étions, tant s'en fallait, loin encore du cognac, et nous parlions déjà de lui. Vingt minutes de plus, et j'eusse été prêt à l'écouter dévider ses histoires. J'obturai donc mon esprit du mieux que je le pus pour me vouer entièrement au contenu de mon assiette ; mais je ne pus empêcher certaines phrases de faire irruption au milieu de mon bonheur et de me forcer à revenir au monde grossier et possessif qui était celui de Rex. Il voulait une femme ; ce qu'il y avait de mieux sur le marché ; et à bas prix c'était à cela que tout se résumait.

— La mère Marchmain ne m'aime pas. Je ne lui en demande pas tant. Ça n'est pas elle que j'ai envie d'épouser. Elle n'a pas le culot de me dire ouvertement : « Vous n'êtes pas un gentleman. Vous n'êtes qu'un aventurier des colonies. » Elle dit que nous vivons dans des climats différents. Parfait, pas d'inconvénient ; mais il se trouve que mon climat particulier ne déplaît pas trop à Julia... Ensuite elle sort ses histoires de religion. Personnellement je n'ai rien contre son Église ; les catholiques, pour nous au Canada, ça ne compte pas tellement ; mais c'est une autre affaire ; en Europe on trouve des catholiques dans la haute. D'accord ; ça n'est pas moi qui empêcherai Julia d'aller à la messe. Elle peut y aller tant qu'elle voudra. Ça lui est d'ailleurs parfaitement égal, mais ça ne me déplaît pas qu'une fille ait de la religion. Qui plus est, ça n'est pas moi qui l'empêcherai d'élever catholiquement ses enfants. Je ferai toutes les « promesses » qu'on voudra... Après ça, vient mon passé. « Nous savons si peu de choses sur vous. » Elle en sait déjà beaucoup trop. Peut-être savez-vous vous aussi que je suis collé avec quelqu'un d'autre depuis un an ou deux ?

Je le savais ; tous ceux qui avaient eu le bonheur de rencontrer Rex étaient au courant de son histoire avec Brenda Champion ; étaient aussi au courant que c'était de cette affaire qu'il tirait, à son bénéfice, tout ce qui le distinguait de n'importe quel autre vague financier : les parties de golf avec le prince de Galles, son appartenance à certains clubs, jusques et y compris ses amitiés de fumoir à la Chambre des communes, car, lorsqu'il avait fait sa première apparition dans ce dernier endroit, les chefs de son parti n'avaient pas dit de lui :

« Tenez, voici le jeune député de Gridley-Nord qui a fait un si remarquable discours sur la réduction des loyers ; il promet. » Ils avaient dit : « C'est la dernière trouvaille de Brenda Champion » ; cela lui avait valu l'estime des hommes ; quant aux femmes, il avait assez de charme pour, d'ordinaire, se les gagner.

— Tout ça, c'est déjà de l'histoire ancienne. La mère Marchmain a trop de tact pour avoir mentionné ce sujet ; tout ce qu'elle a dit, c'est que je jouissais d'une certaine « notoriété ». À quoi diable s'attend-elle, je vous le demande, en fait de gendre – à une espèce de moine manqué du genre de Brideshead ? Julia est entièrement au courant de mon histoire ; si ça lui est égal, je ne vois pas qui ça peut bien regarder.

Au canard succéda une salade de cresson-chicorée baignant dans une fine buée d'échalotes. Je m'efforçai de ne penser qu'à la salade. Je réussis quelque temps à ne penser qu'au soufflé. Enfin vinrent le cognac et l'heure des confidences.

— Julia va juste sur ses vingt ans. Je n'ai pas l'intention d'attendre qu'elle soit majeure. De toute façon je n'ai pas envie de me marier sans faire bien les choses... Je ne veux pas d'un mariage en catimini... Je n'ai pas envie non plus qu'on s'arrange pour la frustrer de ce qui lui revient. J'en suis au stade où la « notoriété », comme dit la mère Marchmain, a fini son temps. J'ai besoin de m'établir solidement. Vous savez ce que je veux dire – l'église St. Margaret, la cathédrale de Westminster, ou l'équivalent pour les catholiques, avec des gens de la famille royale et le Premier ministre photographiés à leur entrée... Sans compter la presse : « La belle Lady Julia Mottram, jeune et célèbre hôtesse, dont le salon politique... » Pas de mariage en catimini. Et, pour que la marquise ne joue pas à renvoyer la balle, j'ai décidé d'aller trouver le vieux et de régler la chose avec lui. D'après ce qu'on me dit, il est assez enclin à donner son accord à n'importe quoi, quand il sait qu'elle en sera folle. Il se trouve à Monte-Carlo pour l'instant. Mon intention était d'y faire un saut après avoir installé Sebastian à Zurich. C'est pourquoi c'est une belle barbe d'avoir perdu la trace du gaillard.

Le cognac n'était pas du goût de Rex. Il était pâle, clair, et on nous le versa d'une bouteille que ne souillait nulle poussière et que ne décorait nul monogramme napoléonien. Il n'était que d'un ou deux ans l'aîné de Rex ; on l'avait mis en bouteille récemment. On nous le servit dans des verres de taille modeste, très minces, en forme de tulipe.

— Le cognac est une des choses où on ne me la fait pas, dit Rex. Celui-ci n'a pas la bonne couleur. Et comment voulez-vous que je le goûte dans cette espèce de dé à coudre ?

On lui apporta un verre ballon, à peu près de la taille de sa tête. Il se le fit chauffer sur une lampe à alcool. Puis il brassa la merveilleuse liqueur, ensevelit son visage dans le verre pour en respirer le parfum et déclara sentencieusement que c'était le genre de marchandise qu'il buvait à l'eau de seltz chez lui.

Ce qui fit que, la honte au visage, ils apportèrent sur une table roulante, la sortant de sa cachette, la gigantesque bouteille couverte de toiles d'araignée qu'ils réservaient aux gens de l'espèce de Rex.

— Ça au moins, c'est du vrai, dit-il agitant dans son verre l'infâme mélasse, tant qu'elle finit par déposer des cercles bruns sur les parois du verre. Ils ont toujours une bouteille de derrière les fagots, mais ils ne la sortent jamais si on ne fait pas d'histoires. Vous n'en prenez pas ?

— Celui-ci suffit pour mon bonheur.

— C'est un crime de boire ça, si vous ne le trouvez vraiment pas à votre goût.

Il alluma un cigare et se renversa de nouveau sur son siège, en paix avec le monde. Moi aussi j'étais en paix, mais avec un autre monde que le sien. Nous étions tous deux très heureux. Il me parla de Julia, et j'entendais sa voix, inintelligible, très lointaine, comme l'aboiement d'un chien, à des kilomètres, par une belle nuit calme.

Au début de mai on annonça leurs fiançailles. J'appris la nouvelle par le *Daily Mail* de Paris et j'en conclus que Rex avait « réglé l'affaire avec le vieux ». Pourtant les choses ne se passèrent pas conformément à ses prévisons. Vers la mi-juin j'appris encore en lisant les journaux qu'ils s'étaient mariés dans l'intimité, à la chapelle du Savoy. Aucun membre de la famille royale n'était présent ; non plus que le Premier ministre ; non plus qu'aucun membre de la famille de Julia. Cela avait tout d'un « mariage en catimini » ; mais ce ne fut que plusieurs années plus tard que je connus le fin fond de l'histoire.

7.

Le moment est venu de parler de Julia qui jusqu'à présent n'a joué qu'un rôle intermittent et quelque peu énigmatique dans le drame de Sebastian. Ce fut bien ainsi qu'elle m'apparut d'abord à l'époque ; ainsi que je lui apparus, de mon côté. Nous poursuivions l'un et l'autre des fins séparées, qui nous avaient rapprochés, mais nous étions demeurés foncièrement étrangers.

Elle devait me raconter plus tard qu'elle avait pris, en quelque sorte, note de moi dans son esprit, de même que, cherchant sur le rayon d'une bibliothèque un certain livre, il arrive que l'on se laisse attirer par le titre d'un autre, qu'on le sorte du rayon, qu'on jette un coup d'œil sur la page du titre et qu'en se disant :

« Il faudra que je lise ce bouquin quand j'en aurai le temps », on le remette en place et continue à chercher le premier. Pour ma part, l'intérêt que je lui portais était plus vif, car je ne cessai jamais d'être conscient de la ressemblance physique entre le frère et la sœur, ressemblance qui, saisie par moi à maintes reprises dans des attitudes différentes, sous des jours divers, me perçait chaque fois comme un trait fulgurant et nouveau ; et plus Sebastian, dans son déclin rapide, semblait chaque jour passer et s'émietter, plus l'image de Julia se détachait devant moi, claire et pleine.

Elle était mince en ce temps-là, poitrine plate, longues jambes ; on eût dit qu'elle était toute jambes, bras et cou, qu'elle n'avait pas de corps, qu'elle était arachnéenne ; en tant que telle elle était ce que voulait la mode d'alors, mais ni la coupe de cheveux, ni les chapeaux de l'époque, ni le regard méditatif et vague, ni le béement de rigueur, ni les plaques de rouge collées haut sur les pommettes à la façon des clowns, ne parvenaient à l'assimiler et à la borner au type du jour.

La première fois où je la vis, et où elle me vit, dans la cour de la gare où elle était venue me chercher pour me ramener en voiture à travers le crépuscule à Brideshead, ce grand été de 1923, elle venait d'avoir dix-huit ans, fraîche émoulue de sa première saison mondaine dans la capitale.

Certains disaient que ç'avait été la saison la plus brillante depuis la guerre, qu'enfin la vie retrouvait son rythme passé. De droit, Julia en avait été le centre. Des grandes maisons que l'on pouvait appeler « historiques », il ne restait plus guère à Londres qu'une demi-douzaine ; dans le quartier de St. James, Marchmain House était l'une d'elles, et le bal donné en l'honneur de Julia, en dépit de l'ignoble déguisement du temps, n'en fut pas moins à tous points de vue un magnifique spectacle. Sebastian y était allé d'Oxford et avait même suggéré sans grand enthousiasme que je l'accompagne. J'avais refusé, pour regretter plus tard ce refus, car ce fut le dernier bal de la sorte que l'on y donna, le dernier d'une splendide série.

Comment aurais-je pu m'en douter ? À cette époque, il semblait qu'il y eût temps pour tout ; le monde s'ouvrait ; on pouvait l'explorer à loisir. J'étais trop plein d'Oxford cet été-là ; Londres pouvait attendre.

Les autres grandes maisons appartenaient à des parents ou à des amis d'enfance de Julia ; en outre il y avait d'innombrables résidences, fort substantielles encore, donnant sur les squares de Mayfair et de Belgravia ; assez nombreuses, en tout cas, pour que nuit après nuit on en trouvât toujours une, illuminée, où la foule se pressât, d'où la musique s'échappât en grandes vagues parmi les platanes, où l'on vît les couples prendre l'air sur le pavé tranquille des cours ou humer la chaleur de l'été du haut des balcons. Les étrangers, venus de leurs pays désolés pour rejoindre leurs postes, écrivaient chez eux qu'il leur semblait retrouver avec Londres un aperçu du monde qu'ils avaient cru perdu à jamais dans la boue et les barbelés, et durant ces semaines alizées, Julia brilla et rayonna, participant de l'éclat de la lumière entre les arbres, de l'éclat des lustres dans le spectre du miroir, en sorte que les vieux messieurs et les dames âgées, assis à l'écart en spectateurs avec leurs souvenirs, la voyaient comme elle-même se voyait : tel l'oiseau bleu.

— C'est la fille aînée de Bridey Marchmain, disaient-ils. Dommage qu'il ne puisse pas la contempler ce soir.

Cette nuit-là et les deux qui suivirent, partout où alla Julia, sans jamais sortir du petit cercle de ses intimes, elle apporta à tous ceux dont les yeux étaient ouverts à un tel sentiment, un instant de joie comparable à l'émotion profonde qui fait bondir le cœur quand, au bord d'une rivière, le martin-pêcheur s'élance soudain comme un trait de flamme par-dessus les rides de l'eau.

Telle était donc la créature, ni enfant ni femme, qui me conduisit en voiture à travers le crépuscule de cette soirée d'été ; l'amour ne l'avait pas encore troublée ; elle était elle-même quelque peu stupéfaite du pouvoir de sa beauté ; et elle hésitait sur le seuil de la vie. C'était un être qui prenait conscience tout à coup des armes dont il s'était trouvé mystérieusement doté ; l'héroïne d'un conte de fées tournant et retournant

entre ses doigts embarrassés l'anneau magique ; il lui
suffirait de le caresser du bout des doigts en murmurant la formule magique, pour que la terre, s'ouvrant à
ses pieds, vomît à son service un titan domestique,
monstre apprivoisé qui lui apporterait tout ce qu'elle
désirait, mais le lui apporterait peut-être sous une
forme importune.

Elle ne fit pas la moindre attention à moi ce soir-
là ; le serviteur monstrueux nous suivit cahin-caha,
sans qu'elle l'évoquât de son souterrain séjour ; elle
vivait à part dans un univers restreint, lui-même
contenu dans un autre univers borné, sphère la plus
intime d'un système de mondes concentriques, semblable à ces boules d'ivoire laborieusement sculptées
par les anciens Chinois ; et le problème dont se préoc-
cupait son esprit était petit lui aussi – réduit dans sa
vision et dans sa forme, s'exprimant en termes d'abstractions et de symboles. Elle se demandait, sans passion et à cent mille miles de la réalité, qui elle devait
épouser. Ainsi voit-on le stratège se pencher en hési-
tant sur la carte, sur quelques épingles, quelques lignes
tracées à la craie de couleur, méditant une faible alté-
ration – l'affaire d'un ou deux centimètres – d'où peut
dépendre, hors du bureau, hors du regard studieux
des officiers, l'engloutissement d'un passé, d'un présent, d'un avenir tout entiers dans le néant ou la vie.
Elle-même, d'ailleurs, à cette époque, prenait à ses
propres yeux la valeur d'un symbole ; si elle n'était

plus une enfant, elle n'était pas encore femme ; pour elle, victoire et défaite se résumaient indifféremment dans un léger décollage d'épingles et de lignes idéales ; elle n'entendait rien à la guerre.

« Si seulement je pouvais vivre à l'étranger, se disait-elle, où ce genre d'affaire se traite entre parents et avoués… »

Se marier vite et bellement, tel était incontestablement le principal souci de toutes ses amies. S'il lui arrivait de regarder au-delà de la cérémonie du mariage c'était pour voir dans ce dernier le début de son existence individuelle ; l'escarmouche où l'on gagnait ses premières armes et d'où l'on s'élançait à la conquête véritable de la vie.

Elle éclipsait de son éclat et laissait loin derrière elle toutes les jeunes filles de son âge, mais elle savait que, dans ce petit univers au sein d'un autre univers, où elle vivait, il était encore certaines armes et certains dons qui lui faisaient gravement défaut ; elle en souffrait. Sur les sofas adossés au mur et d'où les vieilles gens marquaient les points, elle savait qu'il était des choses que l'on relevait contre elle. Le scandale de son père par exemple ; elles l'avaient toutes adoré autrefois, les femmes sur le sofa, rangées le long du mur, et la plupart d'entre elles aimaient aussi beaucoup sa mère ; pourtant, ternissant l'éclat qu'elle jetait, il y avait cette tache légère dont elle avait hérité et que semblait assombrir encore certain trait de sa façon de vivre – sa manière d'aller droit au but et de savoir ce qu'elle voulait, une tendance à l'indiscipline plus développée que chez ses pareilles – qui l'écartait des honneurs les plus élevés ; mais à part cela, savait-on jamais ?...

Il était un sujet qui primait tous les autres pour les dames sur le sofa, rangées le long du mur ; qui les jeunes princes épouseraient-ils ? Ils eussent difficilement, trouvé lignage plus pur ou présence plus gracieuse ; seulement voilà ; il y avait cette ombre à peine perceptible qui l'écartait des honneurs les plus élevés ; et puis il y avait aussi sa religion.

Rien n'aurait pu être plus éloigné des ambitions de Julia qu'une alliance royale. Elle savait ou croyait savoir ce qu'elle voulait, et ce n'était pas cela. Mais, où qu'elle se tournât, on eût dit que sa religion se dressait comme une barrière entre elle et ce vers quoi l'entraînait sa nature.

À ce qu'il lui semblait, elle était sûre de perdre à tous les coups. Si elle abjurait aujourd'hui, après avoir été élevée dans le sein de l'Église, elle finirait en enfer, alors que les jeunes protestantes de sa connaissance, élevées dans une heureuse ignorance, pouvaient épouser les fils aînés de grandes maisons, vivre en paix avec leur monde d'ici-bas, et arriver au paradis avant elle. Il ne pouvait être question pour elle d'épouser l'héritier d'une grande famille, et les cadets, s'ils étaient chose nécessaire, étaient aussi chose délicate et dont on ne devait point trop parler. Les cadets ne jouissaient d'aucun des privilèges que confère l'obscurité de la naissance ; leur devoir tout tracé était de demeurer cachés jusqu'à ce qu'un désastre survenu par hasard les promût à la place de leurs frères aînés ; et, puisque telle était leur fonction, il était désirable qu'ils se tinssent prêts à faire face à l'éventualité de la succession. Peut-être, dans une famille comptant trois ou quatre garçons, une catholique eût-elle pu décrocher le plus jeune de tous sans opposition. Bien entendu il y avait les catholiques eux-mêmes, mais ils n'avaient que rarement leur place dans le petit univers que Julia s'était construit ; ceux qui y pénétraient étaient des parents de sa mère et la jeune fille leur trouvait l'air peu engageant et excentrique. Des quelque douze familles catholiques riches et de bonne noblesse, aucune à l'époque ne comptait un héritier en âge de mariage. Quant aux étrangers – ils étaient nombreux du côté de sa mère – il fallait se méfier d'eux sur le plan financier ; leurs manières étaient bizarres ; les épouser était pour une jeune Anglaise une marque certaine de faillite. Que restait-il alors ?

C'était le problème qui se posait à Julia, après les semaines de triomphe qu'elle venait de connaître à Londres. L'obstacle n'était pas insurmontable, elle le savait. Il devait y avoir, se disait-elle, bon nombre de gens extérieurs à son univers mais ayant toutes les qualités requises pour y être admis ; le côté honteux de l'affaire était qu'il lui fallût leur courir après. Le luxe cruel et délicat du choix, les passe-temps indolents, le plaisir de jouer au chat et à la souris sur le tapis de l'âtre, n'étaient pas pour elle. Non, elle n'avait rien d'une Pénélope ; il lui fallait chasser dans la jungle.

Elle s'était fait une petite image assez absurde du genre d'homme qui ferait l'affaire : diplomate anglais, bel homme, pas très viril, séjournant actuellement à l'étranger, doté d'une maison plus petite que Brideshead mais plus proche de Londres ; vieux, trente-deux ou trente-trois ans, devenu veuf récemment et tragiquement ; Julia se disait qu'elle préférait un homme qu'un chagrin encore frais aurait quelque peu éteint. Une brillante carrière s'ouvrait devant lui, mais sa solitude l'avait incliné à l'indifférence ; elle n'était pas tout à fait sûre qu'il ne fût pas en danger de tomber aux mains d'une aventurière étrangère sans scrupule ; il avait besoin qu'une jeune vie vînt s'infuser en lui pour le hisser jusqu'à l'ambassade de Paris. Tout en professant lui-même un agnosticisme modéré, il aimait les pompes de la religion et ne s'opposait pas le moins du monde à ce que ses enfants fussent élevés en catholiques ; il croyait fermement cependant à la nécessité de restreindre prudemment sa famille à deux garçons et une fille, confortablement étagés sur une douzaine d'années, et n'exigeait pas, à la façon d'un mari catholique, de grossesse annuelle. Il avait en plus de son traitement un revenu de douze mille livres par an, et pas de proches parents. Un homme de ce genre ferait l'affaire, se disait Julia, et c'était de ce mari idéal qu'elle était en quête quand je fis sa connaissance à la gare. Je n'étais pas son homme. C'est ce qu'elle me fit comprendre, sans mot dire, lorsqu'elle prit de mes lèvres sa cigarette.

Tout ce que je viens de dire sur Julia, je l'appris petit à petit, dans les histoires qu'elle me racontait, en la devinant, en la connaissant mieux, dans ce que ses amies disaient d'elle, dans une phrase bizarre qui lui échappait de temps à autre, dans quelques monologues surgis comme en rêve du fond de sa mémoire ; je l'appris comme on apprend à connaître la première vie – la vie préparatoire, semble-t-il sur le moment – de la femme qu'on aime, en sorte que l'on finit par croire que l'on fait partie de cette vie, qu'on la dirige par des voies détournées vers soi-même.

En me laissant avec Sebastian à Brideshead, Julia était allée séjourner chez une de ses tantes, Lady Rosscommon, dans sa villa du Cap-Ferrat. Tout le long du chemin elle avait longuement médité le problème de son mariage. Elle avait donné un nom à son diplomate veuf ; elle l'appelait « Eustache », et à dater de ce moment il devint pour elle une cible à plaisanteries secrètes, une sorte de bonne petite blague intérieure et intraduisible pour les autres, de telle sorte que, lorsque enfin un tel personnage se trouva réellement sur son chemin – bien qu'il ne s'agît par d'un diplomate mais d'un major mélancolique des cuirassiers du roi – et s'éprit d'elle au point de lui offrir précisément ce dont elle avait toujours rêvé, elle l'envoya promener et le rendit à ses mélancolies quelque peu accrues, car entretemps elle avait fait la connaissance de Rex Mottram.

L'âge de Rex militait grandement en sa faveur, car parmi les amies de Julia régnait une sorte de snobisme de la gérontophilie ; on y tenait les jeunes hommes pour gauches et boutonneux ; on y estimait beaucoup plus chic de paraître seule au Ritz pour le lunch – privilège, d'ailleurs, qui n'appartenait qu'à très peu de jeunes filles en ce temps-là, qu'au cercle minuscule des amies intimes de Julia ; privilège que considéraient avec doute les personnes âgées qui marquaient les points en bavardant le long des murs des salles de bal – seule au Ritz pour le lunch, à la table sur la gauche en entrant, en compagnie d'un vieux roué parcheminé et couvert de rides contre lequel on avait mis en garde votre mère lorsqu'elle était encore jeune fille ; oui, beaucoup plus chic que de se montrer au centre du salon du Ritz en compagnie d'un groupe de jeunes pur-sang exubérants, Rex à vrai dire n'était ni parcheminé ni couvert de rides ; ses aînés le tenaient pour un jeune goujat fort arriviste, mais Julia flairait en lui le chic qui ne trompe pas – l'odeur que laissaient sur lui ses fréquentations, les parties de golf avec le prince de Galles, la table d'honneur du Sporting, le deuxième magnum et le quatrième cigare, le chauffeur que l'on laissait à la porte attendre durant des heures sans se soucier de lui, toutes les qualités que ses amis lui envieraient. Socialement il jouissait d'une position unique ; une position pleine de relents de mystère, voire même de crime ; on racontait que Rex ne sortait jamais qu'armé. Julia et ses amies avaient une répugnance qui tenait de la fascination pour ce qu'elles appelaient « Pont Street » ; elles collectionnaient le genre d'expressions qui condamnaient à l'enfer mondain ceux qui les utilisaient et entre elles – souvent aussi, de façon déconcertante, en public – parlaient un langage fait de ces phrases mises bout à bout. C'était « Pont Street » que de porter une chevalière et de sortir un cornet de bonbons au chocolat au théâtre ; c'était « Pont Street », que de dire au bal : « Puis-je aller fourrager pour vous au buffet ? » Quoi que pût être Rex, il n'était certainement pas « Pont Street ». Il était sorti droit du monde interlope pour entrer dans le monde de Brenda Champion, qui était elle-même une sphère centrale inscrite à l'intérieur d'un système de boules d'ivoire concentriques. Peut-être reconnut-elle en Brenda Champion un indice précis de ce qu'elle-même et ses amies deviendraient probablement d'ici à une douzaine d'années : il y avait entre la jeune fille et la femme un antagonisme qui pouvait difficilement s'expliquer autrement. Assurément, le fait que Rex était la propriété de Brenda

Champion ne fit qu'aiguiser l'appétit que Julia éprouvait pour lui.

Rex et Brenda Champion étaient descendus dans la villa voisine au Cap-Ferrat, qu'avait louée cette année-là un magnat de la presse et que fréquentaient de nombreux hommes politiques. Normalement Rex et Brenda n'auraient pas dû avoir accès au cercle de relations de Lady Rosscommon, mais, à vivre si près l'un de l'autre, les deux groupes se mélangèrent et Rex aussitôt entreprit avec ruse et prudence de faire sa cour.

Durant tout l'été il avait ressenti un besoin de changement. Ses relations avec Mme Champion avaient abouti à une impasse ; s'il avait commencé par puiser dans cette histoire une certaine fièvre intense de nouveauté, les liens qui les unissaient, infiniment plus rigides que ceux du mariage, commençaient maintenant à l'irriter. Mme Champion se conformait dans sa vie à un petit monde inscrit dans les limites d'un autre petit monde ; Rex avait besoin d'horizons plus larges. Il avait envie de consolider ses gains, d'amener le pavillon noir, de descendre à terre, de suspendre le coutelas au-dessus de la cheminée et de penser aux moissons. Il était temps pour lui de se marier ; lui aussi était en quête d'une sorte d'« Eustache », mais, avec le genre de vie qu'il menait, il était amené à rencontrer peu de jeunes filles. Il avait entendu parler de Julia ; tous les comptes rendus étaient unanimes : c'était une débutante de premier choix, une prise qui lui convenait.

Sous la surveillance aiguë et froide de Mme Champion à l'abri de ses verres fumés, Rex ne put faire grand-chose au Cap-Ferrat, si ce n'est de jeter les fondations de relations amicales qu'il resterait à élargir par la suite. Jamais il ne se trouva absolument seul avec Julia ; mais il veilla à ce qu'elle participât à la plupart de leurs distractions ; il lui apprit à jouer au chemin de fer, il s'arrangea pour que ce fût toujours dans sa voiture à lui qu'on allât à Monte-Carlo ou à Nice ; il en fit assez pour que Lady Rosscommon se décidât à écrire à Lady Marchmain et pour que Mme Champion l'entraînât, plus tôt que ne l'avaient prévu leurs projets, à Antibes.

Julia partit pour Salzbourg rejoindre sa mère.

— Tante Fanny me dit que vous vous êtes liée de grande amitié avec M. Mottram. Je doute fort que ce soit un homme comme il faut.

— J'en doute fort moi-même, dit Julia. Je ne sache pas que j'aime spécialement les gens comme il faut.

Il plane au-dessus de la plupart des hommes nouvellement parvenus un mystère proverbial, à savoir : comment ont-ils fait pour gagner leur premier million ? ce sont les mêmes qualités dont ils ont fait preuve alors, avant de devenir des brutes tyranniques, alors que tout interlocuteur était pour eux un individu qu'il fallait apaiser et séduire, alors que seul l'espoir les soutenait et qu'ils ne pouvaient compter sur rien au monde hormis ce qu'ils pourraient arriver à en tirer par la magie du charme, ce sont ces qualités qui, s'ils survivent à leur triomphe, leur assurent le succès auprès des femmes. Rex, parmi la liberté relative de la vie londonienne, fut d'une servilité abjecte à l'égard de Julia ; il calqua sa vie sur la sienne, allant où il savait la rencontrer, s'assurant les bonnes grâces de ceux dont il savait qu'ils seraient à même de dire du bien de lui à la jeune fille ; il se glissa dans les comités d'un certain nombre de bonnes œuvres, à seule fin d'y siéger à côté de Lady March-main ; il fit à Brideshead des offres de service pour lui assurer un siège au Parlement (mais se fit remettre à sa place sur ce point) ; il manifesta un vif intérêt pour l'Église catholique jusqu'au jour où il découvrit que ce n'était pas le moyen de gagner le cœur de Julia. Il était toujours prêt à la conduire où elle voulait avec son His-pano ; il les emmenait, elle et les invités de ses amies, assister à de grands matches de boxe, prenait toujours des fauteuils de ring, et présentait tout ce monde ensuite aux pugilistes ; et pas une seule fois, de tout ce temps, il ne lui déclara son amour. D'agréable, il finit par lui devenir indispensable ; elle, cependant, de fière qu'elle était d'abord de sa compagnie en public, finit par devenir un peu honteuse, mais ce fut entre-temps, dans le délai qui s'écoula de Noël à Pâques, qu'il se rendit indispensable. Et puis, tout soudain, sans s'y attendre le moins du monde, elle découvrit qu'elle était amoureuse.

Cette révélation troublante lui vint sans qu'elle l'eût sollicitée, un soir de mai où Rex l'avait prévenue qu'il serait retenu aux Communes et où, descendant par hasard en voiture Charles Street, elle le vit sortir de ce qu'elle savait être la demeure de Brenda Champion. Elle en fut si blessée et furieuse qu'elle eut le plus grand mal à sauvegarder les apparences durant le dîner ; dès qu'elle put se libérer, elle rentra chez elle où elle versa durant dix minutes des larmes amères ; puis elle eut faim, regretta de ne pas avoir mieux dîné, se fit servir un verre de lait et des tartines beurrées, et se mit au lit en disant à la femme de chambre : « Quand M. Mottram téléphonera demain matin, quelle que soit l'heure, répondez que je ne veux pas être dérangée. »

Le lendemain matin, en effet, elle prit son petit déjeuner au lit comme à l'habitude, lut les journaux, téléphona à ses amies. Finalement elle se décida à demander :

— M. Mottram a-t-il appelé, par hasard ?

— Oh oui, Milady, quatre fois déjà. Faudra-t-il vous le passer quand il rappellera ?

— Oui. Non. Dites-lui que je suis sortie.

Quand elle descendit, elle trouva un message sur la table du hall. « *M. Mottram attendra Lady Julia au Ritz, à 1 h 30.* »

— Je déjeunerai à la maison aujourd'hui, dit-elle.

L'après-midi de ce jour, elle alla faire des courses avec sa mère ; toutes deux prirent le thé chez une tante et rentrèrent à six heures.

— M. Mottram vous attend, Milady. Je l'ai fait entrer dans la bibliothèque.

— Oh, maman. Il m'ennuie, je n'ai pas envie de le voir. Dites-lui de s'en aller.

— C'est très mal agir, Julia. Je vous ai souvent répété que de tous vos amis ce n'est pas lui que je préfère, mais j'ai fini par m'habituer tout à fait à lui, par l'aimer bien presque. Vraiment, vous n'avez pas le droit de provoquer la société des gens pour les laisser tomber ensuite ainsi, surtout quand il s'agit de gens de l'espèce de M. Mottram.

— Oh, maman, suis-je réellement *obligée* de le voir ? Il y aura une scène, dans ce cas.

— C'est stupide, Julia, vous menez ce pauvre garçon par le bout du nez.

Julia entra donc dans la bibliothèque pour en sortir une heure plus tard, fiancée.

— Ma chère maman, je vous avais bien dit que cela arriverait, si j'entrais dans cette pièce.

— Vous ne m'avez rien dit de la sorte. Vous m'avez laissé entendre seulement qu'il y aurait une scène. Et Dieu sait si je m'attendais à une scène de cet ordre.

— Peu importe, maman, il vous plaît, j'en suis sûre. Vous l'avez dit.

— Il a été très aimable à bien des égards. Mais ce n'est pas le genre de mari qu'il vous faut. Tout le monde sera de mon avis sur ce point.

— Zut pour tout le monde.

— Nous ne savons rien de lui. Il a peut-être du sang nègre dans les veines – de fait, il est si brun que c'en devient suspect. Ce mariage est impossible, chérie. Je n'arrive pas à comprendre comment vous avez pu être aussi sotte.

— Soit, mais de quel droit alors me mettrais-je en colère contre lui, quand il sort avec cette vieille femme ? Vous faites toujours des tas d'histoires à propos des femmes perdues et du devoir que l'on a de les sauver. Eh bien moi, pour changer, c'est un homme perdu que je sauve. J'empêche Rex de commettre un péché mortel.

— Vous manquez de respect aux choses de la religion, Julia.

— Pourquoi ? N'est-ce pas péché mortel que de coucher avec Brenda Champion ?

— De respect et de décence.

— Il m'a promis de ne plus la revoir. Pouvais-je lui demander cela sans lui confesser que je l'aime, non, n'est-ce pas ?

— La réputation de Mme Champion, Dieu merci, n'est pas mon affaire. Tandis que votre bonheur… S'il faut tout vous dire, je trouve que M. Mottram est un très utile et aimable ami, mais je ne lui accorderais pas ça de confiance, et je suis sûre que ses enfants seront très déplaisants. La race ressortira en eux. Je ne doute pas que vous ne regrettiez cet incident d'ici à quelques jours. En attendant, *ne faites rien*. Ne dites rien à personne, ne permettez à personne de soupçonner quoi que ce soit. Cessez de déjeuner avec lui. Recevez-le ici, bien entendu, mais ne le voyez pas en public. Mieux vaudrait me l'envoyer, afin que nous puissions faire ensemble un brin de causette à ce propos.

C'est ainsi que s'ouvrit pour Julia une année de fiançailles secrètes. Période de tension extrême pour elle, car Rex, cet après-midi-là, lui déclara sa flamme pour la première fois, et ce, non pas à la façon dont elle en avait eu l'expérience à une ou deux reprises déjà, avec des jeunes gens sentimentaux et peu sûrs d'eux-mêmes, mais avec une passion qui sut éveiller en elle un écho discret encore, mais certain. Cette passion commune l'effraya, et elle revint un jour du confessionnal décidée à y mettre fin.

— Ou alors il me faudra cesser de vous voir, lui dit-elle.

Rex se fit humble aussitôt, exactement comme il avait su l'être durant l'hiver, jour après jour, au temps où il faisait le pied de grue en l'attendant sous la bise, dans sa grosse voiture.

— Si seulement nous pouvions nous marier immédiatement, dit-elle.

Durant six semaines, ils maintinrent toujours entre eux une bonne longueur de bras, s'embrassant quand ils se rencontraient et se séparaient, s'asseyant entre-temps à distance, parlant de leurs projets d'avenir, de leur future résidence et des chances de Rex de décrocher un sous-secrétariat d'État. Julia était contente de vivre, absorbée dans son amour et dans l'avenir. Puis, juste à la fin de la session parlementaire, elle apprit que Rex avait passé le week-end chez un courtier en Bourse, à Sunningdale, alors qu'il prétendait être dans sa circonscription, et que Mme Champion avait participé à ce week-end.

Le soir où elle apprit cette nouvelle, lorsque Rex se présenta comme à l'habitude à Marchmain House, tous deux rééditèrent la scène de deux mois auparavant.

— À quoi vous attendez-vous ? lui demanda-t-il. Quel droit avez-vous d'être aussi exigeante quand vous donnez si peu de vous-même ?

Elle alla exposer son problème à son confesseur, mais le formula en termes généraux et non pas au confessionnal, mais dans un petit salon très obscur réservé à ce genre d'entretien.

— Assurément, mon Père, ce ne peut être mal faire si je commets moi-même un petit péché, si je dois, ce faisant, le sauvegarder d'un péché bien plus grave.

Mais l'aimable et doux vieux jésuite restait ferme comme le roc. Elle écouta à peine ses discours ; il lui refusait ce dont elle avait envie, c'était tout ce qu'elle voulait savoir.

Ayant fini, il ajouta :

— Et maintenant, mon enfant, vous feriez mieux de venir vous confesser à l'église.

— Non merci, dit-elle, comme on refuse l'offre d'un article dans un magasin. Je ne crois pas en avoir envie aujourd'hui – et rentra, furieuse.

À dater de ce jour, elle mura son esprit à la religion.

Et Lady Marchmain vit cela, l'ajouta à la peine toute fraîche que lui causait Sebastian, à la peine ancienne que lui avait causée son mari, à la maladie mortelle qui la minait, et chargée de ce triple faix accomplit l'aller et retour quotidien de l'église. On l'eût dite crucifiée de douleur, le cœur transpercé de traits, cœur vivant, assorti aux simulacres en plâtre peint ; et quelle sorte de réconfort elle pouvait bien ramener avec elle, de ses pieuses visites, Dieu seul le savait.

Lentement, l'année s'écoula ainsi ; le secret des fiançailles de Julia transpira de confidentes de la jeune fille en confidentes des confidentes, telles les ondes multipliées en rides infinies à la surface de l'eau, jusqu'au jour où la presse commença à y faire allusion, où Lady Rosscommon, en tant que dame d'honneur de la reine, dut subir un interrogatoire en règle à ce propos, et où il fallut bien faire quelque chose. Et puis, après que Julia eut refusé de communier pour la Noël et que Lady Marchmain se fut rendu compte qu'elle avait été trahie d'abord par moi, puis par M. Samgrass, et ensuite par Cordélia, elle se décida à agir dans les premiers jours gris de 1925. Elle interdit qu'il fût jamais question de ces fiançailles, interdit à Julia et à Rex de jamais se voir, tira des plans pour fermer Marchmain House pendant six mois et faire à l'étranger avec Julia une tournée de visites à sa parenté. Fait typique de cet antique manque de tact, hérité des ancêtres, et qui cohabitait en elle avec tant de délicatesse, elle ne trouva pas déraisonnable le moins du monde de charger Rex de conduire Sebastian en Suisse, chez le Dr Boréthus ; et Rex, sans s'acquitter jusqu'au bout de cette mission, n'en poursuivit pas moins, seul, sa route jusqu'à Monte-Carlo où il devait mettre la dernière main à la débâcle de la vieille marquise. Lord Marchmain se moqua bien d'aller chercher au fond du caractère de Rex ; cela, dans son esprit, était l'affaire de sa fille. Rex avait l'air d'un gaillard qui ne s'en laissait pas imposer, en bonne santé, prospère, dont le nom apportait avec lui l'écho familier des comptes rendus politiques ; il jouait libéralement, mais avec bon sens ; il s'entourait de compagnons assez bien choisis ; il avait de l'avenir ; Lady Marchmain ne l'aimait pas. Lord Marchmain, dans l'ensemble, se sentit soulagé à l'idée que Julia eût aussi bien choisi, et accorda son consentement à un mariage immédiat.

Rex aussitôt se donna de toute son ardeur aux préparatifs. Il acheta une bague, que Julia et lui n'allèrent pas choisir, comme elle s'y attendait, sur un plateau chez Cartier, mais dans une arrière-boutique de Hatton

Garden, chez un bonhomme qui sortit ses pierres d'un coffre-fort et les étala devant elle sur un bureau ; après quoi, un autre bonhomme, dans une autre arrière-boutique, dessina plusieurs modèles de monture, avec un bout de crayon mâchonné sur une feuille de carnet, et le résultat de cette double opération arracha des cris d'admiration à toutes ses amies.

— Où avez-vous appris toutes ces choses, Rex ? lui demanda-t-elle.

Chaque jour, elle découvrait en lui avec surprise des connaissances nouvelles, comme des ignorances ; il n'en prenait à ses yeux, de toute façon, que plus d'attrait.

La maison qu'il occupait alors à Westminster était assez grande pour eux deux ; les meubles, la déco-ration, étaient récents ; une des meilleures maisons en avait été chargée, et des plus chères. Julia déclara qu'elle n'avait pas envie d'une résidence campagnarde, pour l'instant ; ils auraient toujours la ressource de s'installer en meublé quand ils auraient envie de voya-ger et de séjourner hors de la capitale.

La question de la dot souleva quelques ennuis. Julia refusa de s'y intéresser. Les avoués étaient au désespoir. Rex de son côté refusa catégoriquement de faire le moindre dépôt de capital.

— Que voulez-vous que je fiche de capitaux aux-quels on ne peut pas toucher ? demanda-t-il.

— Je l'ignore, mon chéri.

— Je m'arrange pour que l'argent travaille pour moi, dit-il. J'attends de lui qu'il me rapporte quinze, vingt pour cent, et ça marche toujours. C'est un véritable gâchis que d'immobiliser un capital à trois et demi pour cent.

— J'en suis sûre, mon chéri.

— On dirait, à les entendre, que ces types ont peur que je ne vous vole. Ce sont *eux*, les voleurs. Ils voudraient vous frustrer des deux tiers des revenus que je peux vous assurer.

— Est-ce si important, Rex ? Nous avons un tas d'argent, non ?

Rex comptait bien avoir en main la totalité de la dot de Julia, et la faire fructifier. Les hommes de loi insistaient pour immobiliser ce capital, mais ne parvenaient pas à obtenir de Rex le dépôt équivalent qu'ils demandaient. En fin de compte, à contrecœur et après de longs marchandages, il consentit à contracter une assurance-vie, non sans avoir expliqué de bout en bout aux avoués que ce n'était là qu'un truc destiné à détourner une partie des profits qui lui revenaient légitimement et à les faire passer dans la poche d'autres gens ; mais il entretenait de bons rapports avec un cabinet d'assureurs qui ôta quelque peu de son caractère douloureux à l'opération, en versant à son compte la commission qui devait revenir de droit à l'intermédiaire et que les avoués avaient bien espéré toucher.

Restait un problème, le moins important : la religion de Rex. Il avait été invité un jour à un mariage royal à Madrid et il entendait que la cérémonie de ses noces fût dans le même style.

— Ça du moins, c'est le genre de chose dans lequel votre religion excelle, disait-il. Un spectacle qui en vaut la peine. Les cardinaux, ça n'a pas son pareil. Combien y en a-t-il en Angleterre ?

— Un seul, mon chéri.

— Un *seul* ? N'y a-t-il pas moyen d'en faire venir de l'étranger, en payant ?

Ce fut alors qu'on lui expliqua qu'un mariage mixte imposait une certaine discrétion.

— Qu'est-ce que c'est que cette histoire ? Mixte ? Je n'ai rien d'un nègre ni de quoi que ce soit d'approchant.

— Non, mon chéri. Entre catholique et protestant.

— Ah bon, c'est *ça* ? Ma foi, si c'est tout, ça n'est pas difficile à unifier. Je me ferai catholique. Ça demande quoi ?

Lady Marchmain, prise de court par ce nouvel incident, en demeura consternée et perplexe. Il ne lui servit à rien de se dire qu'en toute charité il lui fallait présumer de la bonne foi de Rex. Le souvenir lui revenait d'autres fiançailles et d'une autre conversion.

— Rex, dit-elle, je me demande parfois si vous vous rendez compte de l'importance capitale de l'engagement que vous voulez prendre. Ce serait très mal, à vous, que de faire un tel pas sans être sûr d'avoir la foi.

Il sut la manœuvrer de main de maître.

— Je ne prétends pas plus être un dévot, dit-il, qu'un grand théologien. Mais je sais que cela ne vaut rien, d'avoir deux religions au sein du même foyer. Tout homme a besoin d'une religion. Si votre Église est bonne pour Julia, il n'y a pas de raison pour qu'elle ne le soit pas pour moi.

— Parfait, dit-elle. Je vais m'occuper de votre instruction religieuse.

— Écoutez, Lady Marchmain, je n'ai pas de temps à perdre. Et ce sera perdre du temps que de vouloir faire mon instruction. Donnez-moi seulement la formule, je remplirai les blancs en face des pointillés, et je signerai.

— D'ordinaire, cela prend des mois, souvent toute une vie.

— Ma foi, j'apprends vite. Faites l'essai.

Et l'on envoya donc Rex chez les Jésuites, au père Mowbray, prêtre renommé pour ses triomphes en matière de catéchumènes endurcis. Au bout du troisième entretien, il vint prendre le thé chez Lady Marchmain.

— Eh bien, quelle impression vous fait mon futur gendre ?

— C'est le cas de conversion le plus difficile que j'aie jamais traité.

— Mon Dieu, et moi qui croyais qu'il faciliterait les choses.

— Hé, c'est bien là le problème. Je n'arrive pas à trouver de point de contact. Il n'a pas l'air d'avoir la moindre curiosité intellectuelle ni la moindre piété naturelle.

« Le premier jour, j'ai cherché à savoir quelle sorte de vie religieuse il avait eue jusqu'alors, et je lui ai demandé ce qu'il entendait par la prière. Savez-vous ce qu'il m'a répondu ? *"Moi ?* Rien, ma foi. C'est à *vous* de me *le* dire." Je m'y suis essayé, brièvement, et il m'a dit : "Bon. Vu pour la prière. Et après, qu'est-ce qui vient ?" Je lui ai donné à emporter le catéchisme. Hier je lui ai demandé si Notre-Seigneur avait plusieurs natures. Il m'a répondu : "Autant qu'il vous plaira, mon Père."

« Alors, j'ai repris : "À supposer que le pape vienne à lever les yeux et voie un nuage dans le ciel, et dise : 'Il va pleuvoir.' Pleuvrait-il forcément ? — Mais oui, mon père. — Et s'il ne pleuvait pas ?" Il se recueillit un instant : "Je suppose que ça ferait comme une pluie spirituelle, mais qu'il y aurait tant de péchés en nous que nous n'y verrions rien."

« Lady Marchmain, je ne crois pas que nos missionnaires aient jamais rencontré son pareil en paganisme.

— Julia, dit Lady Marchmain, après le départ du prêtre, êtes-vous sûre que Rex ne se convertit pas uniquement pour nous faire plaisir ?

— Je n'ai pas l'impression qu'il y ait en lui l'ombre de cette idée.

— Il est vraiment sincère dans son désir de conversion ?

— Il est absolument décidé à se faire catholique, maman.

Et dans son for intérieur elle se murmura : « Au cours de ses siècles d'histoire, l'Église catholique a dû voir pas mal de conversions bizarres. J'imagine que tous les soldats de l'armée de Clovis n'avaient pas exactement la tournure d'esprit nécessaire. Un de plus ou de moins… »

La semaine suivante, le jésuite revint prendre le thé. C'étaient les vacances de Pâques et Cordélia était à la maison.

— Lady Marchmain, dit le prêtre, vous auriez dû demander à un prêtre plus jeune d'assumer cette tâche. J'aurai depuis longtemps quitté ce monde avant que Rex soit catholique.

— Mon Dieu, et moi qui croyais que tout se passait si bien.

— Très bien, en un sens. Il a été exceptionnellement docile, s'est déclaré prêt à admettre tout ce que je lui disais, se souvient de bribes, ne pose pas de questions. Mais je n'ai pas à me féliciter de lui. Il m'avait semblé n'avoir aucun sens des réalités, mais je savais qu'il allait tomber sous l'influence d'un milieu solidement catholique, et c'était volontiers que j'avais accepté de le prendre. Il faut bien que l'on coure la chance, de temps à autre, avec les simples d'esprit, par exemple. Jamais on n'arrive à savoir exactement jusqu'à quel point ils ont compris. Dans la mesure où l'on sait qu'il y aura quelqu'un pour veiller sur eux, on n'hésite pas à prendre le risque.

— Quel dommage que Rex ne puisse pas entendre ça ! s'écria Cordélia.

— Mais hier un incident typique est venu m'ouvrir les yeux. L'ennui, avec l'éducation moderne, est que l'on ne connaît jamais la mesure exacte de l'ignorance des gens. Quand le catéchumène a plus de cinquante ans, on peut être assez sûr de la nature de l'enseignement qu'il a reçu et des trous à combler. Mais, avec les jeunes générations en surface, on ne voit qu'intelligence ouverte à la connaissance ; et puis l'écorce crève soudain et le regard se perd dans des abîmes de confusion dont on ne soupçonnait pas l'existence. Hier, par exemple. Tout avait l'air d'aller pour le mieux. Il avait appris par cœur de bons morceaux de catéchisme, plus le *Pater Noster* et l'*Ave Maria*. Ensuite de quoi, comme d'habitude, je lui ai demandé s'il y avait un point qui lui paraissait obscur. Il m'a jeté un regard oblique et malin, et m'a dit : « Écoutez, mon père, j'ai l'impression que vous n'êtes pas régulier avec moi. J'ai envie d'adhérer à votre foi, et je le ferai, mais il y a des choses que vous me cachez, trop de choses. » Je lui ai demandé ce qu'il voulait dire. Et il m'a répondu : « Je sors d'une longue conversation avec une personne catholique – et très pieuse, parfaitement éduquée, vous pouvez me croire – qui m'en a appris une ou deux bien bonnes. Par exemple, qu'on doit dormir, les pieds orientés vers l'est parce que c'est la direction du Ciel et que si on vient à mourir pendant la nuit on n'a plus qu'à marcher droit devant soi pour y arriver. Moi, je suis prêt à dormir les pieds tournés vers n'importe quelle direction qui plaira à Julia, mais vous ne pouvez tout de même pas espérer d'un adulte qu'il croie qu'on peut aller au ciel à pied ? Et l'histoire de ce pape qui nomma un de ses chevaux cardinal ? Et celle de cette boîte qui se trouve à l'entrée des églises, et, si on met dedans un billet d'une livre après y avoir écrit le nom d'une personne, on est sûr de l'envoyer en enfer ? Je ne dis pas qu'il n'y ait pas de bonnes raisons à tout cela, a-t-il ajouté, mais vous devriez me les dire au lieu de me les laisser découvrir tout seul. »

— Mais qu'est-ce que le pauvre garçon a bien *pu* vouloir dire ? demanda Lady Marchmain.

— Vous le voyez, la route à parcourir est encore longue, reprit le père Mowbray.

— Qui a bien pu lui raconter ces histoires ? Il n'a pu les inventer. Cordélia, qu'avez-vous ?

— Quelle gourde ! Oh, maman, quelle magnifique gourde !

— Cordélia, c'est *vous* !

— Oh, maman, qui aurait jamais pensé qu'il gobe-rait ça ? Je lui en ai raconté bien d'autres. Les singes sacrés du Vatican – des tas de choses encore.

— Eh bien, vous n'avez pas simplifié *ma* tâche, mon enfant, dit le père.

— Pauvre Rex, soupira Lady Marchmain, voyez-vous, je trouve ce trait de son caractère plutôt ado-rable. Il faut le traiter un peu comme un enfant arriéré, père Mowbray.

Et l'instruction religieuse de Rex continua, et le Père Mowbray consentit finalement à le recevoir dans le giron de l'Église une semaine avant son mariage.

— On penserait que ça devrait les faire sauter de joie de me voir entrer chez eux, se plaignit Rex. Je peux leur être très utile de façon ou d'autre ; au lieu de quoi, ils se conduisent comme les bonzes qui délivrent les cartes d'entrée pour un casino. Par-dessus le marché, ajouta-t-il, Cordélia m'a tellement embrouillé dans tout ça que je ne sais plus ce qui est dans le catéchisme et ce qui est de son invention.

Les choses en étaient là, trois semaines avant le mariage ; les invitations étaient lancées, les cadeaux de noce affluaient, les demoiselles d'honneur étaient ravies de leurs robes. Ce fut alors qu'explosa ce que Julia appela « la bombe de Bridey ».

Avec la brutalité qui le caractérisait, il balança sa charge d'explosif sans avertissement au beau milieu de ce qui, jusqu'alors, avait été une heureuse réunion de famille. La bibliothèque de Marchmain House avait été consacrée aux cadeaux de mariage ; Lady Marchmain, Julia, Cordélia, Rex s'y affairaient, défaisant les paquets et en dressant la liste. Brideshead entra, les regarda faire un moment.

— Tante Betty, deux vases fêlés, annonçait Cordélia. Vieux comme le monde. Je les ai vus sur le perron de Buckberne.

— Qu'est-ce que c'est que tout ça ? demanda Brideshead.

— Service thé petit déjeuner – M., Mme et Mlle Pendle-Garthwaite. Vient de chez Goode, trente shillings ; les pingres !

— Vous feriez mieux de reficeler tout ça dans le papier.

— Bridey ! Que voulez-vous *dire ?*

— Simplement que le mariage est contremandé.

— Oh, *Bridey* !

— J'ai pensé que mieux valait faire une petite enquête sur mon beau-frère en perspective. Personne d'autre ne semblait y songer. J'ai reçu la réponse ce soir, en fin de compte. Il a épousé à Montréal en 1915 une Mlle Sarah Évangéline Cutler, qui vit toujours là-bas.

— Rex, est-ce vrai ?

Rex, debout, tenait à la main un dragon de jade qu'il était occupé à considérer d'un air critique ; sur quoi, l'ayant déposé soigneusement sur son socle d'ébène, il fit à l'adresse de la compagnie un grand et innocent sourire.

— Vrai ? Mais comment donc, dit-il. Et après ? Pourquoi est-ce que ça a l'air de vous chavirer, tous ? Elle n'existe pas pour moi. Ne m'a jamais été grand-chose, d'ailleurs. Il n'y a qu'un seul gosse, en tout cas. Le genre d'erreur que n'importe qui peut faire. Mon divorce remonte à 1919. Je ne savais même pas où elle vivait ; c'est Bridey qui vient de me l'apprendre. La belle affaire !

— Vous auriez pu me prévenir, dit Julia.

— Vous ne me l'avez pas demandé. Franchement, je n'ai même pas pensé à elle une seule fois, toutes ces années.

Il était si évidemment sincère, qu'il leur fallut à tous s'asseoir pour lui expliquer la chose calmement.

— Ne comprenez-vous pas, mon gros chou, lui dit Julia, que le mariage catholique devient impossible, du moment que vous avez une autre femme en vie ?

— Mais je n'ai *pas* d'autre femme. Est-ce que je ne viens pas de vous dire que nous avons divorcé il y a six ans ?

— Mais un catholique ne peut *pas* divorcer.

— Je n'étais pas catholique quand j'ai divorcé. Je dois avoir gardé les papiers quelque part.

— Le père Mowbray ne vous a donc pas expliqué ce que c'est que le mariage ?

— Il m'a dit que je ne devais pas divorcer d'avec vous. D'accord, je n'en ai pas l'intention. Je n'arrive pas à me rappeler tout ce qu'il m'a raconté, je sais qu'il m'a parlé de singes sacrés, d'indulgences plénières, de quatre dernières choses ; si je devais me souvenir de tout, je n'aurais plus le temps de rien faire. En tout cas, et votre cousine d'Italie, Francesca ? elle s'est bien mariée deux fois.

— Elle a obtenu une annulation.

— D'accord, d'accord. J'aurai mon annulation, moi aussi. Qu'est-ce que ça coûte ? De qui obtient-on ça ? Est-ce que le père Mowbray n'en disposerait pas d'une ? Je n'ai qu'une idée : faire ce qu'il faut. Personne ne m'avait rien dit.

Il fallut un temps considérable avant d'arriver à convaincre Rex qu'il existait un sérieux obstacle à son mariage. La discussion les mena jusqu'au dîner, fut mise en veilleuse en présence des serviteurs, reprit dès qu'ils se retrouvèrent seuls et dura bien après minuit. Montant, plongeant, tournoyant, la conversation tour à tour planait et piquait comme une mouette, tantôt prenant le large, hors de vue, se perdant dans les nuages, parmi les répétitions ou les parenthèses sans rapport avec elle, tantôt survolant et rasant l'endroit où flottait l'épave.

— Que voulez-vous que je fasse ? Qui faut-il voir ? persistait à demander Rex. N'allez pas me raconter qu'il n'y a personne au monde qui puisse arranger ça ?

— Il n'y a rien à faire, Rex, lui dit Brideshead. Cela signifie simplement que votre mariage ne peut avoir lieu. Je me mets à la place de tout le monde et suis navré que cela soit arrivé aussi brusquement. Vous auriez dû nous mettre au courant vous-même.

— Écoutez, dit Rex. Peut-être avez-vous raison dans ce que vous dites. Peut-être, à se conformer strictement à la loi, n'ai-je pas le droit de me marier dans votre cathédrale. Mais la cathédrale est retenue ; personne ne se soucie de poser de question ; le cardinal ignore tout de l'affaire ; le père Mowbray n'en sait rien. Il n'y a que nous qui soyons au courant. Alors, pourquoi faire tant d'histoires ? Pas un mot à la reine mère, vous me comprenez ? On laisse aller les choses, comme si de rien n'était. Qui est-ce qui y perdra ? J'irai peut-être en enfer. C'est bon, je cours le risque. Qu'est-ce que les autres ont à voir là-dedans ?

— Pourquoi pas ? dit Julia. Je suis sûre que ces prêtres ignorent tout. Je ne crois pas qu'on aille en enfer pour une affaire de ce genre. D'ailleurs, l'enfer, je n'y crois pas. Et puis c'est notre manière de voir les choses, à tous deux. Nous ne vous demandons pas de mettre vos âmes en péril. Vous n'aurez qu'à vous tenir à l'écart.

— Julia, je vous déteste, proclama Cordélia en quittant la pièce.

— Nous sommes tous fatigués, avança Lady Marchmain. S'il reste quelque chose à dire, c'est, à mon avis, que mieux vaut reprendre la discussion demain matin.

— Mais il n'y a plus rien à débattre, rétorqua Brideshead, sauf de savoir quel est le moyen le plus discret de clore l'incident. Mère et moi, nous en déciderons. Le plus simple est de faire passer une notice dans le *Times* et le *Morning Post ;* quant aux cadeaux, ils seront retournés à leurs adresses. Je ne sais quel est l'usage en ce qui concerne les robes des demoiselles d'honneur.

— Un instant, dit Rex. Un petit instant. Peut-être pouvez-vous nous empêcher de nous marier dans votre cathédrale. D'accord, au diable, nous nous marierons dans une chapelle protestante.

— Je puis m'y opposer aussi, dit Lady Marchmain.

— Vous n'en ferez rien, maman, dit Julia. C'est que, voyez-vous, je suis la maîtresse de Rex depuis quelque temps déjà, et j'ai l'intention de continuer, mariée ou non.

— Rex, est-ce vrai ?

— Non, fichtre non, dit Rex. Si seulement ça pouvait l'être.

— Vous voyez bien qu'il *faudra* reprendre cette discussion demain matin, dit Lady Marchmain, d'une voix faible. Je ne peux plus continuer pour le moment.

Et elle dut s'appuyer au bras de son fils pour monter dans sa chambre.

— D'où diable vous est venue l'idée de dire cela à votre mère ? demandai-je à Julia, quand, des années plus tard, elle me décrivit cette scène.

— Rex m'a posé exactement la même question. Parce que je croyais que c'était la vérité, je suppose. Pas à la lettre, bien que, ne l'oubliez pas, je n'avais que vingt ans à l'époque et personne ne sait à quoi s'en tenir sur « les réalités de la vie » tant qu'on ne les connaît que par ouï-dire, mais, bien entendu, je ne voulais pas dire que c'était vrai à la lettre. Je ne savais comment le faire entendre autrement. Je voulais dire que j'étais bien trop engagée dans mon amour pour Rex, pour être à même de dire tout simplement « le mariage annoncé n'aura pas lieu », et m'en tenir à cela. J'avais envie de devenir une honnête femme. Depuis lors, je n'ai cessé d'en avoir envie, cela ne vous dit rien ?

— Et puis ?

— Et puis, les palabres continuèrent de plus belle. Pauvre maman ! Et les prêtres s'en mêlèrent, et mes tantes aussi. On fit toutes sortes de suggestions : que Rex parte pour le Canada ; que le père Mowbray aille à Rome étudier les possibilités d'une annulation ; que j'aille faire un séjour d'un an à l'étranger. Au milieu de quoi, Rex envoya tout simplement un télégramme à papa :

« *Julia et moi préférons cérémonie mariage rite protestant. Voyez-vous objection ?* À quoi il répondit :

Enchanté, ce qui coupa court aux intentions qu'avait maman de nous empêcher de nous marier sur le plan légal. Après cela vinrent les appels aux bons sentiments. On m'expédia voir des prêtres, des tantes, des nonnes, pendant que Rex poursuivait sans éclat – relativement sans éclat – l'exécution de nos plans.

« Oh, Charles, quel mariage sordide ! La chapelle du Savoy, c'était l'endroit où les couples divorcés se mariaient dans ce temps-là, un petit réduit de rien du tout, le contraire de ce que Rex aurait voulu. J'aurais préféré tout simplement me faufiler inaperçue dans un bureau de l'état civil, un beau matin, et liquider l'affaire en prenant une paire de femmes de ménage pour témoins ; mais rien à faire : Rex voulait ses demoiselles d'honneur, les fleurs d'oranger et la marche nuptiale. Ce fut épouvantable.

« La pauvre maman se conduisit en martyre et voulut à toute force que je porte son voile de dentelle en dépit de tout. Évidemment, il était difficile de faire autrement – ma robe avait été conçue de façon qu'on ne pouvait se passer du voile. Mes amis assistèrent à la cérémonie, naturellement, ainsi que les étranges comparses que Rex appelait *ses* amis ; quant aux autres invités, ils formaient un très curieux assortiment. Aucun membre de la famille de maman n'était présent, cela va de soi ; un ou deux parents du côté de papa. Toutes les "personnalités" s'abstinrent – vous savez qui je veux dire – et je pensai à part moi : "Dieu soit loué, ces gens-là me regardaient toujours du haut de leur nez, de toute façon", mais Rex était furieux : c'était ceux-là qu'il eût voulus, apparemment.

« Un instant, j'avais espéré qu'il n'y aurait pas de réception. Maman avait déclaré que nous ne pourrions nous servir de Marchers, et Rex voulait envoyer un télégramme à papa et envahir les lieux avec une armée de traiteurs précédée de l'avoué de la famille. En fin de compte on décida de donner une réception la veille du mariage, à la maison, pour exposer les cadeaux de noce. D'après le père Mowbray, apparemment, c'était tout à fait licite. Naturellement, personne n'a jamais résisté au plaisir d'aller admirer le cadeau qu'il a fait ; la réception connut donc un grand succès ; mais celle que donna Rex, le lendemain, au Savoy, pour les invités, fut très sordide.

« En ce qui concerne les fermiers et les métayers, on se trouva assez embarrassé. À la fin, Bridey se rendit à Brideshead où il leur offrit un dîner et un feu de joie qui ne furent pas du tout ce qu'ils attendaient, en retour de la soupière en argent pour laquelle ils s'étaient cotisés.

« Ce fut la pauvre Cordélia qui accusa le plus durement le coup. Elle avait tant rêvé du jour où elle me servirait de demoiselle d'honneur – nous avions l'habitude d'en parler toutes deux bien avant ma présentation à la Cour – et puis, il faut bien le dire aussi, c'était une enfant extrêmement pieuse. Elle commença par refuser de m'adresser la parole. Puis, le matin de la cérémonie – je m'étais installée chez ma tante Fanny Rosscommon, la veille au soir ; plus convenable, avait-on estimé –, elle fit irruption dans ma chambre quand j'étais encore au lit ; elle arrivait droit de chez son confesseur jésuite, versant des torrents de larmes, me supplia de ne pas me marier, puis me sauta au cou, me fit présent d'un amour de petite broche qu'elle venait d'acheter, et me dit qu'elle priait Dieu pour que je sois toujours heureuse. *Toujours heureuse*, Charles !

« Ce fut un mariage aussi peu populaire que possible, vous savez. Tout le monde prit le parti de maman, comme toujours, sans qu'elle en tirât le moindre avantage, bien sûr. Toute sa vie, maman n'a cessé de recueillir la sympathie des gens, sauf de ceux qu'elle aime. On déclara partout que je m'étais conduite abominablement à son égard. En fait, ce pauvre Rex s'aperçut qu'il avait épousé une hors-la-loi, le contraire de son vœu le plus cher.

« En sorte que, vous le voyez, rien n'eut jamais l'air d'aller. Il y eut un sort sur nous dès le départ. Mais j'étais toujours folle de Rex.

— Drôle, non, quand on y pense ?

— Savez-vous que le père Mowbray avait découvert dès le premier jour en Rex ce que je mis une année de mariage à voir ? Il lui manquait une case, simplement. Ce n'était pas un être humain complet. Un morceau d'homme, qui s'était développé de façon anormale. Le genre de monstre qu'on met dans les bocaux, un organisme, voire un organe, qu'on garde en vie dans un laboratoire. Je l'avais pris pour une sorte de sauvage primitif, mais il était parfaitement moderne et à la page, la sorte de fruit que seul, cet âge horrible qu'est le nôtre peut produire. Un minuscule morceau d'homme, prétendant qu'il était l'être entier.

« Et maintenant, eh bien, tout cela est fini. »

Ce fut dix ans plus tard qu'elle me dit cela, au cours d'une tempête sur l'Atlantique.

8.

Je revins à Londres au printemps de 1926, à l'occasion de la grève générale.

On ne parlait que de cela à Paris. Les Français, exultant comme toujours au spectacle de la déconfiture de leurs anciens amis, et traduisant en termes précis, ainsi que le veut leur langue, les notions brumeuses qui ont cours de l'autre côté de la Manche, nous prédisaient la révolution et la guerre civile. Les kiosques à journaux étalaient chaque soir des textes dignes du Jugement dernier, et au café, les amis et connaissances vous accueillaient sur un ton mi-moqueur : « Eh bien, mon ami, vous devez vous trouver mieux d'être ici que chez vous, hein ? », tant qu'à la fin quelques amis, se trouvant à Paris pour des raisons analogues aux miennes, et moi-même, nous en vînmes à croire sérieusement que notre patrie était en danger et que notre devoir était de voler à son secours. Un Belge, futuriste, et qui vivait sous le nom plus ou moins faux, j'imagine, de Jean de Brissac La Motte, et revendiquait le droit de prendre les armes où que l'on livrât bataille, de quelque nature que ce fût, aux classes inférieures, se joignit à nous.

Nous traversâmes la Manche ensemble, formant un petit groupe fort viril et gaillard et nous attendant à voir se déployer devant nous, à peine débarqués à Douvres, un tableau si souvent répété au cours de ces dernières années, à de si faibles variations près, par tous les pays d'Europe, que, pour ma part, en tout cas, j'avais fini par me faire une image claire et composite de la « révolution ». Drapeau rouge flottant sur l'hôtel des postes, tram renversé, policemen ivres, prisons ouvertes, bandes de criminels échappés rôdant dans les rues, trains ne passant plus. Le genre de choses qu'on avait lu dans les journaux, vu sur l'écran, entendu au café comme une rengaine durant les six ou sept dernières années, au point qu'on en arrivait à le ranger dans son stock d'expériences de seconde main, comme la boue des Flandres et les moustiques de Mésopotamie.

Et puis nous nous retrouvâmes sur le quai. La douane accomplissait fidèlement sa vieille routine sous ses hangars. Le train de bateau était ponctuel. Les porteurs bordaient le quai de la gare Victoria et convergèrent aussitôt sur les wagons de première. La file interminable des taxis en stationnement…

« Séparons-nous, décidâmes-nous, et allons aux renseignements. Nous nous retrouverons pour confronter nos impressions à dîner. » Mais nous savions déjà au fond de nous-mêmes que rien ne se passait ; rien, en tout cas, qui nécessitât notre présence.

— Eh bien, eh bien, dit mon père, me rencontrant par hasard dans l'escalier, quelle joie de vous revoir aussi vite. (Il y avait quinze mois que je n'étais pas revenu de l'étranger.) Vous tombez très mal, vous savez. Ils ont décidé de faire une de leurs grèves dans deux jours – quelle bêtise ! – et je ne sais comment vous ferez pour repartir.

Je pensais à la soirée que j'avais sacrifiée ; les lumières naissant sur les bords de la Seine, et la compagnie dans laquelle j'aurais dû me trouver – car je m'intéressais à l'époque à deux jeunes Américaines émancipées qui partageaient une garçonnière à Auteuil – et regrettais d'être venu.

Nous dînâmes ce soir-là au Café Royal. L'atmosphère y était un peu plus guerrière, car le café était plein d'étudiants accourus de leurs universités, pour adhérer au « service national ». Un groupe d'étudiants de Cambridge s'était engagé, l'après-midi même, en qualité de messagers au ministère des Transports, et leur table tournait le dos à un autre groupe qui s'était enrôlé dans le corps de la police auxiliaire. De temps à autre, l'un ou l'autre groupe lançait, par-dessus l'épaule, des cris de défi à ses voisins, mais il n'est pas commode d'entrer sérieusement en conflit quand on se tourne le dos, et l'affaire se termina par un échange de grandes chopes de bière écumante.

— Dommage que vous n'ayez pas été à Budapest quand Horthy fit son entrée dans la ville, dit Jean. Ça, c'était de la politique.

Il y avait, ce soir-là, réception à Regent's Park, en l'honneur de la troupe noire des Black Birds, qui venait de débarquer en Angleterre. L'un de nous y avait été convié. Nous y allâmes tous.

Pour nous, qui fréquentions le Bricktop's et le Bal nègre de la rue Blomet, le spectacle n'avait rien de très remarquable. Je venais à peine de franchir la porte quand j'entendis une voix sur laquelle je ne pouvais me tromper, écho de ce qui me paraissait alors un lointain passé.

— *Non*, disait cette voix, ce ne sont pas les pensionnaires d'un zoo, Mulcaster, le genre de bêtes qu'on regarde à travers de grosses lunettes d'écaille. Ce sont des *artistes*, mon cher, de très grands artistes, que l'on doit contempler *avec révérence*.

Anthony Blanche et Boy Mulcaster étaient assis à la seule table où l'on buvait du vin.

— Dieu merci, enfin quelqu'un que je connais, dit Mulcaster, comme je les rejoignais. Venu avec une fille. Sais pas ce qu'elle est devenue.

— Elle vous a *plaqué*, mon cher, et savez-vous pourquoi ? Parce que vous avez l'air ridiculement *déplacé*, Mulcaster. Ce n'est pas votre fort, ce genre de réception ; vous n'avez rien à faire ici ; vous devriez vous en aller, vous savez, faire un tour au Vieux Cent ou dans je ne sais quelle lugubre soirée dansante de Belgrave Square.

— Sors d'en prendre, dit Mulcaster. Trop tôt pour aller au Vieux Cent. Vais rester encore un moment. Peut-être une chance que ça s'égaie un peu.

— Je vous crache mon dégoût à la face, reprit Anthony. Charles, c'est à *vous* que je veux parler.

Munis d'une bouteille et de nos verres, nous allâmes, Anthony et moi nous installer dans un coin d'une autre pièce. À nos pieds, cinq membres de la troupe noire, accroupis sur les talons, jouaient aux dés.

— Celui-là, dit Anthony, qui tire sur le *pâle*, mon cher, a sonné Mme Arnold Frickheimer, l'autre matin, à l'aide d'une bouteille de lait, en plein sur la *cafetière*, mon cher.

Presque immédiatement, nous commençâmes inévitablement à parler de Sebastian.

— Mon cher, ce garçon est un tel *sot*. Il est venu vivre chez moi, à Marseille, l'an dernier, après que vous l'eûtes jeté par-dessus bord, et réellement j'ai eu mon compte de lui. Tout le jour à téter, téter, téter la bouteille, comme une douairière. Et si *sournois*. Continuellement, des petites choses me manquaient ; disparues, mon cher ; des choses auxquelles je tenais plutôt ; un jour, deux costumes qui venaient de m'arriver de chez Lesley et Roberts, le matin même. Naturellement, je ne pouvais pas *savoir* que c'était Sebastian. Il y avait de drôles d'oiseaux, mon cher, qui fréquentaient mon petit appartement. Mais qui mieux que vous connaît mon goût pour les drôles d'oiseaux ? Toujours est-il qu'éventuellement nous finîmes par dénicher l'usurier chez qui Sebastian allait p-p-porter toutes ces choses, pour nous apercevoir *ensuite* qu'il n'avait plus les reçus ; ceux-ci se monnayaient aussi, au bistrot du coin.

« Je reconnais dans votre regard cette lueur de désapprobation puritaine, mon cher Charles, comme si vous pensiez que c'est moi qui ai poussé cet enfant sur cette mauvaise voie. C'est l'une des vertus les moins aimables de Sebastian, que de donner toujours l'impression qu'on le p-p-pousse et le mène comme un p-p-petit cheval de cirque. Je lui ai dit je ne sais combien de fois : "Pourquoi boire ? Si vous recherchez la drogue, il y a tant de choses infiniment plus exquises." Je lui ai fait faire la connaissance de l'individu de beaucoup le plus indiqué ; voyons, vous savez aussi bien que moi qui je veux dire ; Nada Alopov et Jean Luxmere, *tous ceux que nous connaissons*, vont le trouver depuis des années – il fréquente le Regina Bar – et puis nous avons eu des ennuis à la suite de cela, parce que Sebastian avait donné à cet individu un chèque sans provision – t-t-tel que je vous dis, mon cher – et tout un tas d'individus extrêmement menaçants sont venus faire un petit tour chez moi – des durs, mon cher – et Sebastian ne voulait entendre nulle raison, et toute cette histoire était tout ce qu'il y a de plus déplaisant. Boy Mulcaster vint traîner de notre côté et s'assit, sans que je l'y eusse encouragé, près de moi.

— Commence à manquer d'alcool ici, me dit-il, se servant à notre bouteille et la vidant. Pas un visage de connaissance, rien que des nègres.

Anthony l'ignora et poursuivit :

— Tant et si bien que nous avons quitté Marseille pour Tanger et *là*, mon cher, Sebastian tomba sur son dernier ami *en date*. Comment le décrire ? Il ressemble au valet de pied de « Warning Shadows », une espèce de grande bûche d'Allemand qui était à la Légion étrangère. Il en est sorti en se faisant sauter le gros orteil d'un coup de fusil. La blessure n'était pas encore guérie. Sebastian le trouva mourant de faim comme pas un dans une baraque de la casbah et le ramena dans l'intention de l'installer avec nous. Ce fut le comble du macabre. Si bien que je repris le chemin de notre bonne vieille Angleterre, mon cher, oui, de notre *bonne vieille Angleterre*, répéta-t-il, montrant d'un geste large les nègres occupés à jouer à nos pieds, Mulcaster, le regard absent, perdu devant lui, et notre hôtesse qui, en pyjama, venait se présenter à nous.

— Vous connais pas, que je sache, dit-elle. Vous ai pas invités non plus. Qu'est-ce que viennent faire ici tous ces sales Blancs d'ailleurs ? Dois m'être trompée d'adresse, m'en a tout l'air.

— Période de crise pour le pays, dit Mulcaster. Peut arriver le pire.

— Comment se présente la soirée ? Bien, j'espère ? demanda la femme, anxieusement. Croyez-vous que Florence Mills accepterait de chanter ? Nous nous sommes déjà vus quelque part, ajouta-t-elle à l'adresse d'Anthony.

— Souvent, ma chère, mais vous ne m'aviez certainement pas invité ce soir.

— Mon Dieu, peut-être que je ne vous aime pas. Moi qui croyais n'avoir de haine pour personne.

— Que diriez-vous, reprit Mulcaster après que notre hôtesse nous eut laissés, si j'alertais les pompiers ? Ce serait spirituel, non ?

— Mais voyons, Boy, courez le faire.

— Pourrait les dégeler un peu, ce que je veux dire.

— Précisément.

Sur quoi Mulcaster nous planta là pour se mettre en quête du téléphone.

— Je crois que Sebastian et son chien boiteux ont dû partir pour le Maroc français, poursuivit Antoine. Ils avaient des ennuis avec la police de Tanger quand je les ai quittés. La marquise n'a cessé d'être une vraie peste depuis mon retour à Londres, et d'essayer d'obtenir de moi que j'entre en contact avec eux. Quelle vie pour cette pauvre femme ! Ce qui prouve bien qu'il est une justice au monde.

À cet instant, Mlle Mills se mit à chanter et tout le monde, hormis les joueurs à croupetons, s'entassa dans la pièce voisine.

— La voilà, dit Mulcaster, ma fille. Là-bas, avec ce nègre. Celle qui m'avait amené.

— Elle n'a plus l'air de penser à vous.

— Plus l'air, non. Si seulement je n'étais pas venu. Allons ailleurs.

Deux voitures de pompiers nous croisèrent dans la rue et un régiment de silhouettes casquées s'élança, pour aller grossir la foule entassée dans les salons que nous venions de quitter.

— Ce Blanche, me dit Mulcaster, *pas* un bon type. Je l'ai fourré dans le bassin de Mercure autrefois.

Nous fîmes un certain nombre de boîtes de nuit. En deux années, Mulcaster semblait avoir comblé sa naïve ambition : se faire connaître et aimer dans ce genre d'endroit. Au cours de notre dernière halte, nous nous sentîmes soudain, lui et moi, saisis d'une grande flamme patriotique.

— Vous et moi, me déclara-t-il, nous étions trop jeunes pour participer à la guerre. D'autres l'ont faite, des millions y sont restés. Pas nous. Nous leur montrerons. Nous montrerons aux types qui sont morts que nous sommes capables de nous battre, nous aussi.

— C'est bien pourquoi je suis ici, lui dis-je. Franchi les mers, pas hésité, rallier le pays aux heures critiques.

— Comme les Australiens.

— Comme les pauvres Australiens qui sont morts.

— Quel service ?

— Aucun encore. Conflit pas mûr.

— Connais qu'une organisation, reste n'existe pas, troupe à Bill Meadows, Section de protection. Braves types, tous. Q.G. au Bratt's.

— J'en suis.

— Être membre du Bratt's ?

— Non. Fait rien, m'inscris aussi.

— Ça, mon vieux, c'est bien. Tous des braves types comme les types qui sont morts.

Ce qui fit que je me joignis à la troupe de Bill Meadows, groupe volant, chargé de surveiller les distributions de vivres dans les quartiers pauvres de Londres. On commença par m'enrôler dans le Corps de protection, on me fit protester de mon loyalisme par voie de serment, et on me remit un casque et un bâton de police ; ensuite on posa ma candidature de membre du Bratt's Club et, en même temps qu'un certain nombre d'autres recrues, je fus admis au cours d'une réunion extraordinaire du conseil d'administration. Pendant une semaine, nous demeurâmes à disposition, sous pression, quittant les fauteuils du Bratt's trois fois par jour pour monter en camion et prendre la tête d'un convoi de voitures laitières. Nous servions de cibles à des cris divers, parfois aussi à des ordures, mais nous n'entrâmes qu'une seule fois en action.

Nous étions assis en cercle ce jour-là, après le déjeuner, quand Bill Meadows revint du téléphone de fort bonne humeur.

— En route, dit-il. Il y a une bonne bagarre en règle dans Commercial Road.

Nous filâmes en voiture à toute vitesse, pour trouver, en arrivant, un câble d'acier tendu entre deux réverbères et barrant la rue, un camion retourné et un agent de police, seul au milieu de la chaussée et que rudoyaient une demi-douzaine de jeunes gens. De part et d'autre de ce foyer de désordre, et à quelque distance, deux groupes adverses s'étaient formés. Près de l'endroit où nous sautâmes à bas de voiture, un second agent était assis sur le pavé, assommé, la tête entre les mains, le sang ruisselant à travers les doigts ; deux ou trois sympathisants se tenaient penchés sur lui ; de l'autre côté du câble, on pouvait voir une poignée de jeunes dockers hostiles. Nous chargeâmes gaiement, dégageâmes l'agent molesté ; et nous allions tomber sur le gros de l'adversaire quand nous entrâmes en collision avec un cortège de membres du clergé de la paroisse et de conseillers municipaux qui débouchait en même temps que nous par une autre route et venait essayer la persuasion. Ce furent nos seules victimes ; au moment précis où ces malheureux s'écroulaient, submergés par notre vague d'assaut, il y eut un cri de « Vingt-deux, les cognes ! » et une camionnée de policiers fit halte sur nos arrières.

La foule s'égailla comme par enchantement. Nous ramassâmes les pacificateurs (un seul d'entre eux était sérieusement blessé), patrouillâmes dans les petites rues en quête de bagarre, mais en vain, et au bout du compte, reprîmes le chemin du Bratt's. Le lendemain, la grève générale prenait fin et le pays dans son ensemble, à part les mines de charbon, reprit sa vie normale. On eût dit un monstre légendaire, longuement vanté pour sa férocité, et qui, après s'être montré pendant une heure et avoir flairé le danger, était rentré en rampant dans son antre. Cela n'avait pas valu la peine de quitter Paris. Jean, qui s'était enrôlé dans une autre compagnie, avait reçu un pot de fougère sur le crâne, de la main d'une veuve d'âge canonique, dans Camden Town, et il dut être hospitalisé pendant une semaine.

Ce fut mon enrôlement dans le groupe de choc de Bill Meadows qui apprit à Julia ma présence en Angleterre. Elle me téléphona pour me dire que sa mère avait le plus vif désir de me voir.

— Vous la trouverez terriblement malade, me dit-elle.

Je me rendis à Marchmain House, le premier matin de la paix. Sir Adrian Porson me croisa dans le vestibule ; il partait comme j'arrivais, le visage enfoui dans un grand mouchoir *bandana* et cherchant comme un aveugle son chapeau et sa canne ; il était en larmes.

On m'introduisit dans la bibliothèque où, moins d'une minute plus tard, Julia me rejoignit. Elle me serra la main avec une amabilité et un sérieux qui ne lui étaient pas coutumiers ; dans la lugubre obscurité de la pièce, elle avait l'air d'un fantôme.

— C'est gentil d'être venu. Maman n'a pas cessé de vous réclamer, mais je ne sais si elle aura la force de vous recevoir à présent, après tout. Elle vient précisément de dire « adieu » à Adrian Porson et cela l'a beaucoup fatiguée.

— Adieu ?

— Oui. Elle est au plus mal ; elle se meurt. Elle peut vivre encore une semaine ou deux, comme il se peut qu'elle expire d'une minute à l'autre. Elle est si faible. Je vais aller demander à l'infirmière.

L'immobilité de la mort semblait déjà planer sur la maison. Personne ne venait jamais s'asseoir dans la bibliothèque de Marchmain House. C'était la seule pièce disgracieuse des deux résidences. Les casiers en chêne de style victorien contenaient des tomes et des tomes de Hansard et de désuètes encyclopédies que l'on n'ouvrait jamais ; la table nue, en acajou, paraissait dressée en vue d'une réunion de comité ; l'endroit tenait à la fois du lieu public et d'une pièce morte ; dehors, c'étaient la cour d'entrée, les grilles, le cul-de-sac paisible.

Julia ne tarda pas à revenir.

— Non, je crains fort que vous ne puissiez la voir. Elle repose. Cela peut durer des heures. Mais je puis vous dire ce qu'elle attendait de vous. Allons ailleurs. Je hais cette pièce.

Nous traversâmes le hall pour entrer dans le petit salon où l'on recevait à déjeuner, et nous assîmes de part et d'autre de l'âtre. Julia parut refléter le cramoisi et l'or des murs et perdre un peu de son extrême pâleur.

— Tout d'abord, je sais que maman voulait vous dire combien elle regrettait la façon abominable dont elle s'est conduite à votre égard, lors de votre dernière entrevue. Elle en a souvent parlé. Elle s'était trompée sur votre compte, elle le sait maintenant. Je suis sûre d'ailleurs que vous aviez compris et que vous lui aviez pardonné sur le moment, mais c'est le genre de chose que maman, *elle*, n'arrive jamais à *se* pardonner, le genre de chose dont elle ne s'est pas rendue coupable bien souvent.

— Dites-lui, je vous prie, que j'avais parfaitement compris.

— Pour l'autre chose, vous l'avez devinée, cela va de soi : Sebastian. Elle veut le revoir. Je ne sais si c'est possible. Qu'en pensez-vous ?

— On m'a dit qu'il est très mal en point.

— On nous l'a dit aussi. Nous avons câblé à la dernière adresse que nous connaissions, mais il n'y a pas eu de réponse. Il est peut-être encore temps. J'ai pensé à vous comme à notre seul espoir, dès que j'ai su que vous étiez en Angleterre. Voulez-vous essayer de le retrouver ? Je sais que c'est beaucoup vous demander, mais je crois que Sebastian aurait envie de la revoir, lui aussi, s'il se rendait compte.

— Je vais essayer.

— Vous êtes le seul à qui nous puissions demander cela. Rex est débordé.

— En effet. J'ai beaucoup entendu parler de l'activité qu'il a déployée dans l'organisation des services du gaz.

— Oh oui, dit Julia, avec une nuance de son ancienne sécheresse. Il s'est fait des tas de publicité à l'occasion de la grève.

Puis nous parlâmes, quelques minutes encore, du groupe Bratt's. Elle me raconta que Brideshead s'était refusé à prendre du service, parce qu'il n'était pas sûr de la justice de la cause ; Cordélia était à Londres, couchée à l'heure qu'il était, après avoir passé la nuit à veiller sa mère. Je lui racontai de mon côté que je consacrais maintenant mon temps et mes efforts à la peinture architecturale, pour ma plus grande joie. Tout ce bavardage ne signifiait rien. Nous avions dit tout ce que nous avions à dire durant les deux premières minutes ; je restai dix minutes, puis pris congé.

Air France assurait une sorte de service avec Casablanca ; là, je pris le car jusqu'à Fez, partant à l'aube pour arriver dans la soirée dans cette dernière ville. De l'hôtel, je téléphonai au consul d'Angleterre et dînai à sa table, le soir même, dans sa charmante résidence, à deux pas des murs de la vieille ville. C'était un homme serviable et sérieux.

—Je suis ravi que quelqu'un vienne enfin s'occuper du jeune Flyte, me dit-il. Il n'a cessé d'être pour nous quelque peu une épine dans le pied. L'endroit n'est pas très indiqué pour un étranger qui vit de ses rentes. Les Français ne comprennent rien à sa présence. Pour eux, quiconque n'est pas commerçant est un espion. Ce n'est pas non plus comme s'il menait un train de Milord. Cela ne va pas tout seul, ici. On se bat à moins de cinquante kilomètres de cette maison, si étrange que cela puisse vous paraître. Pas plus tard que la semaine dernière, nous avons vu arriver ici une bande de jeunes fous à bicyclette qui voulaient s'engager dans l'armée d'Abd el-Krim.

« Et puis il y a les Arabes ; et il faut les connaître ; la boisson n'est pas leur affaire et notre jeune ami, vous le savez sans doute, passe le plus clair de ses journées à boire. Que vient-il faire ici ? Il y a bien assez de place pour lui à Rabat ou à Tanger, où l'on cultive le touriste. Il a loué une maison dans la ville indigène, vous savez. J'ai fait ce que j'ai pu pour l'en empêcher, mais il a obtenu ce qu'il voulait grâce à un Français du service des Beaux-Arts. Je n'irai pas jusqu'à dire qu'il représente un élément nocif, mais il est une source d'inquiétude. Il y a un horrible individu qui le suce comme une sangsue, un Allemand venu de la Légion étrangère. Très mauvais numéro à tous points de vue. Et qui causera certainement des ennuis.

« Et pourtant, notez-le bien, Flyte me plaît. Je ne le vois pas beaucoup. Il est venu prendre ses bains ici, jusqu'au jour où sa maison a été installée. Il s'est toujours montré charmant, et ma femme s'était toquée de lui. Ce dont il a besoin, c'est une occupation.

Je lui expliquai l'objet de ma visite.

— Vous avez une chance de le trouver chez lui à l'heure qu'il est. Dieu sait qu'il n'y a nulle part où aller, le soir, dans la vieille ville. Si vous le désirez, le portier du consulat vous conduira.

Je me mis donc en route après dîner, guidé par le portier du consulat, lanterne en main. Je me trouvais, au Maroc, en pays neuf et étranger pour moi. Dans le car, ce jour-là, à voir défiler, mile après mile, la route stratégique, unie et lisse, les vignobles, les postes militaires, les installations nouvelles et blanches, les récoltes précoces déjà hautes dans les champs vastes à l'infini, les panneaux de publicité affichant les noms des marques françaises connues : Dubonnet, Michelin, Magasins du Louvre, j'avais eu l'impression d'une banlieue extrêmement à la page. Maintenant, sous le ciel étoilé, à l'intérieur des murs d'enceinte, dans cette ville dont les rues n'étaient qu'escaliers poudreux en pente douce, et dont les murs se dressaient, sans fenêtres, de part et d'autre, pour se fermer et s'ouvrir aux étoiles tour à tour au-dessus de ma tête ; où la poussière formait un tapis épais parmi les pavés de pierre lisse, et où des silhouettes silencieuses passaient, vêtues de robes blanches, chaussées de babouches moelleuses ou pieds nus et cornés ; où l'air portait le parfum du clou de girofle, de l'encens et de la fumée des feux de bois, maintenant, je savais ce qui avait attiré Sebastian en ces lieux et l'y retenait.

Le portier du consulat marchait devant moi, à grands pas arrogants, balançant sa lanterne et faisant sonner sa haute canne ; parfois, le portail ouvert d'une maison laissait entrevoir un groupe silencieux, assis autour d'un brasier, dans la lumière dorée d'une lampe.

— Ici gens très sales, m'expliquait le portier, méprisant, par-dessus l'épaule. Pas éduqués. Français les laisser dans saleté. Pas comme peuples anglais. Mon peuple, ajouta-t-il, toujours très anglais, aimer beaucoup Anglais.

Car il avait appartenu à la police du Soudan et considérait cet antique foyer de civilisation comme un Néo-Zélandais pourrait regarder Rome.

À la fin, nous parvînmes à une dernière porte, cloutée comme toutes celles devant lesquelles nous étions passés. Le portier cogna violemment, avec sa canne.

— Maison Lord anglais, me dit-il.

Une lampe, un visage sombre parurent derrière la grille. Le portier prononça quelques mots péremptoires ; on tira des verrous ; nous pénétrâmes dans une petite cour ; au centre, un puits ; sur nos têtes, un voile de vignes attachées et pendantes.

— Moi attendre ici, reprit le portier. Vous suivre indigène.

J'entrai, descendis une marche et me trouvai dans un living-room. J'aperçus un gramophone, un poêle à pétrole, et entre les deux, un jeune homme. Plus tard, observant la pièce de plus près, je remarquai un certain nombre d'autres détails, d'ordre plus agréable : les tapis sur le plancher, la soie brodée tendue sur les murs, les poutres sculptées et peintes du plafond, la lampe lourde et ajourée qui pendait au bout d'une chaîne et projetait à travers la pièce les ombres moelleuses de son dessin. Mais, de prime abord, mes sens ne retinrent que les trois premiers traits : le gramophone, à cause de son bruit – il jouait un disque de jazz français –, le poêle à cause de son odeur, et le

jeune homme à cause de son air de loup. Il se balançait dans un fauteuil en osier, un pied emmailloté et
fort proéminent reposant sur une caisse ; il était vêtu
d'une sorte d'imitation de tweed très léger, comme
on en fait en Europe centrale, et d'une chemise de
tennis ouverte sur le cou ; le pied valide portait une
chaussure en toile brune. À côté de lui, sur un pié-
destal en bois, un plateau de cuivre ; sur le plateau,
deux bouteilles de bière, une assiette sale, une sou-
coupe pleine de mégots ; il tenait à la main un verre
de bière ; de sa lèvre inférieure pendait une cigarette,
qui restait collée, quand il parlait. Ses cheveux
blonds et longs étaient rejetés en arrière uniformément ; le visage était exceptionnellement ridé, étant
donné son jeune âge évident ; une dent manquait sur
le devant, en sorte que les sons sibilants affectaient
parfois le zézaiement, atteignant même de temps en
temps à un sifflement déconcertant qu'il dissimulait
en ricanant. Ses dents étaient brunies par le tabac,
très écartées.

Je me trouvais évidemment devant « le très mauvais numéro » que m'avait annoncé le consul ; le
laquais à la Hollywood dont avait parlé Anthony.

— Je suis à la recherche de Sebastian Flyte. C'est
ici qu'il demeure, n'est-ce pas ?

Je parlai fort, criant presque pour me faire entendre
et dominer la musique de danse. Il me répondit d'une
voix douce, dans un anglais relativement aisé, qui me

donna à penser que cette langue lui était devenue familière.

— Oui. Mais il est forti. Ve suis tout feul ifi.

— Je viens d'Angleterre pour le voir. Il s'agit d'affaires importantes. Pouvez-vous me dire où j'ai une chance de le trouver ?

Le disque était fini. L'Allemand le tourna, remonta la machine et la remit en marche avant de répondre.

— Febastian est malade. Les frères l'ont emmené à l'infirmerie. Peut-être vous permettra-t-on de le voir, peut-être pas. Je dois y aller bientôt, auffi, pour faire panser mon pied. Je leur demanderai. F'il va mieux, peut-être qu'ils vous permettront de le voir.

Il y avait un second fauteuil ; je m'y assis. Voyant que je n'avais pas l'intention de m'en aller, l'Allemand m'offrit de la bière.

— Vous n'êtes pas le frère de Febastian, me dit-il. Cousin, des fois ? Ou des fois que vous seriez son beau-frère ?

— Non. Un de ses amis. Nous étions à l'Université ensemble.

— J'ai eu un ami qui était à l'Université. Étudiant d'histoire comme moi. Fet ami était plus intelligent que moi ; un petit type faible – je l'empoignais à bout de bras et le secouais quand v'étais en colère – mais *fi* intelligent. Et puis un jour il m'a dit : « Au diable ! On ne trouve pas de travail en Allemagne. L'Allemagne est foutue. » Alors nous avons dit au revoir à

nos professeurs et eux auſſi ont dit : « Oui, l'Allemagne est foutue. Fa ne sert à rien de faire des études
iſi. » Nous sommes partis, et nous avons marché, marché, jusqu'à tant que nous sommes arrivés iſi. Alors
nous nous ſommes dit : « Il n'y a plus d'armée en
Allemagne, mais serons soldats quand même, et alors
nous nous sommes engagés dans la Légion. » Mon
ami est mort de la dyfenterie l'année dernière, en campagne dans l'Atlas. Après sa mort, je me suis dit :
« Au diable ! » et me suis tiré un coup de fusil dans le
pied. F'est plein de pus maintenant, bien que ça fait
un an que je l'ai fait.

— Oui, dis-je. Très intéressant. Mais ce qui me
préoccupe dans l'instant, c'est Sebastian. Peut-être
pourriez-vous me parler de lui.

— Il est très ventil, Sebastian. Très ventil pour moi.
Tanger était très moche. Il m'a fait venir ici – bonne
maison, bonne nourriture, bon domestique –, tout est
très bien pour moi iſi. Je m'y plais bien.

— Sa mère est très malade, dis-je. Je suis venu le
prévenir.

— L'est riche ?

— Oui.

— Pourquoi lui donne pas plus d'argent ? On
pourrait vivre à Casablanca, peut-être, dans un chic
appartement. Vous la connaiſſez bien ? Vous pourriez
pas lui faire donner plus d'arvent ?

— Quelle maladie a-t-il ?

— Sais pas. Je crois que c'est peut-être qu'il boive trop. Les frères s'occupent de lui. Il est très bien là-bas. Les frères sont très chics. F'est pas cher non plus.

Il frappa dans ses mains et se fit apporter de la bière.

— Vous voyez ? Bon domestique, f'occupe bien de moi. Je me plais bien.

Je partis après avoir obtenu de lui le nom de l'hôpital.

— Dites à Febastian que ve suis toujours ifi et que fa va bien. Il doit se faire du soufi à propos de moi, peut-être.

L'hôpital, où je me rendis le lendemain matin, était composé d'un ensemble de pavillons et situé entre la vieille et la nouvelle ville. Des franciscains le tenaient. Je me frayai un chemin, au milieu d'une foule d'Arabes malades jusqu'au bureau du médecin. C'était un laïc, rasé de près, vêtu d'une cotte blanche amidonnée. Notre entretien se passa en français. Il me déclara que Sebastian n'était pas en danger, mais qu'il était hors de question de le faire voyager. Il avait la grippe ; un poumon était légèrement atteint ; grande faiblesse, peu de résistance ; comment tout cela finirait ?... C'était un alcoolique. Le docteur s'exprimait froidement ; brutalement presque ; avec cette façon qu'ont parfois les hommes de science de prendre plaisir à se limiter à tout ce qui n'est pas l'essentiel, à élaguer de

leur métier tout ce qui pourrait lui ôter de sa sécheresse et de sa stérilité ; mais le frère barbu et nu-pieds
entre les mains duquel il me remit, l'homme sans pré-
tentions à la science et qui s'acquittait de toutes les
sales corvées de quartier, me réservait un récit bien
différent.

— Il est si patient. On ne dirait jamais un jeune
homme. Il reste couché et ne se plaint pas, et pourtant
il y a de quoi. On ne fait rien pour nous faciliter les
choses. Le gouvernement nous donne ce dont l'armée
n'a pas besoin. Et lui, le pauvre jeune homme, est si
gentil, si bon. Il y a un pauvre Allemand, jeune aussi,
avec une blessure au pied qui ne guérit pas, et syphili-
tique au second degré, qui vient se faire soigner ici ; il
crevait de faim à Tanger ; Lord Flyte l'a trouvé dans
cet état, l'a pris avec lui et lui a donné asile. Un vrai
Samaritain.

« Pauvre moine naïf, me disais-je, pauvre benêt. »
Dieu me pardonne !

Sebastian se trouvait dans l'aile réservée aux Euro-
péens, où les lits étaient séparés par des cloisons basses,
qui donnaient aux sortes de cubicules ainsi formés un
semblant d'intimité. Il était étendu, les mains reposant
sur la couverture, les yeux fixés sur le mur en face, qui
avait pour tout ornement un chromo d'inspiration
religieuse.

— Voici votre ami, annonça le frère.

Sebastian tourna lentement la tête.

— Oh ! je croyais que c'était de Kurt qu'il voulait parler. Vous, Charles ? Que faites-vous ici ?

Son visage était plus émacié que jamais ; la boisson, qui rend d'ordinaire les gens rouges et obèses, semblait flétrir Sebastian et le dessécher. Le frère nous laissa et je m'assis à son chevet, lui parlant de sa maladie.

— J'ai déliré un jour ou deux, me dit-il. Je me croyais revenu à Oxford. Vous avez vu ma maison. Vous a-t-elle plu ? Kurt y est-il toujours ? Inutile de vous demander si vous l'aimez ; personne ne l'aime. C'est drôle, je ne pourrais pas me passer de lui.

Puis je lui parlai de sa mère. Il resta silencieux un bon moment, béant à l'image des Sept Douleurs sur le mur. Enfin : « Pauvre maman ! C'était vraiment une femme fatale, vous ne trouvez pas ? Elle a tué tout ce qu'elle a touché. »

J'envoyai un télégramme à Julia pour la prévenir que Sebastian n'était pas en état de voyager, et demeurai une semaine à Fez, rendant visite à l'hôpital tous les jours, jusqu'à ce que le malade fût assez rétabli pour supporter d'être transporté. Son retour à la santé se signala, lors de ma seconde visite, par le fait qu'il réclama du cognac. Le lendemain il s'en était procuré, Dieu sait comment, et le tenait caché sous ses draps.

Le docteur me dit :

— Votre ami s'est remis à boire. C'est interdit ici. Qu'y puis-je ? Cet hôpital n'est pas une maison de redressement. Je ne peux pas me mettre à faire la police des malades. J'ai pour fonction de guérir les gens, non pas de les protéger contre leurs vices ou de leur enseigner le contrôle de soi. Le cognac ne lui fera pas de mal, maintenant. Il l'affaiblira seulement pour sa prochaine maladie, jusqu'au jour où, pfft !... un petit ennui de rien du tout l'emportera. Nous ne sommes pas un asile pour ivrognes invétérés. Il lui faudra sortir d'ici à la fin de cette semaine.

Et le frère lai de son côté :

— Votre ami est tellement plus heureux aujourd'hui ; on le dirait transfiguré.

« Pauvre moine naïf, pensai-je, pauvre benêt » ; mais il ajouta :

— Savez-vous pourquoi ? Il a une bouteille de cognac dans son lit. C'est la seconde que je trouve. Je ne la lui ai pas sitôt retirée qu'il s'en procure une autre. C'est un enfant pas sage. Ce sont les domestiques arabes qui vont lui chercher ça. Mais cela fait du bien de le voir reprendre un air heureux ; il était si triste.

Lors de mon dernier après-midi je dis :

— Sebastian, maintenant que votre mère est morte – la nouvelle nous était parvenue le matin même – votre intention est-elle de rentrer en Angleterre ?

— À certains égards, j'adorerais rentrer, me répondit-il, mais croyez-vous que l'idée plairait à Kurt ?

— Pour l'amour du ciel, m'écriai-je, vous n'avez pas l'intention de passer toute votre vie avec Kurt, par hasard ?

— Je ne sais. Lui a bien l'air décidé à passer sa vie avec moi. Il fe trouve bien ifi, probable, me dit-il, imitant l'accent de Kurt, pour ajouter ensuite quelque chose qui, si j'y avais fait plus attention, m'aurait donné la clef du mystère, mais que sur le moment j'entendis et enregistrai sans le remarquer particulièrement : « Savez-vous, Charles, que c'est un changement plutôt agréable, quand on a eu, toute sa vie durant, des gens pour s'occuper de soi, que de s'occuper soi-même de quelqu'un d'autre. Seulement, bien entendu, il faut que ce quelqu'un soit un cas bien désespéré, pour avoir besoin que ce soit *moi* qui m'occupe de lui. »

Avant de partir, je fus à même d'arranger ses affaires financières. Jusqu'alors, il avait vécu de difficulté en difficulté, télégraphiant de temps à autre à ses avoués, pour se faire expédier de petites sommes d'argent. Je rendis visite au directeur de la succursale de la Banque d'Indochine et m'arrangeai pour que ce fût à lui qu'on adressât, de Londres, les fonds nécessaires, tous les trimestres, et pour qu'il versât chaque semaine à Sebastian une certaine somme d'argent de poche, gardant le reste en réserve pour les cas d'extrême nécessité. Cette réserve ne devait être remise qu'à Sebastian personnellement, et encore à condition expresse que le directeur de la banque fût certain qu'elle servirait à des fins convenables. Sebastian ne fit aucune difficulté pour donner son accord. « Autrement, me dit-il, Kurt s'arrangera pour me faire signer un chèque pour la totalité de la somme, un jour où je serai ivre et puis il se sauvera et s'attirera toutes sortes d'ennuis. »

Je veillai personnellement au retour de Sebastian chez lui. Il me parut plus faible, dans son fauteuil en osier, que dans son lit d'hôpital. Les deux malades, Kurt et lui, étaient assis l'un en face de l'autre, le gramophone entre eux.

— Il était temps que vous reveniez, dit Kurt. Vous me manquiez.

— Vrai, Kurt ?

— Plutôt. Fa n'est pas fi bon d'être seul quand on est malade. Fe garçon est un pareffeux – file toujours quand ve l'appelle. Une fois il a paffé toute la nuit dehors et il n'y avait personne pour faire mon café quand ve me suis levé. Ça n'est pas bon d'avoir un pied plein de pus. Des fois j'ai du mal à dormir. Peut-être bien qu'une autre fois, f'est moi qui filerai à mon tour pour aller où on faura me soigner. (Il frappa dans ses mains ; aucun serviteur ne se montra.) Vous voyez ? dit-il.

— De quoi avez-vous besoin ?

— Figarettes. Il y en a dans le sac fous mon lit. Déjà Sebastian se levait péniblement de sa chaise.

— J'irai, dis-je. Où se trouve son lit ?

— Non, c'est moi que cela regarde, dit Sebastian.

— Oui, dit Kurt. Bien fûr que fa regarde Febastian. Ainsi donc je les laissai tous deux, son ami et lui, dans la petite maison retirée tout au fond de l'allée. Je ne pouvais rien faire de plus pour Sebastian.

Ma première intention avait été de rentrer directement à Paris ; mais il me fallait régler l'envoi régulier de fonds à Sebastian et pour cela je devais aller à Londres, voir Brideshead. Je pris le bateau de la P. & O. à Tanger et rentrai au début de juin.

— À votre avis, me demanda Brideshead, y a-t-il quoi que ce soit de douteux dans les liens qui unissent mon frère à cet Allemand ?

— Non. Sûrement non. Il s'agit simplement de deux épaves qui se raccrochent l'une à l'autre.

— Vous dites que ce type est un criminel ?

— J'ai dit qu'il était du type criminel. Il est passé par la prison militaire et s'est fait libérer de ses engagements de façon peu honorable.

— Et pour Sebastian, le docteur déclare qu'il est en train de se tuer à force de boire ?

— Non, qu'il est en train d'affaiblir son organisme. Il n'est pas plus atteint de *delirium tremens* que de cirrhose.

— Sa raison n'est pas troublée ?

— Nullement. Il a trouvé un compagnon qui, par le plus grand des hasards, a su lui plaire, et un endroit où, par le plus grand des hasards aussi, il se plaît à vivre.

— Alors votre suggestion est bonne : il faut lui envoyer régulièrement de l'argent. C'est clair.

À certains égards Brideshead n'était pas si difficile à manier. Il avait en toute matière une sorte de certitude insensée qui lui permettait toujours de prendre vite et sans peine une décision.

— Vous plairait-il de faire une peinture de cette maison ? me demanda-t-il brusquement. Plusieurs tableaux ; c'est-à-dire : un de la façade principale, un autre de la façade sur le parc ; un autre du grand escalier, et un du grand salon ? Quatre petites peintures à l'huile. C'est une idée de mon père ; il veut que l'on garde cela dans les archives, à Brideshead. Moi je ne connais pas de peintre. Julia m'a dit que vous étiez spécialisé dans l'architecture.

— Oui, dis-je. Cela me plairait énormément.

— Vous savez qu'on va la démolir ? Mon père la vend. Elle sera remplacée par une grande maison de rapport. Les acheteurs ont décidé de garder le nom ; apparemment, nous ne pouvons pas les en empêcher.

— Quelle tristesse !

— J'en suis navré, bien entendu. Vous trouvez vraiment que c'est de bonne architecture ?

— C'est une des plus belles demeures que je connaisse.

— Vois pas. Je l'ai toujours trouvée plutôt laide. Peut-être qu'avec vos peintures je la verrai différemment.

Telle fut ma première commande. Il me fallut travailler contre la montre, car les entrepreneurs n'attendaient que la signature de l'acte de vente pour s'atteler à la démolition. En dépit, ou peut-être à cause de cela – car l'un de mes grands défauts est de passer trop de temps sur mes toiles, de ne jamais pouvoir me décider à les laisser dans l'état – ces quatre peintures sont, parmi mes œuvres, celles que je préfère ; et ce fut leur succès, tant auprès de moi-même qu'auprès des autres, qui me confirma dans ce qui n'a cessé depuis d'être ma carrière.

Je commençai par le grand salon, car la famille était très anxieuse d'enlever le mobilier qui était là depuis l'origine de la demeure. C'était une pièce longue, symétrique, parfaitement finie, de style Adam, avec deux grandes baies ouvrant sur Green Park. La lumière ruisselant de l'ouest, l'après-midi où je me mis au travail, était d'un vert frais et neuf, qu'elle puisait au passage à même les jeunes arbres, au-dehors.

Je fixai la perspective au crayon et mis en place soigneusement les détails. Je me retins de peindre, tel le plongeur au bord de l'eau ; mais une fois que je me fus jeté à l'œuvre, je m'y adonnai avec une joie légère et délirante. Normalement, j'étais un peintre lent et délibéré ; cet après-midi-là et les deux jours qui suivirent, tout entiers, je travaillai à une vitesse folle. Il m'était impossible de faire une faute. Je m'arrêtais à chaque passage terminé, tendu, ayant peur de me lancer dans le suivant, rempli de crainte comme le joueur à l'idée que la chance pourrait le lâcher et la pile de jetons fondre. Morceau par morceau, minute par minute, la chose prenait corps. Sans difficulté ; la multiplicité des lumières et des couleurs s'organisait en un tout. Je trouvais la nuance exacte que je cherchais sur la palette ; chaque coup de pinceau, dès qu'il était parachevé, avait l'air d'être fixé sur la toile depuis toujours.

Le dernier après-midi, j'entendis une voix derrière moi :

— Est-ce que je peux rester pour vous regarder peindre ? Je me retournai. C'était Cordélia.

— Bien sûr, lui dis-je, à condition de ne rien dire, et je continuai mon travail, oubliant cette présence, jusqu'au moment où le soleil me manqua et où il me fallut abandonner.

— Comme ce doit être agréable, de pouvoir faire ça.

Ainsi se rappelait-elle à moi.

— Très agréable.

J'étais incapable, même en cet instant et bien que le soleil se fût couché et que la pièce tout entière fût envahie d'une couleur uniforme, de laisser là mon tableau.

Je l'enlevai du chevalet, allai jusqu'à la baie, l'élevai dans mes mains, le remis sur le chevalet et adoucis une ombre. Puis la tête, les yeux, le dos, le bras brusquement las, je renonçai pour ce soir et me tournai vers Cordélia.

Elle avait maintenant quinze ans ; elle avait beaucoup grandi, ayant presque atteint sa taille adulte, au cours des dix-huit derniers mois. Elle ne promettait pas cette beauté pleine et adorable, *quattrocento*, qu'avait Julia ; on retrouvait déjà une nuance à la Brideshead dans l'allongement du nez et la hauteur des pommettes ; elle était vêtue de noir, portant le deuil de sa mère.

— Je suis fatigué, dis-je.

— Je le parierais bien. C'est fini ?

— Pratiquement. Un dernier coup d'œil demain.

— Savez-vous que l'heure du dîner est passée depuis longtemps ? Il n'y a plus personne ici pour faire la cuisine. Je suis arrivée aujourd'hui seulement et je ne me rendais pas compte du mal qu'on avait déjà fait. Ça ne vous dirait rien de m'emmener dîner dehors par hasard ?

Nous sortîmes par la porte du jardin, traversâmes le parc et, par le crépuscule, nous en allâmes à pied, dîner au grill du Ritz.

— Vous avez vu Sebastian ? Il ne rentrera pas, même maintenant ?

Jamais je n'avais pensé qu'elle avait pu se rendre compte à ce point des choses. Je le lui dis.

— C'est très simple, je l'aime plus que n'importe qui, me répondit-elle. Quel triste sort pour Marchers, vous ne trouvez pas ? Savez-vous qu'ils vont construire une grande maison de rapport et que Rex avait envie de louer ce qu'il appelait un « grenier » tout au sommet ? Vous ne trouvez pas que ça lui ressemble ? Pauvre Julia ! C'était plus qu'elle n'en pouvait supporter. Et lui n'arrivait pas à comprendre ; il croyait que cela lui ferait plaisir, de garder un lien avec son ancienne maison. Tout cela s'est passé bien vite, vous ne trouvez pas ? Apparemment, papa s'était terriblement endetté depuis longtemps. La vente de Marchers l'a remis d'aplomb et épargne je ne sais combien d'impôts par an. Mais c'est une honte de démolir la maison. Julia dit qu'elle préfère de beaucoup cette solution à l'idée que d'autres gens pourraient s'y installer.

— Et vous, qu'allez-vous devenir ?

— Moi, je me le demande. On a suggéré toutes sortes de choses. Ma tante Fanny Rosscommon voudrait que j'aille habiter chez elle. Et puis Rex et Julia parlent de prendre pour eux la moitié de Brideshead et d'y aller vivre. Papa ne reviendra pas. Nous avions cru le contraire ; mais non.

« Bridey et l'évêque ont fermé la chapelle à Brideshead ; le *requiem* de maman a été la dernière messe qu'on y a dite. Après son enterrement le prêtre est revenu à la chapelle – j'y étais, toute seule. Je n'ai pas l'impression qu'il m'ait vue – et il a retiré la pierre de l'autel qu'il a mise dans sa sacoche ; puis il a brûlé les tampons trempés dans l'huile sainte et jeté les cendres dehors ; il a vidé le bénitier, soufflé la lampe du sanctuaire et laissé le tabernacle ouvert et vide, comme si désormais ce devait être toujours Vendredi saint. Je suppose que tout cela n'a aucun sens pour vous, Charles, pauvre agnostique. Je suis restée jusqu'à ce qu'il fût parti et alors, brusquement, voilà qu'il n'y a plus eu de chapelle du tout ; rien qu'une salle avec une drôle de décoration. Je ne peux pas vous dire exactement le sentiment que cela m'a fait. Vous n'avez jamais été à l'office des Ténèbres ?

— Non, jamais.

— Dommage, sinon vous sauriez ce qu'ont ressenti les Juifs à la destruction de leur temple. *Quomodo sedet sola civitas...* c'est une très belle hymne. Vous devriez y aller, rien qu'une fois, et rien que pour entendre ça.

— Pas renoncé à me convertir, Cordélia ?

— Oh, rien à voir. Tout cela est bien fini aussi. Savez-vous ce qu'a dit papa quand il s'est converti au catholicisme ? Un jour maman me l'a raconté. Il lui a dit : « Vous avez ramené ma famille à la foi de ses ancêtres. » Le genre de chose pompeuse qu'on dit, vous savez. Ça vient aux gens de façons très diverses. Toujours est-il que la famille n'a pas l'air d'avoir été très constante dans sa foi, pas vrai ? Lui, s'en est écarté, et Sebastian, et Julia. Mais Dieu ne les laissera pas aller longtemps sur ce chemin, vous savez. Je me demande si vous vous rappelez l'histoire que maman nous a lue, le soir où Sebastian s'est enivré pour la première fois – le *mauvais* soir, je veux dire. Le père Brown y disait quelque chose comme : « Je l'ai pris (le voleur) à un appât invisible, et ma ligne, invisible elle aussi, est assez longue pour lui rendre du fil jusqu'au bout de l'univers, mais pour le ramener quand je voudrai, d'un retour du poignet. »

Nous fîmes à peine allusion à sa mère. Pendant toute notre conversation, elle ne cessa pas un instant de dévorer. À un moment donné elle me dit :

— Avez-vous lu le poème de Sir Adrian Porson dans le *Times* ? C'est drôle, c'est lui qui la connaissait le mieux de tous – il l'a aimée toute sa vie, vous savez – et pourtant son poème n'a l'air d'avoir absolument rien de commun avec elle.

« C'est moi qui m'entendais le mieux avec maman, de nous, mais je ne crois pas l'avoir réellement aimée. Pas comme elle le voulait ou le méritait. C'est drôle, parce que de nature je suis très affectueuse.

— Je n'ai jamais vraiment connu votre mère.

— Vous ne l'aimiez pas. Je me dis parfois que les gens qui avaient envie de détester Dieu ne pouvaient pas souffrir maman.

— Qu'entendez-vous par là, Cordélia ?

— Mon Dieu, voyez-vous, il y avait en elle quelque chose de la sainte, mais ce n'en était pas une. Personne ne saurait avoir de la haine pour une sainte, vous ne croyez pas ? De même qu'on ne saurait vraiment détester Dieu, non plus. Quand on veut Les haïr, Lui et Ses Saints, il faut bien trouver quelque chose qui ressemble à soi-même, dont on peut faire semblant de croire que c'est Dieu et qu'on peut détester. Tout cela pour vous c'est de la frime, j'imagine.

— On m'a déjà dit la même chose un jour – quelqu'un de très différent de vous.

— Oh, moi, ce que j'en dis, c'est très sérieux. J'ai beaucoup réfléchi à tout ça. Cela me paraît expliquer ma pauvre maman.

Sur quoi cette curieuse enfant replongea son nez dans son assiette avec une volupté renouvelée.

— Première fois qu'on m'invite à dîner toute seule au restaurant, me dit-elle. Et plus tard : « Quand Julia a appris qu'on mettait Marchers en vente, elle a dit : "Pauvre Cordélia ! Elle n'aura pas son bal de débutante à Marchmain House." C'était un événement dont nous parlions beaucoup ensemble – comme du jour où je serais sa demoiselle d'honneur. Ça non plus n'a pas eu lieu. Le jour où on a donné le bal de débutante de Julia, on m'avait permis de rester en bas pendant une heure ; je me suis assise dans un coin avec ma tante Fanny, et elle m'a dit : "Dans six ans ce sera votre tour…" J'espère avoir la vocation.

— Je ne sais pas ce que vous voulez dire.

— Ça veut dire qu'on peut se faire nonne. Si on n'a pas la vocation, ça ne sert à rien, même si on en a fort envie ; et si on a la vocation, on ne peut pas y échapper, même si on n'en a pas envie, mais alors pas envie du tout. Bridey croit qu'il a la vocation, et ce n'est pas vrai. Autrefois je croyais que Sebastian l'avait, qu'il ne voulait pas en entendre parler – mais maintenant je ne sais plus. Tout a changé si brusquement.

Mais je ne me sentais pas d'humeur à prêter l'oreille à ce barvadage de pensionnaire. J'avais senti le pinceau s'animer dans ma main, cet après-midi-là ; j'avais fourré le doigt dans l'énorme et succulent gâteau de la création. J'étais un homme de la Renaissance ce soir-là – d'une Renaissance à la Browning. Moi qui avais foulé les rues de Rome, vêtu de velours de Gênes, qui avais vu les astres dans la lunette de Galilée, craché sur les capucins, avec leurs énormes tomes poudreux, leurs yeux caves et jaloux et leur galimatias de coupeurs de cheveux en quatre.

— Vous serez amoureuse un jour, lui dis-je.

— Oh, je prie pour que ce malheur ne m'arrive pas. Dites, est-ce que je peux reprendre une meringue, à votre avis ? Elles sont fameuses !

Livre second

D'un retour de poignet

1.

J'ai pris et je garde pour thème le souvenir, cette légion ailée qui prit son essor autour de moi, un matin gris de guerre.

Ces souvenirs, qui sont ma vie – car il n'est rien dont la possession nous soit assurée, hormis le passé – ne m'avaient jamais quitté. Comme les pigeons de Saint-Marc, ils encombraient partout mes pas, solitaires ou par couples, formés en petites congrégations susurrantes, faisant signe de la tête, se pavanant, clignant de l'œil, lissant les tendres plumes de leur cou, se perchant parfois sur mon épaule, s'il m'arrivait de rester immobile, ou venant picorer un brin de biscuit à même mes lèvres ; jusqu'au moment où soudain tonnait le canon de midi : alors, en un instant, dans un battement et un grand vent d'ailes, le pavé se trouvait déserté et le ciel entier obscurci, en revanche, d'un tumulte de volatiles. Tel avait été le cas, ce matin-là.

Ces souvenirs sont le mémorial et le gage laissés par les heures capitales de toute une vie. Ces heures où le vent de l'esprit souffle sur l'homme, ces printemps de l'art, sont, dans leur mystère, cousins des époques de l'histoire où l'on voit une race qui, des siècles durant, s'est contentée de vivre en silence derrière ses frontières, labourant, mangeant, dormant, procréant, se bornant au strict minimum nécessaire pour assurer sa survivance, et qui, pendant une génération ou deux, se met à stupéfier le monde, se livre à une débauche de crimes peut-être, se jette à corps perdu dans les plus folles chimères pour s'abattre en fin de compte en râlant, mais aussi pour laisser derrière elle un record d'escalades nouvelles, de gains et de récompenses, dont bénéficie l'humanité entière ; la vision s'efface, le dégoût gagne l'âme et la nécessité de survivre reprend le dessus, avec la routine.

L'âme humaine jouit prodigieusement de ces rares et classiques périodes ; mais en dehors d'elles, il ne nous arrive pas souvent de nous sentir seuls et uniques de notre espèce ; nous tenons compagnie, en ce monde, à une horde d'abstractions, de reflets et de contrefaçons de nous-mêmes – le sensuel, l'homme de l'âge économique, l'homme de raison, la bête, le robot et le somnambule, Dieu sait quoi encore, tous à notre image et, pour l'œil du spectateur, se confondant étroitement avec nous-mêmes. Nous nous laissons porter et perdre dans la foule, sans résister, jusqu'au moment où, ayant la chance de rester en arrière inaperçus, ou d'enfiler une petite rue, nous nous donnons le temps de respirer librement et de voir où nous en sommes, ou encore de prendre au contraire la tête de la colonne, de distancer nos ombres, de leur mener un train d'enfer, si bien que, lorsqu'elles parviennent enfin à nous rattraper, elles se regardent de travers entre elles, assurées cette fois qu'il est en nous un secret que nous n'entendons partager avec personne.

Pendant près de dix ans, je me suis laissé porter ainsi, au long d'une route en apparence fertile en changements et en incidents ; mais jamais durant cette période, sauf parfois à l'occasion de ma peinture – et ce, à des intervalles de plus en plus espacés –, il ne m'est arrivé de me sentir aussi alerte que dans le temps de mon amitié avec Sebastian. J'en ai conclu que c'était la jeunesse, et non pas la vie, qui me quittait. Mon travail me soutenait, car j'avais choisi la voie que me traçaient mes dons, une voie où je progressais de jour en jour, et que j'aimais. Soit dit en passant, c'était le genre de travail que personne d'autre à l'époque n'entreprenait. Je devins donc peintre architecturiste. J'ai toujours aimé l'architecture, que je tiens non seulement pour le plus haut accomplissement de l'homme, mais pour un accomplissement où, quand vient l'heure de la confirmation, les éléments sont le plus distinctivement retirés de la main humaine et portés à la perfection par les moyens étrangers à l'esprit et à l'intention ; de même que j'ai toujours regardé l'homme comme nettement inférieur aux édifices qu'il élève et qu'il habite, comme un simple locataire et même sous-locataire sans grande importance, comparé à la longue vie fructueuse de son foyer.

Plus même que l'œuvre des grands architectes, j'ai toujours aimé les édifices qui ont poussé silencieusement au cours des siècles, prenant et gardant le meilleur de chaque génération, pendant que le temps, de son côté, courbait sous son joug l'orgueil de l'artiste et la stupidité vulgaire du philistin, et réparait les maladresses de l'artisan borné. L'Angleterre abondait en de tels édifices et, au cours de la dernière décennie de leur grandeur, les Anglais ont eu l'air de s'éveiller pour la première fois à la conscience de ce qu'ils avaient tenu pour allant de soi et de saluer avec enthousiasme leurs chefs-d'œuvre au moment même où ces derniers allaient disparaître. D'où mon succès, très disproportionné à mes mérites. Mon œuvre n'avait d'autre recommandation qu'une habileté technique croissante, la joie que me causaient mes sujets et son indépendance par rapport aux notions courantes.

L'écroulement financier de l'époque, qui laissa de nombreux peintres sans emploi, servit à rehausser encore mon succès qui n'était lui-même, à vrai dire, qu'un symptôme de déclin. Les puits étant taris, les gens auraient voulu s'abreuver au mirage. À la suite de ma première exposition, on fit appel à moi de tous les coins du pays, pour faire le portrait de demeures qui n'allaient plus tarder à être abandonnées ou jetées bas ; à vrai dire mon arrivée semblait souvent ne précéder que de quelques pas celle du commissaire-priseur, et n'être que le signe in-folio d'un inéluctable destin.

Je publiai trois splendides albums – *Charles Ryder : I, Résidences campagnardes ; II, Demeures anglaises ; III, Architecture de village et de province* – qui se vendirent chacun en mille exemplaires, à cinq guinées pièce. Il m'arrivait très rarement de ne pas plaire, car il n'y avait pas de conflit possible entre mes commanditaires et moi ; nous voulions la même chose. Mais, au fur et à mesure des années, je me suis mis à regretter douloureusement d'avoir perdu ce que j'avais éprouvé dans le salon de Marchmain House et à une ou deux autres reprises, l'intensité, le caractère unique de l'expérience, la croyance que l'œuvre n'était pas seulement le fruit de la main – bref, l'inspiration.

À la recherche de cette lumière qui s'éteignait, je partis pour l'étranger, comme au XVIIe, chargé de tout l'appareil de mon métier, dans l'intention de passer deux ans à me retremper au milieu d'autres styles. Je n'allai pas en Europe ; les trésors de ce continent étaient saufs, beaucoup trop à mon gré, expertement emmaillotés, voilés par notre respect. Quant à l'Europe j'avais le temps. Son tour viendrait, me disais-je, le moment viendrait toujours trop tôt, où j'aurais besoin de quelqu'un pour m'aider à dresser mon chevalet et pour porter mes peintures, où je ne pourrais m'aventurer à plus d'une heure de distance d'un bon hôtel ; où j'aurais besoin de brise douce et de soleil moelleux tout le long du jour ; alors, je tournerais mes yeux vieillis vers l'Allemagne et l'Italie. Pour le moment, tant que j'en avais la force, j'irais chercher les pays sauvages où l'homme avait déserté son poste et où la jungle, en rampant, reconquérait peu à peu ses anciennes places fortes.

En conséquence de quoi, par étapes lentes et malaisées, je parcourus le Mexique et l'Amérique centrale, traversant un monde où je trouvais tout ce dont j'avais besoin ; et le contraste avec les parcs et les châteaux que je quittais aurait dû faire battre le sang en moi plus vite et rétablir mon équilibre intérieur. J'allais chercher l'inspiration parmi des palais en ruine et des cloîtres ensevelis sous les mauvaises herbes, parmi des églises oubliées où les vampires pendaient accrochés aux voûtes comme des cosses sèches, et où seules les fourmis se dépensaient en activité inlassable, perçant de leurs galeries les stalles magnifiques ; des villes où n'allait aucune route, et des mausolées où une famille solitaire d'Indiens, mangée par la fièvre, s'abritait des pluies. Là, sans ménager les efforts, malade, parfois même en péril, j'esquissai les premiers dessins de mon album sur l'Amérique latine. De temps en temps, après plusieurs semaines de travail, je venais me reposer et, me retrouvant une fois de plus dans la zone des marchands et des touristes, récupérais, installais mon studio, transcrivais mes ébauches, emballais anxieusement les toiles terminées et les dépêchais à mon agent de New York, et puis repartais, accompagné de ma petite suite, pour me plonger de nouveau dans les solitudes.

Je ne me donnais pas grand mal pour garder le contact avec l'Angleterre. J'établissais mes itinéraires selon les indications des indigènes et n'avais pas de parcours fixe, en sorte que la plupart de mon courrier ne m'atteignait jamais et que le reste s'accumulait jusqu'au moment où il y en avait plus que je n'en pouvais assimiler en une séance. J'avais pris l'habitude d'enfourner un paquet de lettres dans mon sac et de les lire quand je m'y sentais enclin, c'est-à-dire dans des circonstances si incongrues – pendant que je me balançais dans mon hamac, sous la moustiquaire, à la lueur d'un fanal ; ou bien pendant que je descendais au fil d'une rivière, couché au beau milieu de mon canoë, tandis qu'à l'arrière mes boys veillaient paresseusement à éviter la rive, que les eaux sombres luttaient de vitesse avec nous, sous le dôme vert du feuillage, que les fûts des grands arbres nous dominaient comme des tours, et que les singes vociféraient dans le soleil, au-dessus de nos têtes, perchés parmi les fleurs au faîte de la forêt ; ou encore sous la véranda d'un ranch hospitalier, parmi le tintement des cubes de glace et des dés, tandis qu'un chat-tigre jouait avec sa chaîne sur l'herbe tondue des pelouses – si incongrues, disais-je, ces circonstances, que ces lettres avaient pour moi la valeur de voix lointaines, au point d'en perdre toute signification ; leur contenu traversait mon esprit sans difficulté et s'en échappait sans laisser de trace, comme ces confessions publiques que dispensent à tout venant les compagnons de voyage que l'on rencontre dans les trains, en Amérique.

Mais en dépit de cet isolement et de ce long séjour dans un monde étrange et étranger, je demeurais inchangé, je persistais à n'être qu'une petite partie de moi-même prétendant représenter le tout. En même temps que je déposais et rangeais dans un coin mon équipement tropical, je me défis de l'expérience de ces deux années et revins à New York comme j'en étais parti. Je ramenais un beau coup de filet – onze peintures et quelque cinquante dessins – et quand, en définitive, j'exposai le tout à Londres, les critiques d'art, dont beaucoup, jusqu'alors avaient adopté un ton protecteur, répondant à l'invite de mon succès, acclamèrent une note nouvelle et plus riche dans mon œuvre. *M. Ryder*, écrivit le plus respecté d'entre eux, *pousse et se développe telle une jeune et fraîche truite, et, réagissant à l'injection hypodermique d'une nouvelle culture, ouvre une robuste fenêtre sur l'échappée de ses facultés en puissance... En concentrant les feux de batterie franchement traditionnels de son élégance et de*

son érudition sur le maelstrom de la barbarie, M. Ryder
a enfin réussi à se trouver...

Paroles flatteuses, mais, hélas ! fort éloignées de la
vérité, il s'en fallait de beaucoup. Ma femme, qui avait
traversé l'Atlantique pour me retrouver à New York,
en voyant les fruits de notre séparation étalés dans le
bureau de mon agent, résuma la chose beaucoup
mieux en disant : « Naturellement, je trouve cela étonnant et à vrai dire assez beau dans le genre sinistre,
mais je ne sais pourquoi je n'ai pas l'impression que
vous soyez dedans. »

En Europe il arrivait que l'on prît ma femme pour
une Américaine à cause de la façon pointilleuse et
pimpante dont elle s'habillait et à cause de la qualité
curieusement hygiénique de sa grâce ; en Amérique
elle prenait un air de douceur et de réserve très
anglais. Elle était arrivée un jour ou deux avant moi et
se trouvait sur le quai quand mon navire accosta.

— Le temps m'a paru bien long, me dit-elle affectueusement en me voyant.

Elle ne s'était pas jointe à mon expédition ; elle
avait expliqué à nos amis que le pays n'y était pas favorable et qu'il lui fallait s'occuper de son fils à la maison. Il y avait aussi une fille maintenant, me dit-elle en
passant, et il me revint en effet qu'il avait été question
de quelque chose de ce genre avant mon départ,
comme d'une raison additionnelle qui l'empêchait de

m'accompagner. Il y avait été fait allusion dans les lettres que j'avais reçues d'elle.

— Je ne pense pas que vous ayez lu mes lettres, me dit-elle ce soir-là, quand enfin, très tard, après un dîner avec des amis et quelques heures passées dans une boîte de nuit, nous nous retrouvâmes seuls dans notre chambre d'hôtel.

— Il y en a qui se sont perdues, je me souviens nettement de phrases où vous me disiez que les narcisses du verger étaient une pure merveille, que la bonne d'enfant était un bijou, que le lit à colonnes Régence était une trouvaille ; mais franchement je ne me rappelle pas du tout que vous m'ayez dit que votre nouveau bébé s'appelait Caroline. Pourquoi lui avez-vous donné ce nom ?

— Mais voyons : Charles – Caroline !

— Ah !

— J'ai choisi pour marraine Bertha Van Halt. Je pensais être assurée avec elle d'un beau cadeau. Devinez ce qu'elle a donné.

— Bertha Van Halt est pingre, tout le monde le sait. Alors, ce cadeau ?

— Un bouquin de quinze shillings. Maintenant que Jean-Jean n'est plus seul…

— Maintenant que qui ?

— Votre fils, chéri. Vous ne l'avez tout de même pas oublié lui aussi ?

— Pour l'amour du ciel, pourquoi l'appelez-vous ainsi ?

— C'est lui-même qui s'est donné ce nom. Vous ne trouvez pas que c'est charmant ? Maintenant que Jean-Jean n'est plus seul, je crois que mieux vaudrait attendre un peu avant d'en avoir d'autres, vous ne trouvez pas ?

— À votre guise.

— Jean-Jean parle beaucoup de vous. Il fait tous les soirs une prière pour que vous rentriez sain et sauf.

Elle parlait de la sorte tout en se déshabillant, en faisant effort pour paraître à son aise ; puis elle s'assit devant la coiffeuse, peignant ses cheveux et, son dos nu tourné vers moi, dit, sans cesser de se regarder dans le miroir :

— J'espère que vous ne laissez pas d'admirer ma discrétion.

— Votre discrétion ?

— Je ne vous ai pas posé de questions fâcheuses. Je dois dire pourtant que j'ai été tourmentée par des visions de métisses voluptueuses, depuis votre départ. Mais j'ai décidé de ne pas poser de questions et j'ai tenu la promesse que je m'étais faite.

— J'en suis fort aise, lui dis-je.

Elle se leva de la coiffeuse et traversa la pièce.

— J'éteins ?

— Comme vous voudrez. Je n'ai pas sommeil.

Nous étions étendus l'un et l'autre dans nos lits jumeaux, à un ou deux mètres de distance, fumant une cigarette. Je regardai ma montre ; il était quatre heures, mais ni l'un ni l'autre de nous ne paraissait enclin à dormir, car, à New York, il flotte dans l'air une névrose que les habitants de cette ville prennent à tort pour de l'énergie.

— Je n'ai pas le sentiment que vous ayez changé le moins du monde, Charles.

— Non, j'en ai peur.

— Avez-vous envie de changer ?

— C'est bien la seule preuve de vie que l'on connaisse.

— Mais vous pourriez changer en sorte de ne plus m'aimer du tout.

— C'est un risque à courir.

— Charles, vous ne m'aimez plus ?

— Vous venez de me dire vous-même que je n'avais pas changé.

— C'est que je commence à me dire que si. Moi, pas.

— Non, non ; je m'en aperçois.

— Vous n'avez pas eu un peu peur, à l'idée de me revoir aujourd'hui ?

— Pas le moins du monde.

— Vous ne vous êtes pas demandé si, par hasard, je n'étais pas tombée amoureuse de quelqu'un d'autre, pendant votre absence ?

— Non. Cela vous est arrivé ?

— Vous savez bien que non. Et à vous ?

— Non. Je ne suis pas amoureux.

Cette réponse parut satisfaire ma femme. Elle m'avait épousé six ans auparavant, lors de ma première exposition, et s'était beaucoup dépensée, depuis, pour le plus grand avantage de nos intérêts. On racontait que c'était elle qui m'avait « fait », mais elle-même ne revendiquait à son crédit que l'honneur d'avoir créé autour de moi une ambiance favorable ; elle avait foi, fermement, dans mon génie, dans mon « tempérament d'artiste » et dans le principe que tout acte accompli en cachette n'est pas un acte véritable.

Dans l'instant même, elle me dit :

— Impatient de rentrer et de revoir la maison ? (Mon père, en guise de cadeau de noce, m'avait donné de quoi acheter une maison et j'avais fait l'acquisition d'une vieille cure dans le pays de ma femme.) Je vous ai réservé une surprise.

— Ah oui ?

— J'ai changé la vieille grange où l'on percevait la dîme en studio à votre intention, pour que vous ne soyez pas dérangé par les enfants ou par nos invités. J'en ai chargé Emden. Tout le monde trouve ça très bien. *La Vie à la campagne* a passé un article à ce propos ; je l'ai apporté pour vous le montrer.

Elle me tendit l'article : « *...Heureux exemple d'une architecture de bon goût... l'adaptation pleine de*

tact qu'a faite Sir Joseph Emden, d'un matériau tradi-
tionnel aux besoins de la vie moderne... » ; le tout
illustré de quelques photographies : de larges lattes de
chêne couvraient maintenant le sol en terre battue ; on
avait percé dans le mur nord une haute baie vitrée
encadrée de moellons, et le grand plafond à poutres
qui autrefois se perdait dans l'ombre faisait saillie,
dénudé, bien éclairé, les intervalles entre les solives
bien nets et blanchis au plâtre ; on eût dit une mairie
de village. Je me souvins de l'odeur de cette pièce, que
je ne retrouverais plus.

— J'aimais assez cette grange, dis-je.

— Oui, mais vous pourrez y travailler maintenant.

— Après avoir passé des heures accroupi, dans un
nuage de moustiques, sous un soleil qui écorchait vif et
faisait se tordre et s'arracher de mon carnet le papier
sur lequel je dessinais, je pourrais travailler sur la plate-
forme d'un autobus. J'imagine que le pasteur du coin
serait très heureux si nous lui prêtions la grange, maintenant, pour y organiser des soirées de bridge.

— Il y a des tas de commandes qui vous attendent.
J'ai promis à Lady Anchorage que vous iriez faire
Anchorage House dès votre retour. Sa maison aussi va
disparaître, vous savez, boutique au rez-de-chaussée et
appartements de deux pièces au-dessus. Dites-moi,
Charles, vous êtes sûr que tout ce travail exotique que
vous avez fait ne va pas vous gêner dans votre autre
travail ?

— Et pourquoi ?

— C'est que ce sont deux choses si différentes. Ne vous fâchez pas.

— Ce n'est jamais qu'une autre sorte de jungle qui gagne du terrain.

— Je sais exactement quels sont vos sentiments, chéri. L'Association georgienne a fait tout ce qu'elle a pu, mais il n'y avait rien à faire... Avez-vous jamais reçu la lettre où je parlais de Boy ?

— Si je l'ai reçue ? Que me disiez-vous dedans ? (Boy Mulcaster était son frère.)

— À propos de ses fiançailles. Ça n'a plus d'importance maintenant, parce que l'affaire est liquidée, mais mon père et ma mère étaient horriblement bouleversés. C'était une fille impossible. Il a fallu finir par lui donner de l'argent.

— Non, je ne me souviens de rien concernant Boy.

— Jean-Jean et lui sont devenus très amis. C'est si charmant de les voir ensemble. Toutes les fois que Boy vient à la maison, son premier souci est de faire un saut en voiture jusqu'à la vieille cure. Il entre, et sans s'occuper de personne d'autre, hurle : « Où est mon vieux copain Jean-Jean ? » et Jean-Jean dégringole aussitôt les escaliers et tous deux disparaissent dans le bosquet où ils restent à jouer pendant des heures. On croirait, à les entendre parler entre eux, qu'ils sont du même âge. À vrai dire, c'est Jean-Jean qui l'a amené à voir d'un œil raisonnable son histoire avec cette fille ; sérieusement, vous savez, cet enfant a l'esprit étonnamment vif. Il avait dû surprendre ma conversation avec maman, parce que, la fois d'après, quand Boy est venu, il lui a dit : « L'oncle Boy ne se mariera pas avec cette horrible fille et ne laissera pas Jean-Jean tout seul », et ce fut ce jour-là qu'il régla l'affaire pour deux mille livres, hors des tribunaux. Jean-Jean admire Boy à un point prodigieux : il le copie en tout. Ça leur fait tant de bien à tous les deux.

Je traversai la pièce et m'efforçai une fois de plus, mais sans effet, de modérer l'ardeur des radiateurs ; je bus un verre d'eau glacée et allai ouvrir la fenêtre ; mais, en plus de l'air vif de la nuit, un flot de musique entra, venant de la chambre voisine où l'on faisait marcher la radio. Je refermai la fenêtre et revins à ma femme.

À la fin, elle se remit à parler, mais je sentis que le sommeil la gagnait… « Le jardin est magnifique… Les haies de buis que vous avez plantées ont poussé de dix centimètres, l'an dernier… J'ai fait venir des hommes de Londres pour arranger le tennis… Cuisinière de première classe en ce moment… »

Alors que la grande ville, en dessous de nous, commençait à s'éveiller, nous finîmes par nous endormir tous deux. Pas pour longtemps : le téléphone sonna et une voix, une voix joyeuse d'hermaphrodite cria :

— Savoy-Carlton-Hôtel. Bonjour, bonjour ; il est exactement huit heure un quart.

— Je n'ai pas demandé qu'on me réveille.

— Pardon ?

— Oh, n'importe !

— À votre service.

Pendant que je me rasais, ma femme me cria, de son bain :

— Comme dans le bon vieux temps. Fini, le mauvais sang, Charles !

— Bien, cela.

— J'avais une telle peur que les choses n'eussent changé en deux ans. Maintenant, je suis sûre que la vie reprendra exactement au point où nous l'avons laissée.

Je restai le rasoir en suspens.

— Au point où... ? Quel point ? Quelle vie ?

— Mais le jour de votre départ, la vie avant le jour de votre départ, voyons.

— Vous êtes sûre que c'est tout ? Vous ne remontez pas un peu plus haut ?

— Oh, Charles, ça, c'est de l'histoire ancienne. Cela ne voulait rien dire. N'a jamais rien voulu dire. C'est bien fini et oublié.

— C'est tout ce que je voulais savoir. Nous voilà donc revenus au jour où je suis parti pour l'étranger, c'est tout ?

Et nous reprîmes donc la vie, ce jour-là, au point où nous l'avions laissée, deux ans plus tôt : avec ma femme en larmes.

La douceur de ma femme, sa réserve bien anglaise, ses dents très blanches, petites, bien plantées, ses ongles nets et roses, son air d'innocente malice, très demoiselle de pensionnat, sa façon de s'habiller de même, ses bijoux modernes, exécutés à grands frais pour donner l'impression, à distance, d'être fabriqués en série, son sourire éternellement prêt, éternellement reconnaissant, sa déférence envers moi, le souci constant qu'elle manifestait pour mes intérêts, ce cœur maternel qui la poussait à câbler chaque jour à la nourrice en Angleterre, bref, tout ce qui faisait son charme lui assurait une vive popularité parmi les Américains, et notre cabine, le jour du départ, regorgeait de paquets enveloppés dans la cellophane, fleurs, fruits, bonbons, livres, jouets pour les enfants, cadeaux d'amis qu'elle s'était faits en une semaine. Les stewards, comme les sœurs d'hôpital, ont coutume de juger les passagers au nombre et à la valeur de ces trophées ; nous partîmes donc entourés de l'estime générale.

La première pensée de ma femme, en montant à bord, fut de consulter la liste des passagers.

— Quelle collection d'amis ! dit-elle. La traversée promet d'être exquise. Pourquoi ne donnerions-nous pas un cocktail ce soir ?

Les passerelles n'étaient pas sitôt larguées, qu'elle s'affairait au téléphone.

— Julia. Ici, Célia – Célia Ryder. Quelle joie de vous savoir à bord. Qu'avez-vous fait de beau, tout ce temps-là ? Venez prendre un cocktail ce soir, vous me conterez cela.

— Julia qui ?

— Mottram. Des années que je ne l'ai vue.

Des années que je ne l'avais vue, moi aussi ; depuis le jour de mon mariage, en fait, car je n'avais pu lui adresser la parole à ce vernissage de mon exposition où les quatre toiles de Marchmain House prêtées par Brideshead, et accrochées côte à côte, avaient connu un grand succès. Ces tableaux avaient été mon dernier contact avec les Flyte ; nos vies, si proches durant un an ou deux, s'étaient séparées. Sebastian, je le savais, était toujours à l'étranger ; Rex et Julia, il m'arrivait d'en avoir des échos, n'avaient pas une vie conjugale très heureuse. La réussite de Rex était loin de répondre à l'attente ; il demeurait à l'orée des sphères gouvernementales ; personnalité très remarquée mais vaguement suspecte. Sa vie l'associait aux ploutocrates et ses discours le montraient enclin aux politiques révolutionnaires et à flirter avec communistes et fascistes indifféremment. Leur nom à tous deux revenait dans les conversations que j'entendais ; leur portrait me tombait sous les yeux de temps à autre, au hasard des pages du *Tatler*, quand il m'arrivait de feuilleter impatiemment ce magazine, en attendant quelqu'un. Mais, comme il se produit souvent en Angleterre et nulle part ailleurs, nous appartenions, eux et moi, désormais, à deux mondes différents, à deux planètes distinctes, entraînées chacune dans son petit tourbillon de relations personnelles ; sans doute la physique offre-t-elle pour ce genre de phénomène social une métaphore parfaitement adéquate, se référant à la façon dont, pour autant que je puisse me risquer sur ce terrain, les molécules s'associent et se dissocient en systèmes magnétiques distincts ; métaphore pratique et toute prête pour qui peut parler de ce genre de chose avec assurance, ce qui n'est pas mon cas, et ce qui fait que je me bornerai à dire que l'Angleterre abondait en petits groupes de cette espèce fondés sur l'intimité de quelques amis, en sorte qu'en ce qui nous concernait, Julia et moi, nous pouvions parfaitement habiter la même rue à Londres, voir, à quelques miles de distance, le même horizon campagnard, nous plaire dans la compagnie l'un de l'autre, marquer une curiosité tempérée pour nos destinées respectives, regretter, même, de ne pas nous voir, partager la certitude qu'il suffirait à l'un ou l'autre de nous de décrocher le téléphone pour bavarder un instant au coin de l'oreiller et profiter, chacun de notre côté, de la plaisante intimité du lever, entrant, pour ainsi dire, dans la vie l'un de l'autre avec le jus d'orange matinal et le premier soleil ; et pourtant n'en rien faire, nous en trouver empêchés par l'effet des forces centripètes de nos mondes séparés et par le glacial espace interstellaire qui s'étendait entre nous.

Ma femme, perchée sur le dossier du sofa, au milieu d'une litière de cellophane et de rubans roses, téléphonait toujours, continuant à éplucher la liste des passagers... « Mais oui, bien sûr, amenez-le, on m'assure qu'il est charmant... Oui, Charles sera là ; il m'est enfin revenu des grandes solitudes ; quelle joie, n'est-ce pas ?... C'est un régal, de trouver votre nom figurant sur cette liste ! Du coup, je ne regrette plus d'être venue... Mais, ma chérie, figurez-vous que nous aussi, nous étions descendus au Savoy-Carlton ; comment avons-nous fait pour ne pas vous rencontrer ?... » Parfois elle se tournait vers moi : « J'ai besoin de voir si vous êtes toujours là, pour être sûre de votre retour. Je ne suis pas encore arrivée à me faire à cette idée. »

Je sortis de la cabine, alors que le paquebot descendait lentement la rivière, et grimpai jusqu'à l'une de ces grandes vérandas où se tiennent les passagers pour regarder s'éloigner la terre. « Une telle collection d'amis », avait dit ma femme. La foule qui se pressait là m'avait l'air pourtant étrangère ; l'émoi des adieux commençait juste à se calmer ; certains qui avaient bu jusqu'à la dernière minute, en compagnie de ceux qui étaient venus leur dire au revoir, étaient encore chauds et bouillants ; d'autres étudiaient déjà le terrain cherchant où installer leur chaise longue ; l'orchestre jouait parmi l'indifférence générale, tout le monde s'affairait ; on eût dit une armée de fourmis.

Je fis le tour d'un certain nombre de salons ; tous étaient énormes et sans allure, comme si on les avait conçus à l'intention de wagons de chemins de fer, puis ridiculement agrandis. Je franchis de gigantesques grilles de bronze dont la décoration faisait penser à la marque de fabrique d'une savonnette qui aurait servi déjà deux ou trois fois ; je foulai des tapis couleur de papier buvard ; les panneaux peints des murs ressemblaient eux aussi à du papier buvard, travail de jardin d'enfants, aux couleurs plates, d'un brun grisâtre, et entre les murs, des mètres et des mètres de bois biscuité que n'avait jamais touché la main d'un charpentier, un bois que l'on avait tordu aux angles, joint bout à bout de façon mystérieuse, étuvé, pressé, verni ; les tapis en papier buvard étaient parsemés de tables qu'avait dû dessiner un ingénieur des services d'hygiène et autour des tables se dressaient des cubes rembourrés, percés de trous carrés pour qu'on pût s'y asseoir, et tapissés, eux aussi eût-on dit, de papier buvard ; la lumière suintait de dizaines et de dizaines de trous, répandant sur tout un éclat uniforme, sans ombres, le tout rempli par le bourdonnement d'une centaine de ventilateurs et vibrant à l'unisson des énormes machines enterrées dans les flancs du navire.

Donc, pensai-je, me voici rentré de la jungle et des ruines. De retour dans un monde où la richesse est sans faste, le pouvoir sans dignité. *Quomodo sedet sola civitas* (car j'avais entendu, depuis, cette grande lamentation que Cordélia m'avait citée un jour, dans le salon de Marchmain House ; je l'avais entendu chanter par un chœur de métis, au Guatemala, près d'un an auparavant).

Un steward s'avança vers moi :

— Monsieur désire ?

— Un whisky et soda, non glacé.

— Désolé, monsieur, nous n'avons *que* du soda glacé.

— L'eau de même, j'imagine ?

— Oui, monsieur.

— Tant pis, tant pis.

Il disparut au trot, étonné, le bruit de ses pas noyés dans le bourdonnement qui envahissait tout.

— Charles.

Je me retournai. Julia était assise dans un cube de papier buvard, les mains jointes sur les genoux, si immobile et silencieuse que j'étais passé devant elle sans la voir.

— J'ai appris que vous étiez ici. Célia m'a téléphoné. Je suis ravie.

— Que devenez-vous ?

Elle ouvrit ses mains vides sur ses genoux, dans un petit geste éloquent.

— J'attends. Ma femme de chambre défait les valises ; elle a été horriblement déplaisante depuis notre départ d'Angleterre. Et maintenant elle se plaint de la cabine. Pourquoi ? Je n'en sais rien. Ça m'a l'air très gentil.

Le steward revenait avec la bouteille de whisky et deux pots, l'un d'eau glacée, l'autre d'eau bouillante ; je les mélangeai pour obtenir la bonne température. Il me regarda faire et me dit : « Je me rappellerai que c'est comme ça que vous le prenez, monsieur. »

La plupart des passagers ont leur lubie ; il était payé pour les fortifier dans la bonne opinion qu'ils avaient d'eux-mêmes. Julia demanda une tasse de chocolat très chaud. Je m'assis près d'elle, dans le cube voisin.

— Je ne vous vois plus, me dit-elle. On dirait que je ne vois jamais plus personne que j'aime. Je ne sais à quoi cela tient.

Mais elle parlait comme si notre séparation était une affaire de semaines plutôt que d'années ; comme si, également avant cette séparation, nous avions été de solides amis. C'était exactement le contraire de ce qui se passe d'ordinaire dans de telles rencontres, où l'on s'aperçoit que le temps a dressé son système défensif, camouflé les points vulnérables et tendu un champ de mines qui barre tous les chemins, hormis quelques rares sentiers très familiers, en sorte que le plus souvent on se borne à faire des signaux chacun derrière son réseau de fils barbelés. Tandis qu'elle et moi, qu'aucun lien d'amitié n'avait unis jusqu'alors, nous nous retrouvions sur le terrain d'une longue intimité ininterrompue.

— Qu'avez-vous fait de beau en Amérique ?

Elle leva lentement la tête au-dessus de sa tasse de chocolat, et fixant sur les miens ses magnifiques yeux graves, répondit : « Vous ne le savez pas ? Je vous raconterai cela un jour. J'ai été idiote. Je croyais aimer quelqu'un, mais les choses ont tourné différemment. » Et mon esprit revint, dix ans en arrière, à cette soirée de Brideshead, où cette adorable enfant dégingandée de dix-neuf ans, qu'on eût dite échappée de sa nursery pour une petite heure et piquée de l'indifférence des adultes à son égard, m'avait dit : « Moi aussi, je suis la cause de bien des soucis, vous savez », et je m'étais dit à l'époque, bien que, quand je venais à y penser à présent, j'eusse moi-même à peine quitté mes culottes : « Quelle importance se donnent ces filles avec leurs histoires d'amour ! »

Il en allait tout autrement maintenant ; il n'y avait dans ses paroles qu'humilité et franchise amicale.

J'aurais voulu pouvoir répondre à sa confiance, lui donner un gage d'encouragement, mais, dans le cours monotone et sans accident de mes dernières années, je ne pouvais rien trouver à partager avec elle. Au lieu de quoi, je me pris à parler des mois que j'avais passés dans la jungle, des personnages comiques que j'avais rencontrés, des endroits perdus que j'avais visités ; mais, dans cette humeur de vieille amitié où nous étions, mon récit manqua le but et je ne tardai pas à m'arrêter net.

—J'ai grande envie de voir vos peintures, dit-elle.

—Célia voulait que je défasse un certain nombre d'entre elles pour les coller aux murs de la cabine en l'honneur de son cocktail. Impossible.

—Oui bien sûr… Célia est aussi jolie que jamais. Elle a toujours paru la débutante la plus délicieuse de mon année.

—Elle n'a pas changé.

—Ce n'est pas votre cas, Charles. Je vous trouve bien maigre et renfrogné ; rien à voir avec le joli garçon que Sebastian avait ramené à la maison. Durci aussi.

—Et vous, au contraire, adoucie.

—C'est aussi mon avis… Et si patiente maintenant.

Elle n'avait pas atteint la trentaine, mais approchait du zénith de sa grâce ; tout ce qu'il y avait en elle de promesses avait été généreusement tenu. Elle avait perdu cet air arachnéen qui avait été à la mode ; le visage, dont j'avais l'habitude de penser qu'il faisait très quattrocento, et qui surprenait un peu autrefois sur elle, s'était maintenant intégré dans l'ensemble et n'avait plus rien de florentin ; rien ne le rattachait plus à tel ou tel tableau, au domaine de l'art ; il lui appartenait en propre, en sorte que c'eût été perdre son temps que de vouloir détailler et disséquer sa beauté, qui était devenue un tout, exprimant son essence particulière, et ne pouvait être éprouvée qu'en elle, en son autorité et dans l'amour que je devais bientôt ressentir pour elle.

Le temps l'avait encore marquée d'un autre changement ; fini, le sourire fin et complaisant, à la Joconde ; les années lui avaient apporté plus que « le chant des lyres et des flûtes », et avaient gravé en elle leur tristesse. Elle avait l'air de dire : « Regardez-moi. J'ai eu ma part. Je suis belle. C'est quelque chose qui sort de l'ordinaire, que cette beauté qui n'est qu'à moi. Je suis un objet de délices. Mais que me revient-il de tout cela ? à *moi* ? Où est *ma* récompense ? »

Voilà quel était le changement que dix années avaient opéré en elle ; et c'était en cela, à vrai dire, que consistait sa récompense : dans cette tristesse obsédante et magique qui venait droit du cœur et imposait le silence ; en cela que résidait l'accomplissement de sa beauté.

— Plus triste aussi, dis-je.

— Oh oui, bien plus triste.

Ma femme était en pleine exubérance lorsque, deux heures plus tard, je revins dans la cabine.

— Il a fallu que je m'occupe de tout. Qu'en pensez-vous ?

On nous avait donné, sans nous faire payer de supplément, un vaste appartement, si vaste en fait qu'il n'était guère occupé en général que par les directeurs de la compagnie et qu'à l'occasion de la plupart des traversées, nous confia le commissaire du bord, lui-même n'y installait que les passagers qu'il désirait honorer particulièrement. Ma femme avait le don particulier de s'assurer de petits avantages de cette sorte, commençant par impressionner les gens sensibles à ce genre de choses, par son chic et par ma célébrité ; puis, une fois cette supériorité solidement établie, passant rapidement à une affectation d'extrême affabilité qui frôlait le flirt. En témoignage de sa gratitude, elle avait invité le commissaire du bord à notre cocktail, et lui, en retour, s'était fait précéder d'une effigie de cygne grandeur nature, moulée dans la glace et remplie de caviar. Ce monument de froide munificence dominait maintenant la pièce, dressé sur une table en son milieu, fondant noblement, laissant tomber de son bec un mince filet d'eau, goutte à goutte, dans le plat d'argent qui le supportait. Les fleurs de la livraison du matin cachaient le plus possible des boiseries de la cabine (car la pièce était la réplique en miniature des monstrueux salons des étages supérieurs).

— Dépêchez-vous de vous habiller. Où étiez-vous passé, tout ce temps ?

— Rencontré Julia Mottram.

— Vous la connaissez donc ? Oh, c'est vrai, j'oubliais, vous étiez lié d'amitié avec le dipsomane, son frère, je veux dire. Grands dieux, quel charme elle a ! Fascinante !

— Elle vous admire beaucoup, de son côté.

— Elle a été très liée avec Boy.

— Pas possible ?

— Lui me l'a toujours dit.

— Vous êtes-vous demandé comment vos invités allaient manger ce caviar ?

— Bien sûr. Il n'y a pas de solution au problème. Mais ils ne manqueront de rien (elle découvrit plusieurs plateaux de friandises d'aspect vitreux), et puis d'ailleurs les gens trouvent toujours le moyen de dévorer dans ce genre de réunion. Vous souvenez-vous du jour où nous avons mangé des crevettes en pot en nous servant de fourchettes de carton ?

— Vraiment ?

— C'était le soir, chéri, où vous m'avez brusquement posé la question que vous savez.

— Autant que je me souvienne, c'est vous qui l'avez posée.

— Le soir de nos fiançailles, en tout cas. Mais vous ne m'avez pas encore dit si vous aimiez la façon dont j'ai arrangé les choses.

Ces arrangements, hormis le cygne et les fleurs, consistaient essentiellement en un steward qui se trouvait déjà inextricablement coincé dans un angle, derrière un bar improvisé et en un second steward, plateau à la main et jouissant d'une liberté relative.

— Un acteur de cinéma ne saurait rêver mieux.

— Un acteur de cinéma : justement, c'est ce dont je veux vous parler.

Elle me suivit dans le cabinet de toilette attenant à ma chambre, continuant à parler pendant que je me changeais. L'idée lui était venue que, étant donné ma passion pour l'architecture, mon vrai métier était de dessiner des décors de film, et elle avait invité deux magnats de Hollywood, dans les bonnes grâces desquels elle désirait m'introduire.

Nous revînmes au salon.

— Chéri, je crois que mon oiseau ne vous revient pas. Surtout, n'allez pas dire de rosseries devant le commissaire. C'est une attention si délicate de sa part. D'ailleurs, vous savez, si vous aviez lu ce qu'on dit, dans les descriptions de banquets vénitiens au XVIe siècle, vous seriez le premier à proclamer que c'était dans ce temps-là qu'il fallait vivre.

— Dans la Venise du XVIe siècle, cet animal aurait eu une tout autre forme.

— Voici *justement* notre bon Père Noël ! Nous étions précisément en extase devant votre cygne.

Le commissaire du bord venait d'entrer et nous serrait puissamment la main.

— Chère Lady Célia, dit-il. Si vous consentez à vous vêtir très chaudement et à pousser jusqu'aux frigorifiques, demain avec moi, je vous montrerai toute une arche de Noé d'animaux de ce genre. Les toasts seront là dans une minute. On les tient au chaud.

— Des toats, s'écria ma femme, comme si tous ses rêves de gourmandise se trouvaient comblés, et au-delà, par ce mot. Charles, vous entendez ? des *toasts* !

Bientôt nous vîmes arriver les premiers invités ; rien n'aurait su les arrêter. « Célia, disaient-ils, quelle cabine magnifique ! Et ce cygne, quelle splendeur ! » Et, bien qu'en effet la cabine fût l'une des plus vastes du plateau, elle ne tarda pas à être bourrée à craquer, que c'en faisait peine à voir ; en même temps que nul ne manquait d'éteindre sa cigarette dans la petite mare d'eau glacée qui commençait à entourer le cygne.

Le commissaire du bord fit sensation, à la mode des marins, en prédisant une tempête. « Quelle brute vous faites ! » s'exclama ma femme, donnant à entendre de façon flatteuse que non seulement la cabine et le caviar, mais l'océan même étaient aux ordres du commissaire. « Qu'importe, d'ailleurs ; la tempête ne saurait affecter un navire de cette taille. »

— Pourrait bien nous retarder un peu.

— Mais elle ne saurait nous donner le mal de mer ?

— Dépend. Si vous avez le pied marin… Moi, j'ai toujours eu le mal de mer, par mauvais temps, depuis mon enfance.

— Je n'en crois rien. C'est votre façon d'être sadique. Venez par ici ; il y a quelque chose que je voudrais vous montrer.

C'était la dernière photographie de ses enfants. « Dire que Charles n'a même pas encore vu Caroline. Quelle surprise et quelle aventure pour lui ! »

Pas un seul de mes amis n'était présent, mais je connaissais environ un tiers de l'assemblée et m'efforçai d'être aussi aimable que possible. Une vieille dame me dit : « Ainsi donc, c'est vous, Charles ? J'ai l'impression de ne connaître que vous ; Célia nous a tellement parlé de vous. »

« Ne connaître que moi, me disais-je dans mon for intérieur, ne connaître que moi, c'est beaucoup dire, ma chère dame. Croyez-vous vraiment qu'il vous est donné de pénétrer jusqu'en ces lieux obscurs où mes propres yeux ne parviennent pas à me guider ? Pouvez-vous me dire, chère madame Stuyvesant Oglander – si tel est bien le nom que j'ai entendu prononcer par ma femme – comment il se fait qu'en cet instant, pendant que je vous parle ici de ma prochaine exposition, je pense tout le temps et uniquement au moment où Julia entrera dans cette pièce ? Comment se fait-il que je puisse vous parler à vous, et non pas à elle ? Comment se fait-il que je lui aie déjà donné une place à part du reste de l'espèce humaine, une place à part où je la rejoigne ? Que se passe-t-il dans ces lieux secrets de mon esprit où vous vous sentez si à l'aise ? Quelle cuisine s'y prépare, madame Stuyvesant Oglander ? »

Cependant Julia n'arrivait pas, et le vacarme que faisait cette vingtaine de personnes, dans cette pièce minuscule, et pourtant si vaste que personne ne la louait jamais, était celui d'une multitude.

Ensuite j'assistai à une scène curieuse. Il y avait là un petit bonhomme rubicond que personne ne semblait connaître, un type assez négligé, très différent du genre coutumier des invités de ma femme ; il y avait une vingtaine de minutes qu'il était debout, à bonne portée du caviar, fort occupé à dévorer à la vitesse d'un lapin. Dans l'instant, je le vis s'essuyer la bouche avec son mouchoir et, obéissant apparemment à une impulsion, se pencher et tamponner le bec du cygne, cueillant la goutte d'eau qui était en train de se former et d'enfler et qui n'allait pas tarder à tomber. Puis, jetant un coup d'œil furtif pour voir si on l'avait surpris, rencontra mon regard et se mit à glousser nerveusement.

— Bon moment que j'en avais envie, me dit-il. Parie bien que vous ne savez pas combien de gouttes à la minute. Pas comme moi, j'ai compté.

— Pas la moindre idée, en effet.

— Devinez. Vingt sous si vous perdez ; un demi-dollar si vous dites juste. Honnête, non ?

— Trois.

— Bigre, vous êtes un petit malin, vous. Comptiez de votre côté, hein ? (Mais il ne paraissait nullement enclin à s'acquitter de sa dette. En revanche il reprit :) Comment expliquez-vous ça ? Né en Angleterre, élevé en Angleterre, mais c'est la première fois que je traverse l'Atlantique.

— Peut-être l'avez-vous traversé en avion ?

— Non, pas plus à l'aller qu'au retour.

— Alors je présume que vous avez fait le tour et que vous êtes arrivé en Amérique par le Pacifique.

— Pas d'erreur, vous êtes un drôle de petit malin. Je me suis déjà fait une somme rondelette avec cette petite histoire.

— Et quel fut votre itinéraire ? demandai-je par politesse.

— Oh, ce serait toute une histoire. Mais il faut que je file. Un de ces jours !

— Charles (ma femme) je vous présente M. Kramm de l'Interastrale ; les films, vous savez.

— Alors, c'est vous M. Charles Ryder ? dit M. Kramm.

— Moi-même.

— Eh bien, eh bien, par exemple. (Il s'arrêta ; j'attendis.) Le commissaire raconte que nous marchons droit sur le mauvais temps. Vous vous y connaissez ?

— Infiniment moins que le commissaire.

— Excusez-moi, monsieur Ryder ; vous voulez dire ?

— Je veux dire que j'en sais infiniment moins long que le commissaire.

— Vraiment ? Eh bien, eh bien, par exemple ! Ravi d'avoir pu bavarder un instant avec vous. J'espère que ce n'est que la première fois.

Une Anglaise s'écria : « Oh, ce cygne ! Six semaines d'Amérique ont suffi pour me donner la glaçophobie. Je vous en prie, dites-moi quelle impression cela vous fait de retrouver Célia au bout de deux ans ? Je sais que, pour ma part, je me sentirais comme une jeune mariée, à en être indécente. Mais il est vrai que Célia n'a jamais tout à fait retiré de son front la couronne d'oranger, n'est-il pas vrai ? »

Autre femme : « N'est-ce pas le rêve, que de se dire au revoir, sachant qu'on se retrouvera dans une demi-heure et qu'on continuera à se retrouver à chaque demi-heure du jour ? »

Nos invités commençaient à partir, et chacun en s'en allant m'informait de quelque thé, dîner ou soirée où ma femme avait promis de me traîner dans un proche avenir ; c'était là le thème de la soirée ; que nous ne devrions pas manquer de nous revoir souvent les uns les autres, et que nous avions formé l'un de ces systèmes moléculaires que les physiciens savent illustrer d'une métaphore. À la fin du compte, le cygne prit congé lui aussi, et s'en alla sur une table roulante, et je dis à ma femme :

— Julia n'est pas venue du tout.

— Non, elle a téléphoné. Je n'ai pas très bien entendu ce qu'elle a dit, il y avait un tel vacarme ici, il était question d'une robe, je crois. Une chance d'ailleurs : un chat n'aurait pu se glisser ici. Charmant, ce cocktail, vous ne trouvez pas ? Avez-vous beaucoup souffert ? Vous vous êtes tenu splendidement, et vous aviez l'air si distingué. Qui était ce vieil ami aux cheveux roux qui était avec vous ?

— Absolument rien d'un vieil ami.

— *Comme* c'est étrange ! Avez-vous parlé à M. Kramm d'un travail éventuel à Hollywood ?

— Bien sûr que non.

— Oh, Charles, quel souci vous êtes pour moi ! Il ne suffit pas de rester debout au milieu des gens, en prenant un air distingué de martyr de l'art. Allons dîner. On nous a mis à la table du capitaine. Je doute fort qu'il descende dîner ce soir, mais la politesse exige que nous soyons assez ponctuels.

Quand nous arrivâmes, tous les autres invités s'étaient déjà attribué une place autour de la table. De part et d'autre de la chaise vide du capitaine, étaient assises Julia et Mme Stuyvesant Oglander ; à côté d'elles s'étaient installés un diplomate anglais et sa femme, le sénateur Stuyvesant Oglander et un homme d'Église américain, pour le moment solitaire entre deux paires de sièges vides. Cet ecclésiastique, plus tard, devait se présenter de façon plutôt redondante, me parut-il – comme étant évêque épiscopalien. Maris et femmes étaient assis côte à côte à cette table. Ma femme se trouva face à la nécessité de prendre rapidement une décision et, bien que le steward tentât de suggérer une autre disposition, elle s'assit de façon à s'allouer le sénateur, en me laissant l'évêque. Julia nous fit un petit signe de sympathie attristée.

— Navrée de n'avoir pu venir au cocktail, dit-elle, cette brute de femme de chambre avait complètement disparu avec toutes mes robes. Elle n'est réapparue qu'il y a une demi-heure. Elle était allée jouer au ping-pong.

— J'ai fait part au sénateur de tout ce qu'il avait manqué, dit Mme Stuyvesant Oglander. Il suffit que Célia soit quelque part pour qu'elle connaisse aussitôt toutes les personnalités de l'endroit.

— J'attends à ma droite, intervint l'évêque, un couple de personnalités. Ces deux passagers prennent tous leurs repas dans leur cabine, sauf lorsqu'on leur fait savoir à l'avance que le capitaine sera présent à sa table.

Nous formions un cercle sinistre ; ma femme même, avec toute sa fougue mondaine, n'était pas en forme. Des bouts de conversation forçaient de temps à autre mon attention.

— … Un extraordinaire petit bonhomme à cheveux roux. Le général Dourakine en personne, plus les cheveux, moins les favoris.

— Mais j'avais cru comprendre à vos paroles, Lady Célia, qu'il ne comptait pas parmi vos connaissances.

— Je veux dire qu'il *ressemblait* au général Dourakine.

— Je commence à saisir. Il s'était déguisé pour ressembler à cet ami dont vous parlez et venir à votre cocktail.

— Non, non. Le général Dourakine n'est qu'un personnage comique.

— Cet autre personnage n'avait pas l'air très amusant. Votre ami est donc un comédien ?

— Non, non. Le général Dourakine est un personnage imaginaire. Quelque chose comme votre « Mathurin », vous savez.

Le sénateur posa fourchette et couteau.

— Récapitulons : un imposteur est venu à votre cocktail et vous ne l'avez laissé entrer qu'à cause d'une ressemblance fantaisiste avec un personnage imaginaire ?

— Ma foi, oui, j'imagine que ça doit être ça.

Le sénateur jeta à sa femme un coup d'œil qui était une façon de dire : « Personnalités, hein ? »

J'entendais Julia, de l'autre côté de la table, s'efforcer de retracer, à l'usage du diplomate, les entrelacs conjugaux de ses cousins hongrois et italiens. Dans ses cheveux, et à ses doigts, les diamants brillaient de tous leurs feux, mais ses mains roulaient nerveusement de petites boules de mie de pain et sa tête étincelante s'était courbée en désespoir de cause.

L'évêque me fit part de la mission charitable qui l'amenait à se rendre à Barcelone... « Un très, très appréciable travail de déblaiement a déjà été fait, monsieur Ryder. Le moment est venu de rebâtir sur de plus amples fondations. Je me suis donné pour mission de réconcilier soi-disant anarchistes et soi-disant communistes ; et à cette fin, mon comité et moi avons ingurgité toute la littérature que l'on peut se procurer sur ce sujet. Nous sommes unanimes dans nos conclusions, monsieur Ryder. Il n'y a *pas* de divergence fondamentale entre ces deux idéologies. Pure question de personnes, monsieur Ryder, et ce que des personnes ont défait, d'autres personnes peuvent le refaire… »

De l'autre côté, j'entendais : « Et puis-je me permettre de vous demander quelles institutions ont patronné l'expédition de votre mari ? »

La femme du diplomate engagea bravement le fer avec l'évêque, par-dessus le golfe désert qui les séparait :

— Et quelle langue parlerez-vous à Barcelone ?

— Le langage de la raison et de la fraternité, madame. Et, revenant à moi : la langue du siècle à venir sera celle de la pensée et non des mots. N'êtes-vous pas de mon avis, monsieur Ryder ?

— Bien sûr, bien sûr.

— Qu'est-ce que les mots ?

— Quoi, en vérité ?

— De simples signes conventionnels, monsieur Ryder, et nous vivons dans un âge où le scepticisme s'exerce à bon droit à l'égard des signes conventionnels.

J'avais un roulis dans la tête. Au sortir de la cage à perroquets fiévreuse qu'avait été le cocktail de ma femme ; après l'émotion profonde que j'avais éprouvée dans l'après-midi et dont je ne m'étais pas encore remis ; épuisé par toutes les distractions qu'avait voulu prendre ma femme à New York ; après mes mois de solitude dans l'obscurité verte et fumante de la jungle, j'étais ébloui ; c'en était trop pour moi. Je n'étais pas loin de me sentir comme le roi Lear sur sa lande ou la duchesse de Malfi au milieu de sa meute de fous. J'appelais à mon aide typhons et ouragans ; et, comme pour répondre à l'appel d'un magicien, ces derniers accoururent.

Depuis un bon moment déjà, sans toutefois savoir dans l'instant si ce n'était pas un tour que me jouaient mes nerfs, j'avais cru sentir un mouvement régulier et qui allait croissant de façon persistante, une sorte de haut-le-cœur et de frisson parcourant l'immense enfilade des salles à manger et comparable à la respiration d'un homme plongé dans un profond sommeil. Or voici que ma femme se tournait vers moi pour me dire :

— Serais-je un peu grise, ou serait-ce que le temps se gâte ?

Et elle n'avait pas fini, que nous donnions tous de la bande sur nos sièges ; il y eut un vacarme et un tintement d'argenterie croulant le long du mur ; à notre table, les verres de vin basculèrent et roulèrent tandis que chacun de nous maintenait son assiette et ses couverts et regardait les autres avec une gamme d'expressions qui allait de la plus franche horreur chez la femme du diplomate au soulagement chez Julia.

La tempête qui, sans bruit, sans se montrer, sans se faire sentir dans notre monde fermé et isolé, s'accumulait sur nos têtes depuis une heure, venait de virer et de s'abattre en plein sur notre avant.

Au fracas de l'argenterie succédèrent le silence, puis un bouillonnement de rires aigus et nerveux. Les stewards épongeaient les mares de vin avec des serviettes. Les gens essayaient de reprendre la conversation, mais tous attendaient, comme le petit rouquin de tout à l'heure regardant s'enfler, puis tomber la goutte au bec du cygne, la prochaine secousse ; elle vint, plus violente que la première.

— Il est temps que je dise bonsoir à tout le monde, dit la femme du diplomate, en se levant.

Son mari la reconduisit à leur cabine. La salle à manger se vidait à vue d'œil. Bientôt Julia, ma femme et moi, nous restâmes seuls à table, et, comme par télépathie, Julia dit :

— On croirait le roi Lear.

— À cette différence près que chacun de nous est à la fois les trois personnages.

— Qu'est-ce que tout cela signifie ? demanda ma femme.

— Lear, Kent et le Fou.

— Oh non, je vous en prie, cela ressemble trop à cette horrible conversation sur le général Dourakine, tout à l'heure. Dispensez-vous de toute explication.

— Je craindrais fort de ne pouvoir vous en donner, rétorquai-je.

Autre escalade, autre dégringolade dans l'abîme. Les stewards s'affairaient, consolidant ici, là se hâtant de ranger, escamotant rapidement tout objet décoratif instable.

— Eh bien, voilà, nous sommes restés jusqu'au bout du dîner et nous avons donné un bel exemple de flegme britannique, dit ma femme. Allons voir ce qui se passe.

En nous dirigeant vers le salon, il nous fallut à un moment donné nous cramponner tous trois à un pilier ; parvenus à destination, nous trouvâmes la pièce pratiquement déserte, l'orchestre jouait, mais personne ne dansait ; on avait dressé les tables pour la tombola, mais personne ne retirait de billet et l'officier qui se faisait une spécialité d'annoncer les numéros dans le jargon coutumier au premier pont : « Seize, si jeune et vierge encore de baisers ; la clef pour le vingt et un ; clic-clac-clic, soixante-dix », bavardait tranquillement avec ses collègues ; une vingtaine de lecteurs épars et plongés dans leurs romans ; quelques quatuors de bridge, quelques verres de cognac au fumoir, mais pas un seul de nos invités de deux heures auparavant.

Nous nous assîmes tous trois quelques instants, près de la piste de danse parfaitement vide. Ma femme nous exposa ses plans, grâce auxquels, sans être impolis, il nous serait possible de changer de table et de nous installer dans la salle à manger commune. « C'est de la folie pure que d'aller au restaurant, disait-elle, et de payer un supplément pour exactement le même repas. D'ailleurs, il n'y a que les gens de cinéma qui aillent là. Je ne vois pas du tout pourquoi l'on nous contraindrait à les imiter. »

Et puis elle dit bientôt : « Je commence à avoir mal à la tête, et d'ailleurs je suis fatiguée. Je vais me coucher. »

Julia l'accompagna. Je fis le tour du bateau, sur l'un des ponts ouverts où le vent hurlait et où l'embrun, jaillissant des ténèbres, broyait du blanc et du brun contre les glaces protectrices. On avait posté des matelots pour empêcher les passagers de monter sur les ponts découverts. Puis je me décidai moi aussi à descendre.

Dans le cabinet de toilette attenant à ma chambre, tout ce qui était susceptible de se briser avait été mis à l'abri ; la porte menant à la cabine était maintenue ouverte par un crochet ; de l'intérieur, ma femme m'appela d'une voix plaintive : « Je me sens horriblement mal. J'ignorais qu'un bateau de cette taille pût tanguer de la sorte. » Ses yeux étaient pleins de consternation et de ressentiment, comme ceux d'une femme qui, lorsque arrive le moment, finit par se rendre compte que rien, ni le luxe, si grand soit-il, de la clinique, ni le docteur, si cher soit-il, ne pourra lui éviter ses travaux ; et les brusques montées et descentes du bateau revenaient régulièrement comme les douleurs de l'enfantement.

Je me couchai dans la pièce à côté, ou plus exactement, je demeurai étendu entre le rêve et l'état de veille. Sur une étroite couchette, sur un matelas dur, peut-être aurais-je pu me reposer ; mais dans cette cabine les lits étaient vastes et élastiques ; je ramassai tout ce que je pus trouver de coussins et tentai de me caler autant que possible ; mais durant toute la nuit je basculais à chaque mouvement de balançoire, à chaque saccade du bateau – car le roulis était venu s'ajouter au tangage – et ma tête résonnait des craquements et des chocs sourds qui avaient désormais succédé au bourdonnement du beau temps.

À un moment donné, une heure avant l'aube, ma femme surgit comme un fantôme dans l'encadrement de la porte, se tenant à deux mains aux embrasures : « Vous ne dormez pas ? Ne pourriez-vous faire quelque chose ? Ne pourriez-vous demander un remède au docteur ? »

J'appelai le steward de nuit qui avait déjà préparé une potion. Elle l'avala et s'en trouva un peu réconfortée.

Et toute la nuit, entre le rêve et la veille, je pensai à Julia. Dans mes rêves entrecoupés, elle prenait une centaine de formes fantastiques, terribles et obscènes ; mais, dans mes pensées de veille, elle revenait avec son visage triste, sa tête étincelante, telle que je l'avais vue au cours du dîner.

Aux premiers rayons du jour, je m'endormis pour une heure ou deux, puis m'éveillai la tête claire, plein de joyeuses anticipations.

Le vent était un peu tombé, m'apprit le steward, mais soufflait encore très fort et la houle était extrêmement lourde.

— Et y a pas pire qu'une mauvaise houle, me confia-t-il, pour le plaisir des passagers. Y a pas beaucoup de petits déjeuners ce matin.

J'allai jeter un coup d'œil sur ma femme, la trouvai qui dormait et refermai la porte de séparation ; après quoi je mangeai de bon appétit une tranche de saumon suivie d'une tranche de jambon froid et téléphonai pour demander que le coiffeur vînt me raser.

— Y a tout un tas de choses pour la dame dans le salon, me dit le steward, est-ce que je les laisse dans l'état pour le moment ?

J'allai voir. C'était un second arrivage, très complet, de paquets enveloppés dans la cellophane, provenant des boutiques du bord, les uns commandés par radio par des amis de New York à qui leurs secrétaires avaient oublié de rappeler à temps notre départ, les autres par les invités de notre cocktail. Ce n'était pas un jour à mettre des fleurs dans un vase ; je dis au steward de laisser le tout sur le plancher, puis, frappé soudain d'une idée, retirai la carte qui accompagnait les roses de M. Kramm et fis porter celles-ci avec mes salutations affectueuses à Julia.

Elle m'appela au téléphone pendant qu'on me rasait.

— Quelle idée déplorable, Charles ! Et comme cela vous ressemble peu !

— Elles ne vous plaisent pas ?

— Que voulez-vous que je fasse de roses par une telle journée ?

— Respirez leur parfum.

Il y eut un silence et le froissement d'un paquet qu'on défait.

— Elles ne sentent rien du tout.

— Qu'avez-vous pris pour votre petit déjeuner ?

— Une grappe de muscat et un cantaloup.

— Quand vous voit-on ?

— Avant le déjeuner. Jusqu'alors, je suis prise par la masseuse.

— La masseuse ?

— Oui ; curieux, n'est-ce pas ? J'en n'en ai jamais encore usé, sauf une fois où je m'étais blessée à l'épaule, à la chasse. Qu'est-ce qui fait que sur un bateau tout le monde prend des manières de star de cinéma ?

— Sauf moi.

— Sauf vous ! Et ces roses dont vous m'embarrassez ?

Le coiffeur s'acquitta de sa tâche avec une dextérité extraordinaire, que dis-je, avec une folle agilité ; on eût dit un matamore de ballets, tantôt esquissant une pointe sur un pied, tantôt rebondissant sur l'autre, essuyant d'un geste vif comme l'éclair la mousse de savon sur son rasoir, et fondant sur mon menton comme un oiseau de proie, dans l'instant où le navire se redressait ; personnellement, je n'aurais jamais osé me servir d'un rasoir de sûreté.

Le téléphone sonna de nouveau.

C'était ma femme.

— Comment vous sentez-vous ce matin, Charles ?

— Fatigué.

— Vous ne venez pas me dire bonjour ?

— Je suis venu déjà une fois. Je serai chez vous dans un instant.

Je lui apportai les fleurs du salon. L'atmosphère de maternité qu'elle avait réussi à créer dans sa cabine s'en trouva complétée ; la stewardess avait l'air d'une sage-femme, debout à son chevet, telle une statue de linge amidonné et de sang-froid immaculé. Ma femme tourna la tête sur l'oreiller pour m'adresser un pâle sourire ; elle tendit un bras nu et caressa du bout des doigts la cellophane et les rubans de soie du plus gros des bouquets. « Comme tous ces gens sont gentils », dit-elle faiblement, comme si la tempête était un malheur qui la frappât seule et pour lequel le monde lui témoignait sa sympathie compatissante.

— Si je comprends bien, vous n'avez pas l'intention de vous lever.

— Oh non, Mme Clark est si bonne pour moi ; elle n'avait pas sa pareille pour attraper aussitôt les noms des domestiques. Ne vous occupez pas de moi. Venez me voir de temps à autre pour me dire ce qui se passe.

— Allons, allons, mon enfant, dit la stewardess, moins on sera dérangée aujourd'hui, mieux ça vaudra.

On eût dit que ma femme trouvait le moyen de faire du mal de mer lui-même un rite sacré et femelle.

La cabine de Julia, je le savais, se trouvait quelque part au-dessous de la nôtre. Je l'attendis à la sortie de l'ascenseur sur le pont principal ; lorsqu'elle arriva, nous fîmes à pied le tour complet de la promenade ; d'une main je me cramponnais à la rampe ; elle avait pris mon autre bras. Marcher ainsi n'était pas commode ; à travers les glaces ruisselantes nous pouvions voir un univers difforme de ciel gris et d'eau noire. Quand le navire roulait fortement, je la faisais virer vigoureusement sur mon bras pour qu'elle pût, de son côté, saisir de sa main libre la rampe ; la clameur du vent avait diminué, mais le bateau tout entier craquait sous l'effort. Ayant achevé notre tour, Julia me déclara : « Inutile de continuer. Cette femme m'a rompue et moulue et de toute façon j'ai l'impression d'être sans force. Asseyons-nous. »

Les grandes portes de bronze du salon avaient brisé leur serrure et battaient librement au gré du roulis ; régulièrement et, eût-on dit irrésistiblement, elles s'ouvraient et se refermaient alternativement, reprenaient haleine après avoir décrit chacune son demi-cercle, recommençaient à se mettre lentement en mouvement et terminaient à grande vitesse, dans un fracas retentissant. Il n'y avait à proprement parler aucun danger à passer devant elles, à part le risque de glisser et d'être happé au vol par le choc final et violent du retour ; on avait grandement le temps de passer sans se presser ; mais le spectacle de cette énorme masse de métal en liberté et battant de l'aile avait quelque chose de terriblement impressionnant qui aurait pu faire reculer ou se hâter peureusement un individu timide ; j'éprouvai une vive joie à sentir la main de Julia reposer calmement sur mon bras et à me rendre compte ainsi, en marchant côte à côte avec elle, qu'elle ne se laissait nullement arrêter.

— Bravo ! s'écria un homme assis non loin de nous. J'avoue que pour ma part j'ai fait le tour. Vraiment, ces portes ne me disaient rien qui vaille. Ils ont passé la matinée à essayer de les bloquer.

Les promeneurs étaient rares, et une camaraderie fondée sur l'estime réciproque semblait unir cette minorité ; tous se bornaient à demeurer assis plutôt tristement dans leurs fauteuils, à avaler une boisson le cas échéant, et à se congratuler mutuellement de leur résistance au mal de mer.

— Vous êtes la première femme que je vois dehors, dit l'homme.

— Quelle chance !

— La chance est pour *nous*, reprit-il, dans un mouvement qui voulait être une gracieuse courbette et qui s'acheva en un plongeon oblique au niveau des genoux, cependant que le parquet en papier buvard s'inclinait brutalement et dangereusement entre nous. Le roulis nous emporta loin de lui, accrochés l'un à l'autre mais toujours d'aplomb et nous n'eûmes rien de plus pressé que de nous laisser tomber dans le premier siège où nous conduisit notre danse, loin des autres, parfaitement isolés ; un réseau serré de lignes de sauvetage avait été tendu en travers du salon et nous avions l'air de boxeurs cernés par les cordes d'un ring.

Le steward s'approcha : « Comme d'habitude, Monsieur ? Un whisky à l'eau tiède, c'est bien cela ? Et pour Madame ? Puis-je suggérer une goutte de champagne ? »

— Savez-vous que le pire est que *j'adorerais* un peu de champagne ? me dit Julia. Quelle vie de plaisirs — des roses, une demi-heure aux mains d'une pugiliste, et pour couronner le tout, du champagne !

— Je voudrais bien ne plus vous entendre parler de ces roses. D'abord, l'idée ne vient pas de moi. Quelqu'un les avait envoyées à Célia.

— Oh, c'est une autre affaire, alors. Cela vous met complètement hors du coup. Mais cela n'ôte rien à mon massage, au contraire.

— Je me suis fait raser au lit.

— Je suis contente de ces roses, reprit Julia. Franchement, j'ai eu d'abord un choc en les voyant. Elles m'ont donné l'impression que nous partions du mauvais pied pour la journée.

Je savais ce qu'elle voulait dire et dans cet instant j'eus le sentiment d'avoir secoué une bonne partie de la poussière et de la crasse accumulées durant dix années de sécheresse. Car désormais, à dater de cet instant, quelle que fût la forme que prit son discours, demi-phrases, monosyllabes, lieux communs du jargon contemporain, signes presque imperceptibles des yeux, des lèvres ou des mains, si inexprimable que pût être sa pensée, si vive fût-elle à effleurer puis à fuir au plus loin le sujet, si profond plongeât-elle, comme c'était souvent le cas, de l'extrême surface droit aux plus intimes gouffres, je ne devais plus douter ; dès ce jour, où je n'étais encore qu'à la lisière imminente de l'amour, je sus ce qu'elle voulait dire.

Nous avions fini de boire notre vin quand notre nouvel ami s'approcha en roulant, cramponné à une ligne de sauvetage.

— Permettez que je m'installe avec vous ? Rien de tel qu'un peu de mauvais temps pour rapprocher les gens. J'en suis à ma dixième traversée et je n'ai jamais rien vu de pareil. M'est avis que vous l'avez l'habitude de la mer, ma jeune dame.

— Nullement. À la vérité, c'est la première fois que je suis en mer, sauf le voyage d'aller à New York, et, bien entendu, la traversée de la Manche. Dieu merci, je n'ai pas le mal de mer, mais je me sens horriblement fatiguée. J'ai cru d'abord que ce n'était que la masseuse, mais je finis par conclure que c'est la faute du navire.

— Ma femme est fort mal en point. Elle a pourtant l'habitude de la mer. L'exception confirme la règle, n'est-il pas vrai ?

Il nous rejoignit à table, mais sa présence m'était égale ; évidemment Julia lui plaisait, et il nous prenait pour mari et femme ; sa méprise et sa galanterie semblaient en un sens me rapprocher plus étroitement d'elle.

— Vous ai vus tous les deux à la table du capitaine, hier soir, dit-il, avec tous les gros bonnets.

— Bien assommants, les gros bonnets.

— Le contraire me surprendrait, si vous voulez mon avis. Il sufit d'une tempête comme celle-ci pour se rendre compte de quoi sont faits les gens.

— Vous avez une prédilection pour ceux qui ont le pied marin ?

— Ma foi, présenté de cette façon, je ne saurais vous dire ; ce que je veux dire, c'est que ça rapproche des gens.

— C'est exact.

— Prenez notre cas, par exemple. Sans cette tempête, peut-être n'aurions-nous jamais fait connaissance. J'ai compté plus d'une rencontre romanesque en mer dans mon temps. Avec la permission de Madame, j'aimerais vous raconter une petite aventure qui m'est arrivée dans le golfe du Lion, quand j'étais un peu moins vieux qu'aujourd'hui.

Nous étions las, Julia et moi ; le manque de sommeil, l'incessant tintamarre et la tension qu'exigeait le moindre mouvement nous épuisaient. Nous passâmes l'après-midi dans nos cabines respectives. Je fis un somme ; quand je m'éveillai, la mer était toujours aussi haute, des nuages noirs comme l'encre galopaient sur nos têtes et les vitres ruisselaient toujours d'eau ; mais en dormant je m'étais accoutumé à la tempête, j'avais épousé son rythme, étais devenu partie intégrante d'elle ; en sorte que je me levai en pleine forme, sûr de moi, pour trouver Julia déjà debout et partageant mon humeur.

— Qu'en dites-vous ? me demanda-t-elle. Ce bonhomme donne ce soir une petite *party* de rapprochement, dans le fumoir, en l'honneur des passagers qui ont le pied marin. Il m'a priée d'y venir, en compagnie de mon mari.

— Qu'avez-vous décidé ?

— D'y aller, bien entendu… Je me demande si je dois m'abandonner aux mêmes sentiments que cette dame dont notre ami fit la connaissance en se rendant à Barcelone. À vrai dire, Charles, je ne me sens rien de commun avec elle, absolument rien.

Nous étions dix-huit « rapprochés » ce soir-là, sans autre lien pour nous unir que notre immunité contre le mal de mer. On but du champagne, et notre hôte s'écria bientôt : « Dites voir, il y a un jeu de roulette chez moi. L'embêtant, c'est que nous ne pouvons nous installer dans ma cabine, à cause de ma femme, et qu'il est interdit de jouer en public. »

Sur quoi tout le monde se transporta dans mon salon, où nous demeurâmes à jouer petitement jusqu'à une heure très avancée de la nuit. Julia nous quitta alors, et notre hôte avait bu trop de vin pour s'étonner de nous voir habiter des quartiers différents. Quand tout le monde s'en fut allé, sauf lui, il s'endormit sur sa chaise, où je l'abandonnai. Je ne devais plus le revoir, car un peu plus tard – ce fut du moins ce que m'expliqua le steward, qui était allé reporter la roulette dans la cabine du bonhomme – il se brisa la clavicule en tombant dans le couloir et dut être transporté à l'hôpital du bord.

Julia et moi, nous passâmes ensemble, sans interruption, la journée du lendemain ; bavardant, bougeant le moins possible. Après le déjeuner, les derniers passagers valides allèrent se reposer, nous restâmes seuls, comme si l'on avait fait place nette à notre intention, comme si le tact, porté à une échelle gigantesque, avait expédié tout un chacun sur la pointe des pieds, pour nous laisser l'un à l'autre.

Les portes de bronze du salon étaient enfin bloquées, non sans que deux marins l'eussent payé de blessures et d'un séjour à l'infirmerie. On s'y était pris de toutes les façons possibles ; après avoir essayé de les amarrer à l'aide de cordages, puis, ces derniers ayant cédé, à l'aide de filins d'acier, rien ne parvenant à maintenir les battants, on avait fini par glisser en dessous des cales en bois et par les coincer en profitant du bref moment d'arrêt qu'ils marquaient, quand ils s'ouvraient ; et cette fois on avait réussi à les immobiliser.

Quand, avant le dîner, elle descendit se préparer dans sa cabine (personne ne s'habilla ce soir-là) et que je l'accompagnai, sans qu'elle m'y eût invité, sans qu'elle y objectât, comme si elle s'y était attendue, et que derrière la porte close je la pris dans mes bras et l'embrassai pour la première fois, rien de tout cela ne changea notre humeur de l'après-midi. Un peu plus tard, retournant cet événement dans ma tête, de même que je tournais et retournais dans mon lit au rythme du navire, tout au long de l'interminable nuit de solitude et de somnolence, je me souvins de mes amours passées et mortes de ces dix dernières années ;

je me rappelai comment, nouant ma cravate avant de sortir, glissant un gardénia à ma boutonnière, je tirais des plans pour la soirée et me disais : « À telle ou telle heure, profitant de telle ou telle occasion, je franchirai la ligne de base et lancerai mon attaque pour le meilleur ou pour le pire. Cette "phase de la bataille a duré assez longtemps, me disais-je, le moment est venu de passer à la décision." » Avec Julia, il ne pouvait être question de phases, de lignes de base, de tactique.

Mais tard ce soir-là, quand elle alla se coucher et que je la suivis jusqu'à sa porte, elle m'arrêta : « Non, Charles, pas encore. Jamais peut-être. Je ne sais. Je ne sais si j'ai envie que l'on m'aime. »

Alors quelque chose, quelque fantôme survivant à ces dix années mortes – car nul ne peut mourir, ne fût-ce qu'un tout petit peu, sans y laisser des plumes – me fit dire :

— Aimer ? Ce n'est pas de l'amour que je demande.

— Oh mais si, Charles, c'est de l'amour, répliqua-t-elle en même temps que, de sa main levée, elle me caressait doucement la joue. Puis elle ferma sa porte.

Et je m'en allai, en roulant d'une paroi à l'autre du long couloir vide et doucement éclairé ; car la tempête apparemment formait un cercle ; tout le jour, nous avions navigué au centre paisible de cette circonférence ; nous nous retrouvions maintenant en plein déchaînement du vent, et cette nuit-là devait être pire encore que la précédente.

Dix heures pour échanger des paroles : qu'avions-nous à dire ? Simple énumération de faits, essentiellement. Le disque de nos deux vies, si longtemps séparées par de grands espaces et maintenant nouées l'une à l'autre. D'un bout à l'autre de cette nuit que secouait la tempête, je me répétai mentalement ce qu'elle m'avait raconté ; elle n'avait plus rien du succube ni de la vision étincelante qui avaient alternativement hanté mon esprit la nuit d'avant ; elle m'avait confié en dépôt tout ce qu'elle pouvait transférer de son passé. Elle m'avait raconté, ainsi que je l'ai rapporté d'autre part, ses fiançailles et son mariage ; raconté, comme on tourne tendrement les pages d'un vieux livre d'enfant, toute sa jeunesse, et j'avais vécu de longs jours ensoleillés avec elle dans les prairies, avec elle et Nounou Hawkins assise sur son pliant, et Cordélia qui dormait dans sa voiture ; dormi des nuits paisibles sous le dôme de Brideshead, regardé fondre les images religieuses, autour du petit lit, dans la lueur basse de la veilleuse et des braises dans l'âtre. Elle m'avait raconté sa vie avec Rex et la fugue secrète et vicieuse, désastreuse aussi qui l'avait conduite à New York. Elle avait eu également des années mortes. Elle m'avait raconté comment elle avait longtemps lutté avec Rex sur la question de savoir s'ils auraient un enfant ; elle en avait eu envie tout d'abord, mais avait appris au bout d'une année qu'il lui faudrait pour cela subir une opération ; entre-temps il n'avait plus été question d'amour entre elle et Rex, ce qui ne l'empêchait pas, lui, de vouloir toujours un enfant ; et quand enfin elle avait consenti, l'enfant était mort-né.

— Rex ne s'est jamais délibérément mal conduit à mon égard. Simplement, il y a quelque chose qui lui manque, pour faire vraiment de lui un être humain ; il n'y a en lui que quelques facultés qui atteignent à un haut développement ; tout le reste est absent. Il n'a jamais pu comprendre que j'aie pu être blessée en m'apercevant, deux mois après notre retour de lune de miel, qu'il n'avait toujours pas rompu ses relations londoniennes avec Brenda Champion.

— J'ai été bien content, pour ma part, le jour où je me suis aperçu que Célia me trompait, dis-je. J'ai compris combien j'avais raison de ne pas l'aimer.

— Elle, infidèle, vrai ? Et vous ne l'aimez pas ? Que je suis heureuse ! Je ne l'aime pas non plus. Pourquoi l'avez-vous épousée ?

— L'attrait du corps. L'ambition. Tout le monde reconnaît qu'elle est la femme idéale pour un peintre. La solitude ; Sebastian qui me manquait.

— Au fond, vous étiez amoureux de lui.

— Certainement. Il a été le précurseur.

Julia comprenait.

Le navire craquait, frissonnait, retombait. Ma femme m'appela de la chambre voisine :

— Charles, êtes-vous là ?

— Oui.

— Il y a une éternité que je dors. Quelle heure est-il ?

— Trois heures et demie.

— Le temps ne s'améliore pas ?

— Il empire.

— Je me sens un peu mieux, pourtant. Croyez-vous qu'on m'apporterait un peu de thé, quelque chose, si je sonnais ?

Je lui fis apporter du thé et des biscuits par le steward de nuit.

— Vous êtes-vous amusé ce soir ?

— Tout le monde a le mal de mer.

— Pauvre Charles ! Dire que la traversée promettait d'être si exquise. Peut-être fera-t-il meilleur demain.

J'éteignis la lumière et fermai la porte de séparation. Veiller encore, rêver, d'un bout à l'autre, interminable, de la nuit, dans la tension, parmi les craquements et la houle ; couché sur le dos, bras et jambes écartelés pour parer au roulis, yeux ouverts sur les ténèbres, penser à Julia.

« ... Nous avions cru que papa reviendrait peut-être en Angleterre à la mort de maman, ou qu'il se remarierait ; mais il n'a rien changé à sa vie. Rex et moi, nous allons souvent le voir maintenant. Je me suis prise d'une grande affection pour lui... Sebastian a complètement disparu... Cordélia est en Espagne, partie avec une ambulance... Bridey continue son extraordinaire existence, solitaire. Il voulait fermer Brideshead à la mort de maman, mais papa n'a rien voulu savoir, j'ignore pourquoi ; ce qui fait que Rex et moi, nous vivons là-bas maintenant et que Bridey a conservé tout en haut, sous le dôme, près de Nounou Hawkins, deux pièces qui font partie de la vieille nursery. Il ressemble à un personnage de Tchékhov. On le croise de temps en temps, qui sort de la bibliothèque ou grimpe ou descend les escaliers – je ne sais jamais quand il est à la maison – et qui, de temps en temps aussi, se montre brusquement à dîner, tel un fantôme que personne n'attendait.

« ... Oh, les amis de Rex ! Leurs réunions à la maison ! Argent et politique. L'argent commande tous leurs actes, toute leur vie ; s'ils font le tour du lac, il leur faut faire un pari sur le nombre de cygnes qu'on y voit... Et moi, pendant ce temps, veillant jusqu'à deux heures du matin, chargée de distraire les petites amies de Rex, de prêter l'oreille à leurs ragots, de les entendre échanger leurs commérages sans fin par-dessus la table de trictrac, tandis que les hommes jouent aux cartes et fument le cigare. La fumée des cigares. J'en retrouve l'odeur dans mes cheveux quand je m'éveille, le matin ; dans mes robes quand je m'habille, le soir. Vous ne la sentez pas maintenant ?

Croyez-vous que la masseuse l'a flairée sur mon corps ?

« J'ai commencé par accompagner Rex dans ses séjours chez ses amis. Il ne me le demande plus maintenant. Il a eu honte de moi, quand il a découvert que je ne lui apportais pas le personnage qu'il désirait, honte de lui-même : il s'était laissé refaire. Je n'étais pas du tout l'article qu'il avait marchandé. Il ne me trouve aucun sens, mais, chaque fois qu'il a décidé que quelque chose n'a pas de sens et qu'il en a pris confortablement son parti, il lui arrive une tuile – un homme, une femme même, qui ont toute sa considération se prennent soudain d'affection pour moi, et il s'aperçoit alors brusquement qu'il existe tout un univers où nous nous comprenons, mais d'où il est exclu... Il a été bouleversé lorsque je suis partie. Il sera ravi de me voir revenir. Je lui ai été fidèle jusqu'à ce dernier incident. Il n'y a rien de tel qu'une bonne éducation. Savez-vous que l'an dernier, quand j'ai cru que j'allais avoir un enfant, j'avais décidé qu'on l'élèverait en catholique. Je n'avais pas pensé à la religion auparavant ; j'ai cessé d'y penser depuis ; mais, au moment précis où j'attendais cette naissance, je me suis dit : "S'il est une chose que je donnerai à cet enfant, c'est celle-là. Ce n'est pas que je m'en sois si bien trouvée, dirait-on ; n'importe, l'enfant passera par là." Bizarre, vous ne trouvez pas, de vouloir donner quelque chose que l'on a perdu soi-même ? Et puis en fin de compte je n'ai même pas pu lui donner cela ; même pas pu lui donner le jour. Je ne l'ai jamais vu ; j'étais trop malade pour me rendre compte de ce qui se passait, et par la suite pendant longtemps, jusqu'aujourd'hui je ne voulais pas qu'on me parle d'elle, c'était une fille, en sorte que Rex n'a pas tellement souffert en apprenant qu'elle était morte.

« J'ai été un peu punie pour avoir épousé Rex. Voyez-vous, il y a un certain nombre de choses que je n'arrive pas à me sortir de la tête, la mort, le Jugement dernier, le Paradis, l'Enfer, Nounou Hawkins et le catéchisme. Elles finissent par faire partie de vous, lorsqu'elles vous ont été inculquées d'assez bonne heure. Et pourtant je voulais en faire don à mon enfant… Et maintenant je suppose que je serai punie pour ma fugue à New York. Peut-être est-ce pourquoi nous sommes assis tous deux ensemble, de la sorte… Fait partie d'un plan. »

Ç'avait été pratiquement la dernière chose qu'elle m'avait dite « fait partie d'un plan » avant que nous descendions pour nous séparer à la porte de sa cabine.

Le lendemain, le vent était de nouveau tombé et nous roulions de nouveau à travers la houle. Il était maintenant moins question, dans les conversations, de mal de mer que de bras et de jambes cassés. Les gens s'étaient vus projetés hors de leur lit pendant la nuit et l'on comptait plus d'un accident fort méchant survenu sur le plancher des salles de bains.

Ce jour-là, parce que nous avions tant parlé la veille et ce que nous avions à nous dire ne nécessitait pas tellement de mots, nous parlâmes peu. Nous avions pris des livres ; Julia avait trouvé un jeu qu'elle aimait. Quand, après de longs silences, nous reprîmes notre discours, ce fut pour nous apercevoir que nos pensées avaient suivi le même cours, au même rythme, côte à côte.

À un moment donné je dis :

— Vous veillez farouchement sur votre tristesse.

— Elle est tout ce que j'ai gagné à vivre. C'est vous qui me l'avez dit. Mon salaire.

— Une reconnaissance de dette de la vie. Promesse de payer à vue.

À midi, il ne pleuvait plus ; le soir, les nuages se dispersèrent et le soleil, devant nous, fit brusquement irruption dans le salon où nous étions assis, humiliant les lumières.

— Soleil couchant, dit Julia, fin de notre journée.

Elle se leva et, bien que le roulis et le tangage n'eussent pas abdiqué, m'entraîna sur le pont supérieur. Elle passa le bras sous le mien, mit sa main dans la mienne, dans la poche de mon manteau. Le pont avait séché ; il était vide ; seul, le vent qui naissait de la vitesse du navire, le balayait. Tout en avançant laborieusement, forcés parfois de nous arrêter, cherchant à

échapper aux poussières noires et volantes des cheminées, nous étions alternativement jetés l'un contre
l'autre, puis tirés violemment, presque séparés, bras et
doigts soudés, tandis que je me cramponnais à la rampe
et que Julia s'accrochait à moi ; rejetés l'un contre
l'autre, séparés de nouveau ; puis, dans un plongeon
plus violent que les autres, je me trouvai projeté contre
elle, la pressant contre le bastingage, me maintenant à
distance d'elle, de mes bras qui la retenaient aussi pri-
sonnière ; et, comme le navire soufflait un peu, ayant
achevé son plongeon afin, eût-on dit, de reprendre des
forces avant l'escalade, nous demeurâmes ainsi aux
bras l'un de l'autre, à la vue de tous, joue contre joue,
ses cheveux flottant devant mes yeux ; le sombre horizon d'eau croulante, étincelant d'or maintenant, nous
domina de très haut, puis s'effondra en un énorme
ruissellement jusqu'au moment où je me trouvai regardant fixement, à travers la chevelure sombre de Julia,
l'immensité d'un ciel d'or, et où elle, se trouva projetée
sur ma poitrine, retenue par mes mains toujours accrochées à la rampe, le visage toujours pressé contre le
mien.

Dans cet instant, ses lèvres tout contre mon oreille
et, sur ma joue, la chaleur de son haleine se mêlant au
vent salé, Julia dit, bien que je n'eusse moi-même pas
prononcé un seul mot : « Oui, maintenant » ; et tandis
que le navire se redressait et trouvait pour un temps
des eaux plus calmes, elle m'entraîna vers sa cabine.

Ce fut ainsi que, au soleil couchant, je pris officiellement possession d'elle, et devins son amant. Le temps n'était pas encore venu, des délices et de la volupté ; ce temps viendrait avec la saison des hirondelles et des tilleuls en fleur. Dans les circonstances présentes, sur la mer encore mauvaise, tandis que je quittais ses hanches étroites et que, semblait-il sur le moment, en assouvissant cet appétit sauvage, je me libérais d'un fardeau sous lequel j'avais ployé toute ma vie comme sous un harnais, sans jamais en percer sa vraie nature, en de telles circonstances donc, tandis que les vagues se brisaient toujours en tonnant sur la proue, cet acte de possession prenait la valeur d'un symbole, d'un rite antique et solennel.

Nous dînâmes ce soir-là tout en haut du navire, au restaurant, et par les grandes baies, nous pûmes voir les étoiles monter, vertigineuses, dans le ciel, comme je me souvenais de les avoir vues tanguer et rouler autrefois entre les tours et les pignons d'Oxford. Les stewards promettaient que le lendemain soir l'orchestre recommencerait à jouer et que la salle serait archicomble. Mieux valait retenir une table dès maintenant, disaient-ils, si nous voulions être bien placés.

— Mon Dieu, dit Julia, où pourrions-nous bien nous cacher par beau temps, pauvres orphelins de la tempête que nous sommes ?

Je ne pus me résoudre à la quitter ce soir-là ; mais de bonne heure, le lendemain matin, comme une fois

de plus je rentrais en suivant le long couloir, je m'aperçus que je marchais sans la moindre difficulté : le
navire fendait sans peine une mer d'huile, et je sus que
c'en était fini de notre solitude.

Ma femme me cria joyeusement de sa cabine : « Charles,
Charles, je me sens en très grande forme. Devinez ce
que je mange en guise de petit déjeuner. »

J'allai voir. Elle mangeait un bifteck.

— J'ai pris rendez-vous chez le coiffeur ; savez-
vous qu'il ne pouvait pas me coiffer avant quatre
heures de l'après-midi, tant ils ont à faire tout d'un
coup ? Je ne serai donc pas montrable avant ce soir,
mais il y a des tas de gens qui vont venir nous voir ce
matin, et j'ai demandé à Miles et à Janet de déjeuner
avec nous dans notre salon. Je crains fort d'avoir été
pour vous une épouse bien inutile, ces deux derniers
jours. Qu'avez-vous fait de beau ?

— Passé une seule soirée un peu gaie. Joué à la
roulette jusqu'à deux heures du matin, à côté, dans le
salon ; suite de quoi notre hôte a trépassé.

— Grands dieux, tout cela m'a l'air de fort mauvaise
vie. J'espère que vous ne vous êtes pas mal conduit,
Charles ? Vous ne vous êtes pas laissé prendre au chant
d'une sirène ?

— Peu de femmes se sont montrées. J'ai passé la
plupart du temps avec Julia.

— J'en suis ravie. J'ai toujours eu envie de vous faire connaître l'un à l'autre. J'ai toujours pensé que c'était une de mes amies qui vous plairait. J'imagine que vous avez dû lui paraître envoyé par Dieu lui-même. Elle n'a pas eu la vie bien gaie ces derniers temps. Je suis sûre qu'elle ne vous en a rien dit, mais…

Ma femme se mit en devoir de me présenter la version qui avait cours sur le voyage de Julia à New York. « Je l'inviterai à prendre un cocktail ce matin », conclut-elle.

Julia se rendit à son invitation ; et c'était pour moi un bonheur suffisant maintenant, que d'être simplement près d'elle.

— J'ai appris que vous aviez veillé sur mon mari à ma place, dit ma femme.

— Oui, nous sommes devenus d'excellents cama-rades. Lui, moi et un homme dont nous ignorons le nom.

— Monsieur Kramm, mon Dieu ! Qu'est-il arrivé à votre bras ?

— Le plancher de la salle de bains, dit M. Kramm et il se mit à expliquer longuement comment il était tombé.

Ce soir-là, le capitaine vint dîner à sa table et le cercle de ses invités fut au complet, car les ayants droit vinrent occuper les chaises à la droite de l'évêque ; deux Japonais qui marquèrent un vif intérêt pour les projets de fraternité mondiale de leur voisin. Le capitaine ne tarissait pas de bons mots sur la façon dont Julia avait bravé la tempête, et s'offrait à l'enrôler dans l'équipage ; des années de voyage en mer l'avaient abondamment pourvu de plaisanteries adaptées à toutes circonstances. Ma femme, fraîche éclose du salon de beauté, n'accusait aucun ravage à la suite de ces trois journées de détresse, et, aux yeux de bon nombre des invités, paraissait éclipser Julia dont la tristesse avait disparu pour faire place à une joie contenue et à une tranquillité dont elle gardait pour elle le secret ; pour elle et pour moi ; car, assis tous deux et séparés par la foule des autres, nous étions aussi proches, au chaud dans notre solitude comme sous un manteau, que nous l'avions été aux bras l'un de l'autre, la nuit d'avant.

Une humeur de gala flottait dans tout le navire ce soir-là. Il allait falloir se lever à l'aube pour faire les bagages ; mais tout le monde paraissait décidé à jouir, pour cette unique nuit, de tout le luxe que la tempête avait refusé. Il était hors de question d'espérer un instant de solitude. On s'écrasait à chaque coin du navire ; musique de danse, conversations criardes et surexcitées ; stewards courant ici et là, chargés de plateaux de verres et de bouteilles ; voix de l'officier chargé de diriger la tombola : « Numéro I, se réjouit d'être "père" ; II, bonze ; et maintenant, nous allons agiter un peu le sac. » Mme Stuyvesant Oglander en chapeau de papier, M. Kramm et ses bandages, les deux Japonais lançant dignement des serpentins et sifflant comme des jars.

Nous parvînmes à nous voir un instant le lendemain, à tribord, alors que tout le monde s'écrasait à bâbord pour assister à l'arrivée des officiels et admirer la ligne verte de la côte du Devon.

— Quels sont vos projets ?

— Un petit séjour à Londres, répondit-elle.

— Célia part immédiatement pour la campagne. Elle tient à aller voir les enfants.

— Vous aussi ?

— Non.

— Alors, à Londres.

— Charles, le petit hommes roux « Dourakine plus les cheveux, moins les favoris ». Vous avez vu ? Deux inspecteurs en civil viennent de l'emmener.

— J'ai raté le spectacle. Il y avait une telle foule de ce côté du navire.

— J'ai repéré les trains et envoyé un télégramme. Nous serons à la maison avant dîner. Les enfants seront couchés. Peut-être pourrions-nous éveiller Jean-Jean, exceptionnellement.

— Prenez le train, dis-je. Je dois m'arrêter à Londres.

— Mais Charles, il *faut* absolument que vous veniez. Vous n'avez pas vu Caroline.

— Croyez-vous qu'elle risque de changer tant que cela, en une ou deux semaines ?

— Mais, chéri, elle change tous les jours.

— Alors à quoi sert-il que je la voie maintenant ? Je suis désolé, ma chère, mais il faut absolument que je m'occupe de déballer les peintures et que je voie comment elles ont supporté le voyage. Il faut aussi que je prenne toutes dispositions dès à présent en vue de mon exposition.

— Est-ce vraiment nécessaire ? dit-elle encore ; mais je savais que sa résistance cédait quand j'avais recours aux mystères de mon art. Quelle déception ! D'ailleurs je ne sais si André et Cynthia auront quitté l'appartement. Je les y ai installés jusqu'à la fin du mois.

— Il y a l'hôtel.

— Ce serait sinistre. Je ne peux supporter l'idée que vous passiez seul la nuit de votre retour. Je reste, je partirai demain.

— Vous n'avez pas le droit de décevoir les enfants.

— Non, c'est vrai.

Ses enfants, mon art, les deux mystères de nos fonctions respectives.

— Alors vous viendrez pour le week-end ?

— Si je le peux.

— Les voyageurs détenteurs de passeports britanniques, dans le fumoir, s'il vous plaît, criait un steward.

— Je me suis arrangée avec ce délicieux fonctionnaire des Affaires étrangères qui était à notre table, pour qu'il nous évite toutes ces formalités ; nous descendrons à terre de bonne heure avec lui, dit ma femme.

2.

Ce fut ma femme qui eut l'idée de fixer le vernissage à un vendredi.

— Cette fois, il faut à tout prix que nous ayons les critiques, dit-elle. Il est grand temps qu'ils commencent à vous prendre au sérieux, et ils le savent. Ils en auront la chance. Si le vernissage a lieu un lundi, la plupart d'entre eux viendront juste de rentrer de la campagne et ils liquideront la chose en quelques paragraphes avant le dîner ; bien entendu, je ne me soucie que des hebdomadaires. Si nous leur donnons le temps de réfléchir pendant le week-end, nous les aurons dans l'humeur agréable d'un dimanche à la campagne. Ils se mettront devant leur table à écrire au sortir d'un bon déjeuner, retrousseront leurs manchettes et nous tourneront à loisir un bon petit article d'une colonne, qu'ils donneront plus tard en réédition sous forme d'une très gentille petite brochure. Voilà ce qu'il nous faut pour le moins.

Elle avait fait le voyage aller et retour de la Vieille Cure plusieurs fois, durant ce mois de préparatifs, révisant la liste des invitations et aidant à accrocher les tableaux.

Le matin du vernissage, je téléphonai à Julia :

— J'ai déjà la nausée de mes peintures et je ne veux plus les revoir, mais je suppose qu'il faudra que je me montre.

— Désirez-vous que j'assiste à la cérémonie ?

— Je préférerais de beaucoup le contraire.

— J'ai reçu une carte de Célia, avec : « Tous vos amis seront les bienvenus », écrit de sa main en travers, à l'encre verte. Quand nous revoyons-nous ?

— Dans le train. Vous pourriez prendre mes bagages en passant.

— Si vous vous dépêchez de les boucler, je passerai vous prendre aussi et vous déposerai à la galerie. J'ai un essayage tout à côté, à midi.

En arrivant à la galerie, je trouvai ma femme debout, surveillant la rue, de la fenêtre. Derrière elle, une demi-douzaine de fervents de la peinture, totalement inconnus, allaient de toile en toile, le catalogue à la main ; c'étaient des gens qui avaient acheté un jour une gravure sur bois et figuraient en conséquence sur la liste des saints patrons de la galerie.

— Personne n'est encore venu, me dit ma femme. Je suis ici depuis dix heures et me suis horriblement ennuyée. Dans la voiture de qui êtes-vous arrivé ?

— Julia.

— Julia ? Pourquoi ne l'avez-vous pas amenée ?
C'est curieux, je viens précisément de parler de Brideshead à un drôle de petit bonhomme qui avait l'air
de nous connaître parfaitement. Il m'a dit s'appeler
M. Samgrass. Apparemment c'est l'un des jeunes
d'âge mûr que Lord Copper fait travailler dans son
journal, le *Daily Beast*. J'ai essayé de lui fournir
quelques idées mais il avait l'air d'en savoir plus long
sur vous que moi. Il m'a dit m'avoir rencontrée à
Brideshead. Dommage que Julia ne soit pas montée ;
nous aurions pu lui demander des renseignements sur
lui.

— Je me souviens très bien de lui. C'est un faux
jeton.

— Oui, cela se sentait à un kilomètre. Il revenait
continuellement sur ce qu'il appelle « le clan Brideshead ». Apparemment, Rex Mottram a fait de cet
endroit un foyer de rébellion contre son parti. Vous le
saviez ? Je me demande ce qu'en aurait pensé Thérésa
Marchmain.

— J'y vais ce soir.

— Pas ce soir, Charles ; vous ne pouvez y aller *ce
soir*. On vous attend à la maison. Vous avez promis
que sitôt l'exposition prête, vous viendriez. Jean-Jean
et nounou ont fait une banderole avec « Bienvenue »
peint dessus. Et puis vous n'avez pas encore vu
Caroline.

— Désolé, la chose est arrangée.

— En outre, papa trouvera cela étrange. Et Boy vient passer le dimanche. Et vous n'avez pas vu votre nouveau studio. Non, vous ne pouvez pas aller là-bas ce soir. Ils ne m'ont pas invitée ?

— Si, bien entendu ; mais je savais que vous ne pourriez pas venir.

— Naturellement, je ne peux plus ; mais j'aurais pu, si vous m'aviez avertie plus tôt. J'adorerais voir le « clan Brideshead » dans son milieu naturel. Je trouve que c'est parfaitement odieux de votre part, mais enfin ce n'est pas le moment des querelles domestiques. Les Clarence m'ont promis de passer avant le déjeuner ; ils peuvent arriver d'une minute à l'autre.

Nous fûmes interrompus, cependant, non par l'arrivée de personnages de sang royal, mais par un reporter-femme d'un quotidien que le directeur de la galerie conduisait vers nous. Elle n'était pas venue voir les tableaux ; elle voulait le « côté humain » des dangers de mon voyage. Je l'abandonnai à ma femme et pus lire le lendemain dans le journal, « *Charles "Nobles Manoirs" Ryder disparaît de la carte. Serpents et vampires de la jungle n'ont rien à envier à Mayfair, telle est l'opinion de l'artiste mondain Ryder qui a délaissé les demeures des grands pour se tourner vers les ruines de l'Afrique équatoriale…* ».

La galerie commençait à se remplir et je dus bientôt me concentrer sur la nécessité d'être poli. Ma femme était partout, accueillant les nouveaux venus, présentant les gens les uns aux autres, s'employant avec un brio sans égal à faire de cette foule une *party*. Je la voyais conduire ses amis, l'un après l'autre, à la liste de souscription ouverte en prévision de mon album sur l'Amérique latine ; je l'entendais dire : « Non, ma chérie, je ne suis pas surprise le moins du monde ; mais vous ne pouviez attendre de *moi* que je le fusse, n'est-ce pas ? Voyez-vous, Charles ne vit que pour une seule chose : la Beauté. Je crois qu'il a fini par en avoir assez de ne trouver en Angleterre qu'une beauté de confection ; et il lui a fallu partir pour en recréer une. Il avait besoin de conquérir de nouveaux univers. Après tout, il a dit tout ce que l'on pouvait dire des résidences campagnardes, n'est-il pas vrai ? Ce n'est pas que je veuille dire qu'il a renoncé entièrement à ce genre de travail. Je suis sûre qu'il consentira toujours à peindre une ou deux autres demeures, pour ses *amis*. »

Un photographe nous fit poser l'un à côté de l'autre, nous déclencha son magnésium sous le nez, puis nous libéra.

Après quoi, il y eut le léger murmure et l'écartement de foule qui fait suite à l'entrée de visiteurs royaux. Je vis ma femme piquer une révérence, je l'entendis dire : « Oh, monsieur, vous êtes trop aimable » ; puis on vint me chercher pour me conduire dans l'espèce de clairière qui s'était ouverte et le duc de Clarence me dit :

— Devait faire plutôt chaud, là-bas ?

— Plutôt, en effet, monsieur.

— Compliments pour l'extraordinaire habileté avec laquelle vous avez rendu l'impression de chaleur. Me fait sentir mal à l'aise dans ma redingote.

— Ha-ha !

Quand ils furent partis, ma femme s'écria :

— Grands dieux, nous sommes en retard pour le déjeuner. Margot a invité des amis en votre honneur. Et dans le taxi elle ajouta : « Je viens d'avoir une idée. Pourquoi n'écririez-vous pas à la duchesse pour solliciter d'elle la permission de lui dédier votre *Amérique latine* ?

— Pourquoi le ferais-je ?

— Elle en serait ravie.

— Je n'avais pas d'intention précise à ce propos.

— Et voilà ! C'est bien de vous, Charles. Pourquoi laisser passer une occasion de faire plaisir aux gens ?

Ils étaient une douzaine à ce déjeuner, et bien qu'il plût à mon hôtesse et à ma femme de dire qu'ils étaient là en mon honneur, il était évident pour moi que la moitié d'entre eux ignoraient tout de mon exposition et n'étaient venus que parce qu'on les avait invités et qu'ils n'avaient pas d'autre engagement. Durant tout le déjeuner, ils ne cessèrent de parler de Mrs. Simpson, mais tous ou presque revinrent avec nous à la galerie.

L'heure qui suivit le déjeuner fut la plus chargée. Il y avait là des représentants de tous les grands musées nationaux, qui sans exception promirent de revenir sous peu avec des collègues et me demandèrent en attendant de réserver certains tableaux en considération d'achats ultérieurs. Le critique le plus influent, qui, dans le passé, m'avait toujours expédié en quelques éloges blessants, glissa un regard dans ma direction, entre les bords rabattus de son grand chapeau et son énorme cache-nez de laine, m'empoigna par le bras et me dit : « J'avais toujours pensé que vous aviez ça en vous. C'est l'évidence maintenant. Voilà ce que j'attendais. »

Tombant de lèvres distinguées ou non, j'entendais des bribes de louanges. « Si vous m'aviez demandé de mettre un nom sur ces toiles, Ryder est la dernière des signatures qui me seraient venues à l'esprit. Il y a tant de virilité, tant de passion dans cette peinture. »

Ils avaient tous l'impression d'avoir fait une découverte. Quelle différence avec ma dernière exposition, dans cette même galerie, peu avant mon départ ! J'avais relevé, alors, à ne m'y pas méprendre, une note de lassitude. On y avait beaucoup moins parlé de moi que de maisons et d'anecdotes sur leurs propriétaires. Il me revenait à l'esprit que cette même femme qui venait d'applaudir à ma virilité et à ma passion, s'était alors tenue près de moi, devant une toile qui m'avait coûté beaucoup de mal, et avait laissé tomber : « Quelle facilité ! »

Je me souvenais de cette exposition pour une autre raison encore. C'était la semaine où j'avais pris ma femme en défaut d'adultère. Alors comme aujourd'hui, elle s'était conduite en hôtesse infatigable et je l'entendais encore dire : « Toutes les fois que j'aperçois quelque chose d'exquis de nos jours – architecture ou paysage – je me dis en moi-même : "C'est encore de Charles. Je ne vois le monde que par lui. Pour moi, l'Angleterre, c'est *lui*." »

Je l'entendais prononcer ces mots ; simple habitude de sa part. Tout au long de notre vie conjugale, je n'avais cessé de sentir mes tripes se rétrécir en l'écoutant. Mais ce jour-là, dans cette galerie, rien en moi n'avait bronché en l'entendant, et je m'étais soudain rendu compte qu'elle ne pouvait plus me faire de mal ; j'étais un homme libre ; elle m'avait affranchi du seul fait de ce bref et sournois faux pas qu'elle avait fait. Mes cornes m'avaient fait seigneur de la forêt.

À la fin de la journée, ma femme me déclara : « Il faut que je me sauve, chéri. Quel succès, n'est-ce pas ? Formidable ! Je trouverai quelque chose pour vous excuser à la maison ; j'aurais seulement préféré que cela ne se passât pas dans ces conditions. »

« Ainsi donc, elle sait, pensai-je en moi-même. La maligne ! Elle n'a cessé de flairer depuis le déjeuner, et elle a fini par trouver la piste. »

Je lui donnai le temps de partir, et m'apprêtais à suivre – la galerie s'était à peu près vidée – quand j'entendis une voix à l'entrée qui n'avait pas résonné à mes oreilles depuis de longues années, un bégaiement étudié et inoubliable, une certaine vivacité dans la cadence des protestations.

— Non. Je n'ai *pas* apporté de carte d'invitation. Je ne sais même pas si j'en ai reçu une. Je ne suis pas venu remplir une fonction mondaine ; je n'ai pas envie de faire de vive force la connaissance de Lady Célia ; je ne viens pas dans l'espoir qu'on passera ma photographie dans le *Tatler ;* je ne suis pas venu pour m'exhiber. Je suis venu pour voir des *tableaux*. Peut-être n'avez-vous pas remarqué qu'il y a des tableaux accrochés à ces murs. Il se trouve que je porte un intérêt personnel à cet *artiste*, si ce mot a le moindre sens pour vous.

— Anthony, dis-je. Entrez.

— Mon cher, il y a ici une g-g-gorgone qui me prend pour un r-r-resquilleur. Je ne suis à Londres que depuis hier, et c'est tout à fait par hasard que j'ai appris à déjeuner que vous exposiez, en sorte que, bien entendu, je me suis impétueusement précipité vers le sanctuaire pour apporter mon hommage. Ai-je changé ? Me reconnaîtriez-vous ? Où sont les tableaux ? C'est à moi de vous les expliquer.

Anthony Blanche n'avait pas changé depuis notre dernière rencontre ; que dis-je, depuis notre première rencontre. Il traversa à grands pas légers et ondulants la pièce et alla droit à la toile la plus saillante, un paysage de jungle, resta un instant en suspens, la tête inclinée de côté comme un chien savant, puis me demanda : « Où donc, mon cher Charles, avez-vous trouvé cette somptueuse verdure ? Serait-ce un coin de serre à T-T-Trent ou à T-T-Tring ? Quel est le fastueux usurier qui a nourri ces frondaisons pour votre plaisir ? »

Après quoi il fit le tour des deux pièces, poussa un ou deux profonds soupirs et se tut le reste du temps. Quand, à la fin, il revint vers moi, ce fut pour pousser un soupir plus profond encore, et pour me dire :

— Mais on me raconte, mon cher, que vous êtes heureux en amour. Cela supplée tout, n'est-ce pas, ou presque ?

— Est-ce aussi mauvais que cela ?

Anthony baissa la voix au niveau d'un chuchotement perçant :

— Mon cher, n'exposons pas votre petite imposture devant cette honnête plébaille (il lança un regard de conspirateur sur les derniers survivants de la foule), ne gâtons pas leur plaisir innocent. Nous savons, vous et moi, que tout cela n'est qu'une m-m-monstrueuse abomination. Partons avant d'offenser les connaisseurs. Je connais un petit bar louche tout près d'ici. Allons-y ; nous y parlerons de vos autres c-c-conquêtes.

Il fallait cette voix du passé pour me rappeler à la réalité ; tant de bavardage confus et louangeur, accumulé par cette foule durant la journée, avait fini par s'imprimer en moi, comme une série de placards publicitaires, semés le long d'une route interminable, de kilomètre en kilomètre d'une double haie de peupliers, et qui vous invitent à descendre dans quelque hostellerie nouvelle, en sorte qu'au bout du voyage, quand on arrive, tout poudreux et ankylosé, à destination, on range à peu près inévitablement sa voiture sous l'enseigne dont la répétition monotone a commencé par être un ennui pour devenir ensuite une source d'irritation et, enfin, une partie intégrante et inséparable de la fatigue.

Anthony m'entraîna hors de la galerie et, par une petite rue, me conduisit à une porte sise entre une agence d'information minable et une non moins minable pharmacie. On avait peint sur cette porte les mots : « Club de la Grotte Bleue. Les adhérents seuls sont admis. »

— Pas tout à fait votre milieu, mon cher ; mais le mien, je vous l'assure. Après tout, vous venez de passer une journée entière dans le vôtre.

Il me fit descendre des marches et passer sans transition d'une puanteur de chat à une odeur de gin et de mégots, à quoi se mêlait le son de la radio.

— Je tiens cette adresse d'un vieux bonhomme très sale et client du Bœuf sur le Toit. Je lui en ai une gratitude infinie. Il y a si longtemps que j'ai quitté l'Angleterre, et les petits coins de ce genre, quand ils sont sympathiques, ont si vite fait de changer. Je me suis présenté ici pour la première fois hier soir, et je m'y sens déjà *absolument* chez moi. Bonsoir, Cyril.

— 'soir, Toni, déjà de retour ? dit le jeune homme derrière le bar.

— Prenons nos boissons avec nous et allons nous asseoir dans un coin. Gardez bien en tête, mon cher, que vous êtes *ici* aussi marquant et je dirai même : anormal, mon cher, que je pourrais l'être au Bratt's Club.

L'endroit était peint au cobalt ; le linoléum sur le plancher était cobalt lui aussi. Des poissons argentés et du papier doré étaient collés au plus grand hasard sur le plafond et les murs. Une demi-douzaine de jeunes individus buvaient et jouaient autour de machines à sous ; un homme plus âgé, proprement vêtu et l'air crapuleux, paraissait diriger le lieu ; quelques ricanements s'élevèrent autour de la machine à distribuer le chewing-gum ; puis un des jeunes gens se dirigea vers nous et demanda :

— Votre ami aurait-il envie de danser la rumba ?

— Non, Tom, certainement *pas* ; et ne comptez pas sur moi pour vous payer à boire ; pas encore, en tout cas. Ce garçon est d'une impudence ; un véritable petit vampire, un suceur d'or, mon cher.

— Dites-moi (j'affectai une aisance que j'étais loin de ressentir dans cet antre), qu'avez-vous fait de beau depuis le temps ?

— Mon cher, c'est ce que *vous* avez fait de beau qui nous intéresse ici. Je ne vous ai pas perdu de vue, mon cher. Mon vieux corps est fidèle, et je n'ai cessé d'avoir l'œil sur vous.

Pendant qu'il parlait, le bar, le barman, le mobilier bleu en osier, les machines à sous, le gramophone, un couple de jeunes hommes dansant sur le linoléum, les autres jeunes gens qui ricanaient autour des appareils automatiques, l'homme d'âge mûr aux veines pourpres, aux vêtements stricts et rigides, qui buvait dans le coin en face de nous, tout le côté sordide et furtif de l'endroit parurent s'évanouir et je me retrouvai à Oxford, absorbé dans la contemplation des pelouses de Christ Church, par une fenêtre gothique à la Ruskin.

— Je suis allé à votre première exposition, disait Anthony, elle m'a – charmé. Il y avait un intérieur de Marchmain House, très anglais, très correct, mais parfaitement délicieux. « Charles a trouvé quelque chose, me suis-je dit ; ce n'est pas tout ce qu'il fera, pas tout ce dont il est capable ; mais quelque chose néanmoins. »

« Déjà, pourtant, mon cher, j'ai hésité quelque peu. Il me semblait qu'on trouvait un peu trop du gentleman dans votre peinture. Vous ne devez pas oublier que je ne suis pas anglais ; je ne comprends rien à ce besoin dévorant d'être bien élevé. Le snobisme anglais est encore plus macabre, à mon sens, que la morale anglaise. Pourtant je me suis dit : "Charles a fait là quelque chose de délicieux. Que nous réserve-t-il dans l'avenir ?"

« J'ai vu ensuite votre très bel album – "Architecture de village et de province", c'est bien le titre ? Un véritable tome, mon cher ; et qu'y ai-je trouvé ? Encore du charme. "Je ne bois pas de ce vin, ai-je pensé ; c'est vraiment trop anglais." Mon goût va plutôt, vous le savez, aux choses assez épicées, non pas à l'ombrage des cèdres, aux sandwiches au concombre, au pot de crème en argent, à la jeune fille anglaise vêtue de Dieu sait quoi se mettent les jeunes Anglaises pour jouer au tennis – non pas cela, ni Jane Austen, *ni* M- M- Miss M- M- Mittford. Alors, pour être franc, mon cher Charles, j'ai désespéré de vous. "Je ne suis qu'un vieux m-m-métis d'Indien dégénéré, me suis-je dit, et Charles – c'est de votre art que je parle, mon cher – Charles est une fille de pasteur vêtue de mousseline à fleurs." »

« Imaginez donc mon émoi, au cours de ce déjeuner, aujourd'hui. Tout le monde parlait de vous. Mon hôtesse était une amie de ma mère, une Mme Stuyvesant Oglander, qui est de vos amies aussi, mon cher ; quelle pimbêche ! Pas du tout le genre d'ami que je m'attendais à vous trouver. Quoi qu'il en soit, tous étaient allés voir votre exposition, mais c'était de *vous* qu'ils parlaient, de la façon dont vous aviez rompu les amarres, mon cher, dont vous étiez parti pour les Tropiques, devenu un Gauguin, un Rimbaud. Vous imaginiez sans peine combien mon vieux cœur fatigué bondissait.

« Pauvre Célia ! disaient-ils, après ce qu'elle a fait pour lui. Dire qu'il lui doit tout. Quelle injustice ! Et avec Julia, encore, disaient-ils, après la façon dont elle s'est conduite en Amérique. Alors qu'elle revenait à son Rex.

« Mais sa peinture, disais-je ; parlez-moi de sa *peinture*.

« Oh, sa peinture ; elle est étrange, singulière. Très différente de son genre habituel. Très puissante. Tout à fait barbare. Moi je trouve cela décidément malsain, disait Mme Stuyvesant Oglander.

« Mon cher, j'avais toutes les peines du monde à tenir en place. J'aurais voulu me précipiter hors de la maison, sauter dans un taxi et crier : "Conduisez-moi droit aux peintures malsaines de Charles." Et puis je suis passé, mais après le déjeuner la galerie était si pleine d'absurdes bonnes femmes coiffées de ce genre de chapeau que l'on devrait les forcer à *manger*, que j'ai décidé de prendre d'abord quelque repos – je suis venu me reposer ici, en compagnie de Cyril, de Tom et de leurs impudents petits amis. Puis je suis retourné, à l'heure peu distinguée du thé, la tête à l'envers d'excitation, mon cher ; et pour trouver quoi ? Je vais vous le dire, mon cher : une bonne blague, très réussie, de bon petit diable. Cela m'a rappelé ce cher Sebastian, du temps où il adorait se barbouiller de faux favoris et de fausses moustaches. Ce n'était que charme une fois de plus, mon cher, charme anglais, simple et crémeux, jouant les tigres.

— Vous avez entièrement raison, lui dis-je.

— Mais bien sûr, mon cher, que j'ai raison. J'avais déjà raison il y a des années – depuis plus d'années, je m'empresse heureusement de le dire, que nous n'en paraissons avoir, tous deux réunis – quand je vous ai *averti*. Je vous ai emmené dîner un soir pour vous mettre en garde contre le charme. Je vous ai mis en garde expressément et avec force détails contre la famille Flyte. Le charme, voilà la grande plaie d'Angleterre. Le charme n'existe pas en dehors de ces îles humides. Il marque et tue tout ce qu'il touche. L'amour, l'art ; j'ai grand-peur, mon cher Charles, qu'il ne *vous* ait tué.

Le jeune chenapan qui répondait au nom de Tom revenait vers nous. « Ne soyez pas si taquin. Toni ; payez moi un verre. » Je me souvins de mon train et laissai Anthony et son ami.

Tandis que j'attendais sur le quai, près du wagon-restaurant, je vis passer mes bagages et ceux de Julia, accompagnés par la femme de chambre de cette dernière marchant comme un paon, avec son air de vinaigre, à côté du porteur. Les employés avaient commencé à fermer les portières quand Julia arriva, sans hâte, et s'assit en face de moi. J'avais pris une table pour deux personnes. Le train était très pratique ; il nous laissait un répit d'une demi-heure avant et après le

dîner ; puis, au lieu de changer et de prendre le tortillard local, comme le voulait la règle du temps de
Lady Marchmain, on venait nous chercher à la jonc-
tion. La nuit tombait au moment où nous quittâmes la
gare de Paddington ; le ciel embrasé de la ville fit place
tout d'abord aux lumières éparses des faubourgs, puis
aux ténèbres de la campagne.

— J'ai l'impression de ne pas vous avoir vue
depuis des jours, lui dis-je.

— Six heures à peine, et nous avons passé hier
toute la journée ensemble. Vous avez l'air de n'en plus
pouvoir.

— Cette journée a été un cauchemar – la foule, les
critiques, les Clarence, un déjeuner chez Margot, et
pour finir : une demi-heure d'injures parfaitement rai-
sonnées à l'adresse de ma peinture, dans un bar de
tapettes... J'ai l'impression que Célia est au courant.

— Ma foi, il fallait bien qu'elle le fût un jour.

— Tout le monde a l'air de l'être. Mon ami pédé-
raste n'était pas à Londres depuis vingt-quatre heures
qu'il le savait déjà.

— Zut pour tout le monde.

— Et Rex ?

— Rex n'est rien du tout. Il n'existe pas.

Fourchettes et couteaux tintaient sur les tables
cependant que nous fendions rapidement les ténèbres ;
le petit cercle de gin et vermouth dans les verres s'allongeait, devenait ovale puis se contractait de nouveau, au

balancement du wagon, effleurait le bord, retombait, ne se répandait jamais ; je laissai derrière moi le fardeau de ma journée. Julia ôta vivement son chapeau et le lança dans le filet au-dessus d'elle ; secoua sa chevelure sombre comme la nuit en poussant un petit soupir d'aise – un soupir qui était fait pour l'oreiller, pour le feu qui s'éteint dans l'âtre, pour la fenêtre de chambre à coucher ouverte sur les étoiles et sur le chuchotement des arbres dénudés.

— Quelle joie de vous revoir ici, Charles ; comme au bon vieux temps.

« Comme au bon vieux temps ? » pensai-je.

Rex, dans sa jeune quarantaine, s'était alourdi, le teint vermeil ; il avait perdu son accent canadien et l'avait remplacé par le ton rauque et fort qui était commun à tous ses amis, comme si leur voix était perpétuellement tendue au maximum pour dominer le vacarme d'une foule, comme si, la jeunesse les abandonnant, il ne leur restait à tous plus une minute à perdre, sous peine de ne jamais pouvoir tout dire, plus une minute pour écouter, plus le temps d'admettre une riposte ; rien que le temps de rire – sans joie, ce rire ; venant du gosier ; vile monnaie courante de facile complaisance.

Ils étaient une demi-douzaine ainsi, dans le Hall aux tapisseries : politiciens ; jeunes conservateurs dans leur prime quarantaine, le poil rare, la tension artérielle trop haute ; un socialiste venu des charbonnages, qui imitait déjà leurs accents dégagés, dont le cigare mâchonné s'en allait en lambeaux sur les lèvres, et dont la main tremblait quand il se versait à boire ; un éditorialiste éperdu d'amour, le seul être silencieux de la bande, dont les yeux dévoraient l'unique femme présente ; un financier plus vieux que les autres et, à en croire les égards dont on l'entourait, plus riche aussi ; une femme qu'on appelait « Grizel », rouée finie, qu'au fond d'eux-mêmes tous redoutaient un peu.

Sans compter Julia, dont ils avaient peur aussi, Grizel comprise. Elle eut un mot aimable pour chacun, s'excusant de n'avoir pas été là pour les recevoir, avec une gravité glaciale qui les fit taire un instant ; puis vint s'asseoir avec moi près du feu, tandis que la tempête de mots reprenait de plus belle et tourbillonnait autour de nous.

— Bien entendu, il peut l'épouser et la faire reine demain, s'il lui plaît.

— Nous avons laissé passer l'occasion en octobre. Pourquoi, alors, n'avoir pas envoyé la flotte italienne par le fond de sa *Mare Nostrum* ? Pourquoi ne pas avoir fait sauter La Spezia ? Pourquoi ne pas avoir débarqué à Pantellaria ?

— Franco n'est qu'un agent allemand, ni plus ni moins. Les Allemands ont essayé de le forcer à construire des bases aériennes dirigées contre la France. Du moins a-t-on démasqué ce bluff.

— La monarchie retrouverait toute la force qu'elle avait au temps des Tudor. Le peuple est avec lui.

— Et la presse donc !

— Moi, je suis pour lui.

— Qui fait attention à ces histoires de divorce, aujourd'hui, à part quelques vierges sur le retour ?

— S'il a l'audace de forcer le clan des vieux à baisser pavillon, ils seront balayés, balayés, vous dis-je, comme des, comme des...

— Pourquoi n'avoir pas fermé le canal ? Bombardé Rome ?

— Inutile ! Une ferme démarche diplomatique...

— Une ferme déclaration aux Communes...

— Une bonne démonstration...

— De toute façon, Franco ne tardera pas à regagner de vitesse le Maroc. Type que j'ai vu aujourd'hui, vient de rentrer de Barcelone...

— ... Type, vient d'arriver de Fort-Belvédère...

— ... Type, vient d'arriver du Palazzo Venezia...

— Tout ce que nous voulons, c'est qu'ils baissent pavillon.

— Que Baldwin baisse pavillon.

— Que Hitler baisse pavillon.

— Que le clan des vieux baisse pavillon.

— ... Moi, vivre pour voir mon pays, patrie de Clive et de Nelson...

— ... *Mon* pays, patrie de Hawkins et de Drake.

— ... *Mon* pays, patrie de Palmerston...

— Voulez-vous être assez aimable pour vous abstenir de ce genre de démonstration ? disait Grizel à l'éditorialiste, qui entreprenait, au comble de l'émotion, de lui tordre le poignet ; il se trouve que je n'y prends aucun plaisir.

— Je me demande des deux maux quel est le pire, dis-je, de l'art et de la mode vus par Célia, ou de Rex avec sa politique et son argent.

— Quelle importance ?

— Chérie, pourquoi faut-il que l'amour me fasse haïr le monde ? N'est-il pas sensé avoir l'effet contraire ? J'ai l'impression que l'humanité entière, et Dieu aussi bien conspirent contre nous.

— Vous ne vous trompez pas.

— Et pourtant nous sommes heureux, ne leur déplaise ; ici même, dans cet instant, nous tenons le bonheur. Dites-moi qu'ils ne peuvent pas nous faire de mal.

— Pas ce soir ; pas pour l'instant.

— Pas pour combien de soirs ?

3.

— Vous rappelez-vous, me dit Julia, dans le soir paisible et parfumé de tilleul, vous rappelez-vous la tempête ?

— Les portes de bronze déchaînées.

— Les roses dans la cellophane.

— L'homme qui donna cette soirée « de rapprochement » et qui disparut pour toujours.

— Vous rappelez-vous le soleil se montrant en l'honneur de notre dernière soirée, tout comme il l'a fait aujourd'hui ?

Ç'avait été un après-midi de nuages bas et de bourrasques estivales, avec un ciel si menaçant que, de temps à autre, je m'étais arrêté de travailler pour tirer Julia de l'état de transe légère où la plongeait sa pose – elle avait posé si souvent déjà ; je ne me lassais pas de faire son portrait, découvrant sans cesse de nouveaux trésors, de nouvelles délices – jusqu'au moment où nous avions décidé, à la fin, d'aller prendre notre bain de bonne heure. En redescendant habillés pour le dîner, nous avions trouvé, dans cette dernière demi-heure du jour avant la nuit, un univers transformé ; le soleil s'était montré ; le vent était tombé, remplacé par une brise douce qui brassait légèrement les fleurs des tilleuls, emportant leur parfum avivé par les dernières pluies, et le mêlant à l'haleine sucrée des buis et à l'odeur de la pierre qui séchait. L'ombre de l'obélisque se projetait sur toute la largeur de la terrasse.

J'avais pris deux coussins de jardin dans l'abri que formait la colonnade, pour les poser sur le rebord du bassin. Julia s'était assise, vêtue d'une courte et étroite tunique d'or et d'une robe blanche, une main plongée dans l'eau, essayant de capter paresseusement avec l'émeraude de sa bague les rayons du soleil couchant ; les animaux sculptés se dressaient au-dessus de sa tête sombre en un énorme nuage de mousse verte, de pierre embrasée et d'ombres denses, et les eaux alentour lançaient des éclairs, bouillonnaient et se brisaient en pluie de perles enflammées.

— ... Tant de souvenirs déjà, dit-elle. Combien y a-t-il de jours de tout ce temps, où nous ne nous sommes vus ; une centaine, peut-être ?

— Moins que cela.

— Deux noëls.

Ces excursions annuelles au royaume glacial des convenances ; Boughton, berceau de ma famille, propriété de mon cousin Jasper. Quels sinistres souvenirs d'enfance n'éveillaient pas en moi ses corridors en pitchpin et ses murs suintants ! Et que de mauvaise humeur, tandis que, assis côte à côte dans la Humber de mon oncle, nous voyions, mon père et moi, s'approcher la grande avenue de wellingtonias, sachant qu'au bout de l'allée nous attendaient mon oncle, ma tante, ma tante Philippa, mon cousin Jasper et, ces dernières années, la femme et les enfants de Jasper ; et par-dessus le marché, arrivés déjà peut-être ou attendus d'un moment à l'autre, ma propre femme et mes enfants. Ce sacrifice annuel nous unissait. Là, parmi le houx, le gui et le sapin, parmi les jeux de salon et leur spectacle rituel, le beurre au cognac, les prunes de Karlsbad, les hymnes chantés en chœur par des villageois dans la tribune en pitchpin, la ficelle dorée et le papier d'emballage semé de branchettes et de fleurs, on continuait à nous considérer, elle et moi, quelles que fussent les petites histoires plus ou moins laides qui avaient eu cours sur notre compte au cours de l'année passée, comme mari et femme. « Il nous faut sauver la face, quoi qu'il puisse nous en coûter, par égard pour les enfants », me disait-elle.

— Oui, deux noëls… plus les trois jours que, pour complaire au monde, nous avons laissés passer avant que je vous rejoigne à Capri.

— Notre premier été.

— Vous rappelez-vous comme j'ai traîné dans Naples avant de poursuivre ma route, et comment nous nous étions donné rendez-vous sur le petit chemin à flanc de colline et comme tout s'est passé simplement ?

— Je suis retournée à la villa et j'ai dit : « Papa, devinez qui vient d'arriver à l'hôtel ? » Et *lui* m'a répondu : « Charles Ryder sans doute. » Je lui ai dit : « Qu'est-ce qui vous fait penser à lui ? » et papa m'a répliqué : « Cara est rentrée de Paris avec la nouvelle que vous ne vous quittiez plus, lui et vous. Il a l'air d'avoir un penchant pour mes enfants. N'importe, dites-lui de venir ici. Je crois que nous avons de la place pour lui. »

— Il y a eu aussi cette fois où vous aviez la jaunisse et où vous ne vouliez pas que je vienne vous voir.

— Et quand j'ai eu la grippe et que vous aviez peur de venir.

— Innombrables visites à la circonscription de Rex.

— Et la semaine du couronnement, quand vous avez fui de Londres. Votre mission de charité auprès de votre beau-père. Le temps que vous avez passé à Oxford, à peindre ce tableau qui ne leur a pas plu. Oh si, cela fait bien une centaine de jours.

— Cent jours perdus, sur un peu plus de deux années… Mais pas un seul jour où vous n'ayez été dans mon cœur ; pas un seul jour de froideur, de méfiance ou de déception.

— C'est vrai ; pas un seul jour de cela.

Le silence tomba sur nous ; seuls, les oiseaux parlaient en une multitude de petites voix, dans les tilleuls ; seules les eaux parlaient parmi les pierres sculptées.

Julia prit le mouchoir qui sortait de ma pochette et s'en essuya la main ; puis alluma une cigarette. J'avais peur de rompre le charme du souvenir, mais pour une fois nos pensées n'avaient pas suivi le même rythme, car, lorsque enfin elle rompit le silence, ce fut pour dire tristement :

— Et maintenant, combien encore ? Une autre centaine ?

— Une vie.

— Je voudrais être votre femme, Charles.

— Un jour ; pourquoi maintenant ?

— La guerre, répondait-elle, cette année, l'an prochain, bientôt en tout cas. Je voudrais vivre avec vous un ou deux jours de véritable paix.

— N'est-ce pas la paix que nous avons ici ?

Le soleil en tombant avait maintenant atteint la ligne des bois, de l'autre côté de la vallée ; le flanc des collines, en face de nous, était plongé déjà dans le crépuscule, mais à nos pieds les lacs étaient en flammes ; la lumière croissait en force et en magnificence au fur et à mesure qu'elle inclinait vers la mort, étendant de longues ombres à travers les prairies, tombant en plein sur les somptueux espaces de pierre de la demeure, incendiant les fenêtres, illuminant les corniches, la colonnade et le dôme, tirant de la terre, de la pierre et du feuillage tout un enchantement de trésors secrets, de couleurs et d'odeurs, glorifiant la tête et les épaules dorées de la femme qui était assise à mon côté.

— Qu'est-ce que la paix pour vous, sinon ceci ?

— Quelque chose de plus. Et sur un ton froid et positif elle poursuivit : le mariage n'est pas le genre de chose qu'il nous sera loisible de cueillir quand l'envie nous y poussera. Il suppose un divorce – deux divorces. Il suppose que nous tirions des plans.

— Des plans, le divorce, la guerre – par une soirée comme celle-ci.

— Parfois, dit Julia, j'ai l'impression que le passé et l'avenir pèsent si fort de part et d'autre de nous, qu'il ne reste plus la moindre place pour le présent.

Sur ce, Wilcox descendit le perron, dans l'illumination du soleil couchant, pour annoncer que le dîner était servi.

Les volets étaient mis, les rideaux tirés, les bougies allumées dans le salon aux peintures.

— Tiens, la table est mise pour trois.

— Lord Brideshead est arrivé il y a une demi-heure, Milady. Il a fait prévenir que vous ayez la bonté de commencer sans lui, parce qu'il risque d'être en retard.

— J'ai le sentiment que des mois ont passé depuis sa dernière visite, dit Julia. Que peut-il bien *faire* à Londres ?

C'était là un sujet fréquent de spéculation entre nous – donnant naissance à de multiples imaginations, car Bridey était pour nous un mystère ; sorte de créature souterraine, d'hivernant au museau calleux, creusant ses galeries et fuyant la lumière. Il s'était tenu à l'écart de toute activité, durant ses années d'âge adulte ; s'il avait parlé d'entrer dans l'armée, au

Parlement, au couvent, aucun acte n'avait suivi ses mots. Tout ce que l'on savait de ses activités – et ce, parce qu'au cours d'une saison rare en nouvelles sensationnelles, ç'avait été le sujet d'un article de journal intitulé : « *Un pair se découvre un dada inusité* » – c'était qu'il collectionnait maintenant les boîtes d'allumettes ; il les rangeait sur des étagères, en tenait un fichier exact, leur vouant chaque année un espace de plus en plus grand dans sa petite résidence de Westminster. Il avait commencé par rougir comme une jeune fille de la publicité qu'avait faite cet article à sa manie ; mais il y avait pris ensuite grand plaisir, car il y avait trouvé l'occasion d'entrer en contact avec d'autres collectionneurs de toutes les parties du monde, et il maintenait avec eux une correspondance assidue, en même temps qu'il échangeait ses doubles.

En dehors de cela, on ne lui connaissait aucun goût ni intérêt particuliers. Il était toujours co-grand-veneur de Marchmain et sortait scrupuleusement la meute deux fois par semaine, lorsqu'il était à la maison ; jamais il ne chassait avec la meute voisine qui disposait pourtant de meilleurs terrains. Il s'adonnait au sport sans grande ardeur et n'était pas sorti douze fois, cette saison-là. Il n'avait que peu d'amis, rendait visite à ses tantes, assistait aux banquets que l'on donnait au bénéfice de l'Église catholique. À Brideshead il s'acquittait de tous les devoirs locaux qu'il ne pouvait éviter, apportant avec lui sur les estrades, dans les fêtes et dans les salles de comité, la mince brume de gaucherie et de réserve distante qui l'entourait.

— On a trouvé une jeune fille étranglée avec un morceau de barbelé à Wandsworth, la semaine dernière, dis-je, ressuscitant une vieille plaisanterie.

— Ce doit être encore un coup de Bridey, le mauvais garçon.

Nous étions à table depuis un quart d'heure quand il nous rejoignit, faisant une entrée de pachyderme dans la pièce ; et portant un veston de fumoir en velours vert bouteille qu'il laissait à Brideshead et qu'il ne quittait pas lorsqu'il y était. À trente-huit ans, il avait épaissi, était devenu chauve, on lui en eût facilement donné quarante-cinq.

— Eh bien, dit-il, eh bien, vous êtes seuls tous les deux ? Je m'attendais à trouver Rex.

Il m'arrivait souvent de me demander ce qu'il pensait de moi et de ma présence continuelle ; il avait l'air de m'accepter sans manifester de curiosité, comme quelqu'un de la maison. À deux reprises, au cours des deux dernières années, il avait eu à mon égard un geste qui m'avait surpris et que l'on eût pu prendre pour un témoignage d'amitié ; lors du dernier Noël il m'avait envoyé une photo de lui, le représentant dans son vaste manteau de chevalier de Malte et, peu après, m'avait demandé de lui tenir compagnie à un dîner de club. Ces deux gestes avaient leur explication : il avait fait tirer tant d'exemplaires de son portrait qu'il n'en savait que faire ; et il était fier de son club. Ce dernier était une curieuse association d'hommes, tous très éminents dans leur profession, qui se réunissaient une fois par mois pour passer une soirée de cérémonieuse bouffonnerie ; chacun portait un sobriquet – on appelait Bridey « Frère Grand d'Espagne » – et portait comme ordre de chevalerie, symbolisant ce sobriquet, une pièce de bijouterie exécutée à cet effet ; leurs boutons de gilet étaient aux armes du club ; l'entrée des invités faisait l'objet d'un rite extrêmement compliqué ; après dîner, quelqu'un lisait un long discours et des improvisations facétieuses suivaient. Évidemment il y avait entre les membres une vive émulation dans le choix d'invités de marque, et comme Bridey n'avait que peu d'amis, comme aussi j'étais passablement connu, il avait pensé à moi. Même au cours de cette soirée, à laquelle ne manquait pas la chaleur communicative, j'avais remarqué qu'il se dégageait de mon hôte un malaise qui semblait exercer discrètement un pouvoir magnétique, et créait autour de lui une sorte de petite mare de gêne et d'embarras général à la surface de laquelle il flottait avec l'impassibilité d'un soliveau.

Il s'assit en face de moi et pencha son crâne presque chauve et tout rose sur son assiette.

— Eh bien, Bridey, quelles nouvelles ?

— Précisément, dit-il, j'ai des nouvelles pour vous. Mais elles peuvent attendre.

— Non, non, tout de suite.

Il fit une grimace que j'interprétai comme signifiant « pas devant les domestiques » et reprit :

— Comment va la peinture, Charles ?

— Laquelle ?

— N'importe, celle que vous avez en chantier.

— J'ai commencé une esquisse de Julia, mais la lumière m'a joué des tours aujourd'hui.

— Julia ? Je croyais que vous l'aviez déjà faite ? Je suppose que ça vous change de l'architecture et que c'est bien plus difficile.

Sa conversation abondait en silences prolongés durant lesquels ont eût dit que son esprit demeurait immobile ; il vous ramenait toujours brutalement au point exact où il s'était arrêté. Ce soir-là, au bout d'une minute au moins, il reprit :

— Le monde regorge de sujets différents.

— Très juste, Bridey.

— Si j'étais peintre, dit-il, je m'arrangerais pour changer chaque fois complètement de sujet ; le genre de sujet plein d'action, de mouvement, comme… Silence encore. « Comme quoi ? me disais-je. La Malle des Indes ? La charge des cuirassiers de Reichshoffen ? Les Régates de Cannes ? » Puis, de façon inattendue, il dit : « … comme Macbeth. » Il y avait quelque chose de suprêmement absurde dans cette idée que se faisait Brideshead d'un peintre de l'action ; il lui arrivait souvent d'être absurde, rarement de l'être jusqu'au non-sens absolu. Il atteignait à la dignité à force de distance et à force de ne pas avoir d'âge ; à demi enfant encore et déjà vétéran ; sans la moindre étincelle de vie actuelle en lui, semblait-il ; jouissant d'une espèce de rectitude imposante, d'imperméabilité, d'indifférence au monde, qui contraignaient au respect. Bien qu'il nous arrivât fréquemment de rire de lui, il échappait toujours au ridicule total ; parfois il touchait à l'énorme, au formidable.

Nous parlions des nouvelles d'Europe centrale, quand, coupant court à ce sujet sans intérêt, Bridey demanda :

— Que sont devenus les bijoux de maman ?

— Cette pièce-ci en était, dit Julia, cette autre aussi. Tous ceux qui lui appartenaient en propre, elle les a donnés à Cordélia et à moi. Les bijoux de famille sont à la banque.

— Il y a si longtemps que je ne les ai vus, j'en viens même à me demander si je les ai jamais vus. En quoi consistent-ils ? Il y a quelques rubis assez célèbres, à ce que l'on m'a dit ?

— Un collier, oui. Maman le portait très souvent, vous ne vous rappelez pas ? Il y a aussi des perles, elle ne les quittait pas. Mais le plus gros n'est jamais sorti de la banque. Il y a quelques horribles pendeloques de diamants, autant qu'il m'en souvienne, et un tour de cou, de diamants également, et de style victorien, que personne ne voudrait porter aujourd'hui. Enfin, des tas de bonnes pierres. Pourquoi ?

— J'aimerais bien jeter un coup d'œil sur eux un de ces jours.

— Dites-moi, papa aurait-il par hasard l'intention de les liquider ? Il n'a pas recommencé à s'endetter ?

— Non, non, rien à voir.

Bridey mangeait lentement et beaucoup. Julia et moi, nous l'observions entre les chandeliers. Bientôt il reprit :

— À la place de Rex – il semblait avoir la tête pleine de ce genre de suppositions : « À la place de l'archevêque de Westminster, à la place du directeur des Chemins de fer de l'Ouest, à la place d'une actrice », comme si seul un tour, bon ou mauvais, du sort l'empêchait d'être l'un ou l'autre et qu'il pût s'éveiller un beau matin pour trouver tout arrangé –, à la place de Rex, j'aurais envie de vivre dans ma circonscription.

— Rex dit qu'au contraire il gagne avec ce système quatre journées de travail par semaine.

— Je suis navré qu'il soit absent ; j'ai une petite communication à vous faire.

— Pas tant de mystères, Bridey. Sortez votre petite histoire.

Il réitéra la grimace qui semblait vouloir dire « pas devant les domestiques ».

Plus tard, quand on eut servi le porto sur la table et que nous nous trouvâmes seuls tous trois, Julia dit :

— Je ne me lèverai pas avant d'avoir entendu votre communication.

— Eh bien, voilà, dit Bridey, se renversant dans sa chaise et regardant fixement son verre. Attendez jusqu'à lundi et vous pourrez le lire en noir sur blanc dans les journaux. Je suis fiancé. Vous êtes contente, j'espère ?

— Bridey ! Quelle... quelle nouvelle ! Qui est-ce ?

— Oh, personne de votre connaissance.

— Jolie ?

— Pas exactement ce que vous appelleriez jolie, j'imagine ; « avenante » est le mot qui me vient à l'esprit quand j'y pense. Forte.

— Grosse.

— Non, forte. Elle s'appelle Mme Muspratt ; prénom, Béryl. Il y a longtemps que je la connais, mais jusqu'à l'année dernière il y avait un mari ; elle est veuve aujourd'hui. Qu'est-ce qui vous fait rire ?

— Pardon. Cela n'a rien de drôle. C'est si inattendu. Est-elle... est-elle à peu près du même âge que vous ?

— À peu près, je crois. Elle a trois enfants ; le fils aîné vient d'entrer au collège. Elle n'est pas très aisée.

— Mais, Bridey, où avez-vous trouvé cette perle ?

— Feu l'amiral Muspratt, son mari, collectionnait les boîtes d'allumettes, répondit-il avec la plus entière gravité.

Julia tremblait d'envie de rire, finit par se maîtriser et demanda :

— Vous ne l'épousez pas à cause de la collection, par hasard ?

— Non, non ; l'amiral a légué toute sa collection à la bibliothèque municipale de Falmouth. J'ai beaucoup d'affection pour elle. En dépit de toutes ses difficultés elle demeure très gaie ; elle aime beaucoup la comédie. Elle s'occupe vaguement de la Guilde des acteurs catholiques.

— Papa est-il au courant ?

— Il me donne son approbation dans une lettre que j'ai reçue ce matin. Il y a déjà quelque temps qu'il me presse de me marier.

Simultanément, il nous vint à l'esprit, à Julia et à moi, que nous nous laissions dominer par la surprise et la curiosité ; et nous le félicitâmes, trouvant pour cela des paroles un peu plus gentilles, d'où la moquerie était à peu près exclue.

— Merci, dit-il. Merci. Je crois bien que le sort m'a comblé.

— Mais quand nous ferez-vous faire sa connaissance ? Vraiment, je trouve que vous auriez pu l'amener avec vous.

Il ne répondit pas, but à petits coups, les regards fixés devant lui.

— Bridey, reprit Julia, vieille brute adorable et sournoise, pourquoi ne l'avez-vous pas amenée avec vous ?

— Ce n'était guère possible, vous savez.

— Guère possible ? Je meurs d'envie de la connaître. Téléphonons tout de suite pour l'inviter. Que va-t-elle penser de nous, qui la laissons seule un jour comme celui-ci ? Elle nous trouvera bizarres.

— Les enfants sont avec elle, dit Brideshead. D'ailleurs, vous *êtes* bizarres, n'est-il pas vrai ?

— Que voulez-vous dire ?

Brideshead leva la tête, adressa à sa sœur un regard solennel, et continua sur le même ton simple, comme si la conversation poursuivait le cours le plus normal qui fût :

— Je ne pouvais l'inviter à venir ici, dans l'état de choses actuel. Il ne s'y prête guère. Après tout, je ne suis qu'un locataire à Brideshead. La maison est à Rex en ce moment pour autant qu'elle soit à quelqu'un. Ce qui se passe ici ne regarde que lui. Mais il m'était impossible de faire venir Béryl.

— Je ne comprends rien à ce que vous dites, dit Julia, plutôt sèchement. (Je la regardai. Il n'était plus question de raillerie affectueuse ; elle était sur le qui-vive, presque effrayée, me parut-il.) C'est absurde ; bien sûr que Rex et moi, nous avons envie qu'elle vienne.

— Oh, je n'en doute pas. La difficulté est tout autre. (Il acheva son porto, se versa un autre verre, poussa la carafe dans ma direction.) Vous devez comprendre que Béryl est une femme aux principes catholiques très stricts, que renforcent encore les préjugés de la petite bourgeoisie. Il m'était absolument impossible de la faire venir ici. Peu importe si vous choisissez de vivre en état de péché avec Rex, avec Charles ou avec l'un et l'autre – j'ai toujours évité de me mêler de vos histoires de ménage – mais Béryl ne consentirait à aucun prix à être votre invitée.

Julia se leva. « Par exemple, quel âne pompeux vous faites… », dit-elle, elle s'arrêta net et prit le chemin de la porte.

Je crus d'abord qu'elle n'en pouvait plus de rire ; mais, en lui ouvrant la porte, je m'aperçus avec consternation qu'elle était en larmes. J'hésitai. Elle passa rapidement devant moi sans m'accorder un regard.

— J'ai pu donner l'impression qu'il s'agissait là d'un mariage de convenance, poursuivit Brideshead placidement. Je ne puis parler au nom de Béryl et sans nul doute la stabilité de ma position n'a pas manqué de l'influencer. En fait, elle ne me l'a pas caché. Mais personnellement, j'insiste sur ce point, j'éprouve pour elle un attrait irrésistible.

— Bridey, vous avez eu des paroles fichtrement blessantes pour Julia.

— Je ne vois rien à quoi elle puisse objecter dans ce que j'ai dit. Je me suis borné à citer un fait qui lui est bien connu.

Elle n'était pas dans la bibliothèque ; je grimpai jusqu'à sa chambre : elle ne s'y trouvait pas. J'attendis un instant, près de la coiffeuse ouverte et préparée pour la nuit, me demandant si elle allait venir. Puis, par la fenêtre ouverte, dans la lumière qui, coulant à travers la terrasse, dans le crépuscule, frappait le bassin qui, dans cette demeure, avait toujours l'air de nous attirer à lui pour nous donner réconfort et fraîcheur, je perçus le faible éclat d'une robe blanche sur la pierre. Il faisait presque nuit. Je la trouvai réfugiée dans le coin le plus sombre, sur un banc de bois, dans une des embrasures de verdure que dessinait le buis coupé ras autour du bassin.

Je la pris dans mes bras, et elle pressa son visage sur ma poitrine.

— Vous allez prendre froid ici.

Elle ne répondit pas, se bornant à se serrer plus fort contre moi, toute secouée de sanglots.

— Qu'y a-t-il, ma chérie ? À quoi bon faire attention ? Qu'importe ce que peut dire ce vieux benêt ?

— Cela m'est égal ; peu importe. C'est le coup de l'émotion. Ne vous moquez pas de moi.

Depuis deux ans – toute une vie, semblait-il – que durait notre amour, jamais je ne l'avais vue aussi bouleversée ni ne m'étais senti aussi impuissant à lui venir en aide.

— Comment ose-t-il vous parler ainsi ? lui dis-je. Et de sang-froid encore, le vieux farceur... Mais je n'arrivais pas à la consoler.

— Non, dit-elle, ce n'est pas cela. C'est lui qui a raison. Ils savent de quoi ils parlent, Bridey et sa veuve ; c'est écrit en noir sur blanc, ils le savent ; ils l'ont acheté pour deux sous à la porte de l'église. On trouve là tout ce qu'on veut pour deux sous, noir sur blanc, et personne ne vient même voir si on a bien mis les deux sous, personne ; rien qu'une vieille femme, à l'autre bout, avec son balai qui traîne en faisant un bruit de râteau autour des confessionnaux, et une jeune femme qui allume un cierge devant les Sept douleurs. Deux sous dans une boîte, ou rien, pas un sou, si l'on veut ; servez-vous, emportez votre tract. Tout y est, noir sur blanc.

« Et en un seul mot, encore ; un seul mot et c'est tout ; un mot qui n'a l'air de rien, banal, mortel, et qui couvre une vie.

« "Vivre en état de péché" ; ne pas se contenter de mal agir, comme je l'ai fait quand je suis partie pour l'Amérique ; mal agir, sciemment, puis s'arrêter, oublier. Non, ce n'est pas ce qu'ils veulent dire. Bridey n'en aurait pas assez pour ses deux sous. Ce qu'il veut dire, c'est ce qu'on peut lire noir sur blanc, ni plus ni moins.

« *Vivre en état de péché*, coucher avec le péché, ne vivre que par lui, pour lui, à toute heure, jour après jour, année sur année. Trouver le péché à son réveil, voir s'ouvrir sur lui les rideaux, le baigner, le vêtir, l'agrafer de diamants, le nourrir, le promener alentour, lui donner du bon temps, le mettre au lit, le soir après lui avoir fait avaler un somnifère, s'il ne veut pas dormir.

« Toujours le même, comme un enfant idiot qu'on entoure de mille précautions et que l'on tient à l'abri du monde. "Pauvre Julia, disent-ils, elle n'a plus le temps de sortir. Il faut qu'elle prenne soin de son petit péché. Quel dommage qu'il soit né, disent-ils, mais c'est qu'il est résistant. Comme tous les enfants de ce genre, d'ailleurs. C'est qu'elle l'aime bien, Julia, son pauvre petit fou de péché." »

Il y a une heure, me disais-je, dans la lumière du couchant, elle était assise là, jouant avec sa bague dans l'eau et faisant le compte de nos jours de bonheur ; et maintenant, sous les premières étoiles et le dernier soupir du jour gris, quel est ce chagrin tumultueux et mystérieux ? Que nous est-il arrivé dans ce salon aux Peintures ? Quelle ombre s'est abattue soudain sur la lumière des candélabres ? Deux phrases mal dégrossies, une expression banale. Elle était hors d'elle ; sa voix, assourdie contre ma poitrine, ou claire et angoissée tour à tour, m'apportait des monosyllabes, des phrases sans suite, dont je puis reconstituer ainsi l'enchaînement logique :

« Le passé, l'avenir ; les années où j'essayais d'être une bonne épouse, au milieu de la fumée des cigares, tandis que le temps se traînait, que les jetons cliquetaient sur la table de trictrac et que celui qui était "mort" à la table de bridge des hommes, remplissait les verres ; les années où j'essayais de lui donner un enfant, déchirée par quelque chose qui était déjà mort en moi et puis cet homme que je rayais de ma vie, oubliais, et vous que je trouvais, deux années passées avec vous, tout l'avenir avec vous, tout l'avenir avec ou sans vous, la guerre qui vient, la fin d'un monde, le – péché.

« Un mot qui remonte de si loin, à Nounou Haw-kins cousant au coin de l'âtre, tandis que la veilleuse brûlait devant le Sacré-Cœur. Cordélia et moi, réci-tant le catéchisme dans la chambre de maman, avant le déjeuner, le dimanche. Maman emportant avec elle mon péché à l'église ; courbée sous le faix et sous le voile de dentelle noire, dans la chapelle ; l'emportant encore avec elle, quand elle se glissait sans bruit hors de la maison, à Londres, alors que les feux matinaux n'étaient pas allumés ; le traînant avec elle à travers les rues vides, où les poneys des laitiers attendaient patiemment, les pattes de devant plan-tées sur le bord des trottoirs ; maman mourant, ron-gée par mon péché, plus cruellement encore que par sa maladie mortelle.

« Maman en mourant ; le Christ en mourant, pieds et mains cloués ; le Christ pendu au-dessus de mon lit dans la chambre d'enfants ; pendu depuis des années dans le petit bureau sombre, au linoléum lui-sant, des jésuites ; pendu dans la sombre église où seule la vieille femme de charge soulève la poussière et où brûle un cierge ; pendu là-haut à midi parmi les foules et les soldats ; et pour tout réconfort une éponge trempée dans le vinaigre et les mots de douceur que prononce un voleur ; pendu pour l'éternité ; pas même la fraîcheur du sépulcre et du suaire tendu sur la dalle de pierre, ni l'huile et les épices dans la grotte obscure ; rien que, pour l'éternité, le soleil de midi et le claquement des dés jouant le manteau tissé d'une seule pièce.

« Pas même l'asile de la grotte ou des murs du château. Banni dans les déserts désolés où l'hyène rôde, la nuit, et où les tas d'immondices fument dans la clarté du jour. Sans retour possible ; les grilles barrées ; tous les saints, les anges montant la garde le long des murs. Rien que la pierre nue, la poussière et les tas d'immondices fumants. Jeté au rebut comme une vieille loque, laissé à pourrir ; et le vieux, mangé de lupus, au bâton crocheteux, qui sort en sautillant avec la nuit, et s'en va fouiller les détritus, dans l'espoir de trouver quelque chose à mettre dans son sac, quelque chose à vendre sur le marché, se détourne pour cracher de dégoût.

« Anonyme et mort, comme le petit enfant qu'on emporta dans une couverture avant que je l'aie vu. »

Elle parla entre ses larmes, jusqu'à épuisement. Je ne pouvais rien ; j'étais emporté à la dérive sur une mer étrangère ; mes mains, sur les fines mailles d'or de sa tunique, étaient froides et raides ; mes yeux, secs ; j'étais aussi loin d'elle en esprit, tandis qu'elle s'agrippait à moi dans le noir, que le jour où, des années auparavant, je lui avais allumé une cigarette au sortir de la gare ; aussi loin que lorsqu'elle était absente de moi au cours des années de sécheresse et de vide passées à la Vieille cure ou dans la jungle.

Les larmes ont leur source dans la parole ; avec le silence, ses larmes cessèrent de couler. Elle se redressa, s'écarta de moi, prit mon mouchoir, frissonna, se leva.

— Eh bien, qu'en dites-vous ? me demanda-t-elle d'une voix presque normale. Bridey n'a pas son pareil pour lâcher une bombe.

Je rentrai avec elle et la suivis dans sa chambre ; elle s'assit devant son miroir.

— Si l'on considère que je relève à l'instant d'une crise d'hystérie, dit-elle, je ne trouve pas que ce soit si mal.

Ses yeux semblaient étonnamment larges et brillants ; ses joues, pâles, moins deux taches vivement colorées à l'endroit, où, jeune fille, elle avait coutume d'étendre du rouge.

— La plupart des hystériques, reprit-elle, ont l'air, après une crise, d'avoir un gros rhume. Vous feriez mieux de changer de chemise avant de descendre ; celle-ci n'est que larmes et rouge à lèvres.

— Nous redescendons ?

— Comment, mais naturellement. Nous ne pouvons laisser ce pauvre Bridey seul, le soir de ses fiançailles.

Quand je revins la prendre en passant, elle me dit :

— Je ne sais comment m'excuser de cette effroyable scène, Charles. Je ne peux pas vous expliquer.

Brideshead était dans la bibliothèque, fumant la pipe et absorbé placidement dans la lecture d'un roman policier.

— Faisait-il bon dehors ? Si j'avais su, je serais sorti avec vous.

— Plutôt froid.

— J'espère que cela n'ennuiera pas Rex que nous venions nous installer ici. C'est que Barton Street est trop petit pour les enfants et pour nous. D'ailleurs Béryl aime la campagne. Dans sa lettre, papa me proposait de faire immédiatement le transfert du domaine à mon nom.

Je me souvins de l'accueil de Rex, lors de ma première visite à Brideshead en tant qu'invité de Julia ! « Très pratique, cet arrangement. Me va comme un gant. Le vieux entretient la maison et le domaine ; Bridey se charge des singeries féodales du côté des métayers ; et moi j'ai l'usage de la maison à l'œil. Je n'ai à débourser que la nourriture et les gages des domestiques. Difficile de trouver mieux et plus honnête dans le genre, qu'en pensez-vous ? »

— Il sera désolé d'avoir à quitter la maison, dis-je.

— Oh, il ne sera pas en peine de trouver une bonne occasion ailleurs, dit Julia, vous pouvez compter dessus.

— Béryl possède en propre quelques meubles auxquels elle tient beaucoup. Je ne sais s'ils iront très bien ici. Vous savez, genre dressoirs en chêne, bahuts anciens et autres. J'ai pensé qu'elle pourrait les installer dans l'ancienne chambre de maman.

— Oui, on ne saurait trouver mieux.

Le frère et la sœur restèrent assis de la sorte, à discuter d'arrangements de pièces et de mobilier jusqu'à l'heure du coucher. « Il y a une heure, me disais-je, dans le noir refuge entre les haies de buis, elle versait des torrents de larmes sur son Dieu mort ; maintenant elle discute de l'installation des enfants de Béryl : ancien fumoir ou salle d'études ? » Je nageais littéralement.

— Julia, dis-je un peu plus tard, quand Brideshead fut monté, avez-vous jamais vu le tableau de Holman Hunt intitulé *L'Éveil de la conscience ?*

— Non.

J'avais aperçu un exemplaire de *Préraphaélisme* dans la bibliothèque, quelques jours auparavant ; j'allai le prendre sur les rayons et lus la description que fait Ruskin de ce tableau. Elle rit de fort bonne humeur.

— Vous avez parfaitement raison. C'est exactement ce que j'ai ressenti.

— Mais, chérie, je ne puis croire que cette tempête émotive n'a eu pour origine que quelques paroles de Brideshead. Cette pensée devait déjà vous tourmenter.

— À peine, vraiment ; de temps à autre ; un peu plus, récemment, depuis que le jour du Jugement approche.

— Naturellement, c'est là le genre de chose que les psychologues expliqueraient ; un complexe remontant à l'enfance ; un sentiment de culpabilité né des bêtises enseignées par une nourrice. Au fond de vous-même, vous savez bien que tout cela n'est que de la frime, non ?

— Comme je voudrais que ce soit vrai !

— Sebastian m'a dit un jour presque la même chose.

— Il est revenu à la religion, vous savez. Évidemment, il ne l'avait jamais quittée aussi définitivement que moi. Je suis allée trop loin ; plus moyen de reculer ; cela je le sais, si c'est ce que vous entendez par savoir que tout cela n'est que de la frime. Tout ce que je puis espérer, c'est d'arriver à organiser ma vie de façon un peu humaine, avant que c'en soit fini de tout ordre humain. C'est pourquoi je voudrais vous épouser. J'aimerais avoir un enfant. C'est une chose qui m'est encore possible... Allons reprendre l'air. La lune devrait être levée à présent.

La lune était pleine et haute. Nous fîmes le tour de la maison ; sous les tilleuls, Julia s'arrêta et d'une main rêveuse arracha l'une des longues pousses, vieilles d'un an déjà, qui bordaient de leurs franges les troncs, la dénudant tout en marchant et s'en faisant une cravache à la façon des enfants, mais avec des gestes d'une nervosité qui n'avait rien d'enfantin, déchirant violemment les feuilles et les froissant entre ses doigts ; elle se mit à ôter l'écorce, la griffant de son ongle.

Cette fois encore, nous nous retrouvâmes près de la fontaine.

— Cela ressemble à un décor de comédie, dis-je. Scène : une fontaine baroque sur les terres d'un gentilhomme. Acte I : coucher du soleil ; acte II : crépuscule ; acte III : clair de lune. Les personnages continuant à se rassembler à travers les actes devant la fontaine, sans raison évidente.

— Comédie ?

— Drame. Tragédie. Farce. Comme vous voudrez. Nous en sommes à la scène de réconciliation.

— Y a-t-il eu querelle ?

— Éloignement et malentendu, acte II.

— Oh, ne prenez pas ce ton odieux de rasta. Pourquoi ne pouvez-vous jamais rien voir d'une manière originale ? Pourquoi faut-il que ceci soit du théâtre ?

Pourquoi ma conscience doit-elle être une peinture de préraphaélite ?

— C'est ma façon de voir.

— Je la déteste.

Sa colère était aussi inattendue que l'avait été chacun des mouvements de cette soirée fertile en humeurs vives et versatiles. Brusquement, elle me cingla la face de sa cravache, d'un coup bref, mordant, mauvais, qu'elle avait voulu aussi fort que possible.

— Comprenez-vous à quel point je la déteste, maintenant ? Elle frappa encore.

— Parfait, dis-je, continuez.

Puis, bien qu'elle levât déjà la main, elle s'arrêta et jeta la tige à demi dépouillée de son écorce dans l'eau où elle flotta, blanc et noir, sous le clair de lune.

— Vous ai-je fait mal ?

— Oui.

— Vrai ?... Vrai ?

Dans l'instant sa rage s'évanouit ; ses larmes jaillirent de nouveau, tout contre ma joue. Je l'écartais, de la longueur de mon bras ; inclinant la tête jusque sur son épaule où reposait ma main, elle caressa celle-ci de son visage, d'un geste félin, mais y laissant ce qu'un chat n'eût pu faire : une larme.

— Chat sur le toit, dis-je.

— Brute !

Elle chercha à me mordre la main, mais voyant que je ne la retirais pas, alors que ses dents touchaient déjà ma chair, elle passa de la morsure au baiser, du baiser au lapement de langue.

— Chat au clair de lune.

C'était là une humeur qui m'était familière. Nous revînmes vers la maison. Sous les lumières du hall, elle me dit :

— Votre pauvre visage (effleurant des doigts les traces de ses coups). Y aura-t-il des marques demain ?

— Vraisemblablement.

— Charles, est-ce que je deviens folle ? Que s'est-il passé ce soir ? Je me sens lasse.

Elle bâilla ; elle fut prise d'une vraie crise de bâillements. Elle s'assit devant sa coiffeuse, courbant la tête, la face enfouie dans ses cheveux, bâillant sans pouvoir s'arrêter ; quand elle leva la tête, j'aperçus par-dessus son épaule, dans le miroir, un visage hébété de lassitude, pareil à celui d'un soldat qui bat en retraite, et tout près, le mien, rayé de deux lignes écarlates.

— Si lasse, répéta-t-elle, ôtant sa tunique d'or et la laissant glisser sur le sol, fatiguée, folle et bonne à rien.

Je la mis au lit ; les paupières bleutées se fermèrent sur les yeux ; les lèvres pâles remuèrent sur l'oreiller, mais je n'aurais pu dire si c'était pour me souhaiter une bonne nuit ou pour murmurer une prière, frêle écho de la nursery, arrivant jusqu'à elle dans ce monde crépusculaire, entre chagrin et sommeil ; pieuse chanson du temps jadis parvenue jusqu'à Nounou Hawkins, à travers des siècles et des siècles de paroles doucement chuchotées au chevet des enfants, à travers toutes les métamorphoses du langage, du temps où les chevaux de somme cheminaient sur la route des Pèlerinages.

Le lendemain soir, Rex et sa bande d'associés politiques nous avaient rejoints.

— Ils n'ont pas envie de se battre.

— Ils n'en ont pas la force. Ils n'ont ni l'argent, ni le pétrole.

— Ni le wolfram ; ni les hommes.

— Ni le courage.

— Ils ont peur.

— La frousse des Français ; frousse des Tchèques, des Slovaques, de nous.

— Ils bluffent.

— Bien sûr qu'ils bluffent. Où prendraient-ils le tungstène ? Et le manganèse ?

— Le chrome ?

— Je vais vous raconter...

— Écoutez ça ; fameux ; Rex a quelque chose à raconter.

— ... Ami à moi, tour en voiture dans la Forêt-Noire, pas plus tard que ces jours derniers, vient juste de rentrer, m'a fait part de ses impressions en jouant au golf. Bref, roulait en voiture, débouche d'un petit chemin sur la grand-route. Se trouve nez à nez avec, devinez quoi ? Convoi militaire, naturellement. Pas moyen d'arrêter, fonce dans le tas, pile dans un tank, en plein dans le côté. S'est cru mort... Ne quittez pas, c'est là que ça devient drôle.

— Là que ça devient drôle.

— Est passé droit à travers, même pas une écaille de vernis qui a sauté. Que croyez-vous ? Le tank était en toile – cadre en bambou et toile peinte.

— Ils n'ont pas l'acier.

— Pas les machines. Pas la main-d'œuvre. Ils crèvent à moitié de faim. Manquent de matières grasses. Les enfants sont rachitiques.

— Les femmes, stériles.

— Les hommes, impuissants.

— Ils manquent de docteurs.

— La tuberculose...

— La syphilis...

— Goebbels a dit à un de mes amis...

— Ribbentrop m'a dit que l'armée ne gardait Hitler au pouvoir que pour autant qu'il était de bon rapport et ne coûtait rien. Dès l'instant qu'on relèvera le gant, il sera fini. L'armée le fusillera.

— Les libéraux le pendront.

— Les communistes le mettront en pièces.

— Il se coulera lui-même.

— Ce serait chose faite déjà, sans Chamberlain.

— Sans Samuel Hoare.

— Sans le Comité de 1920.

— Traités de paix.

— Foreign Office.

— Haute Banque new-yorkaise.

— Tout ce dont nous avons besoin, c'est d'une bonne ligne de conduite bien ferme.

— Et que cette ligne de conduite nous vienne de Rex.

— De Rex et de moi.

— L'Europe attend de nous que nous prenions décidément nos responsabilités. L'Europe attend un discours de Rex.

— Un discours de Rex et de moi.

— De vous deux et de moi. Il s'agit de rallier les peuples épris de liberté dans le monde. L'Allemagne n'attend qu'un mot pour se soulever. L'Autriche suivra. Les Tchèques et les Slovaques aussi, par la force des choses.

— Un discours de Rex et un discours de moi suffiront.

— Que diriez-vous d'une partie de bridge ? Un verre de whisky ? Quelqu'un a-t-il envie d'un havane ? Allô, vous sortez tous les deux ?

— Oui, Rex, dit Julia. Charles et moi, nous allons faire un tour au clair de lune.

La porte vitrée refermée derrière nous, les voix se turent ; le clair de lune s'étendait comme une gelée blanche sur la terrasse, et le chant de la fontaine pénétrait, en murmurant, nos oreilles ; la balustrade en pierre de la terrasse aurait pu figurer les remparts de l'antique Troie ; dans le parc silencieux auraient pu se dresser les tentes du camp grec, et sous l'une d'elles reposer, cette nuit-là, Cressida.

— Quelques jours encore, quelques mois.

— Il n'y a plus de temps à perdre.

— Toute une vie entre un lever et un coucher de lune. Et puis les ténèbres de la nuit.

4.

— Et naturellement la garde des enfants sera confiée à Célia ?

— Naturellement.

— Qu'adviendra-t-il de la Vieille cure ? Je ne pense pas que vous ayez l'intention de vous installer avec Julia juste à nos portes ? La Vieille Cure, vous le savez, les enfants la regardent comme leur foyer. Robin n'a nulle part où aller, tant que son oncle n'est pas mort. Après tout, vous ne vous êtes jamais servi du studio, n'est-ce pas ? Pas plus tard que l'autre jour, Robin faisait remarquer quelle excellente salle de jeux on pourrait en faire pour les enfants, assez grande pour qu'on puisse y jouer au voleur.

— Robin peut prendre la Vieille cure.

— En ce qui concerne l'argent, Célia et Robin ne veulent naturellement rien accepter pour eux-mêmes ; mais il y a la question de l'éducation des enfants qui se pose.

— Pas de difficultés sur ce point. Je verrai mes avoués à ce propos.

— Ma foi, je crois que c'est tout, dit Mulcaster. Vous savez, j'ai vu de mon côté pas mal de divorces, mais jamais un seul qui s'arrange aussi bien à l'avantage de tout le monde. Presque toujours, quel que soit l'esprit de camaraderie qui préside au départ, les choses finissent par mal tourner, quand on en vient aux détails de l'affaire. Notez bien, je ne me gênerai pas pour vous dire qu'à plusieurs reprises, au cours de ces deux dernières années, il m'est arrivé de penser que vous n'étiez pas très chic avec Célia. C'est toujours délicat à dire quand il s'agit de sa propre sœur, mais je l'ai toujours tenue pour un joli brin de fille, le genre de fille que n'importe qui se réjouirait d'avoir pour femme, et artistique qui plus est, tout à fait ce qu'il vous fallait. Mais je dois reconnaître que vous avez la main heureuse. J'ai toujours eu un faible pour Julia. De toute façon, la tournure prise par les événements arrange tout le monde. Robin raffole de Célia depuis un an au moins. Vous le connaissez ?

— Vaguement. Un jeune type boutonneux, autant que je m'en souvienne.

— Oh, je n'irais pas jusque-là. Il est plutôt jeune, bien sûr, mais l'important c'est que Jean-Jean et Caroline l'adorent. Ce sont deux gosses épatants que vous avez là, Charles. Rappelez-moi au bon souvenir de Julia ; faites-lui mes meilleurs vœux, en souvenir du bon vieux temps.

— Ainsi vous divorcez ? me dit mon père. Êtes-vous sûr que ce soit si nécessaire, après tant d'années de bonheur conjugal ?

— Bonheur, heu… Très relatif, vous savez.

— Pas possible ? En vérité ? Je me souviens nettement, à Noël dernier, de vous avoir vus ensemble et de m'être félicité intérieurement de vous trouver l'air si heureux, en même temps que j'en cherchais la raison. Je crains que vous ne vous sentiez un peu dérouté à l'idée de vous refaire une vie. Quel âge avez-vous, trente-quatre ans ? Mauvais âge pour refaire sa vie. Vous devriez vous tasser un peu. Vous avez des projets ?

— Oui, je me remarierai dès que le divorce sera prononcé.

— Eh bien, eh bien ; voilà ce que j'appelle une bêtise. Je comprends à la rigueur qu'on regrette de s'être marié et qu'on fasse l'impossible pour s'en sortir, bien que, personnellement, ce sentiment me soit demeuré étranger, mais se débarrasser d'une femme pour en prendre immédiatement une autre, cela ne tient pas debout. Célia a toujours été de la plus parfaite civilité à mon égard. Je m'étais pris d'une certaine affection pour elle, en un sens. Si vous n'avez pas pu être heureux avec elle, comment diable pouvez-vous espérer l'être avec une autre ? Écoutez-moi, mon cher enfant, et ôtez-vous cette idée de la tête.

— Pourquoi nous mêler à cette histoire, Julia et moi ? me demanda Rex. Si Célia a envie de se remarier, parfait, ça la regarde. C'est votre affaire à tous les deux. Mais j'aurais cru que Julia et moi, nous étions très heureux comme nous sommes. Vous ne pouvez dire que j'aie fait le difficile. Je connais des tas d'autres types qui auraient pris la chose plutôt mal. Je crois être un homme du monde. J'ai eu mes petites histoires de mon côté, moi aussi. Mais un divorce, c'est une autre paire de manches. Je n'ai jamais entendu dire que le divorce ait fait du bien à qui que ce soit.

— C'est votre affaire et celle de Julia.

— Oh, Julia, elle, est décidée. Ce que j'espérais c'était que vous pourriez la faire changer d'idée. Pour ma part, j'ai essayé d'être aussi peu gênant que possible ; si vous trouvez que je me suis encore trop montré, vous n'avez qu'à le dire ; je ne vous en voudrai pas. Mais ça fait trop de choses d'un seul coup, quand je pense que Bridey veut par-dessus le marché me faire vider les lieux ; cela flanque tous mes projets en l'air, et j'en ai des tas en ce moment.

La vie publique de Rex atteignait un point critique. Tout n'était pas allé aussi bien, en ce qui le concernait, qu'il l'avait espéré. Je ne savais ce qu'il en était de ses finances ; mais on me racontait que les milieux conservateurs orthodoxes regardaient d'un mauvais œil ses spéculations ; il n'était jusqu'à son côté sympathique de bon vivant et son caractère impétueux qu'on ne portât à son désavantage ; car les réunions qu'il organisait à Brideshead faisaient couler beaucoup de salive. On parlait trop de lui dans la presse ; il était acoquiné avec les magnats du journalisme et leur bande de suiveurs au sourire perpétuel mais à l'œil triste ; dans ses discours, il disait le genre de choses qui alimentaient en « bonne copie » Fleet Street, mais qui ne lui faisait aucun bien dans les sphères dirigeantes du parti ; la guerre seule pouvait redresser la fortune de Rex et le porter au pouvoir. Un divorce ne pouvait lui faire aucun mal auprès de ce genre de copains ; c'était plutôt, en somme, que sur le point de sauter ou de faire sauter la banque, il ne pouvait lever le nez de dessus le tapis.

— Si Julia insiste pour divorcer, je suppose qu'il n'y a rien à faire, conclut-il. Mais elle aurait difficilement pu choisir un moment moins propice. Dites-lui de patienter encore un peu, Charles, vous serez un chic type.

— La veuve de Bridey a dit : « Alors, vous divorcez d'avec un divorcé pour épouser un autre divorcé ? Ça m'a l'air un peu compliqué, mais ma chère – elle m'a

appelée "ma chère" au moins une vingtaine de fois –
je me suis toujours aperçue que toute ma famille
catholique comptait régulièrement un membre qui
s'évadait des voies tracées par Dieu, et presque toujours aussi c'était le plus charmant. »

Julia venait de rentrer d'un déjeuner offert par Lady
Rosscommon en l'honneur des fiançailles de Brideshead.

— À quoi ressemble-t-elle ?

— Majestueuse et voluptueuse ; commune, cela va
de soi. Pourrait être irlandaise ou juive, ou les deux ;
la voix enrouée, la bouche trop grande, les yeux trop
petits, les cheveux teints, une chose que je vais vous
dire : elle a certainement menti à Bridey pour ce qui
est de son âge. Quarante-cinq ans bien sonnés. Je ne
la vois guère lui apportant un héritier. Bridey ne peut
la quitter des yeux. Il n'a cessé de la couver pendant
le repas, de façon vraiment révoltante.

— Gentille ?

— Mon Dieu, oui, avec condescendance. Voyez-
vous, j'imagine qu'elle a été accoutumée à jouer plutôt
les tyranneaux avec l'entourage de son amiral de mari,
vous savez : les officiers d'ordonnances qui font des
ronds de jambe et les jeunes officiers en mal de carrière qui se cramponnent à la femme du chef comme
des sangsues. Évidemment, il ne lui était guère possible de jouer ce rôle à la table de tante Fanny, en
sorte qu'elle a été bien contente de trouver une brebis

galeuse qui lui tînt compagnie. C'est sur moi qu'elle s'est rabattue, en fait ; elle n'a pas cessé de me demander mon avis sur les magasins et sur toutes choses, et m'a dit de façon on ne peut plus nette qu'elle espérait me voir souvent *à Londres*. Je crois que les scrupules de Bridey s'arrêtent à l'inopportunité pour elle de coucher sous le même toit que moi. Apparemment je ne peux lui faire aucun mal sérieux dans le cadre d'une boutique de modiste, d'un salon de coiffure ou d'un déjeuner au Ritz. Les scrupules d'ailleurs sont le fait de Bridey ; la veuve est bien trop coriace pour ça.

— Est-ce qu'elle le mène par le bout du nez ?

— Pas trop, pour le moment. Le pauvre animal est en pleine stupeur amoureuse et ne sait plus très bien où il en est. Elle, n'est ni plus ni moins qu'un brave cœur de femme, en quête d'un foyer pour ses enfants, et ne permettra à personne de se mettre sur son chemin. Elle joue la carte religieuse pour le moment, dans la mesure où elle lui est utile. Je suis sûre qu'elle se détendra, une fois qu'elle se sentira installée.

On parla beaucoup de nos divorces dans le cercle de nos amis ; même au cours de cet été où les esprits inquiets se tournaient vers la situation générale, il existait encore de petits coins où l'attention se concentrait sur les affaires privées des gens. Ma femme s'arrangea pour présenter les choses de sorte qu'on la félicitât et que tous les reproches fussent pour moi : sa conduite avait été stupide ; il n'y avait qu'elle pour supporter aussi longtemps une situation aussi intolérable ; sans doute, Robin était-il de sept ans plus jeune qu'elle et manquait-il un peu de maturité pour son âge, chuchotait-on en petit cercle d'intimes, mais il était entièrement dévoué à cette pauvre Célia et elle, l'avait bien mérité quand on savait ce qu'elle avait dû endurer. Quant à Julia et à moi, c'était une vieille histoire. « Pour parler crûment », me dit mon cousin Jasper, comme s'il avait fait autre chose dans sa vie que de parler ainsi, « je me demande pourquoi vous prenez la peine de vous remarier. »

L'été passa ; des foules délirantes acclamèrent Neville Chamberlain, à son retour de Munich ; Rex fit un discours forcené aux Communes, qui scellait son destin de toute façon, le scellait, tels ces plis secrets qu'emportent les marins, pour être ouverts en haute mer. Les avoués de la famille de Julia, qui, avec leurs boîtes en étain peintes au nom du « marquis de Marchmain », semblaient emplir à eux seuls une pièce, engagèrent la lente procédure du divorce ; les miens, plus actifs s'ils étaient de deux étages en dessous, étaient en avance de plusieurs semaines dans mes affaires. Il fallait à Rex et à Julia une séparation en bonne et due forme et comme, pour l'instant, Brideshead demeurait le domicile de Julia, elle n'en bougea pas, tandis que Rex déménageait, malles et valet compris, pour s'installer dans leur résidence londonienne. La date du mariage de Brideshead fut fixé au début des vacances de Noël, afin que ses futurs beaux-enfants pussent y prendre part.

Un après-midi de novembre, nous nous tenions, Julia et moi, près d'une fenêtre du salon, regardant le vent s'employer à dénuder les tilleuls, balayer les feuilles jaunies, les soulever en tourbillons sur toute la longueur de la terrasse et des pelouses, les traîner dans les flaques et sur l'herbe mouillée, les plaquer sur les murs et les vitres, pour les lâcher enfin, et les laisser s'amonceler contre la pierre, en tas détrempés.

— Nous ne reverrons pas ces tilleuls, le printemps prochain, me dit Julia, ni peut-être jamais.

— Il m'est arrivé une fois déjà, répondis-je, de partir d'ici en pensant ne jamais y revenir.

— Dans des années, peut-être viendrons-nous revoir ce qu'il en restera ; nous, c'est-à-dire : ce qu'il restera de nous.

Une porte s'ouvrit et se ferma derrière nous, dans l'obscurité naissante de la pièce. Wilcox s'avança dans la lueur de l'âtre, pénétrant dans la zone d'ombre qui cernait les hautes fenêtres.

— Message téléphonique, Milady, de Lady Cordélia.

— Lady Cordélia ! Où était-elle ?

— À Londres, Milady.

— Wilcox, quelle joie ! Vient-elle ici ?

— Elle partait pour la gare. Elle sera ici après dîner.

— Je ne l'ai pas vue depuis douze ans, dis-je, depuis le soir où nous avions dîné tous les deux et où elle avait parlé de se faire nonne ; le soir où j'achevais de peindre le salon de Marchmain House. C'était une charmante enfant.

— Elle a mené une drôle de vie. D'abord, le couvent ; puis, quand cela n'a plus marché, la guerre d'Espagne. Je ne l'ai pas revue depuis. Les filles qui étaient parties avec elle et son ambulance sont rentrées à la fin de la guerre ; elle est restée, pour aider les gens à retrouver leur foyer et s'occuper des camps de concentration. Curieuse fille. Elle est devenue tout à fait ordinaire en grandissant, vous savez.

— Est-elle au courant de notre histoire ?

— Oui. Elle m'a écrit une lettre délicieuse.

Cela faisait mal de penser à Cordélia devenant « tout à fait ordinaire » ; mal de penser à cette flamme d'amour dévorante se consumant en injections de sérums et en aspersions de poudres insecticides. Lorsqu'elle arriva, fatiguée par le voyage, les vêtements presque râpés, l'allure de quelqu'un qui ne se soucie guère de plaire, je la trouvai laide. Quelle chose étrange, pensai-je, que de voir les mêmes ingrédients, différemment dosés, produire Brideshead, Sebastian, Julia et elle. Nul ne pouvait s'y tromper : elle était bien leur sœur à tous ; moins la grâce de Julia et de

Sebastian, et la gravité de Brideshead. Elle avait l'air active, positive, si familiarisée avec les brutalités de la souffrance, si plongée encore dans l'atmosphère des camps et des postes de secours d'urgence, qu'elle avait perdu tout sens des nuances et des subtilités de ce qui fait la joie de vivre. Elle paraissait bien plus que ses vingt-six ans ; de vivre à la dure, elle avait acquis une certaine rudesse ; la pratique constante d'une langue étrangère avait émoussé en elle les finesses de sa langue maternelle ; lorsqu'elle s'avança pour venir s'asseoir près du feu, je remarquai qu'elle avait tendance à marcher les jambes écartées ; et quand elle dit : « Quelle merveille de se retrouver à la maison », ces paroles résonnèrent à mes oreilles comme le grognement de l'animal qui revient à son panier.

Telles furent les impressions qu'elle me laissa durant la première demi-heure, impressions qu'aiguisaient encore, par contraste, la blancheur de la peau de Julia, la soie dont cette dernière était vêtue, les bijoux qui paraient sa chevelure et les souvenirs que j'avais de Cordélia enfant.

— J'ai terminé mon boulot en Espagne, dit-elle ; les autorités ont été très polies, m'ont remerciée pour tout ce que j'avais fait, m'ont donné une médaille et m'ont envoyée boucler mes valises. Tout semble indiquer que d'ici peu ce genre de travail ne manquera pas dans notre pays. Puis elle ajouta : Est-il trop tard pour monter voir Nounou ?

— Non, elle veille très avant dans la nuit pour écouter la radio.

Nous montâmes tous trois ensemble à la vieille nursery. Julia et moi, nous y passions régulièrement une partie de la journée. Nounou Hawkins et mon père étaient deux personnes qui demeuraient, eût-on dit, imperméables à tous changements et me paraissaient ne pas avoir vieilli d'une heure depuis que je les connaissais. Un poste de T S F s'ajoutait désormais au petit lot de plaisirs et de distractions de Nounou Hawkins, le rosaire, l'annuaire de la bonne société avec sa couverture bien propre en papier brun protégeant la reliure rouge et or, les photographies et les souvenirs de vacances, sur sa table. Quand nous lui avions appris la nouvelle de notre prochain mariage, Julia et moi, elle avait dit : « Eh bien, mes chers enfants, j'espère que ce sera pour le mieux », car il n'appartenait pas à sa religion de mettre en doute le bien-fondé des actes de Julia.

Brideshead n'avait jamais eu ses faveurs. Elle avait accueilli la nouvelle de ses fiançailles par ces mots : « Pour sûr qu'il a pris assez de temps pour se décider », et après avoir longuement cherché si l'annuaire mondain fournissait le moindre renseignement sur la parenté de Mme Muspratt : « Il s'est fait posséder, j'imagine », avait-elle conclu.

Nous la retrouvâmes comme tous les soirs, assise au coin du feu, avec près d'elle sa théière et le tapis de laine qu'elle tissait.

— Je savais que vous monteriez, dit-elle. M. Wilcox avait envoyé quelqu'un pour me prévenir.

— Je vous ai apporté de la dentelle.

— Comme c'est gentil, ma chère enfant ! Tout à fait le genre que cette pauvre Milady aimait à porter à l'église. Bien que je n'aie jamais compris pourquoi on éprouvait le besoin de la teindre en noir, vu que la dentelle est naturellement blanche. Pour sûr que ça fait bien plaisir.

— Puis-je arrêter la T S F, Nounou ?

— Mais comment, bien entendu ; je n'avais pas remarqué qu'elle continuait à jouer, tellement j'étais contente de vous voir. Qu'avez-vous fait à vos cheveux ?

— Je sais qu'ils sont dans un état terrible. Il va falloir que je remédie à tout cela maintenant que je suis rentrée, Nounou chérie.

Cependant que nous étions assis à bavarder ainsi et que je voyais les yeux de Cordélia, pleins de tendresse, se poser tour à tour sur chacun de nous, je commençai à me rendre compte qu'elle aussi avait son genre particulier de beauté.

— J'ai vu Sebastian le mois dernier.

— Que de temps depuis qu'il est parti ! Allait-il bien ?

— Non, pas très. C'est pourquoi je suis allée le voir. C'est tout près, vous savez, d'Espagne en Tunisie. Il est chez les moines, là-bas.

— J'espère qu'ils veillent sur lui ? dit Nounou. J'imagine qu'ils y trouvent leur compte. Il m'envoie toujours quelque chose pour la Noël, mais ce n'est pas comme si on l'avait ici à la maison. Je n'arrive pas à comprendre pourquoi vous avez tous besoin d'aller toujours à l'étranger. C'est comme Milord. Quand il a été question de partir en guerre contre ce Munich, je me suis dit : « Quand je pense que Cordélia et Sebastian et Milord sont à l'étranger ; ça va être bien ennuyeux pour eux. »

— Je voulais le ramener avec moi, mais il a refusé. Il porte la barbe maintenant, vous savez, et il est très religieux.

— Rien ne me ferait jamais croire ça, même si je le voyais. Sebastian a toujours été un petit païen. Brideshead, oui, était fait pour l'Église ; pas Sebastian. Et une barbe, voyez-moi ça ; avec une belle peau blonde comme la sienne ; lui qui avait toujours l'air propre, même quand il n'avait pas approché une goutte d'eau de toute la journée ; tandis qu'avec Brideshead il n'y avait rien à faire, même en y allant avec la brosse de chiendent.

— C'est effrayant, me dit un jour Julia, de penser à quel point vous avez pu finir par oublier Sebastian.

— C'était le précurseur.

— C'est ce que vous m'avez dit au milieu de la tempête. J'y ai repensé depuis. Peut-être que moi aussi je ne joue que le rôle d'un précurseur.

« Peut-être », me disais-je, tandis que ses paroles flottaient encore en suspens dans l'air, entre nous, comme une bouffée de cigarette, et cette pensée elle-même était destinée à fondre et s'évanouir sans laisser de trace, comme une fumée. « Peut-être toutes nos amours ne sont-elles que signes et symboles ; massif montagneux riche à l'infini en cimes invisibles ; portes qui s'ouvrent comme en un rêve pour ne révéler qu'un autre corridor, une autre porte ; peut-être vous, Julia, comme moi, n'avons-nous d'autre signification que celle de formes et de types, et cette tristesse qui tombe parfois entre nous, jaillit-elle de la déception que nous avons éprouvée dans notre quête, chacun de nous tendu à l'extrême, dépassant l'autre, saisissant de temps à autre une brève et fugitive vision de l'ombre qui tourne à l'angle de la rue, et nous précède toujours d'un ou deux pas, sans jamais se laisser rejoindre. »

Personnellement je n'avais pas oublié Sebastian. Il vivait en moi tous les jours avec Julia ; ou mieux, c'était Julia que j'avais appris à connaître en lui, en ces lointaines journées d'Arcadie.

— Drôle de consolation pour une fille, me dit-elle un jour où j'essayais de lui expliquer la chose. Comment puis-je savoir si je ne viendrai pas soudain à me changer en quelqu'un d'autre ?

Non, je n'avais pas oublié Sebastian ; chaque pierre de la demeure restait associée à un souvenir de lui. Et, à entendre Cordélia parler de lui comme de quelqu'un qu'elle avait vu il y avait un mois, ma pensée s'emplit de mon ami lointain. En sortant de la nursery, je dis à Cordélia :

— Je veux que vous me disiez tout de Sebastian.

— Demain. C'est une longue histoire.

Et le lendemain, nous promenant dans le parc balayé par le vent, voici ce qu'elle me raconta.

— J'avais entendu dire qu'il était mourant. À Burgos, un journaliste qui venait d'arriver d'Afrique du Nord m'avait fait part de la nouvelle. Un type fichu qui s'appelle Flyte, et dont on raconte que c'est un Lord anglais, que les moines ont trouvé mourant de faim et qu'ils ont recueilli dans leur monastère, près de Carthage. Voilà l'histoire qu'on me rapporta. Je savais que ce ne pouvait être vrai – si peu que nous eussions fait pour Sebastian, il recevait du moins régulièrement l'argent que nous lui envoyions – mais je me suis mise en route aussitôt.

« Ce fut tout ce qu'il y a de plus facile. Je commençai par me rendre au consulat, où l'on était parfaitement au courant ; il était à l'infirmerie de la maison mère des Pères missionnaires. D'après le consul, Sebastian avait brusquement surgi à Tunis, un beau jour, quelques semaines auparavant, avec un car qui venait d'Alger, et avait demandé à servir dans les missions en qualité de frère lai. Les pères, après l'avoir bien regardé, avaient refusé. Alors il s'était mis à boire. Il vivait dans un petit hôtel à la lisière du quartier arabe. Je suis allée visiter les lieux par la suite ; c'était un bar surmonté de quelques chambres, tenu par un Grec et qui puait la friture, l'ail, le vin sur et les vieux vêtements ; le genre d'endroit où se retrouvaient les petits boutiquiers grecs qui venaient y jouer aux dames et y écouter la T S F. Il y avait passé un mois à boire de l'absinthe grecque, s'aventurant de temps à autre en ville, ils ne savaient où, pour revenir se remettre à boire. Ils avaient eu peur qu'il ne lui arrivât malheur et le suivaient parfois, mais Sebastian se bornait à aller à l'église ou à prendre le car jusqu'au monastère qui se trouvait hors de la ville. Tout le monde l'aimait dans cet hôtel. On l'adore toujours, voyez-vous, où qu'il aille et quel que soit son état. C'est un trésor qu'il ne perdra jamais. J'aurais voulu que vous entendiez le propriétaire et sa famille parler de lui ; les larmes leur en coulaient sur les joues ; il était clair qu'ils l'avaient volé en long et en large, mais ils l'avaient soigné, ils avaient veillé sur lui et s'étaient efforcés de lui faire avaler ses repas. C'était la chose qui les choquait le plus en lui : qu'il refusât de manger. Penser qu'il avait tant d'argent, et qu'il était si maigre. Quelques clients de l'endroit se sont mêlés à notre conversation, qui se tenait dans un français très particulier ; leur version à tous était la même : "Un si *brave* homme", disaient-ils, ça leur faisait de la peine de le voir tomber si bas. Ils pensaient le plus grand mal de sa famille qui l'avait abandonné à ce sort ; ça ne se serait jamais produit avec leur famille à eux, disaient-ils, et je crois bien qu'ils avaient raison.

« Mais je devance l'ordre des faits. En sortant du consulat, je me suis rendue droit au monastère où j'ai vu le supérieur. C'était un vieil et sévère Hollandais qui avait passé cinquante ans en Afrique centrale. Il me fournit sa version de l'histoire, me raconta comment Sebastian était arrivé un beau jour, conformément au récit du consul, avec sa barbe et une valise, et avait demandé qu'on le prît en qualité de frère lai. "Il était plein de zèle, me dit le supérieur (Cordélia imitait son accent guttural ; elle avait un don réel de mime, je ne l'avais pas oublié, qui remontait à sa vie d'écolière). Surtout n'allez pas croire que je mets en doute cet aspect de son caractère, il est parfaitement sain d'esprit et dévoré de zèle. Il voulait partir pour la brousse, aussi loin que possible, parmi les peuplades les plus primitives, les cannibales, ni plus ni moins." Le supérieur lui répondit : "Nous n'avons pas de cannibales sur la liste de nos missions. — Eh bien alors, repartit Sebastian, des pygmées feraient l'affaire, ou tout simplement un petit village perdu et sauvage, quelque part au bord d'une rivière, ou des lépreux, oui des lépreux, ce serait parfait." À quoi le supérieur rétorqua : "Les lépreux ne manquent pas, mais ils vivent en colonies dotées de médecins et de religieuses. Tout cela est très méthodique et organisé." Sebastian réfléchit encore et dit que peut-être, après tout, les lépreux n'étaient-ils pas ce qu'il lui fallait ; mais ne pouvait-on lui trouver une petite église, n'importe laquelle, au bord d'une rivière (vous remarquerez qu'il voulait toujours une rivière), dont il pourrait s'occuper en l'absence du prêtre ? Le supérieur lui dit alors : "Oui, ce genre d'église existe. Mais maintenant, parlez-moi de vous-même. — Oh, moi, je ne suis rien", répondit Sebastian. "... Nous sommes continuellement assaillis par de drôles de cocos (Cordélia se remit à mimer) et lui en était un, incontestablement, mais si plein de zèle." Le supérieur l'entreprit alors sur le noviciat et l'entraînement que doivent subir les frères lais, pour lui dire ensuite : "Vous n'êtes plus un jeune homme et vous ne m'avez pas l'air bien vigoureux." Et Sebastian : "Mais je n'ai pas envie de subir d'entraînement spécial. Ce que je voudrais, c'est une tâche toute simple. — Mon ami, lui dit le supérieur, vous avez grand besoin d'un missionnaire pour vous-même", et Sebastian de répondre : "Je n'en doute pas, mon père." Sur quoi, le supérieur le renvoya.

« Il est revenu le lendemain. Il avait bu. Il me déclara qu'il avait décidé de se faire novice et de se plier à l'entraînement nécessaire. "Soit, lui ai-je dit, il est certaines choses qui sont incompatibles avec la vie d'un homme dans la brousse. La boisson est l'une d'elles. Ce n'est pas la pire, mais il n'en reste pas moins qu'elle est immanquablement fatale." Et je l'ai renvoyé. Alors il a continué à venir, à raison de deux ou trois fois par semaine, ivre chaque fois, tant que le supérieur a fini par donner l'ordre au portier de ne plus le laisser entrer. J'ai dit au supérieur : "Mon Dieu, je crains fort qu'il vous ait terriblement ennuyé, mais naturellement c'est là le genre de chose qu'on ne comprend pas dans un endroit comme celui-là." Le supérieur s'est borné à me répondre : "J'ai pensé que je ne pouvais lui apporter d'autre aide que mes prières." C'était un très saint homme, et qui savait reconnaître la sainteté chez les autres.

— La sainteté ?

— Mais oui, Charles, parfaitement ; c'est cela qu'il faut savoir comprendre chez Sebastian.

« Toujours est-il qu'en fin de compte, un beau jour, ils l'ont trouvé qui gisait devant la porte principale, sans connaissance. Il était venu à pied – d'habitude il prenait le car –, s'était écroulé là, et y était demeuré toute la nuit. Ils ont commencé par croire qu'il était purement et simplement ivre, une fois de plus ; puis ils se sont rendu compte qu'il était très malade ; alors ils l'ont mis à l'infirmerie et il n'en est pas sorti depuis.

« Je suis restée une quinzaine près de lui, jusqu'à ce que la phase aiguë du mal fût passée. Il faisait vraiment peine à voir, sans âge, presque chauve, avec une barbe hirsute, mais il n'avait rien perdu de la douceur de ses manières. Les Pères lui avaient donné une chambre pour lui seul ; à peine plus qu'une cellule de moine : un lit, un crucifix, des murs blancs et nus. Tout d'abord, il ne put pas parler beaucoup, et ne manifesta pas la moindre surprise de me voir ; ensuite il fut surpris et refusa de parler, jusqu'à la veille de mon départ où il se décida à me raconter tout ce qui lui était arrivé. Cela concernait essentiellement son ami Kurt, l'Allemand. Vous avez connu l'individu, je ne vous apprendrai donc rien. Il a l'air effroyable ; mais, tant que Sebastian a dû s'occuper de lui, il y a puisé un véritable bonheur. Il m'a raconté qu'il avait pratiquement cessé de boire à un moment donné, alors qu'ils vivaient ensemble. Kurt était malade ; il avait une blessure qui ne se refermait pas. Sebastian l'a soigné jusqu'à ce qu'il fût guéri. Puis, Kurt rétabli, ils sont partis pour la Grèce. Vous savez comme sont les Allemands : on dirait parfois qu'ils se civilisent au contact d'une culture classique. C'est ce qui s'est passé avec Kurt, apparemment. Sebastian affirme qu'il s'est tout à fait humanisé à Athènes. Puis il s'est fait fourrer en prison ; je n'ai pas très bien compris pourquoi ; il semble que ce n'ait pas été sa faute à proprement parler, une rixe avec un fonctionnaire. Une fois en prison, les autorités allemandes se sont mis à s'occuper de lui. C'était à l'époque où l'Allemagne ramassait ses nationaux dans toutes les parties du monde pour en fabriquer des nazis. Kurt n'avait pas du tout envie de quitter la Grèce ; mais les Grecs ne voulaient pas de lui et on l'expédia, en colonne par quatre avec une bande d'autres durs, directement de la prison à bord d'un bateau allemand qui le ramena dans son pays.

« Sebastian le suivit peu après. Il mit un an à retrouver sa trace. À la fin il le dénicha en uniforme de S A dans une petite ville de province. Kurt commença par refuser de rien savoir ; il avait la bouche pleine du jargon officiel : la renaissance de la patrie, le pays avant tout, l'accomplissement du destin individuel par le destin de la race. Mais dans son cas cela ne dépassait guère l'épaisseur de l'épiderme. Six années passées avec Sebastian l'avaient infiniment plus marqué qu'une année de Hitler ; finalement il lâcha le paquet, reconnut qu'il détestait l'Allemagne et qu'il avait envie d'en sortir. Impossible de savoir dans quelle mesure il ne répondait pas simplement à l'appel d'une vie plus facile, à la tentation de vivre aux crochets de Sebastian, de se baigner dans la Méditerranée, de traînasser aux terrasses des cafés et de se faire cirer les bottes. Sebastian prétend qu'il y avait quelque chose de plus et que Kurt avait vraiment commencé à se développer à Athènes. Peut-être a-t-il raison. Toujours est-il que son jeune Allemand essaya de sortir de son pays. La tentative échoua. Quoi qu'il fît, ses initiatives finissaient toujours par mal tourner, affirme Sebastian. La police l'arrêta et on le mit dans un camp de concentration. Sebastian se trouva dans l'impossibilité de l'approcher ou d'avoir de ses nouvelles ; dans l'impossibilité même de savoir dans quel camp il était. Il traîna plus d'un an en Allemagne, se reprit à boire jusqu'au jour où, noir à souhait, il tomba sur un type qui sortait précisément du camp où avait été Kurt et apprit de lui que son ami s'était pendu dans sa baraque, la première semaine de son internement.

« C'en fut fini de l'Europe pour Sebastian. Il retourna au Maroc où il avait connu le bonheur, et de ville en ville remonta peu à peu jusqu'à la côte. Là, un jour où il était sobre – il s'enivre par accès maintenant –, il conçut l'idée de se réfugier chez les sauvages. Et voilà.

« Je ne lui ai pas suggéré de rentrer. Je savais qu'il refuserait et qu'il était encore trop faible pour supporter une discussion à ce propos. Il avait l'air très heureux quand je l'ai quitté. Jamais il ne sera à même d'aller dans la brousse, bien entendu, ou même d'entrer dans les ordres, mais le père supérieur est décidé à le prendre en charge. Ils ont eu l'idée de faire de lui une espèce de sous-portier ; il y a toujours, d'habitude, dans une maison religieuse des types qui s'accrochent à la communauté, vous savez ; le genre de gens qui n'arrivent jamais à s'adapter tout à fait ni au siècle ni à la règle monastique. Je suppose que j'appartiens moi-même à cette race. Seulement, comme j'ai la chance de ne pas boire, on peut m'utiliser, moi.

Nous avions atteint le point tournant de notre promenade : le pont de pierre, au pied du dernier et du plus petit des lacs, sous lequel les eaux s'enflaient et croulaient en cataracte dans la rivière en contrebas ; au-delà, le chemin remontait vers la maison. Nous fîmes halte, accoudés au parapet, les yeux perdus dans l'eau sombre.

— J'ai eu autrefois une gouvernante qui s'est jetée du haut de ce pont et s'est noyée.

— Oui, je le sais.

— Comment pouvez-vous le savoir ?

— C'est la première chose que j'aie jamais entendu à votre propos, avant même d'avoir fait votre connaissance.

— Comme c'est étrange...

— Avez-vous raconté à Julia ce que vous m'avez dit de Sebastian ?

— En substance, oui ; mais pas en totalité ; non, pas tout ce que je vous ai dit : elle n'a jamais eu pour lui l'affection que nous avons, vous savez !

« Que nous avons. » Ces mots prenaient pour moi la valeur d'un reproche : le verbe aimer ne se conjuguait jamais au passé dans la bouche de Cordélia.

— Pauvre Sebastian ! dis-je. Quelle pitié ! Comment cela finira-t-il pour lui ?

— Je ne crois pas me tromper, Charles, en vous le prédisant. J'en ai connu d'autres comme lui, et je crois que les êtres de cette espèce sont aussi proches de

Dieu qu'ils Lui sont chers. Il continuera de vivre sans appartenir tout à fait, sans être totalement étranger non plus à la communauté ; il deviendra l'une des silhouettes familières du couvent ; on le verra vaquer à ses petites occupations dans l'enceinte du monastère, avec son balai et son trousseau de clés. Les pères les plus âgés auront un faible pour lui ; il sera un objet de sourire chez les novices. Tout le monde saura qu'il lui arrive de boire ; deux ou trois jours par mois peut-être, il disparaîtra et tout le monde hochera la tête en souriant et dira, chacun à sa façon : « Voilà le vieux Sebastian qui est encore en goguette », et puis on le verra revenir, échevelé et piteux, et pendant un jour ou deux on ne trouvera pas plus dévot à la chapelle. Il est plus que probable qu'il aura dans le jardin ses cachettes, où il gardera une bouteille pour boire un coup de temps à autre, en douce. On se servira de lui comme de guide, chaque fois qu'on aura la visite d'un touriste anglais ; et il charmera si bien les visiteurs qu'avant de partir ils demanderont à qui ils ont eu affaire ; peut-être leur donnera-t-on à entendre qu'il a de très hautes relations dans son pays. S'il vit assez longtemps, des générations de missionnaires, au fond de toute sorte de pays lointains, se souviendront de lui comme d'un étrange vieux bonhomme, qui, sans qu'ils sachent pourquoi, faisait partie du grand espoir qu'éveillaient en eux leurs jours d'étude, et ils ne l'oublieront pas en disant leur messe. Lui, verra sa dévotion croître en douce et inoffensive excentricité, multiplier les adorations intenses qui lui seront *très* particulières ; on le trouvera à la chapelle aux heures où il n'y aura personne, jamais quand il le faudra. Et puis un beau matin, après un de ses accès, on le ramassera à l'entrée du monastère, mourant, et seul un bref clignement de sa paupière les avertira qu'il est encore conscient, lorsqu'ils lui administreront les derniers sacrements. Ça n'est pas une façon si mauvaise d'aller au bout de sa vie.

Je songeais au jeune homme plein de joie, avec son ours en peluche, sous les châtaigniers en fleur.

— Cela n'a rien de commun avec ce que l'on aurait pu penser qu'il adviendrait de lui, dis-je. Et il ne souffre probablement pas ?

— Oh si ; du moins je le crois. On ne peut se faire une idée de la souffrance que doit représenter pour lui le fait de se sentir diminué à ce point, ni dignité ni force de volonté. Personne ne saurait atteindre à la sainteté sans la souffrance. Chez lui, la chose a pris cette forme… J'ai vu tant de souffrances durant ces quelques dernières années ; et le proche avenir nous en réserve tant d'autres. C'est là que se tiennent les sources de l'amour… Et puis, par condescendance pour mon paganisme, elle ajouta : « Le monastère est magnifiquement situé, vous savez, au bord de la mer, un cloître tout blanc, un beffroi, un potager tout vert et bien aligné, avec un moine qui l'arrose quand le soleil descend. »

Je ris.

— Vous saviez que je ne comprendrais pas ?

— Vous et Julia… dit-elle. Puis, comme nous nous mettions en route pour rentrer : « Lorsque vous m'avez revue, hier soir, vous êtes-vous dit : "Pauvre Cordélia, penser que c'était une enfant pleine de promesses et qu'elle a tourné à la vieille fille, pieuse et laide, qui ne songe qu'à ses bonnes œuvres ! Vous êtes-vous dit : 'C'est une refoulée' ?" »

Ce n'était pas le moment de tergiverser.

— Oui, répondis-je, c'était vrai hier, ce ne l'est plus aujourd'hui, plus autant, en tout cas.

— C'est drôle, dit-elle, c'est exactement le mot auquel j'ai pensé moi-même en ce qui vous concerne, vous et Julia. Quand nous étions dans la nursery avec Nounou. « Passion refoulée », me suis-je dit.

Elle parlait avec cette inflexion à peine perceptible de douce raillerie qu'elle tenait de sa mère ; mais plus tard, dans la soirée, ses paroles me revinrent de façon poignante.

Julia portait la longue robe chinoise à broderies qu'elle aimait à revêtir, lorsque nous dînions seuls à Brideshead ; c'était une robe dont le poids et les plis roides soulignaient le repos de son corps ; son cou jaillissait exquisement du cercle d'or très simple qui cernait sa gorge ; ses mains gisaient, calmes, sur ses genoux, parmi les dragons dorés. Ainsi vêtue, j'avais éprouvé une joie immense à la voir au cours d'innombrables soirées ; et ce soir-là, l'observant, assise entre la lueur de l'âtre et la douce lumière de la lampe, incapable de détacher mes yeux de sa beauté, je me dis soudain : « Quand donc l'ai-je déjà vue ainsi ? Pourquoi faut-il que je me souvienne d'un autre instant de ma vision ? » Et il me revint à l'esprit que c'était l'attitude dans laquelle je l'avais surprise à bord du paquebot, avant la tempête ; c'était le même air, et je me rendis compte qu'elle avait retrouvé ce que j'avais cru disparu d'elle depuis toujours, cette tristesse magique qui m'avait attiré vers elle, cet air accablé qui semblait dire : « Voyons, il est impossible que je n'aie pas été faite pour un autre destin que celui-ci. »

Cette nuit-là, je m'éveillai dans le noir et demeurai longtemps à tourner et à retourner dans ma tête ma conversation avec Cordélia ; comment j'avais pu dire : « Vous saviez que je ne comprendrais pas » ; comment, souvent me semblait-il, je m'étais arrêté court et j'avais renâclé, tel un cheval lancé en plein galop qui refuse l'obstacle, reculant sous les éperons, trop ombrageux même pour accepter de flairer la banquette et de la regarder.

Une autre image m'assaillait : celle d'une hutte arctique et d'un trappeur, seul avec ses fourrures, sa lampe à huile et son feu de bois ; les restes d'un repas sur la table, quelques bouquins, une paire de skis dans un coin ; sécheresse, propreté, chaleur au-dedans ; et dehors, la dernière tempête de neige de l'hiver fait rage, la neige s'amoncelle contre la porte. Un poids énorme s'accumule dans le plus grand silence contre la paroi de bois ; le verrou ploie dans son alvéole ; minute après minute, dans les ténèbres extérieures, la masse blanche ira scellant la porte, jusqu'au jour où bientôt, quand le vent tombera, quand le soleil se montrera sur les pentes glacées et que le dégel viendra, un bloc se mettra à bouger, à glisser, à rouler, de très haut, à se frayer un chemin, à prendre de la vitesse, tant que la pente entière semblera s'effondrer et crouler, et que la petite cahute pleine de lumière s'ouvrira sous la violence du choc, volera en éclats infimes de bois pour disparaître, balayée par l'avalanche, dans le précipice.

5.

Mon divorce, ou mieux, celui de ma femme, devait être entendu à peu près au moment du mariage de Brideshead. Celui de Julia ne serait pas évoqué avant le trimestre suivant ; cependant le jeu des Quatre coins battait son plein — mes affaires passant de la Vieille cure à mon appartement ; celles de ma femme, de mon appartement à la Vieille cure ; cependant que Julia transportait les siennes chez moi, de chez Rex et de Brideshead ; que Rex déménageait de Brideshead à sa résidence, et Mme Muspratt, de Falmouth à Brideshead – et nous étions tous, à des degrés divers, plus ou moins sans logis, quand Lord Marchmain, avec ce goût pour l'inopportun et le dramatique qui était évidemment l'archétype de son fils aîné, mit le holà à tout ce mouvement, en proclamant son intention, par suite de la situation internationale, de rentrer en Angleterre et de venir passer la fin de ses jours dans son ancienne résidence.

Le seul membre de la famille à qui ce changement promettait de bénéficier était Cordélia, qui s'était vue tristement abandonnée au milieu de ce tourbillon. Brideshead à vrai dire, l'avait bien priée pour la forme de se considérer comme chez elle dans sa maison aussi longtemps qu'il lui conviendrait, mais quand elle apprit que sa belle-sœur se proposait d'y installer ses enfants pour les vacances, aussitôt après le mariage, en les confiant à la charge d'une de ses sœurs et d'une amie de cette sœur, Cordélia avait décidé de déménager de son côté et parlait de s'installer seule à Londres. Et voici que maintenant, telle Cendrillon, elle se trouvait châtelaine tandis que son frère et sa belle-sœur, qui jusqu'alors avaient espéré qu'une simple question de jours les séparait encore de la propriété exclusive et totale du domaine, se trouvaient brusquement sans abri ; les actes translatifs de propriété, dûment rédigés et prêts pour la signature, furent roulés, ficelés, et rangés dans l'une des boîtes d'étain noir du cabinet de l'avoué. Mme Muspratt en conçut une certaine amertume. Ce n'était pas une ambitieuse ; elle se serait contentée de bon cœur d'une résidence infiniment moins grandiose que Brideshead ; mais elle aspirait assurément à trouver un toit hospitalier pour recevoir ses enfants à l'occasion de la Noël. Sa maison de Falmouth était vide et déjà mise en vente ; en outre, Mme Muspratt avait déjà pris congé du voisinage non sans vanter à juste titre sa nouvelle installation ; il lui était donc difficile de revenir en arrière. Elle se vit contrainte de déménager d'urgence ses meubles, de la chambre de Lady Marchmain dans un vieux hangar désaffecté, et de louer une maison meublée à Torquay. Ainsi que je l'ai dit, ses ambitions étaient loin d'être vastes ; mais, après avoir vu tous ses espoirs prendre un tel essor, elle se retrouva fort déconcertée lorsqu'il lui fallut en rabattre aussi brusquement. Dans le village, l'équipe d'ouvriers qui avait préparé les décorations pour la réception de la mariée, dut se mettre à découdre les B qui ornaient les calicots et les drapeaux, pour leur substituer des M, et à effacer les couronnes comtales pour imprimer à leur place les boules et les feuilles de fraisier, en prévision du retour de Lord Marchmain.

Les renseignements concernant les intentions de ce dernier parvinrent d'abord aux avoués, puis à Cordélia, ensuite à Julia et à moi, sous la forme d'une succession

rapide de télégrammes contradictoires. Lord Marchmain arriverait à temps pour le mariage ; il arriverait
après le mariage, ayant au préalable vu Lord et Lady
Brideshead à Paris où ils devaient passer ; il les verrait à
Rome ; sa santé lui interdisait de voyager ; il était sur
son départ ; il avait gardé un mauvais souvenir de
l'hiver à Brideshead et ne viendrait pas avant que le
printemps fût déjà très avancé et le chauffage entièrement révisé ; il arrivait seul ; il amenait avec lui toute sa
domesticité italienne ; il désirait que son retour se fît
incognito et entendait mener une vie de complète
réclusion ; il donnerait un bal. En fin de compte on
choisit une date en janvier qui se révéla être la bonne.

Plender le précéda de quelques jours ; ce qui posa
un problème. Plender, originellement, n'appartenait
pas à la domesticité de Brideshead. Il avait servi de
valet d'armes à Lord Marchmain et ne s'était trouvé
qu'une seule fois face à face avec Wilcox, à l'occasion,
particulièrement pénible, du déménagement des effets
de son maître, quand ce dernier avait décidé de ne pas
rentrer après la guerre ; après quoi Plender était
devenu valet de chambre, et sans doute était-ce là
encore son titre officiel, mais au cours des dernières
années il avait fait engager, pour lui servir de vicaire en
quelque sorte, un serviteur suisse destiné à s'occuper
de la garde-robe comme à prêter la main, si besoin
était, à des tâches de vulgaire entretien ; en sorte que
Plender était devenu en réalité le majordome de cette

domesticité fluide et mobile ; parfois même il lui arrivait au téléphone de référer à sa personne comme à celle du « secrétaire ». Il y avait un bon hectare de glace mince et brisante entre Wilcox et lui.

Par bonheur ces deux hommes se plurent l'un à l'autre et le problème se trouva résolu après une série de discussions en triangle avec Cordélia. Plender et Wilcox furent nommés covalets de chambre, à préséances égales, tout comme les Cavaliers bleus et les Gardes du corps du roi, Plender ayant pour province particulière les appartements privés de Milord, tandis que la zone d'influence de Wilcox s'étendait aux appartements publics ; le doyen des valets de pied reçut l'habit et fut promu maître d'hôtel ; le Suisse, qui n'avait pas d'attributions bien définies, devait jouir à son arrivée du statut complet du valet ; une augmentation générale des gages devait consacrer les dignités nouvelles. Bref tout le monde fut content.

Julia et moi, qui avions quitté Brideshead un mois auparavant, pensant ne pas y revenir, nous nous transportâmes de nouveau dans cette résidence en prévision de la réception. Le jour venu, Cordélia se rendit à la gare et nous demeurâmes pour recevoir le marquis à la maison. C'était une journée sinistre et orageuse. Les petites chaumières des métayers et les loges étaient décorées. On décommanda le feu de joie pour le soir, ainsi que le concert que devait donner l'orphéon du village sur la terrasse ; mais la bannière des Marchmain qui n'avait pas flotté depuis vingt-cinq ans, fut hissée sur la demeure et claqua sèchement sous le ciel de plomb. Si brutales et rauques que fussent les voix qui vociféraient dans les microphones de l'Europe centrale, si grand que fût le tintamarre des machines dans les usines d'armement, le retour de Lord Marchmain primait tout sur son domaine.

On l'attendait à trois heures. Julia et moi, nous restâmes dans le salon jusqu'au moment où Wilcox, qui s'était arrangé avec le chef de gare pour être exactement informé, annonça : « Le train est signalé », et une minute plus tard : « Le train est entré en gare ; Milord est en route pour le château. » Nous sortîmes alors sous le portique du devant, où nous attendîmes, entourés de la haute domesticité. Bientôt la Rolls apparut au tournant de la grande allée, suivie à quelque distance des deux fourgons. Elle s'arrêta ; Cordélia en sortit la première, suivie de Cara ; il y eut une pause ; on tendit une couverture au chauffeur, une canne au valet de pied ; puis, avec d'infinies précautions, une jambe sortit. Plender était déjà à la portière ; un autre domestique – le valet suisse – émergeait d'un des fourgons ; à eux deux ils aidèrent Lord Marchmain à sortir et à se mettre d'aplomb sur ses pieds ; de la main il chercha sa canne, l'empoigna et s'arrêta un instant pour rassembler ses forces avant de s'engager sur les quelques marches basses qui menaient à la grand-porte.

Julia poussa un petit soupir de surprise et me toucha la main. Nous l'avions vu neuf mois auparavant à Monte-Carlo ; c'était alors une haute, droite et noble silhouette, à peine changée depuis la première visite que j'avais faite à Venise. Aujourd'hui c'était un vieillard. Plender nous avait dit que son maître n'était pas bien portant depuis quelque temps ; il ne nous avait pas préparés à ce spectacle.

Lord Marchmain se tenait devant nous, voûté, ratatiné, courbant sous le faix de sa houppelande, un cache-nez blanc voletant de façon très négligée autour du cou, une casquette de drap tirée très bas sur le front, le visage blanc et couvert de rides, le nez rougi par le froid ; les larmes que l'on voyait grossir dans ses yeux et s'amonceler ne venaient pas de l'émotion, mais du vent d'est ; il respirait péniblement. Cara rentra le bout de cache-nez qui flottait et lui murmura quelque chose à l'oreille. Il leva une main gantée – un gant d'écolier en laine grise – et fit un petit geste las pour saluer le groupe rassemblé devant la porte ; puis, très lentement, les yeux fixés sur le sol à ses pieds, se dirigea vers la maison.

On lui ôta son manteau, sa casquette, son cache-nez, ainsi que l'espèce de gilet de cuir qu'il portait en dessous ; ainsi dépouillé, il eut l'air plus que jamais en ruine, mais plus élégant ; il avait quitté avec ces vêtements la pauvreté de l'extrême fatigue. Cara redressa sa cravate ; il s'essuya les yeux avec un mouchoir de soie de couleur et, s'appuyant sur sa canne, se dirigea en traînant les pieds vers le feu qui flambait dans la cheminée du hall.

Tout près de la cheminée se tenait une petite chaise héraldique, partie d'un ensemble réparti contre les murs, minuscule, inhospitalière, à siège plat, dont la seule raison était de servir d'excuse aux armoiries compliquées qu'on avait peintes sur le dossier, et sur laquelle personne, peut-être, pas même un valet de pied fourbu, ne s'était jamais assis depuis qu'elle existait ; ce fut sur elle que s'assit Lord Marchmain pour s'essuyer les yeux.

— C'est le froid, dit-il. J'avais oublié qu'il fait horriblement froid en Angleterre. M'a vraiment fichu à bas.

— Puis-je vous apporter quelque chose, Milord ?

— Non, merci. Cara, où sont ces sacrées pilules ?

— Alex, le docteur a dit : pas plus de trois par jour.

— Au diable le docteur. Je me sens mal fichu.

Cara tira de son sac un flacon bleu où Lord Marchmain prit une pilule. Quel qu'en fût le contenu il en parut ressuscité. Il demeura assis, ses longues jambes étirées devant lui, entre elles sa canne, le menton posé sur la poignée d'ivoire ; mais il commença à faire attention à nous, à nous adresser la parole, en même temps qu'à donner des ordres.

— Je crains fort de ne pas être à la hauteur aujourd'hui ; le voyage m'a éreinté. Mieux fait de passer la nuit à Douvres. Wilcox, quelles pièces m'avez-vous préparées ?

— Les mêmes qu'autrefois, Milord.

— Feront pas l'affaire ; pas tant que je ne suis pas en forme. Trop d'escaliers ; me faut le rez-de-chaussée. Plender faites-moi dresser un lit en bas.

Plender et Wilcox échangèrent un coup d'œil anxieux.

— Très bien, Milord, quelle pièce désirez-vous ? Lord Marchmain réfléchit un instant.

— Le salon chinois ; et, Wilcox, le lit de la reine.

— Le salon chinois, Milord, le lit de la reine ?

— Oui, oui. Il est possible que j'y reste quelque temps au cours des semaines qui viennent.

Le salon chinois était une des pièces dont il ne m'était jamais apparu que l'on se servît ; en fait, normalement, on ne pouvait guère y pénétrer au-delà d'une petite surface tendue de cordes, près des portes, où s'entassaient les touristes, les jours où la maison était ouverte au public ; c'était un véritable musée, splendide et inhabitable, de pièces sculptées de style chippendale, de porcelaines, de laques et de tapisseries peintes ; le lit de la reine était lui aussi une pièce de musée, vaste tente en velours analogue au baldaquin de Saint-Pierre. Lord Marchmain, me demandai-je, s'était-il choisi ce lit de parade et d'apparat, avant même de quitter le ciel ensoleillé de l'Italie ? Y avait-il songé sous la pluie et le vent de son voyage interminable et inquiet ; ou bien l'idée lui était-elle venue dans l'instant, tel un souvenir de son enfance subitement réveillé, tel un rêve de nursery – « Quand je serai grand, je coucherai dans le lit de la reine, dans le salon chinois » –, telle l'apothéose de sa grandeur adulte ?

Peu de choses certainement auraient causé plus grand émoi dans la maison. Ce que l'on avait prévu comme une journée de solennité officielle se transforma en journée de frénétique épuisement ; les servantes se précipitèrent pour faire du feu, débarrasser les meubles de leurs housses, déplier le linge ; des hommes en tablier, qu'on n'aurait jamais vus en temps normal, se mirent à déplacer le mobilier ; les charpentiers du domaine, rassemblés en hâte, vinrent démonter le lit. On le vit descendre par le grand escalier, en pièces détachées, par intervalles durant l'après-midi ; énormes sections de corniche rococo, tendue de velours ; torsades d'or et de velours qui servaient de colonnes ; poutres de bois brut, faites pour demeurer cachées et qui assumaient sous les draperies d'invisibles fonctions structurelles ; cimiers de plumes peintes, qui jaillissaient d'œufs d'autruches montés sur or, et couronnaient le faîte du baldaquin ; et, pour finir, les matelas, portés chacun par quatre hommes soufflant et suant. Lord Marchmain parut puiser un certain réconfort aux conséquences de son caprice ; il demeura assis près de l'âtre, à contempler la hâte générale, tandis que nous restions debout, en demi-cercle autour de lui – Cara, Cordélia, Julia et moi – à lui parler.

La couleur revint sur ses joues, l'éclat dans son regard.

— Brideshead et sa femme ont dîné avec moi à Rome, dit-il. Puisque nous sommes tous membres d'une même famille – et son regard alla ironiquement de Cara à moi –, je peux parler sans contrainte. J'ai trouvé cette femme déplorable. À ce que j'ai compris, son premier consort était un marin au long cours et, je présume, d'autant moins exigeant ; mais l'idée que mon fils, à trente-huit ans, en pleine maturité, avec devant lui, à moins que les choses aient terriblement changé, un très large choix d'épouses en puissance, ait pu jeter son dévolu sur – j'imagine que je ne puis faire autrement que de l'appeler ainsi – *Béryl*... Il donna le maximum de signification et d'éloquence à sa phrase en ne l'achevant pas.

Comme il ne montrait nulle intention de changer de place, nous ne tardâmes pas à tirer à nous des chaises – toujours les mêmes petites chaises héraldiques, car les autres sièges du hall étaient des monuments – et à prendre place autour de lui.

— Je ne pense pas que je retrouve ma forme avant l'été, dit-il ; je compte sur vous quatre pour me distraire.

Il ne semblait pas que nous pussions faire grand-chose sur l'heure pour éclairer son humeur plutôt sombre ; à vrai dire, c'était lui le plus gai de nous tous. « Racontez-moi, dit-il, comment Brideshead s'y est pris pour faire sa cour. »

Chacun de nous lui raconta ce qu'il en savait.

— Boîtes d'allumettes, reprit-il. Boîtes d'allumettes. Je pense qu'elle a passé l'âge d'avoir des enfants.

On servit le thé dans le hall, au coin du feu.

— En Italie, dit-il, personne ne croit à la guerre. Ils pensent que « tout » s'arrangera. Je suppose, Julia, que vous n'avez plus de sources d'informations politiques ? Heureusement, notre Cara est sujette britannique par le mariage. Ce n'est pas le genre de choses dont elle se vante, à l'habitude mais cela peut être utile. Elle s'appelle légalement Mme Hicks, n'est-il pas vrai, ma chère ? Nous ne savons que fort peu de choses de Hicks ; mais nous ne lui en serons pas moins très reconnaissants, le cas échéant, s'il vient à surgir une guerre. Quant à vous, continua-t-il, tournant contre moi le poids de son attaque, vous finirez sans aucun doute dans la peau d'un artiste officiel ?

— Non. À vrai dire je prends mes dispositions en ce moment pour obtenir une commission d'officier de réserve.

— Erreur. C'est artiste qu'il vous faut être. J'en avais un dans mon escadron durant la dernière guerre ;

il y resta des semaines – jusqu'au jour où nous sommes montés en ligne.

Cette humeur irascible était chose nouvelle chez lui. J'avais toujours eu conscience d'une certaine malveillance latente sous son extrême politesse ; à présent, elle saillait, de même que son squelette aigu sous l'affaissement des chairs et de la peau.

Il faisait nuit quand on eut terminé l'installation du lit ; nous allâmes tous le voir ; Lord Marchmain se déplaçait maintenant d'un pas vif à travers les pièces.

— Je vous félicite. Vraiment cela a très belle allure. Wilcox, il me semble que je me rappelle une cuvette et une aiguière en argent – je crois qu'elles se tenaient dans une pièce que nous appelions « le cabinet de toilette du cardinal », autant que je me souvienne –, que diriez-vous si nous les installions sur cette console ? Ensuite, si vous voulez bien m'envoyer Plander et Gaston, les bagages attendront jusqu'à demain – que l'on défasse simplement la malle à habits et qu'on prenne ce dont j'aurai besoin pour la nuit. Plender est au courant. Si vous voulez bien me laisser avec Plender et Gaston, je vais me mettre au lit. Nous nous reverrons un peu plus tard ; vous dînerez ici et viendrez me distraire.

Nous allions sortir ; j'étais déjà devant la porte quand il me rappela.

— N'est-ce pas que cela a bonne allure ?

— Excellente !

— Cela ferait un beau tableau. Vous pourriez le peindre, hein – et appeler ça : *À l'article de la mort* ?

— Oui, dit Cara, il a voulu revenir ici pour y mourir.

— Mais, à son arrivée, il parlait avec tant de confiance de l'amélioration prochaine de sa santé ?

— Parce qu'il se sentait très mal. Lorsqu'il est maître de lui, il sait qu'il est à l'article de la mort et accepte le sort. Son mal est fait de hauts et de bas ; un jour, parfois plusieurs jours d'affilée, on le voit retrouver sa vigueur et sa vivacité ; il s'apprête alors à la mort ; et puis tout s'effondre et la peur le prend. Je ne sais comment se présenteront les choses, au fur et à mesure qu'il ira s'affaiblissant. La maladie suit un cours inéluctable. À Rome, les docteurs lui donnaient moins d'un an à vivre. Quelqu'un doit venir de Londres demain, je crois, qui nous en dira plus long.

— De quel mal souffre-t-il ?

— Le cœur. Un mot qui n'en finit plus et qui lui reste en travers de la gorge. Un mot interminable, qui est en train de le ronger à mort.

Ce soir-là, Lord Marchmain fut de très bonne humeur. La chambre avait pris une allure à la Hogarth : la table mise pour nous quatre, tout près de la grotesque cheminée chinoise ; ce vieillard adossé à une pile d'oreillers et qui, buvant à petits coups son champagne, goûtait et louait, sans y toucher vraiment, les plats que l'on avait préparés pour son retour et qui défilaient en longue procession… Wilcox avait sorti pour la circonstance la vaisselle d'or, que je n'avais jamais vu utiliser jusqu'alors ; joint aux dorures des glaces, aux laques et aux draperies du grand lit, ainsi qu'à la robe de mandarin de Julia, ce déploiement achevait de donner à la scène un air de pantomime, de caverne d'Ali-Baba.

Juste à la fin, quand vint pour nous le moment de nous retirer, sa bonne humeur tomba.

— Je ne dormirai pas, dit-il. Qui va rester à mon chevet ? Cara, *carissima*, vous n'en pouvez plus. Cordélia, voulez-vous veiller une heure encore dans ce Gethsémani ?

Le lendemain matin, je demandai à Cordélia comment s'était passée la nuit.

— Il s'est endormi presque aussitôt. Je suis venue jeter un coup d'œil dans sa chambre, sur le coup de deux heures du matin, pour arranger le feu. Les lumières étaient allumées, mais il s'était rendormi. Il avait dû s'éveiller et allumer la lampe ; il lui avait fallu se lever pour y arriver. Je me demande s'il n'a pas peur de l'obscurité.

Il était naturel, étant donné son expérience des hôpitaux, que Cordélia prît soin de son père. Quand les médecins vinrent en visite ce jour-là, ce fut à elle qu'ils donnèrent instinctivement leurs instructions.

— Tant que son état n'empire pas, dit-elle, je suffis avec le valet pour m'occuper de lui. Il est inutile d'introduire des infirmières dans la maison, tant qu'on peut se passer d'elles.

À ce stade de la maladie, les recommandations des médecins se bornèrent à spécifier qu'on assurât le bien-être du patient, qu'on lui administrât certaines drogues chaque fois qu'une crise le prenait.

— Combien de temps lui donnez-vous à vivre ?

— Lady Cordélia, il est des hommes qui vont et viennent et portent gaillardement leur âge, quand la Faculté leur avait accordé une semaine de vie. La pratique médicale m'a enseigné une chose : ne jamais jouer les prophètes.

Ces deux hommes avaient fait spécialement un long déplacement ; et c'était tout ce qu'ils trouvaient à lui dire ; le médecin local assistait à l'entretien : ils lui répétèrent la même chose en termes techniques.

Ce soir-là, Lord Marchmain nous reparla de sa bru ; il n'avait d'ailleurs jamais perdu de vue ce sujet, y revenant sans cesse, tout au long de la journée, sous formes d'allusions multiples et indirectes. Mais dans cet instant, reposant sur sa pile d'oreillers, il se mit à nous en entretenir longuement.

— Je n'ai jamais montré de piété particulière, en matière d'esprit de famille, jusqu'ici, dit-il, mais je suis franchement horrifié à l'idée de voir Béryl prendre dans cette maison la place qui fut celle de ma mère. Pourquoi faudrait-il que ce couple insolite vînt planter ici ses pénates quand il n'y a pas le moindre espoir de le voir donner le jour à un héritier, et quand il ne resterait à cette demeure qu'à s'effriter autour de lui ? Je n'ai nulle intention de vous dissimuler que je n'aime pas Béryl.

« Peut-être est-ce une malchance que nous ayons fait connaissance à Rome. N'importe quel autre endroit aurait pu être plus sympathique. Et pourtant, quand on vient à considérer la chose de près, je me demande où j'aurais pu la rencontrer sans répugnance ? Nous avons dîné au Ranieri ; c'est un petit restaurant tranquille que j'ai fréquenté durant des années ; je suis sûr que vous le connaissez. Béryl le remplissait à elle seule. C'était moi, naturellement, qui invitais ; mais à entendre Béryl pousser mon fils à dévorer, on aurait pu penser le contraire. Brideshead enfant était déjà gourmand et n'a jamais cessé de l'être ; une femme qui prend à cœur ses intérêts, devrait chercher à le modérer. Quoi qu'il en soit, c'est là une question de moindre importance.

« On lui avait sans nul doute parlé de moi, comme de quelqu'un qui menait une vie irrégulière. Le seul mot que je trouve pour décrire sa façon d'être à mon égard, c'est celui de friponne. Une espèce de vieux lascar, voilà ce que j'étais pour elle. J'imagine qu'elle a dû rencontrer dans sa vie pas mal d'amiraux vieillis, encore gaillards, et qu'elle savait comment les prendre ; un vieil habitué des coulisses d'opéra, un vieux drôle… J'aurais bien du mal à vous donner une idée de sa conversation. En voici pourtant un exemple.

« Ils avaient été reçus en audience au Vatican le matin même ; pour y faire bénir leur union – je n'ai pas suivi très attentivement –, quelque chose de ce genre s'était déjà passé auparavant, d'après ce que j'ai compris, avec un précédent mari, sous un précédent pontificat. Elle me décrivit, avec assez de vivacité, comment, en cette première occasion, elle s'était rendue au Vatican en compagnie de toute une armée de couples nouvellement mariés, pour la plupart italiens de tous rangs, certaines des filles les plus simples portant encore leur robe de noce, et comment ces gens passaient le temps à s'apprécier du regard les uns les autres, les nouveaux maris détaillant les nouvelles épousées et comparant la leur à celles des autres, etc. Puis elle ajouta : "Cette fois, bien entendu, c'était une audience privée ; mais savez-vous, Lord Marchmain, que j'ai eu l'impression que c'était moi qui conduisais la mariée ?" Elle prononça ces mots avec un manque de tact remarquable. Je n'ai pu encore mesurer le fond exact de ses paroles. A-t-elle voulu jouer sur le nom de mon fils ou bien, à votre avis, était-ce une allusion à l'incontestable virginité de ce dernier ? Personnellement, je penche vers la seconde hypothèse. Toujours est-il que ce fut à des plaisanteries de ce goût que se passa la soirée.

« Je n'ai pas le sentiment qu'elle puisse se trouver ici dans son élément, qu'en pensez-vous ? À qui faut-il que je laisse le domaine ? Le majorat prend fin avec moi, vous savez. Sebastian, hélas ! est hors de question. Qui en veut ? *Qui ?* Vous, Cara ? Non, bien sûr. Cordélia ? Je crois que j'en ferai don à Julia et à Charles.

— C'est impossible, papa, le domaine revient à Bridey.

— Et à... Béryl ? Je vais faire venir Gregson, un de ces jours prochains, pour étudier cette affaire avec lui. Il est grand temps que je mette à jour mon testament ; il est plein d'anomalies et d'anachronismes... L'idée d'installer Julia ici me plaît assez ; si belle ce soir, ma chère ; toujours si belle ; tellement plus seyante, ici.

Peu de temps après, il fit quérir à Londres son avoué ; mais, le jour où celui-ci se présenta, Lord Marchmain souffrait d'une crise et refusa de le voir. « J'ai bien le temps, dit-il entre deux halètements douloureux, bien le temps, un autre jour, où je serai mieux », mais le choix de son héritier le hantait, et il ne cessait de parler du moment où Julia et moi, nous serions mariés et en possession de tous nos droits.

— Croyez-vous qu'il ait vraiment l'intention de nous laisser le domaine ? demandai-je à Julia.

— Oui, vraiment.

— Mais c'est horrible pour Bridey.

— Vous trouvez ? Je n'ai pas l'impression qu'il aime tant que cela cette demeure. Tandis que moi, vous savez... Béryl et lui seraient infiniment plus heureux d'habiter n'importe quelle petite maison, dans n'importe quel petit coin.

— Vous avez donc l'intention d'accepter ?

— Bien sûr. Il appartient à papa de désigner son héritier. Je pense que nous pourrions filer ici le parfait bonheur, tous deux, vous ne croyez pas ?

C'était une perspective qui s'ouvrait ; celle-là même que l'on découvrait au tournant de l'avenue ; que j'avais vue s'ouvrir devant moi, une première fois, en compagnie de Sebastian : la vallée retirée, les lacs descendant en étages successifs pour se perdre dans le lointain, la vieille demeure au premier plan, le reste de l'univers déserté, oublié ; monde à part, fait de paix, d'amour et de beauté ; rêve de soldat bivouaquant en terre étrangère ; le genre de perspective que dut sans doute ouvrir jadis le spectacle d'un fronton sublime de temple, surgissant au sortir de jours et de jours de famine dans le désert et de nuits que hantaient les chacals… Puis-je me reprocher d'avoir cédé parfois à l'enchantement de cette vision ?

Les semaines de maladie passaient, et la vie de la maison suivait le rythme des forces défaillantes du malade. Il y avait des jours où Lord Marchmain s'habillait, où on le voyait debout à sa fenêtre ou se déplaçant d'âtre en âtre, appuyé sur le bras de son valet et se transportant d'une pièce à l'autre du rez-de-chaussée ; des jours où les visiteurs allaient et venaient – voisins, gens du domaine, hommes d'affaires de Londres –, où l'on ouvrait des paquets de livres neufs ; où l'on discutait des dernières lectures ; où l'on installait un piano dans le salon chinois. Une fois, à la fin de février, par une journée unique, inattendue, et de soleil éclatant, il commanda sa voiture, parvint jusqu'au hall, passa sa pelisse et poussa jusqu'à la porte d'entrée. Puis soudain il perdit tout intérêt pour la promenade, déclara : « Pas aujourd'hui. Plus tard. Un jour de cet été », reprit le bras de son valet et se fit reconduire à son fauteuil. Une autre fois l'humeur le prit de changer de chambre ; il donna des ordres détaillés pour s'installer dans le salon aux peintures ; les chinoiseries, déclara-t-il, dérangeaient son repos – il gardait toutes les lumières allumées la nuit – mais il n'eut pas le cœur d'aller jusqu'au bout de son projet, décommanda tout et demeura où il était.

D'autres jours, la maison tout entière se taisait, alors qu'il trônait, haut perché dans son lit, adossé à sa pile de coussins, respirant à grand-peine ; même ces jours-là, il voulait que nous nous tenions autour de lui ; nuit et jour la solitude lui était insupportable ; quand il ne pouvait parler, il nous suivait des yeux et son regard exprimait la détresse si l'un de nous venait à quitter la pièce ; alors Cara, qui passait souvent des heures d'affilée, étendue sur le lit à côté de lui, adossée elle aussi aux oreillers, un bras passé sous le sien, lui disait : « Ne vous tourmentez pas, Alex ; elle revient tout de suite. »

Brideshead et sa femme, de retour de leur lune de miel, vinrent passer quelques nuits ; leur visite coïncida avec une mauvaise phase de la maladie, et Lord Marchmain refusa de les avoir à ses côtés. C'était la première visite de Béryl, et il eût été vraiment extraordinaire qu'elle ne manifestât aucune curiosité à l'égard de ce qui avait failli être, et promettait de nouveau d'être, un jour prochain, son foyer. Le naturel l'emportait chez Béryl ; elle ne se gêna pas pour explorer les lieux de fond en comble durant les quelques jours qu'elle y passa. Dans l'étrange désordre suscité par la maladie de Lord Marchmain, la maison dut lui paraître susceptible d'améliorations considérables ; à une ou deux reprises, elle fit allusion à la façon dont se géraient certaines installations de dimensions analogues, propriétés d'État pour la plupart, qu'elle avait visitées. Brideshead l'emmenait rendre visite aux fermiers et métayers durant la journée, et le soir elle me parlait de peinture, elle entretenait Cordélia d'hôpitaux, ou Julia de robes, avec une assurance pleine de gaieté. Le couple était loin de se douter du complot qui se tramait dans l'ombre, comme de la précarité de ses espoirs légitimes. Je ne me sentais pas à l'aise avec eux ; mais ce n'était pas là chose nouvelle pour Brideshead ; dans le halo de timidité qui émanait de lui, et au sein duquel il se mouvait, mon sentiment de culpabilité passa inaperçu.

À la fin, il devint évident que Lord Marchmain n'avait pas l'intention de les supporter davantage. Brideshead fut introduit seul auprès de lui pour prendre congé ; l'entretien dura une minute ; puis le couple partit.

— Nous n'avons rien à faire ici, dit Brideshead, et cette atmosphère est extrêmement déprimante pour Béryl. Nous reviendrons si son état empire.

Les crises se firent plus longues et plus fréquentes ; on engagea une infirmière. « Je n'ai jamais vu une chambre pareille, déclara-t-elle, non, jamais rien de pareil nulle part ; pas le moindre confort. » Elle essaya de convaincre son patient de s'installer au premier étage, où il y avait l'eau courante, un vestiaire pour elle, un petit lit « sensé » où elle pourrait se glisser de temps à autre – ses petites aises coutumières – mais Lord Marchmain ne voulut rien savoir. Bientôt, à mesure qu'il lui devint difficile de distinguer les jours des nuits, une seconde infirmière vint s'installer ; on vit réapparaître les spécialistes de Londres ; ils recommandèrent un nouveau traitement, assez audacieux et brutal, mais le corps du malade semblait en avoir assez de toutes les drogues et ne réagissait plus. Les périodes de mieux ne tardèrent pas à disparaître ; il n'y eut plus que de brefs hauts et bas dans la ligne rapidement déclinante de sa vie.

On fit venir Brideshead. C'étaient les vacances de Pâques, et Béryl était très occupée avec ses enfants. Il vint seul et après être resté debout, en silence, pendant quelques minutes au chevet de son père, assis en silence lui aussi et le regardant, il quitta la chambre, vint nous rejoindre tous dans la bibliothèque et déclara : « Il faut que papa voie un prêtre. »

Ce n'était pas la première fois que ce sujet avait été soulevé. Dans les premiers jours du retour de Lord Marchmain, le prêtre de la paroisse – depuis que l'on avait fermé la chapelle, une nouvelle église et un pres-bytère s'étaient ouverts à Melstead – était venu faire une visite de politesse. Cordélia l'avait poliment écon-duit en le comblant de compliments et d'excuses, mais après son départ elle avait dit : « Pas encore. Papa n'a pas encore besoin de ses services. »

Julia, Cara et moi, nous étions présents ce jour-là. Nous avions chacun notre mot à dire, nous avions ouvert la bouche pour l'exprimer et puis estimé qu'il y avait mieux à faire. Par la suite la chose n'avait jamais été mentionnée entre nous quatre ; mais Julia, en tête à tête, m'avait dit : « Charles, je vois de gros ennuis en perspective du côté de la religion. »

— Ne peut-on se décider à le laisser mourir en paix ?

— Ils ont une conception si différente de ce que vous appelez la paix.

— Ce serait monstrueux. Je me demande qui aurait pu faire sentir de façon plus éclatante, toute sa vie durant, ce qu'il pensait de la religion. Et mainte-nant que son esprit vacille et qu'il n'a plus la force de résister, ces gens-là viendraient revendiquer son agonie au titre du repentir ? J'ai entretenu jusqu'ici un certain respect pour leur Église. Si jamais ils font ce genre de chose, je saurai dorénavant que tout ce que les imbéciles racontent à leur propos est absolument vrai – que tout cela n'est que superstition et momerie. Julia ne disait rien. « N'êtes-vous pas d'accord ? » Julia se taisait toujours. « N'êtes-vous pas d'accord ? »

— Je ne sais pas, Charles. Vraiment, je n'en sais rien.

Et, bien que personne d'entre nous ne la soulevât, je sentais la question perpétuellement pendante et se posant avec plus d'insistance au fur et à mesure que passaient les semaines ; je m'en rendais clairement compte en voyant Cordélia partir en voiture de bonne heure le matin pour aller à la messe ; plus clairement compte encore, quand je vis Cara se mettre à l'accompagner. Ce petit nuage de rien du tout, pas plus gros qu'une main d'homme, c'était lui qui, se gonflant et s'enflant, allait prendre les proportions d'une véritable tempête.

Brideshead, avec sa lourdeur et sa brutalité habituelles, venait de planter le problème sous notre nez.

— Oh, Bridey, croyez-vous vraiment qu'il y consentirait ? demanda Cordélia.

— J'y veillerai personnellement, rétorqua Brideshead. Je conduirai dès demain le père Mackay à son chevet.

Cependant, si les nuages continuaient à s'amonceler, l'orage n'éclata pas ; aucun de nous ne dit mot. Cara et Cordélia retournèrent dans la chambre du malade ; Brideshead chercha un livre, en trouva un, sortit.

— Julia, dis-je, est-il possible d'empêcher une telle idiotie ? Elle resta sans répondre un moment ; puis :

— Pourquoi l'empêcher ?

— Vous le savez aussi bien que moi. Il s'agit tout au plus d'un incident de la dernière inconvenance.

— Et de quel droit objecterais-je à un incident de ce genre ? me demanda-t-elle tristement. D'ailleurs quel mal peut-il en résulter ? Interrogeons le médecin.

Nous interrogeâmes le médecin qui déclara :

— C'est bien difficile à dire. Naturellement, cela pourrait l'alarmer ; d'autre part j'ai connu des cas où une démarche de cette nature avait sur le malade un effet merveilleux d'apaisement ; j'ai même connu des cas où la chose agissait comme un stimulant extraordinaire. De toute façon, c'est d'ordinaire d'un grand réconfort pour la famille. Réellement, à mon sens, c'est à Lord Brideshead de décider. Notez bien qu'il n'y a aucune raison de s'inquiéter dans l'immédiat. Lord Marchmain est très faible aujourd'hui ; il se peut que demain il ait retrouvé presque toute sa force. Estce que d'habitude on n'attend pas un peu plus longtemps ?

— Eh bien, il n'a pas été d'un grand secours, dis-je à Julia après que nous l'eûmes quitté.

— D'un grand secours ? Vraiment je n'arrive pas à voir pourquoi vous tenez tant à refuser à mon père les derniers sacrements.

— C'est un tel monceau de sorcellerie et d'hypocrisie.

— Vous trouvez ? N'empêche qu'il en va ainsi depuis près de deux mille ans. Je ne vois là rien qui puisse justifier cette rage subite de votre part. Le ton de sa voix montait ; elle avait la colère prompte depuis quelques mois. Pour l'amour du ciel, écrivez une lettre au *Times* ; montez sur une caisse et faites un discours devant Hyde Park ; prenez la tête d'une révolution aux cris de « À bas les papistes », mais ne venez pas m'ennuyer avec ces histoires. En quoi cela nous regarde-t-il, vous ou moi, que mon père reçoive la visite du prêtre de sa paroisse ?

Je connaissais ces humeurs farouches de Julia, analogues à celle qui s'était emparée d'elle au bord de la fontaine au clair de lune, et soupçonnais confusément leur origine ; je savais qu'on ne pouvait les apaiser avec des mots. Et je n'aurais d'ailleurs pas trouvé de mots, car la réponse à sa question était encore informe en moi, gisait dans un coin de mon esprit, comme la brume océane dans un repli de dune ; c'était le sentiment obscur que le destin de plus d'une âme dépendait de l'issue actuelle, que la neige commençait à glisser le long des pentes abruptes.

Brideshead et moi, nous prenions notre petit déjeuner ensemble, le lendemain matin, avec l'infirmière de nuit qui venait de quitter son service.

— Il est en bien meilleure forme aujourd'hui, nous dit-elle. Il a reposé très gentiment pendant près de trois heures. Et, quand Gaston est venu le raser, il était extrêmement bavard.

— Excellent, dit Brideshead. Cordélia est allée à la messe. Elle doit ramener avec elle le père Mackay pour le petit déjeuner.

J'avais déjà rencontré le père Mackay à plusieurs reprises. C'était un Irlandais de Glasgow, trapu, d'âge moyen, jovial qui, lorsque nous nous rencontrions, avait tendance à me poser ce genre de question : « Dites-moi, monsieur Ryder, selon vous, est-ce que le Titien n'était pas plus artiste, au sens propre du terme, que Raphaël ? » Et, de façon plus déconcertante encore, tendance à se rappeler mes réponses : « Pour en revenir, monsieur Ryder, à ce que vous avez dit la dernière fois où j'ai eu le plaisir de vous voir, n'aurait-on pas raison aujourd'hui de dire que le Titien… », le tout se terminant d'ordinaire par une réflexion de cette espèce : « Ah, quelle ressource pour un homme que d'avoir un talent comme le vôtre, monsieur Ryder, et que d'avoir le temps de s'y adonner ! » Cordélia savait l'imiter brillamment.

Ce matin-là, il dévora son petit déjeuner de grand cœur, jeta un coup d'œil sur les titres des journaux, et puis, avec une vivacité toute professionnelle : « Et maintenant, Lord Brideshead, croyez-vous que la pauvre âme soit prête à recevoir ma visite ? »

Brideshead lui montra le chemin ; Cordélia le suivit et je restai seul, face aux restes du petit déjeuner. Une minute ne s'était pas écoulée que j'entendis leurs voix à tous trois, derrière la porte.

— … Ne sais comment m'excuser.

— … Pauvre âme. Notez bien, j'en suis sûr, que c'était le fait de voir un visage étranger ; croyez-le bien, ce n'était que cela, un visage étranger et inattendu. Je comprends parfaitement.

— … Mon père, désolée… Vous avoir fait faire tout ce chemin…

— N'y pensez plus, Lady Cordélia. Songez qu'on est allé jusqu'à me jeter des bouteilles dans un petit village… Laissez-lui le temps. J'ai connu des cas pires que le sien, et ces hommes-là sont morts splendidement. Priez pour lui… Je reviendrai… Et maintenant, si vous voulez bien m'excuser, je m'en vais faire une toute petite visite à Mme Hawkins. Mais oui, bien sûr que je connais parfaitement le chemin.

Sur quoi Cordélia et Brideshead firent leur entrée.

— Si je comprends bien, la visite n'a pas été un succès.

— Non. Cordélia, serez-vous assez bonne pour reconduire en voiture le père Mackay, quand il descendra de chez Nounou ? Je m'en vais téléphoner à Béryl pour voir si elle a besoin de moi à la maison.

— C'est horrible, Bridey. Qu'allons-nous faire ?

— Nous avons fait tout ce qu'il est possible de faire pour le moment. Il quitta la pièce.

Le visage de Cordélia était grave ; elle prit dans le plat un morceau de bacon, le plongea dans le pot à moutarde et le croqua.

— Zut pour Bridey, dit-elle, je savais que ça ne marcherait pas.

— Que s'est-il passé ?

— Vous voulez le savoir ? Nous sommes entrés tous les trois de front ; Cara était en train de lire à papa le journal. Bridey a dit : « Je vous amène un visiteur, le père Mackay » ; papa a dit : « Père Mackay, je crains fort qu'on ne vous ait dérangé par suite d'un malentendu. Je ne suis pas encore *in extremis* et j'ai cessé d'être un membre pratiquant de votre Église depuis vingt-cinq ans. Brideshead, voulez-vous reconduire le père Mackay. » Alors, nous avons fait demi-tour et nous sommes sortis, pendant que j'entendais Cara qui recommençait à lire le journal ; et voilà, Charles, un point c'est tout.

J'allai porter cette nouvelle à Julia, qui était encore couchée, son petit déjeuner sur le lit, au milieu d'un monceau de journaux et d'enveloppes.

— Fini la momerie, dis-je, le sorcier est parti.

— Pauvre papa !

— C'est un joli succès pour Bridey.

Je me sentais triomphant. J'avais eu raison ; tous les autres étaient dans le faux ; la vérité l'avait emporté. La menace que je sentais suspendue à un fil au-dessus de la tête de Julia et de la mienne, depuis notre soirée au bord de la fontaine, était écartée, peut-être balayée à tout jamais ; et il y avait aussi – je peux l'avouer aujourd'hui – une autre petite victoire inexprimée, inexprimable, et fort peu honorable que je célébrais furtivement. J'étais en droit de penser que l'affaire de la matinée avait repoussé Brideshead fort loin de ses droits d'héritier légitime.

Je ne me trompais pas en cela. On fit mander aux avoués d'envoyer quelqu'un de Londres ; un ou deux jours plus tard, l'homme arriva et toute la maison sut que Lord Marchmain avait fait un nouveau testament. Mais où je me trompais, c'était en croyant que la controverse religieuse était éteinte ; l'incendie se ralluma après dîner, le dernier soir où Brideshead était encore parmi nous.

— ... Ce que papa a dit c'est : « Je ne suis pas encore *in extremis* ; et j'ai cessé d'être un membre pratiquant de l'Église depuis vingt-cinq ans. »

— Non pas de *l'Église*, mais de *votre* Église.

— Je ne vois pas de différence.

— Il y en a une considérable.

— Bridey, ce qu'il a voulu dire tombe sous le sens.

— Je présume qu'il a voulu dire exactement ce qu'il a dit. Il a voulu dire qu'il n'était pas accoutumé à recevoir régulièrement les sacrements et que, puisqu'il n'était pas à l'agonie dans l'instant, il n'avait pas l'intention de changer sa façon d'agir, *pour le moment.*

— Vous ergotez.

— Pourquoi les gens croient-ils toujours que l'on ergote quand on essaie d'être précis ? Ce qu'il voulait dire évidemment, c'est qu'il ne désirait pas voir de prêtre ce jour-là, mais qu'il était tout prêt à en recevoir un quand il serait *in extremis.*

— Quelqu'un serait-il assez bon, dis-je, pour m'expliquer la signification exacte de ces sacrements. Entendez-vous que, s'il vient à mourir seul, il ira en enfer, tandis que si le prêtre a le temps de lui administrer les saintes huiles…

— Oh, ce ne sont pas les saintes huiles, dit Cordélia, c'est l'apaisement qu'il en éprouvera.

— D'autant plus étrange, mais enfin passons sur ce que vient faire le prêtre là-dedans – il monte alors au Ciel ? C'est bien ce que vous croyez ?

Cara s'interposa :

— Quelqu'un m'a dit, ma nourrice je crois, quelqu'un en tout cas, que, si le prêtre arrivait avant que le corps fût froid, cela suffisait. C'est bien cela, n'est-ce pas ?

Les autres se retournèrent contre elle.

— Non, Cara, ce n'est pas cela.

— Mais non, bien sûr.

— Erreur totale, Cara.

— Pourtant je me rappelle qu'à la mort d'Alphonse de Grenet Mme de Grenet fit venir un prêtre qu'elle dissimula derrière la porte – son mari ne pouvait pas voir les curés – et le fit entrer *avant que le corps fût refroidi* ; je le tiens d'elle en personne, et il y eut un grand requiem en son honneur ; j'y suis même allée.

— Le fait qu'on dise un requiem ne signifie pas forcément que le défunt va en paradis.

— C'était pourtant l'opinion de Mme de Grenet.

— Peut-être, elle se trompait.

— Vous autres, catholiques, avez-vous une idée exacte de l'utilité du prêtre ? repris-je. Que voulez-vous au juste ? Faire en sorte, simplement, que votre père soit enterré chrétiennement ? Le sauver de l'enfer ? Je ne demande qu'à être éclairé.

Brideshead prit la peine de m'expliquer la chose en longueur ; quand il eut fini, Cara compromit légèrement l'unité du front catholique en s'étonnant le plus naïvement du monde :

— C'est la première fois que j'entends dire cela.

— En langage clair, continué-je, ce qu'on attend du mourant, c'est un acte de volonté, qu'il fasse acte de contrition et se réconcilie avec la foi ; est-ce exact ? Mais seul Dieu peut savoir s'il a réellement fait acte de volonté ; le prêtre ne peut jurer de rien ; et, s'il n'y a pas de prêtre présent et qu'il fasse seul son acte de volonté, cela revient au même que si le prêtre était présent. Qui plus est, il est très possible que la volonté soit encore capable d'effort, alors même que le mourant est trop faible pour le signifier ; est-ce vrai ? On peut parfaitement croire qu'il est mort ou ne vaut guère mieux, et lui peut fort bien ne pas cesser un instant de vouloir ni d'expier, comme Dieu, de son côté, de le comprendre ; ai-je raison ?

— Plus ou moins, dit Brideshead.

— Alors, pour l'amour du ciel, dis-je, à quoi sert le prêtre ?

Il y eut un silence, durant lequel Julia poussa un soupir, Brideshead reprit haleine comme s'il allait se lancer dans une analyse plus approfondie des propositions. Dans le silence, Cara dit :

— Tout ce que je sais, c'est que *moi*, je prendrai grand soin de faire venir un prêtre.

— Dieu vous bénisse, dit Cordélia, je crois que vous avez trouvé la seule réponse à faire.

Et nous laissâmes tomber la discussion, chacun pour une raison différente, estimant qu'elle n'avait pas été très concluante.

Plus tard, Julia me dit :

— J'aimerais tant ne pas vous voir vous lancer dans ces querelles religieuses.

— Ce n'est pas moi qui ai commencé.

— Vous n'arrivez à convaincre personne, même pas vraiment vous-même.

— Mon seul désir est de savoir exactement ce que croient ces gens. Ils prétendent tous que leur croyance a la logique pour fondement.

— Si vous aviez permis à Bridey d'aller jusqu'au bout, il en aurait fait une chose extrêmement logique.

— Vous étiez là quatre, rétorquai-je. Cara ignorait totalement de quoi il retournait, et peut aussi bien y croire que ne pas y croire ; vous y connaissez quelque chose, mais n'en croyez pas un traître mot ; Cordélia en savait à peu près autant que vous, mais y croyait comme une fanatique ; il n'y avait que le pauvre Bridey qui s'y connaissait et y croyait et, à mon sens, il a fait une assez piètre démonstration quand il lui a fallu se résoudre à fournir une explication. Après quoi, les gens vont se baladant et racontant : « Du moins les catholiques savent-ils exactement en quoi ils croient. » L'opinion catholique nous a offert d'elle, ce soir, un bel échantillon de coupe transversale.

— Oh, Charles, je vous en prie, cessez d'extravaguer, je vais finir par croire que le doute commence à vous travailler, vous aussi.

Les semaines passaient, et Lord Marchmain vivait toujours. En juin, mon divorce fut consommé et mon ex-femme se remaria. Julia devait être libre en septembre. Plus notre mariage approchait, plus Julia, je le remarquais, témoignait d'une anxiété croissante à cet égard ; la guerre approchait de plus en plus, elle aussi – aucun de nous deux n'avait d'illusion à ce propos – mais l'impatience de Julia, pleine à la fois de tendresse et de réserve, en même temps que, me semblait-il parfois, de désespoir, ne venait d'aucune incertitude qui lui fût extérieure ; il lui arrivait aussi de s'assombrir ; cette dernière humeur prenait la forme de brefs accès de haine, où elle avait l'air de se jeter contre les obstacles qui s'opposaient à son amour, comme une bête contre les barreaux de sa cage.

On me convoqua au ministère de la Guerre ; au sortir de mon entrevue, je figurais sur une liste de gens qui seraient appelés en cas d'extrême urgence ; Cordélia figurait elle aussi sur une autre liste ; les listes recommençaient à faire partie de notre vie à tous, comme autrefois de notre vie d'école et de collège – ces longues feuilles de papier qu'on épinglait sur des tableaux et qui annonçaient succès et échecs. Personne, dans ce bureau sombre, ne prononçait le mot de « guerre » ; c'était un mot tabou ; on nous appellerait en cas « d'extrême urgence » – non pas en cas de lutte, qui eût constitué un acte de volonté humaine ; rien d'aussi clair, d'aussi simple que la colère vengeresse ; extrême urgence ; quelque chose qui surgirait des eaux, comme un monstre au visage épouvantable, fouettant l'air de sa queue, et vomi par les abîmes.

Lord Marchmain ne prenait que peu d'intérêt à ce qui se passait en dehors de sa chambre. Chaque jour nous lui apportions les journaux en essayant de les lui lire ; mais il se bornait à tourner la tête sur les oreillers et à suivre des yeux les motifs compliqués de décoration qui le cernaient de tous côtés. « Dois-je continuer à lire ? — Je vous en prie, si cela ne vous ennuie pas. » Mais il n'écoutait pas ; de temps à autre, en entendant un nom familier, il murmurait d'une voix faible : « Irwin... je l'ai connu : un médiocre » ; de temps à autre un commentaire qui n'avait à voir que de loin avec le sujet : « Les Tchèques font d'excellents cochers ; tout ce qu'ils valent » ; mais son esprit était très éloigné des affaires de ce monde ; il ne quittait pas la chambre, tourné sur lui-même ; une seule guerre absorbait toutes ses forces : sa lutte solitaire contre la mort.

Je dis au docteur, qui venait nous voir tous les jours :

— Il a une extraordinaire volonté de vivre, vous ne trouvez pas ?

— C'est une façon de voir. Pour ma part, je dirais : une peur terrible de la mort.

— Quelle différence y a-t-il ?

— Très grande, mon Dieu. Il ne tire aucune force de cette peur, vous savez. Elle l'épuise.

Après la mort, et peut-être parce qu'elles lui ressemblent, ce qu'il redoutait le plus c'était l'obscurité et la solitude. Il aimait à nous voir dans sa chambre, et les lumières continuaient à brûler toute la nuit parmi les silhouettes et les figurines dorées ; il n'avait pas envie qu'on lui parlât beaucoup, mais lui-même parlait, à voix si basse qu'il nous était souvent impossible de l'entendre ; il parlait, je crois, parce que sa voix était la seule en laquelle il eût confiance ; du moins lui assurait-elle qu'il était encore en vie ; ce qu'il disait n'était pas à notre intention, n'était à l'intention d'autres oreilles que les siennes.

— Mieux aujourd'hui. Beaucoup mieux. Je peux voir maintenant, jusque dans le coin à côté de la cheminée, où il y a ce mandarin qui tient une clochette en or, avec un arbre en fleur tordu à ses pieds, alors qu'hier je n'arrivais pas à y voir et prenais la petite tour pour un second personnage. Bientôt, je pourrai voir le pont et les trois cigognes, et je saurai où mène le chemin qui grimpe la petite colline.

« Je serai mieux encore demain. On a la vie dure dans notre famille, et on se marie sur le tard. Qu'est-ce que soixante-treize ans ? Rien. Julia, la tante de mon père, a vécu jusqu'à quatre-vingt-huit ans ; née et morte ici ; ne s'est jamais mariée ; a vu s'allumer le feu de joie annonçant Trafalgar, sur la colline ; appelait toujours cette demeure "la nouvelle maison" ; c'était ainsi qu'on la nommait dans la nursery et dans les champs, au temps où les illettrés avaient la mémoire longue. On voit encore l'emplacement de la vieille maison près de l'église du village ; le champ s'appelle

toujours "la colline au château", le champ de Horlick
où le terrain est mal nivelé et à moitié en friche, trop
d'orties et de bruyères dans les creux pour qu'on
puisse labourer. On a creusé jusqu'aux fondations
pour trouver la pierre qui a servi à la nouvelle maison ; elle datait déjà d'un siècle, à la naissance de tante
Julia. C'est là que nous avons pris racine, dans ces
creux stériles de la colline au château, parmi la
bruyère et les orties ; parmi les tombes de la vieille
église et la chapelle où ne monte plus la voix des
chantres.

« Tante Julia a connu ces tombes, le chevalier aux
jambes croisées, le comte en pourpoint, le marquis
qui avait l'air d'un sénateur romain, pierre crayeuse,
albâtre et marbre d'Italie ; elle a tapoté les écussons,
de sa canne d'ébène, a fait résonner le casque accro-
ché au-dessus du vieux Sir Roger. Nous étions chevaliers alors, barons depuis Azincourt, et les plus grands
honneurs sont venus avec les George. Ce sont eux qui
sont venus les derniers, eux qui partiront les premiers ; la baronnie suit la descendance féminine ;
quand Brideshead sera enterré – il s'est marié sur le
tard –, le fils de Julia portera le nom que portaient ses
pères avant les jours de splendeur ; les jours où l'on
tondait les moutons et où s'étendaient les larges
champs de blé, les jours de croissance qui virent naître
les édifices, où l'on asséga les marais, et où la charrue
laboura les terres en friche, où l'on bâtit la maison, et

ce fut son fils qui ajouta le dôme, son fils qui ajouta et étendit les ailes et barra la rivière. Tante Julia a pu regarder construire la fontaine ; elle était déjà très ancienne quand on l'apporta ici, elle avait enduré deux siècles de soleil napolitain, avant d'être transportée sur un vaisseau de guerre, à l'époque de Nelson. Bientôt la fontaine sera tarie, et les pluies seules l'alimenteront, faisant flotter les feuilles mortes sur le bassin, tandis que sur les lacs s'étendront et se refermeront les roseaux. Je me sens mieux aujourd'hui.

« Beaucoup mieux. J'ai pris grand soin de ma vie, me suis tenu à l'abri de la bise, ai mangé modérément de ce qui était de saison, bu de fin bordeaux, dormi dans des draps qui n'étaient qu'à moi ; je vivrai vieux. J'avais cinquante ans quand ils nous ont démontés, pour nous envoyer en premières lignes ; les vieux resteront à l'arrière, disaient les ordres, mais Walter Venables, qui était mon colonel et mon plus proche voisin ici, m'a dit : "Vous valez bien les plus jeunes d'entre eux, Alex" et c'était vrai ; ce l'est encore – si seulement je pouvais respirer comme dans ce temps-là.

« Manque d'air ; pas un souffle sous ce baldaquin de velours ; personne n'a jamais ouvert depuis mille ans la porte du trésor d'Aladin, enfoui sous terre, au plus profond, où les djinns creusent et s'enfoncent comme des taupes, et où le vent ne lève pas le petit doigt. Quand viendra l'été, dit Lord Marchmain, oublieux des blés lourds et amples, des fruits qui gonflaient et des abeilles gorgées de pollen qui regagnaient lentement la ruche dans le pesant après-midi de soleil, hors de ses fenêtres, quand viendra l'été, je quitterai ce lit pour m'asseoir en plein air et je respirerai plus librement.

« Je serai mieux demain, quand le vent descendra la vallée et qu'on peut se retourner pour le recevoir et s'emplir d'air comme une bête à l'abreuvoir. Comment tous ces petits bonshommes dorés, qui sont des gentilshommes dans leur pays, sont-ils arrivés à vivre si longtemps sans air pour respirer ? Pareil à ces crapauds qui vivent parmi le charbon, au fond de la mine, sans se départir de leur paix. Pourquoi, Dieu, m'a-t-on creusé ce trou ? Faut-il donc que l'on soit condamné à périr étouffé dans sa cave ? Plender, Gaston, ouvrez-moi ces fenêtres !

— Les fenêtres sont grandes ouvertes, Milord.

— Je les connais bien. Je suis né dans cette maison. Elles ne s'ouvrent d'une cave que pour donner sur un tunnel. Il n'y a que la poudre qui puisse faire l'affaire ; percez la roche, bourrez le trou de poudre, placez la mèche, aplatissez-vous bien à l'abri derrière le tournant, au moment de l'allumage ; nous nous fraierons un chemin à coup de dynamite vers la lumière du jour.

On installa près du lit un cylindre d'oxygène, muni d'un long tube, d'un masque et d'un petit robinet d'arrêt qu'il pouvait manier lui-même. Il disait souvent :

— Ce réservoir est vide ; regardez, nurse, rien n'en sort plus.

— Mais non, Lord Marchmain, il est plein, je vous assure ; les bulles dans l'ampoule le prouvent ; il est au maximum de pression ; écoutez, vous ne l'entendez pas siffler ? Essayez de respirer lentement, Lord Marchmain ; très doucement ; vous sentirez alors comme cela vous fait du bien.

— Libre comme l'air ; c'est ce qu'ils disent, « libre comme l'air ». J'ai été libre jadis. J'ai commis un crime au nom de la liberté. Et maintenant, voici que l'air dont j'ai besoin, on me l'apporte dans une bouteille en fer.

Une fois il dit :

— Cordélia, qu'est-il advenu de la chapelle ?

— On l'a fermée, papa, à la mort de maman.

— C'était son bien, je lui en avais fait don. Nous avons toujours été des bâtisseurs dans notre famille. Je l'avais fait construire pour elle ; à la place du pavillon qui se tenait là, que j'ai fait abattre ; rebâtie en se servant des vieilles pierres ; ç'a été la dernière venue des constructions neuves, la première à partir. Il y avait toujours un chapelain avant la guerre. Te le rappelles-tu ?

— J'étais trop jeune.

— Et puis je suis parti – l'ai laissée, qui priait dans la chapelle. C'était son bien. Le lieu qui lui convenait. Je ne suis jamais revenu troubler ses prières. Ils disaient tous que nous luttions pour la liberté ; j'ai eu ma victoire personnelle. Était-ce un crime ?

— Oui, papa, je le crois.

— Un crime qui crie vengeance au Ciel ? Est-ce pour cela qu'on m'a enfermé dans cette cave, croyez-vous, avec un tube noir pour m'apporter de l'air et ces petits bonshommes jaunes rangés le long des murs, qui n'ont pas besoin de respirer pour vivre ? Est-ce là ce que vous croyez, enfant ? Mais le vent ne saurait plus tarder, demain peut-être, et nous recommencerons à respirer. Le vent mauvais, dont l'haleine me fera tant de bien. Me sentirai mieux demain...

Jusqu'à la mi-juillet, Lord Marchmain demeura dans cet état proche de la mort, s'épuisant peu à peu dans sa lutte pour la vie. Puis, comme il n'y avait nulle raison de s'attendre à un changement immédiat, Cordélia se rendit à Londres, pour voir ce que comptaient faire les femmes de son organisation, en prévision de l'imminence du « cas d'extrême urgence ». Ce jour-là, l'état de Lord Marchmain s'aggrava subitement. Il était étendu, silencieux et immobile, à part ses efforts laborieux pour respirer ; seuls, ses yeux ouverts, qui parfois erraient à travers la pièce, indiquaient qu'il n'avait pas perdu connaissance.

— Est-ce la fin ? demanda Julia.

— Il est impossible de le dire, répondit le médecin ; c'est ainsi probablement que se présentera la mort, quand elle viendra. Il se peut qu'il se remette de cette attaque. Il importe essentiellement de ne pas le déranger. La moindre émotion serait fatale.

— Je vais chercher le père Mackay, dit-elle.

Sa décision ne me surprit pas. Je l'avais lue dans son esprit durant tout l'été. Quand elle fut partie, je dis au docteur :

— Il faut empêcher cette bêtise.

Il me répondit :

— Je m'occupe du corps. Il ne m'appartient pas de débattre si les gens se trouvent mieux de la vie ou de la mort, non plus que de ce qui se passe après qu'ils sont décédés. Je m'efforce seulement de les maintenir en vie.

— Et vous venez de dire à l'instant même que la moindre émotion le tuerait ? Est-il rien de pire pour quelqu'un qui a peur de la mort, comme lui, que de lui amener un prêtre – un prêtre qu'il a mis à la porte quand il en avait encore la force ?

— Il est possible qu'il en meure.

— Ce qui signifie que vous vous opposerez ?

— Je n'ai nulle autorité pour le faire.

— Cara, qu'en pensez-vous ?

— Je n'ai pas envie de le rendre malheureux. C'est tout ce qu'il nous est permis d'espérer maintenant : qu'il meure sans s'en apercevoir. Mais je préférerais quand même que le prêtre soit présent.

— Consentez-vous à faire l'impossible pour persua-
der Julia de ne pas le conduire à son chevet – avant la
fin ? Après cela, il ne pourra faire aucun mal.

— Je la prierai de laisser Alex en paix, oui.

Au bout d'une demi-heure Julia revint avec le Père
Mackay. Nous nous réunîmes tous dans la bibliothèque.

— J'ai envoyé un télégramme à Bridey et à Cordélia,
dis-je. J'espère que vous êtes d'accord pour attendre
leur arrivée avant de rien faire.

— Je voudrais bien qu'ils fussent ici.

— Vous ne pouvez prendre seule cette responsabilité, dis-je ; tout le monde s'y oppose. Docteur,
voulez-vous lui répéter ce que vous venez de me dire à
l'instant.

— J'ai dit que l'émotion que susciterait la vue d'un
prêtre pourrait fort bien le tuer ; sinon, il se peut qu'il
survive à cette crise. En tant que médecin chargé de
son corps, mon devoir est de protester contre tout ce
qui peut être susceptible de le bouleverser.

— Cara ?

— Ma chère Julia, je sais que vos intentions sont
excellentes, mais vous savez de votre côté qu'Alex
n'était pas un homme de religion. Il a toujours raillé les
prêtres. Nous n'avons pas le droit de profiter de sa faiblesse pour consoler et apaiser notre propre conscience.
Si le père Mackay entre à son chevet lorsqu'il aura

perdu connaissance, on pourra l'enterrer comme il convient, n'est-il pas vrai, mon père ?

— Je vais aller voir comment il est, dit le docteur en nous laissant.

— Mon père, dis-je, vous vous rappelez comment Lord Marchmain vous a reçu, la dernière fois que vous êtes venu. Estimez-vous possible qu'il en soit autrement aujourd'hui ?

— Dieu merci, c'est chose possible par la grâce du Seigneur.

— Peut-être, reprit Cara, pourriez-vous vous glisser dans la chambre pendant qu'il repose et prononcer sur lui l'absolution, sans qu'il s'en aperçoive.

— J'ai vu mourir beaucoup d'hommes et de femmes, dit le prêtre ; je n'en ai jamais connu qui se soient repentis de m'avoir eu près d'eux dans leurs derniers instants.

— Mais c'étaient des catholiques ; et Lord Marchmain ne l'a jamais été que de nom – en tout cas depuis des années. Il raillait les prêtres, a dit Cara.

— Christ est venu pour appeler au repentir non pas les justes, mais les pécheurs.

Le docteur revenait.

— Sans changement, dit-il.

— Voyons, docteur, dites-moi, reprit le prêtre, comment pourrais-je susciter une émotion mortelle chez un mourant ? (Il tourna vers le médecin, puis vers nous autres, son visage aimable, innocent et simple.)

Savez-vous exactement ce que je viens faire ici ? Ce n'est rien du tout, rien de spectaculaire. Je n'ai pas à revêtir de vêtements spéciaux, vous savez. J'entre tel que vous me voyez. Il sait de quoi j'ai l'air maintenant. Il n'y a rien d'alarmant là-dedans. Je viens tout juste lui demander s'il regrette ses péchés. Tout ce que j'attends de lui, c'est un petit signe d'assentiment ; qu'il ne me repousse pas en tout cas ; après quoi, je lui dispenserai le pardon de Dieu. Ensuite, bien que ce ne soit pas essentiel, je lui administrerai les saintes huiles. Ce n'est rien, un doigt qui effleure, une goutte d'huile provenant de cette petite boîte, regardez : de l'huile la plus pure ; rien qui puisse lui faire du mal.

— Oh, Julia, demanda Cara, que dire ? Je vais aller lui parler.

Elle entra dans le salon chinois. Nous attendîmes en silence. Il y avait, entre Julia et moi, un mur de feu. Cara ne tarda pas à revenir.

— Je ne crois pas qu'il m'ait entendue, dit-elle. Je pensais que je saurais tourner la chose comme il fallait. Je lui ai dit : « Alex, vous rappelez-vous le prêtre de Melstead ? Vous vous êtes très mal conduit lorsqu'il est venu vous voir. Vous l'avez vivement offensé. Il est ici aujourd'hui. Je voudrais que vous le receviez, par égard pour moi seulement, pour que vous deveniez amis. » Il n'a pas répondu. S'il a perdu connaissance, de voir le prêtre ne saurait le troubler, qu'en pensez-vous, docteur ?

Julia, qui était demeurée immobile et silencieuse, s'anima soudain.

— Je vous remercie de vos bons conseils, docteur, dit-elle. Je prends l'entière responsabilité de tout ce qui peut arriver. Voulez-vous, je vous prie, père Mackay, venir voir mon père dans l'instant ; et, sans me regarder, lui montra le chemin.

Nous suivîmes tous. Lord Marchmain était étendu, dans la même position où je l'avais vu le matin même, à cette différence près que ses yeux maintenant étaient clos ; les mains gisaient, la paume vers le ciel, sur les draps ; l'infirmière tâtait du doigt le pouls, à l'un des poignets.

— Entrez, dit-elle vivement, vous ne le dérangez plus maintenant.

— Voulez-vous dire... ?

— Non, non, mais il a passé le stade de la connaissance.

Elle tenait le masque à oxygène devant le visage de l'agonisant, et le sifflement du gaz qui s'échappait était le seul bruit qui vînt du lit.

Le prêtre se pencha sur Lord Marchmain et lui donna sa bénédiction. Julia et Cara s'agenouillèrent auprès du lit. Le docteur, l'infirmière et moi, nous restâmes debout derrière elles.

— Et maintenant, dit le prêtre, je sais que vous vous repentez de tous les péchés de votre vie, n'est-il pas vrai ? Faites un signe si vous le pouvez. Vous vous repentez, n'est-ce pas ? (Pas un signe.) Essayez de vous rappeler vos péchés ; dites à Dieu que vous vous repentez. Je vais vous donner l'absolution. Et, pendant ce temps, dites à Dieu que vous vous repentez de l'avoir offensé. Il se mit à murmurer des paroles en latin. Je reconnus les mots *Ego te absolvo in nomine Patris...* et vis le prêtre faire le signe de la croix. Puis je m'agenouillai à mon tour et priai : « Ô Dieu, si tu existes, pardonne-lui ses péchés, s'il existe telle chose que le péché », et l'homme couché sur le lit ouvrit les yeux et poussa un soupir, le genre de soupir que j'avais toujours imaginé qu'on poussait au moment de la mort, mais ses yeux bougèrent en sorte que nous sûmes que la vie était encore en lui.

Je sentis brusquement naître en moi l'ardent désir de lui voir faire un signe, ne fût-ce que de courtoisie, ne fût-ce que par égard pour la femme que j'aimais et qui, agenouillée devant moi, priait, je le savais, dans l'espoir de ce signe. Cela avait l'air d'être si peu de chose, ce que nous lui demandions, la simple reconnaissance d'un présent, un léger hochement de tête au milieu de la foule. Dans le monde entier, au pied d'innombrables croix, des gens étaient agenouillés, cependant que, devant nos yeux, le drame était en train de se répéter, joué par deux hommes ou plutôt par un seul, qui était plus près de la mort que de la vie ; le drame universel qui ne compte jamais qu'un seul et unique acteur.

Le prêtre sortit de sa poche la petite boîte d'argent et se remit à prononcer des paroles en latin, effleurant le mourant d'un tampon d'ouate trempé dans l'huile ; il termina ce qu'il avait à faire, rangea la boîte et donna sa bénédiction finale. Brusquement, Lord Marchmain porta la main à son front. Je crus qu'il avait senti le chrême le frôler et qu'il allait s'essuyer du doigt. « Ô Dieu, priai-je, ne permettez pas qu'il fasse ce geste. » Mais j'avais bien tort de m'inquiéter. La main descendit lentement jusqu'à la poitrine, puis alla chercher l'épaule, et Lord Marchmain fit le signe de la croix. Alors je sus que le signe que j'avais demandé ardemment était plus qu'une petite chose, plus qu'un hochement de reconnaissance éphémère ; et une phrase me revint de mon enfance, une phrase sur le voile du Temple qui se déchira de haut en bas.

C'était fini. Nous nous relevâmes. L'infirmière revint à son cylindre d'oxygène. Le docteur se courba de nouveau sur son patient. Julia me chuchota : « Voulez-vous, je vous prie, reconduire le père Mackay ? Je reste ici encore un instant. »

Sorti de la chambre, le père Mackay redevint l'homme simple et cordial que j'avais connu auparavant. « Eh bien, eh bien, n'était-ce pas un beau spectacle ? J'ai vu la même chose se passer dans les mêmes conditions à maintes et maintes reprises. Le diable tient bon jusqu'à la dernière minute, et puis la grâce de Dieu finit par être plus forte que lui. Vous n'êtes pas catholique, monsieur Ryder, je crois bien ; du moins serez-vous content que ces dames aient eu ce réconfort. »

Pendant que nous attendions le chauffeur, il me vint à l'idée qu'il fallait payer le père Mackay pour ses services. Je lui posai gauchement la question. « Allons donc, n'y pensez pas, monsieur Ryder. Ç'a été un vrai plaisir pour moi, mais ce que vous aurez la bonté de me donner sera toujours d'un grand service, dans une paroisse comme celle-ci. » Je découvris que mon portefeuille contenait trois livres et les lui remis. « Comment donc, mais c'est plus que de la générosité ! Dieu vous bénisse, monsieur Ryder. Je reviendrai, mais je crains fort que la pauvre âme n'en n'ait plus pour longtemps à être de ce monde. »

Julia demeura dans le salon chinois jusqu'à cinq heures du soir, heure à laquelle son père mourut, mettant d'accord les deux parties qui se l'étaient disputé, le prêtre comme le docteur.

J'en arrive ainsi aux phrases sans suite qui furent les dernières paroles prononcées entre Julia et moi, et qui marquent la fin de mes souvenirs.

Quand son père eut expiré Julia resta encore quelques minutes près du corps ; l'infirmière entra dans la pièce à côté pour annoncer la nouvelle, et je pus apercevoir par la porte ouverte celle qui devait être ma femme, agenouillée au pied du lit, tandis que

Cara se tenait assise non loin d'elle. Bientôt les deux femmes sortirent ensemble, et Julia me dit : « Pas maintenant ; j'accompagne Cara jusqu'à sa chambre ; plus tard. »

Elle n'était pas encore redescendue quand Brideshead et Cordélia arrivèrent de Londres ; lorsque enfin nous nous retrouvâmes en tête à tête, ce fut en nous cachant, comme de jeunes amants.

Julia me dit :

— Dans l'ombre, là, au coin de l'escalier, une minute pour nous dire adieu.

— Une minute, c'est beaucoup pour un seul mot.

— Vous saviez ?

— Depuis ce matin ; depuis bien avant ce matin ; toute cette année.

— Moi je n'ai compris qu'aujourd'hui. Oh, mon cher, si seulement vous pouviez comprendre, vous aussi. Du moins pourrais-je supporter cette séparation, ou la supporter mieux. Je dirais que mon cœur se brise en ce moment, si je croyais que les cœurs puissent se briser. Je ne peux plus vous épouser, Charles ; je ne pourrai jamais plus vivre avec vous.

— Je le sais.

— Comment pouvez-vous le savoir ?

— Qu'allez-vous faire ?

— Continuer – seule. Comment saurais-je dire ce que je vais faire ? Vous me connaissez tout entière. Vous savez que je ne suis pas le genre de femme à porter un deuil toute ma vie. Le mal a toujours été en moi. Il continuera probablement à y être, pour ma punition renouvelée. Mais plus je lui céderai, plus j'aurai besoin de Dieu. Je ne peux me fermer entièrement à sa merci. Et c'est le sens que prendrait ma vie, si je la recommençais avec vous, sans Lui. Tout ce que l'on peut espérer, c'est de voir à un pas devant soi. Mais aujourd'hui j'ai vu qu'il était, entre tous, un acte impardonnable – le genre de chose que je faisais en classe, qui était si mal qu'il n'y avait pas de punition appropriée et que seule maman pouvait en décider – et cet acte mauvais entre tous, c'est lui que j'allais commettre : dresser en face de Dieu une forme rivale du Bien. Pourquoi me serait-il permis de comprendre ce genre de chose, et pas à vous, Charles ? Peut-être est-ce à cause de maman, de Nounou, de Cordélia, de Sebastian – peut-être à cause de Bridey et de Mme Muspratt – qui me citent toujours dans leurs prières ; ou peut-être est-ce à cause d'un marché privé conclu entre Dieu et moi : que si je renonce à cette seule chose dont j'ai tant envie, si mauvaise que je sois, Lui ne désespérera pas de moi en fin de compte.

« Nous allons être seuls tous deux, dorénavant, et je n'aurai pas le moyen de vous amener à comprendre.

— Je n'ai nulle envie de vous rendre plus facile la voie que vous avez choisie, dis-je ; je souhaite que votre cœur se brise ; mais, croyez-moi, je comprends.

L'avalanche était passée, laissant nue derrière elle la pente de la colline qu'elle avait balayée ; les derniers échos s'éteignaient, aux flancs des monts couverts de neige ; un monticule neuf, un tumulus étincelait, immobile, dans le silence de la vallée.

Retour à Brideshead

Épilogue

— Le plus sale trou où nous ayons échoué jusqu'ici, dit le colonel. Pas de facilité, pas d'aménités, et par-dessus le marché la brigade sur le dos. Un seul bistro à Flyte Sainte-Marie ne peut guère contenir plus d'une vingtaine de clients, ce qui, bien entendu, règle la question pour les officiers ; il y a une cantine dans l'enceinte du camp. J'espère organiser un service de transports une fois par semaine jusqu'à Melstead Carbury. Seize kilomètres de Marchmain, et le diable sait qu'on n'est pas plus avancé, une fois là. Le premier souci des commandants de compagnie sera donc d'organiser les loisirs de leurs hommes. À ce propos, major, je désire que vous jetiez un coup d'œil sur ces lacs, afin de vous rendre compte si l'on peut s'y baigner.

— Bien, mon colonel.

— La brigade compte sur nous pour assurer le nettoyage et l'entretien de la maison. J'aurais pensé qu'une équipe de ces foutriquets mal rasés que l'on voit se prélasser autour du Q G nous épargnerait cet ennui ; quoi qu'il en soit... Ryder, vous organiserez une corvée de cinquante hommes et vous vous présenterez à l'officier de logement, à 10 h 45 ; il vous montrera ce qui nous revient.

— Bien, mon colonel.

— Nos prédécesseurs n'ont pas l'air d'avoir été très entreprenants. La vallée offre de grandes possibilités : exercices d'assauts et tirs de mortier. L'officier chargé des cours de maniement d'armes reconnaîtra le terrain ce matin, et se débrouillera pour mettre quelque chose debout, avant l'arrivée de la brigade.

— Bien, mon colonel.

— Moi-même en compagnie de l'adjudant-major, je vais reconnaître les espaces utilisables pour l'entraînement. Quelqu'un d'entre vous connaîtrait-il par hasard ce secteur ?

Je ne bronchai pas.

— Dans ce cas, c'est tout. Et que ça saute.

— Splendide, cette baraque, dans son genre, me dit l'officier de logement ; ce serait dommage de trop la bousculer.

C'était un vieux lieutenant-colonel en retraite qui avait repris du service et qui demeurait à quelques miles de là. Nous fîmes connaissance dans l'espace libre qui précédait la porte d'entrée principale, où ma demi-compagnie, rangée, attendait les ordres.

— Entrez. J'aurai tôt fait de vous montrer la maison. C'est une espèce d'énorme garenne, mais nous n'avons réquisitionné que le rez-de-chaussée et une demi-douzaine de chambres. Tout le reste des étages demeure propriété privée, archicomble de meubles en majeure partie. Jamais je n'ai rien vu de pareil ; il y a là des choses qui n'ont pas de prix.

« Il y a un gardien et un couple de vieux domestiques qui demeurent tout en haut – ils ne vous causeront pas d'ennuis – plus un Padre catholique, sonné par un bombardement, que Lady Julia a recueilli, vieil oiseau un peu remuant mais de bonne composition. Il a rouvert la chapelle ; la troupe peut en profiter ; surprenant de voir combien y vont d'ailleurs.

« L'endroit appartient à Lady Julia Flyte, comme elle s'appelle maintenant. C'était la femme de Mottram, le ministre de Dieu sait quoi. Elle est à l'étranger ; elle a pris du service dans un corps féminin quelconque, et je fais de mon mieux pour veiller un peu sur la propriété. Drôle, de penser que le vieux marquis lui ait tout laissé, à elle ; pas très chic pour les héritiers mâles.

« Tenez... c'est ici que vos prédécesseurs avaient installé les bureaux ; la place ne manque pas en tout cas. J'ai fait recouvrir de planches les murs et la cheminée comme vous voyez, précieux travail ancien, en dessous. Hé là ! On dirait qu'une brute est passée par ici ; drôles de bougres, les soldats ; esprits destructifs. Une chance que nous ayons vu ça, sinon on vous l'aurait mis sur le dos.

« Ici, vous avez une autre pièce de bonne taille ; pleine de tapisseries autrefois. Je vous conseille de vous en servir pour les conférences.

— Je ne suis ici que pour le nettoyage, mon Colonel. Quelqu'un de la brigade distribuera les pièces.

— Oh alors, vous n'aurez pas grand mal. Très chics, vos prédécesseurs. Tout de même ils auraient dû s'arranger pour ne pas détériorer la cheminée. Comment diable s'y sont-ils pris ? ça a pourtant l'air solide. Croyez-vous qu'on puisse le réparer ?

« Je pense que le général fera de cette pièce son bureau ; c'est ce qu'avait fait le dernier. Il y a là un tas de peintures qu'on ne peut enlever, faites à même le mur. Comme vous voyez je les ai protégées du mieux que j'ai pu ; mais les soldats trouvent le moyen de fourrer le nez partout, exemple, dans ce coin, le général qui vous a précédés. Il y avait encore une pièce avec des peintures, dehors, sous la colonnade, moderne celle-là, mais, si vous voulez mon avis, la plus jolie de l'endroit ; c'était le bureau des transmissions et ils l'ont absolument massacrée ; assez moche, quand on y pense.

« Cette horreur-ci, c'était ce qui leur servait de mess ; c'est pourquoi je n'y ai rien recouvert ; non que ce serait tellement grave si l'on y faisait des dégâts ; me rappelle toujours ce genre de maisons spéciales, vous voyez ce que je veux dire, "pagodes"… et ceci servait d'antichambre au mess…

Il ne nous fallut pas longtemps pour faire le tour des pièces vides et pleines d'échos. Puis nous sortîmes sur la terrasse.

— Ça, ce sont les latrines et la buanderie des hommes ; pige pas ce qui a pu leur donner l'idée de choisir cet endroit-là plutôt qu'un autre pour faire cette installation ; le mal était consommé quand je suis arrivé. Toute cette partie était autrefois séparée du devant. C'est nous qui avons percé à travers les arbres ce chemin qui permet de rejoindre l'avenue principale ; pas très esthétique, mais très pratique ; gros trafic de voitures et de camions ; pas très bon pour la propriété non plus. Tenez, là-bas, un salopard maladroit est entré pile dans la haie de buis et a emporté tout un pan de la balustrade ; et avec un petit trois-tonnes, encore ; il aurait eu en main un tank Churchill qu'il n'aurait pas fait mieux.

« La propriétaire semble avoir un faible pour ce bassin ; les jeunes officiers avaient l'habitude d'y prendre leurs ébats, les soirs où ils recevaient, et il en avait pas mal souffert ; aussi, je l'ai entouré de barbelés et j'ai coupé l'eau. Bien sûr, le coup d'œil et la propreté y ont perdu ; les chauffeurs y jettent leurs mégots et leurs débris de sandwiches ; et on ne peut plus le nettoyer depuis que je l'ai entouré de fil de fer. Beau morceau de bravoure, trouvez-pas ?...

« Ma foi, je crois que c'est tout, et si ça vous suffit, vous voudrez bien m'excuser. Bien le bonjour !

Le chauffeur jeta son mégot dans le bassin à sec, salua et ouvrit la portière. Je saluai et le lieutenant-colonel s'éloigna par la blessure béante et fraîche, encore ouverte dans les tilleuls, du chemin empierré.

— Hooper, dis-je après avoir mis mes hommes à l'œuvre, croyez-vous que je puisse en toute sécurité vous laisser le commandement de la corvée pendant une demi-heure ?

— J'étais précisément en train de me demander où nous pourrions dégoter un peu de thé.

— Pour l'amour du ciel, dis-je, ils viennent de se mettre au travail.

— Ils en ont drôlement marre.

— Pas d'interruption dans le travail.

— D'acco-dac.

Je ne m'attardai pas dans les pièces dévastées du rez-de-chaussée, mais montai dans les étages et me mis à errer de couloir en couloir familiers, essayant d'ouvrir des portes qui étaient fermées à clef, en ouvrant d'autres qui révélaient des pièces bourrées de meubles jusqu'au plafond. À la fin du compte, je rencontrai une vieille servante qui portait une tasse de thé.

— Parole, s'écria-t-elle, est-ce que ce n'est pas M. Ryder ?

— Lui-même. J'étais en train de me demander si j'arriverais à trouver une personne de connaissance.

— Mme Hawkins occupe toujours sa vieille chambre. Je lui montais justement sa tasse de thé.

— Donnez, je la lui monterai, et franchissant les contre-portes j'escaladai les marches sans tapis, en direction de la nursery.

Nounou Hawkins ne me reconnut qu'après que j'eus ouvert la bouche, et mon arrivée la plongea dans un assez grand trouble. Ce ne fut qu'après que je fus resté un bon moment assis près de la cheminée, qu'elle finit par retrouver son ancien calme. Elle, qui avait si peu changé durant toutes les années où je l'avais connue, ployait maintenant sous le poids du grand âge. Les changements de ces dernières années étaient survenus bien trop tard dans sa vie pour qu'elle les acceptât et les comprît ; sa vue baissait, me dit-elle ; elle ne pouvait plus voir que les travaux d'aiguilles les plus grossiers. Son discours, jadis affiné par des années de noble et aimable commerce, avait retrouvé maintenant les doux accents paysans de ses origines.

— ... Plus personne que moi, ici, et les deux filles et ce pauvre père Membling qui a été bombardé, laissé sans toit, sans un bout de meuble, jusqu'à ce que Julia l'ait pris chez elle, avec ce bon cœur qu'elle a, et lui qui a les nerfs dans un de ces états, à faire peur... Et Lady Brideshead aussi, que je devrais en droit l'appeler Milady maintenant, seulement ça ne vient pas naturellement, qu'il lui est arrivé le même malheur. Tout d'abord, quand Julia et Cordélia sont parties pour la guerre, elle est venue s'installer ici avec ses deux garçons, et puis les militaires sont arrivés, alors ils sont repartis pour Londres, et ils n'étaient pas rentrés chez eux depuis un mois, et Bridey qui était parti avec sa Yeomanry comme ce pauvre Milord autrefois, quand leur maison a sauté sous les bombes elle aussi, et plus rien n'est resté, tous les meubles qu'elle avait amenés ici autrefois et rangés dans le hangar. Elle avait bien une autre maison en dehors de Londres, mais voilà-t-il pas que les militaires la lui ont prise aussi, et elle, à présent, aux dernières nouvelles, elle est dans un hôtel au bord de la mer, ce qui n'est jamais comme chez soi, bien sûr. Tout ça n'a pas l'air bien juste.

« ... Avez-vous entendu M. Mottram hier soir ? Il lui en a dit des vertes au Hitler. J'ai dit à la petite Effie qui s'occupe de moi : "Si jamais Hitler l'a entendu et s'il comprend l'anglais, ce dont je doute, il a dû se sentir bien petit." Qui aurait dit que M. Mottram réussirait comme ça ? Et tant d'autres de ses amis avec lui, qui venaient souvent ici ? J'ai dit à M. Wilcox, qui vient me voir régulièrement par le car de Melstead, deux fois par mois, ce qui est très gentil de sa part et que j'apprécie, je lui ai dit : "Nous recevions ici des anges, sans le savoir", parce que M. Wilcox n'a jamais aimé les amis de M. Mottram, que je n'ai jamais vus mais dont j'entendais souvent parler par vous tous, et Julia non plus ne les aimait pas, ce qui n'empêche qu'ils ont bien réussi, dites un peu ?

Je lui demandai enfin :

— Avez-vous des nouvelles de Julia ?

— De Cordélia, oui, pas plus tard que la semaine dernière ; elles sont toujours ensemble comme depuis le jour qu'elles sont parties, et Julia avait mis « tendre souvenir » pour moi au bas de la page. Elles vont bien tous les deux, si elles n'ont pas pu dire où elles sont ; mais le père Membling a dit qu'à lire entre les lignes c'est la Palestine, qui est l'endroit où se trouvent Bridey et sa Yeomanry, ce qui fait qu'ils doivent être bien contents tous les trois. Cordélia disait qu'ils avaient grande envie de revenir à la maison après la guerre, ce qu'on leur rend bien ici, pour ce qui est d'avoir envie de les revoir, bien que savoir si je vivrai encore, ça c'est une autre histoire.

Je passai une demi-heure auprès d'elle, puis la quittai en promettant de revenir souvent. En arrivant dans le hall, je ne trouvai pas la moindre trace de travail fait, mais Hooper, qui avait l'air coupable.

— Ils devaient aller chercher de la paille pour la nuit. Je n'en savais rien jusqu'au moment où le sergent Block me l'a dit. J'ignore s'ils reviendront.

— Vous l'ignorez ? Quels ordres avez-vous donnés ?

— Ma foi, j'ai dit au sergent Block de les ramener s'il trouvait que ça en valait la peine ; je veux dire s'il restait assez de temps avant la soupe.

Il était près de midi.

— Vous vous êtes fait posséder une fois de plus, Hooper. Cette paille pouvait être retirée n'importe quand, avant six heures ce soir.

— Oh, bon Dieu navré, Ryder. Le sergent Block...

— C'est ma faute. Je n'avais qu'à ne pas m'éloigner... Faites former les rangs à la même corvée immédiatement après la soupe ; ramenez-les ici et gardez-les jusqu'à ce que le travail soit fini

— D'acco-d'ac. Dites donc, vous m'aviez bien dit que vous connaissiez déjà cet endroit ?

— Oui, parfaitement. Il appartient à des amis à moi. – Et en prononçant ces mots, je les entendis résonner bizarrement à mes oreilles, comme l'avait fait la voix de Sebastian le jour où, au lieu de me dire : « C'est ma maison », il m'avait dit : « C'est là que demeure ma famille. »

— Ça n'a pas de sens, une seule famille pour une baraque de cette taille. À quoi ça sert-il ?

— Ma foi, la brigade a l'air de lui trouver son utilité.

— Oui ; ce n'est pas pour ça qu'on a construit ce bâtiment, dites ?

— C'est juste, dis-je, ce n'est pas pour cela qu'on l'avait construit. Peut-être est-ce une des joies que l'on prend à bâtir, comme à avoir un fils ; se demander à quoi cela ressemblera quand cela sera grand. Je ne sais ; je n'ai jamais rien bâti et j'ai forfait au droit que j'avais de regarder grandir mon fils. Je n'ai pas de foyer, pas d'enfant, je suis un homme mûr, sans amour, Hooper. (Il me jeta un coup d'œil pour voir si j'essayais d'être drôle, décida que oui, et se mit à rire.) Dépêchez-vous de regagner le cantonnement ; ne vous montrez pas au colonel s'il est rentré de son expédition de reconnaissance, et ne dites à personne que nous n'avons rien fait de sensé de notre matinée.

— O K , Ryder.

Il restait une partie de la maison que je n'avais pas visitée, et ce fut là que j'allai. La chapelle n'avouait aucun ravage après avoir été si longtemps négligée ; les peintures art-nouveau étaient aussi fraîches et éclatantes que jamais ; la lampe art nouveau brûlait une fois de plus devant l'autel. Je dis une prière – façon de s'exprimer séculaire, mais acquisition toute fraîche pour moi – et sortis pour revenir au camp. Et tandis que je rentrais ainsi et que le clairon des cuisines appelait au loin à la soupe je me disais :

« Ceux qui ont bâti cela ignoraient le genre d'usages où devrait descendre leur œuvre ; ils avaient fait une maison neuve des pierres du vieux château ; année après année, génération après génération, ils l'ont enrichie, étendue ; année après année la haute moisson des fûts d'où naîtraient les charpentes mûrissait dans le parc ; jusqu'au jour où, comme une gelée précoce, est venu l'âge des Hooper. Alors la solitude est descendue sur ces lieux et l'œuvre est tombée dans le néant ; *Quomodo sedet sola civitas*. Vanité des vanités, tout est vanité.

« Et pourtant, pensai-je, pressant le pas, car les clairons, après un silence, lançaient le second appel et sonnaient "C'est pas de la soupe, c'est du rata", et pourtant ce n'est là ni le dernier mot, ni même le mot juste ; mais un mot mort, il y a dix ans.

« Quelque chose qui n'a rien de commun avec l'idée première des bâtisseurs est né de leur œuvre, comme de cette cruelle et humble tragédie humaine où j'ai joué mon rôle ; quelque chose à quoi aucun de nous n'a pensé, à l'époque ; une petite flamme rouge, une lampe en cuivre battu, d'un dessin déplorable et que l'on a rallumée devant les portes en cuivre battu d'un tabernacle ; la flamme que les vieux chevaliers voyaient brûler de leurs tombes, et qu'ils virent s'éteindre ; cette flamme brille de nouveau, pour d'autres croisés, loin de leur foyer, plus loin, dans l'espace du cœur, que Saint-Jean-d'Acre ou que Jérusalem. Jamais elle ne se serait rallumée sans les bâtisseurs, non plus que sans les acteurs de cette tragédie, et voilà que je l'ai vue qui avait recommencé à brûler ce matin, parmi les vieilles pierres. »

J'accélérai encore le pas et arrivai devant la cagna qui servait d'antichambre à notre mess.

— Vous avez l'air rudement content aujourd'hui, me dit mon premier lieutenant.

Chagford, février-juin 1944.

Table

Souvenirs sacrés et profanes
du capitaine Charles Ryder

Livre premier
Et in Arcadia ego

Livre second
D'un retour de poignet

Retour à Brideshead

Pavillons Poche

John Collier
Le Mari de la guenon

Sir Arthur Conan Doyle
Sherlock Holmes : son dernier coup d'archet

William Corlett
Deux garçons bien sous tous rapports

Avery Corman
Kramer contre Kramer

Helen DeWitt
Le Dernier Samouraï

Joan Didion
Maria avec et sans rien
Un livre de raison
Démocratie

E. L. Doctorow
Ragtime

Roddy Doyle
La Femme qui se cognait dans les portes
The Commitments
The Snapper
The Van
Paula Spencer

Andre Dubus III
La Maison des sables et des brumes

Lawrence Durrell
Affaires urgentes

F. Scott Fitzgerald
Un diamant gros comme le Ritz

Zelda Fitzgerald
Accordez-moi cette valse

E. M. Forster
Avec vue sur l'Arno
Arctic Summer

Carlo Fruttero
Des femmes bien informées

Carlo Fruttero et Franco Lucentini
L'Amant sans domicile fixe

Graham Greene
Les Comédiens
La Saison des pluies
Le Capitaine et l'Ennemi
Rocher de Brighton
Dr Fischer de Genève
Tueur à gages
Monsignor Quichotte
Mr Lever court sa chance, nouvelles complètes 1
L'Homme qui vola la tour Eiffel, nouvelles complètes 2
Un Américain bien tranquille
La Fin d'une liaison

Kent Haruf
Colorado Blues
Le Chant des plaines
Les Gens de Holt County

Jerry Hopkins et Daniel Sugerman
Personne ne sortira d'ici vivant

Bohumil Hrabal
Une trop bruyante solitude
Moi qui ai servi le roi d'Angleterre
Rencontres et visites

Henry James
Voyage en France
La Coupe d'or

Erica Jong
Le Complexe d'Icare

Thomas Keneally
La Liste de Schindler

Janusz Korczak
Journal du ghetto

Jaan Kross
Le Fou du Tzar

D. H. Lawrence
Le Serpent à plumes

John Lennon
En flagrant délire

Siegfried Lenz
La Leçon d'allemand
Le Dernier Bateau
Une minute de silence
Le Bureau des objets trouvés

Ira Levin
Le Fils de Rosemary
Rosemary's Baby

Norman Mailer
Le Chant du bourreau
Bivouac sur la Lune
Les vrais durs ne dansent pas
Mémoires imaginaires de Marilyn
Morceaux de bravoure
Prisonnier du sexe

Dacia Maraini
La Vie silencieuse de Marianna Ucrìa

Guillermo Martínez
Mathématique du crime
La Mort lente de Luciana B
La Vérité sur Gustavo Roderer

Tomás Eloy Martínez
Santa Evita
Le Roman de Péron

Richard Mason
17 Kingsley Gardens

Somerset Maugham
Les Trois Grosses Dames d'Antibes
Madame la Colonelle
Mr Ashenden, agent secret
Les Quatre Hollandais

James A. Michener
La Source

Arthur Miller
Ils étaient tous mes fils
Les Sorcières de Salem
Mort d'un commis voyageur
Les Misfits
Focus
Enchanté de vous connaître
Une fille quelconque
Vu du pont *suivi de* Je me souviens de deux lundis

Pamela Moore
Chocolates for breakfast

Daniel Moyano
Le Livre des navires et bourrasques

Vítězslav Nezval
Valérie ou la Semaine des merveilles

Geoff Nicholson
Comment j'ai raté mes vacances

Joseph O'Connor
À l'irlandaise

Pa Kin
Le Jardin du repos

Katherine Anne Porter
L'Arbre de Judée

Mario Puzo
Le Parrain
La Famille Corleone (avec Ed Falco)

Mario Rigoni Stern
Les Saisons de Giacomo

Saki
Le Cheval impossible
L'Insupportable Bassington

J. D. Salinger
Dressez haut la poutre maîtresse, charpentiers,
suivi de Seymour, une introduction
Franny et Zooey
L'Attrape-cœurs
Nouvelles

Roberto Saviano
Le Contraire de la mort (bilingue)

Sam Shepard
Balades au paradis
À mi-chemin

Robert Silverberg
Les Monades urbaines

Johannes Mario Simmel
On n'a pas toujours du caviar

Alexandre Soljenitsyne
Le Premier Cercle
Zacharie l'Escarcelle
La Maison de Matriona
Une journée d'Ivan Denissovitch
Le Pavillon des cancéreux

Robert Louis Stevenson
L'Étrange cas du Dr Jekyll et de Mr Hyde

Quentin Tarantino
Inglourious Basterds

Edith Templeton
Gordon

James Thurber
La Vie secrète de Walter Mitty

John Kennedy Toole
La Bible de néon

John Updike
Jour de fête à l'hospice

Alice Walker
La Couleur pourpre

Evelyn Waugh
Retour à Brideshead
Grandeur et décadence
Le Cher Disparu
Scoop
Une poignée de cendres
Ces corps vils

Composition et mise en pages
Nord Compo à Villeneuve-d'Ascq

Imprimé en Espagne par
Liberdúplex
à Sant Llorenç d'Hortons (Barcelone)
en septembre 2020

Dépot légal : avril 2017
N° d'édition : 61145/02 – N° d'impression : 85897